Les parties Juridique, Fiscal, Social
ont été réalisées par la
rédaction des **Éditions Francis Lefebvre**

La partie Comptable
a été réalisée par les auteurs du Mémento Comptable,
Pierre DUFILS et Claude LOPATER,
associés de PRICEWATERHOUSECOOPERS

Les parties Stratégie, Organisation, Systèmes d'information, Migration
ont été réalisées
par le **Centre d'Expertise Euro de PricewaterhouseCoopers**
sous la direction de François LANQUETOT, associé, Responsable Europe, avec
le concours des activités Conseil en Management, Audit et Conseil aux PME

ÉDITIONS FRANCIS LEFEBVRE

42, rue de Villiers
92300 LEVALLOIS

ISBN 2-85.115.414-1
© Éditions Francis Lefebvre, 1999.

ÉDITIONS
FRANCIS LEFEBVRE

En collaboration avec

PRICEWATERHOUSECOOPERS

L'euro

Juridique, Comptable,
Fiscal, Social,
Stratégie,
Systèmes d'information,
Organisation, Migration

2e édition

À jour au 15 avril 1999

Avant-propos

L'euro est conçu comme une suite logique du marché unique qui offrira aux entreprises des opportunités nouvelles d'étendre leurs activités à l'ensemble de la zone euro sans risque de change.

Pour répondre à ce défi qu'est le passage à l'euro, les entreprises doivent disposer d'informations précises apportant des réponses pratiques à leurs préoccupations. Cet ouvrage s'adresse plus particulièrement aux entreprises industrielles et de services. Il tente de répondre aux questions techniques qu'elles se posent, mais leur fait également prendre en considération les aspects stratégiques importants, tels que l'accroissement de la concurrence ou les relations avec les salariés et les consommateurs.

Le passage à l'euro aura, en effet, une incidence sur la majorité des fonctions de l'entreprise : commercial, ressources humaines, comptabilité, financement, systèmes informatiques... C'est donc un véritable projet d'entreprise qui doit être mené à bien dans les délais impartis et qui doit permettre aux entreprises de revoir l'ensemble de leur organisation et d'en améliorer l'efficacité générale.

PLAN GÉNÉRAL DE L'OUVRAGE

PARTIE II   Stratégie, organisation, systèmes d'information, migration

PRINCIPALES ABRÉVIATIONS

BCE	Banque centrale européenne
BCF	Bulletin comptable et financier Francis Lefebvre
BEEI	Bulletin européen et international Francis Lefebvre
BEUC	Bureau européen des unions de consommateurs
BOCC	Bulletin officiel de la concurrence, de la consommation et de la répression des fraudes
CGI	Code général des impôts
CNC	Conseil national de la comptabilité
CNCC	Compagnie nationale ou Conseil national des commissaires aux comptes
ÉCOFIN	Conseil des ministres de l'Économie et des Finances
FCP	Fonds commun de placement
IME	Institut monétaire européen
JOCE	Journal officiel des Communautés européennes
JORF	Journal officiel de la République française
MC	Mémento comptable
OEC	Ordre des experts-comptables
OPCVM	Organisme collectif de placement en valeurs mobilières
PIB	Produit intérieur brut
RJF	Revue de jurisprudence fiscale Francis Lefebvre
RTGS	Real Time Gross settlement System
SEBC	Système européen de banques centrales
SME	Système monétaire européen
TARGET	Trans-european Automated Real-time Gross settlement Express Transfer
Tgi	Tribunal de grande instance
UE	Union européenne
UEM	Union économique et monétaire

Introduction générale

50. Depuis le 1er janvier 1999, l'euro est devenue la monnaie unique de onze des quinze États membres de l'Union européenne.

51. De nombreux *avantages* ont été mis en avant pour justifier cette étape d'intégration monétaire, parmi lesquels :
— l'élimination des coûts de transaction et de change intracommunautaires ;
— la stabilité des prix pour les exportateurs, qui ne seront plus exposés au risque de change (le commerce intracommunautaire représentera 90 % du total des échanges) ;
— une plus grande transparence des prix au sein de l'Union ;
— l'efficacité des méthodes de paiement et donc des opérations entre les pays participants.

> À titre d'exemple, les coûts de change s'élèvent couramment à 1 % de tout paiement et la garantie contre des fluctuations futures est d'un montant équivalent, et ce pour une très grande entreprise qui disposerait de conditions bancaires très favorables. L'économie sur les coûts de transaction est évaluée à 140 milliards de francs par an soit 0,4 % du PIB de l'Union européenne.

52. Néanmoins, le passage à l'euro va dans un premier temps se traduire par des *surcoûts* liés à la transition (comptabilité, paiements, déclarations réglementaires, impacts concurrentiels...). Il est essentiel que les entreprises identifient la nature de ces impacts et procèdent aux adaptations nécessaires suivant un calendrier spécifique.

> Il est d'autant plus primordial de planifier ces tâches que ce chantier entre en conflit de ressources avec cet autre grand chantier qu'est l'adaptation des systèmes informatiques pour *passer l'an 2000* : les programmes informatiques codaient les dates sur deux chiffres (98 pour 1998), donc l'année 2000 sera codée dans ces programmes 00 et de fait confondue avec l'année 1900. Cela amène des fonctionnements informatiques inattendus tels que des crédits considérés comme remboursés avant leur mise en place (échéance 2007, codée 07, donc comprise comme 1907) ou des cartes bancaires valides jusqu'en 2000 et que les terminaux de paiement refusent car ils les interprètent comme périmées depuis près d'un siècle. Le coût du chantier a été estimé à plus de 100 milliards de dollars dans le monde (Source : Gartner Group).

A. Calendrier du passage à l'euro

Grandes étapes

55. *Le 2 mai 1998*
— désignation des pays admis à participer à la phase III de l'Union économique et monétaire (pays dits « in ») ;
— annonce des parités cibles entre les monnaies des pays participants (parités qui sont devenues effectives le 1er janvier 1999) ;

— création de la Banque centrale européenne (BCE) qui remplace l'Institut monétaire européen (IME).

56. *Le 1ᵉʳ janvier 1999*

— fixation définitive des parités entre les monnaies nationales et l'euro : seule la nouvelle monnaie est cotée sur les marchés des changes et les anciennes monnaies sont des « expressions nationales de l'euro » avec un taux de conversion fixe par rapport à l'euro ;

— mise en place de la BCE et donc d'une politique monétaire unique en euros, pour l'ensemble des pays « in » ;

— utilisation possible de l'euro comme monnaie scripturale (tous les paiements autres qu'en pièces et billets).

57. *À partir du 1ᵉʳ janvier 2002*

— introduction de la monnaie fiduciaire euros (pièces et billets) et disparition progressive des anciennes monnaies nationales ;

— une période de transition de six mois au maximum est prévue entre l'introduction des pièces et des billets en euros et la disparition définitive des monnaies nationales ;

— le 1ᵉʳ juillet 2002 au plus tard, les pièces et les billets en monnaie nationale cesseront d'avoir cours légal.

Cependant, cette période sera probablement réduite à quelques semaines.

Une période transitoire de trois ans

60. Le 1ᵉʳ janvier 1999 marque donc le début d'une période transitoire de trois ans au cours de laquelle coexistent l'euro et les monnaies nationales des pays concernés. Ces monnaies nationales ne sont plus que des subdivisions non décimales de l'euro. La dénomination d'une somme d'argent en euros est strictement équivalente à la dénomination en monnaie nationale de la même somme d'argent.

Cependant, l'euro n'est pas une monnaie à part entière :

— il n'existe ni billets, ni pièces en euros, celui-ci étant purement une monnaie scripturale ;

— l'euro n'ayant pas cours légal et obligatoire, les opérateurs peuvent l'utiliser d'un commun accord dans leurs transactions privées mais un opérateur à lui seul ne peut imposer son utilisation.

61. Le principe du ni, ni *(ni interdiction, ni obligation)*, défini au plan européen, laisse entière liberté aux agents privés d'utiliser l'euro.

Ce principe qui paraît très simple pose en réalité quelques problèmes d'application dans la mesure où ce qui pourrait être perçu comme une liberté pour l'un serait une obligation pour l'autre. En pratique, les conflits devraient être limités dans la mesure où celui qui souhaite utiliser l'euro devrait supporter les éventuels coûts d'utilisation pour l'une ou l'autre des parties.

62. Les banques et les autres *organismes financiers* ont basculé à l'euro dès 1999, du moins en ce qui concerne les marchés de gros montants : marchés interbancaires, marchés monétaires, marchés financiers (actions et obligations). Sur les marchés des changes, les monnaies nationales participantes ne sont plus traitées. Seul l'euro est coté, acheté et vendu contre dollar, franc suisse, yen et autres devises.

63. Les *entreprises* et les *particuliers* ont la possibilité, depuis janvier 1999, d'effectuer des transactions en euros mais uniquement sous forme de monnaie scripturale (chèque, virement, opération par carte bancaire, avis de prélèvement, télépaiement, etc.). Les établissements bancaires réalisent les conversions franc-euro et euro-franc dans leurs systèmes internes. Ils se sont mis ainsi en mesure de répondre à la demande éventuelle de leurs clients.

Des *chéquiers* spécifiques « euro » sont proposés : ils sont différents des chéquiers « franc » pour éviter toute confusion et tout risque de fraude. En revanche, les *cartes bancaires* n'ont pas à être modifiées, seuls les terminaux de paiement ayant dû être adaptés.

B. Pays membres de la zone euro

65. La *liste* des pays participant à la zone euro est connue depuis le Conseil européen exceptionnel qui s'est tenu à Londres les 1er et 2 mai 1998. Sur la base des rapports de la Commission et de l'Institut monétaire européen, les chefs d'État et de gouvernement ont décidé que les pays suivants remplissaient les conditions d'adoption de la monnaie unique : Allemagne, Autriche, Belgique, Espagne, Finlande, France, Italie, Irlande, Luxembourg, Pays-Bas, Portugal.

> Les autorités britanniques et danoises ont annoncé qu'elles renonçaient, en vertu d'un protocole particulier, à une entrée dans l'Union monétaire à cette date. Par ailleurs, la Grèce et la Suède, qu ne respectent pas les critères de convergence, n'ont pas pu intégrer la zone euro au 1er janvier 1999.
>
> Les raisons expliquant le refus de la Suède, du Danemark et du Royaume-Uni sont plus d'ordre politique qu'économique, l'opinion publique de ces trois pays étant majoritairement opposée à la monnaie unique.
>
> Les quatre pays non sélectionnés au départ pourront rejoindre la zone euro dès que les conditions nécessaires seront réunies (les mêmes que pour les premiers entrants). Cette nouvelle sélection sera opérée par le Conseil réuni au niveau de chefs d'État ou de gouvernement tous les deux ans au moins ou à la demande d'un des États concernés.
>
> Cette sélection ouvrira une période de préparation et une période de transition, à l'instar des périodes pré 1999 et 1999-2001 que nous avons suivies. Cependant, rien ne détermine à l'heure actuelle la durée de ces périodes pour les nouveaux entrants. On peut néanmoins prévoir une période de transition significativement plus courte.

66. Le tableau de la page suivante donne la situation actuelle des États membres en matière de *convergence.* Ces critères sont les suivants :
— le *taux d'inflation* ne doit pas excéder de plus de 1,5 % le taux moyen des trois pays de l'Union ayant observé la meilleure stabilité de leurs prix ;
— les *taux de change* doivent avoir respecté les marges de fluctuation définies dans le cadre du SME et les monnaies ne doivent pas avoir été dévaluées au cours des deux années précédant l'adoption de la monnaie unique ;
— les *taux d'intérêt à long terme* ne doivent pas dépasser de plus de 2 % la moyenne des taux longs enregistrés dans les trois pays de l'Union ayant la plus faible inflation ;
— le *déficit public* doit être inférieur à 3 % du PIB ;
— la *dette publique* ne doit pas excéder 60 % du PIB.

Une **marge de manœuvre** a été accordée pour permettre l'entrée de certains pays ayant un taux d'endettement très supérieur à 60 %, rendant illusoire toute convergence avant 1999 (la dette publique ne peut se réduire au mieux que de quelques % par an). Il a donc été décidé que les pays ne respectant pas strictement les critères verraient leur performances analysées « en tendance ». Cette analyse en tendance a permis l'entrée dans l'euro tant de la Belgique que de l'Italie.

67. *Situation actuelle des États « pré-in » en matière de convergence*

	Inflation	Situation des finances publiques		Taux d'intérêt à long terme
	IHPC (a)	Déficit (% du PIB) (b)	Dette (% du PIB)	
Danemark	1,2	0,7	65,1	5,1
Grèce	3,7	− 4	108,7	8,8
Suède	0,0	− 0,8	76,6	5,1
UK	1,5	− 1,9	53,4	5,8

(a) Indices harmonisés des prix à la consommation (IHPC), 1998 m 12.
(b) Un signe négatif indique un excédent.
Source CECA-CE-CEEA, Bruxelles, Luxembourg 1999.

C. Conversion des monnaies

70. Le 1er janvier 1999 (en fait, le lundi 4), les **taux de conversion** des monnaies des pays participant à l'euro ont été irrévocablement fixés. Il n'existe donc plus de marché des changes pour ces monnaies qui ne sont plus cotées.

En fait, les **parités bilatérales** des monnaies de la zone euro ont été arrêtées dès le 1er mai 1998 par le Conseil européen. Ce sont les taux pivots du mécanisme de change européen (SME) qui ont été retenus pour cette conversion.

Cette préannonce des taux de conversion visait à **freiner la spéculation** sur les parités durant les huit mois qui séparaient l'annonce des pays « in » et le gel des parités.

71. Les **taux** effectivement **publiés par les banques centrales** ont été les suivants :

1 EUR = 6,55957 FRF

1 EUR = 40,3399 BEF (francs belges)

1 EUR = 5,94573 FIM (marks finlandais)

1 EUR = 1,95583 DEM (deutsche Mark)

1 EUR = 2,20371 NLG (florins néerlandais)

1 EUR = 13,7603 ATS (schillings autrichiens)

1 EUR = 166,386 ESP (pesetas espagnoles)

1 EUR = 200,482 PTE (escudos portugais)

1 EUR = 1936,27 ITL (lires italiennes)

1 EUR = 40,3399 LUF (francs luxembourgeois)

1 EUR = 0,787564 IEP (livre irlandaise)

Ces taux ont été choisis en continuité avec les taux de marchés des changes. En conséquence, ils ne se caractérisent pas par une commodité particulière d'emploi chaque fois que l'on veut passer d'une devise in à l'euro ou réciproquement. Quelques recettes existent néanmoins pour faire une **conversion « mentale »** du franc à l'euro :

— vous avez un prix en euros et vous voulez savoir combien cela ferait en francs : multipliez par 10, et retirez un tiers. Par exemple, pour un prix de 250 euros, cela fait 2500 auquel vous retirez un tiers (830), soit 1610 francs. Le calcul réel donne 1639,89 francs.

— vous avez un prix en francs et vous souhaitez connaître l'équivalent en euros : rajoutez la moitié et divisez par 10. Ainsi, pour 250 francs cela fait 375 (ajout de 125) que vous divisez par 10, soit 37,5 euros. Le calcul réel donne 38,11 euros.

Depuis le 4 janvier, le marché des changes et le marché monétaire, ainsi que les nouveaux titres de dettes émis par les États membres sont passés à l'euro. L'euro peut déjà être utilisé sous forme scripturale. Ainsi, ceux qui le souhaitent peuvent disposer de comptes bancaires et de chèques en euros auprès des banques qui offrent un tel service. On peut également réaliser des opérations en euros avec sa carte bancaire.

72. La phase transitoire de trois ans (1999-2001) est la plus critique. C'est donc cette période que nous détaillerons plus particulièrement dans cet ouvrage.

Auparavant, il importe de préciser que la convergence des économies participant à l'Union monétaire est un préalable indispensable à l'Union monétaire.

D. Politique économique et monétaire

Politique monétaire

75. La politique monétaire européenne est prise en charge depuis le 1er janvier 1999 par le Système européen de banques centrales (SEBC), piloté en toute indépendance par la Banque centrale européenne (BCE). Depuis cette date, les décisions en matière de taux d'intérêt directeurs sont prises par la Banque centrale. L'objectif principal du SEBC est clairement défini par le traité de Maastricht : la stabilité des prix.

> Dans le système de **change** flottant actuel, ce sont les marchés qui fixent le niveau des parités entre les monnaies. Toutefois, les orientations générales de la politique de change sont déterminées par les ministres réunis au sein du Conseil, après recommandation de la Commission européenne ou de la Banque centrale européenne. La politique de change reste donc, comme c'était le cas auparavant, de la compétence des gouvernements.

Politique économique

76. La plupart des fonctions de politique économique restent du domaine réservé des États membres, même si, d'après le traité de Rome (article 103) :

« les États membres considèrent leurs politiques économiques comme une question d'intérêt commun et les coordonnent au sein du Conseil ».

77. Dans cet esprit, le traité a prévu un certain nombre de dispositions. En premier lieu, les États membres s'efforcent de faire converger leurs économies en respectant certains « *critères de convergence* » (voir n°s 66 et 67).

En deuxième lieu, depuis le 1er janvier 1994, le Conseil des ministres de l'économie et des finances (Écofin) adopte chaque année des **grandes orientations** de politique économique, les États membres devant présenter de leur côté des « programmes pluriannuels de convergence ».

Enfin, dans le cadre d'une « *surveillance multilatérale* » entre les États membres, le Conseil et la Commission surveillent la performance économique des États membres et la coordination de leurs politiques économiques.

La France et l'Allemagne avaient proposé la création d'un Conseil informel de l'euro (« Euro X » — selon le nombre de participants) qui aurait été chargé de coordonner régulièrement les politiques des pays de la zone euro. Le Conseil européen de Luxembourg des 12 et 13 décembre 1997 n'a pas véritablement adopté cette idée. Il a rappelé que le *Conseil Écofin* est la *seule instance habilitée* à formuler et à adopter les grandes orientations des politiques économiques.

En revanche, les ministres des États participant à la zone euro pourront se réunir entre eux de manière informelle pour discuter de questions liées aux responsabilités spécifiques qu'ils partagent en matière de monnaie unique. Mais chaque fois que des questions d'intérêt commun seront concernées, elles seront discutées par les ministres de tous les États membres.

E. Mécanismes de stabilité

80. La pérennité de l'union monétaire est une notion essentielle pour assurer le succès du passage à la monnaie unique. Or, le traité reste muet sur les **situations de conflit** entre politique économique et politique monétaire et ne prévoit aucun mécanisme de sortie de l'union. Il est bien prévu que le Conseil européen puisse infliger des sanctions, mais leur examen révèle la difficulté politique de les appliquer, et, dans le cas où leur application serait décidée, leur efficacité toute relative en cas de mauvaise volonté avérée.

Pour résoudre ce genre de situation, les Quinze sont parvenus, au sommet d'Amsterdam de juin 1997, à un compromis. Deux résolutions ont été adoptées, l'une sur un pacte de stabilité et de croissance et l'autre sur la mise en place du « SME bis ».

Pacte de stabilité et de croissance

81. Le Pacte de stabilité et de croissance, qui a un double objectif, préventif et dissuasif, a été élaboré conformément aux procédures établies dans le traité CE (art. 104 C, notamment). Les États membres demeurent responsables de leur politique budgétaire nationale mais ils s'engagent à respecter leurs programmes de stabilité et de convergence et à corriger les **déficits publics excessifs** (la valeur de référence étant de 3 % du PIB).

Si un pays, mis en demeure par le Conseil de prendre des mesures correctrices, ne le fait pas dans un **délai** d'un an, il pourra se voir infliger des **sanctions** par le Conseil. Il devra effectuer un dépôt non porteur d'intérêts pouvant atteindre 0,5 % du PIB.

Certaines circonstances peuvent dispenser les pays de cette sanction :
— un événement exceptionnel échappant au contrôle des autorités ;
— une grave récession.

Si le déficit n'est pas corrigé après une période de deux ans, ce dépôt est transformé en amende.

L'objectif de ce pacte est à court terme d'éviter que des déficits excessifs dans un pays exercent une pression à la hausse des taux d'intérêt qui pénalise les pays voisins par propagation de cette hausse. À long terme, il s'agit de s'assurer que les finances publiques restent soutenables. Dernière conséquence, ce pacte devrait permettre une stabilité des prix et une plus grande stabilité des changes.

Le pacte est d'autant plus important qu'il n'y aura pas de véritable politique fédérale budgétaire. Il reste que l'on peut s'interroger sur le caractère politiquement applicable de sanctions de cette ampleur entre des pays unis dans le même ensemble européen.

SME bis

83. Un nouveau mécanisme de taux de change (SME bis) a été mis en place dès le 1er janvier 1999. Il lie à l'euro les monnaies des États de l'UE ne participant pas à la monnaie unique. Ce mécanisme a pour objectif de maintenir une stabilité durable des taux de change et des prix. Un **taux pivot** par rapport à l'euro est déterminé pour la monnaie de chacun des États ne participant pas à la zone euro mais participant au mécanisme de taux de change. Depuis le 1er janvier 1999, la **couronne danoise** et la **drachme grecque** sont admises dans le SME bis. La monnaie danoise a une marge de fluctuation plus étroite (± 2,25 %) que la monnaie grecque (± 15 %). Le Royaume-Uni et la Suède n'ont pas souhaité y participer, pour le moment.

> La participation au SME bis n'est pas obligatoire, mais elle est nécessaire pour rejoindre l'euro.

Par ailleurs, le Conseil de l'UE surveillera les taux de change de tous les États membres, y compris ceux qui ne participent pas au SME bis, dans le cadre de l'examen de leur programme de convergence (voir n° 77). Le Conseil peut notamment adopter et rendre publiques des **recommandations** lorsque la politique économique d'un État n'est pas conforme aux grandes orientations de la Communauté ou lorsqu'elle risque de compromettre le bon fonctionnement de l'Union économique et monétaire.

L'ensemble de ce dispositif devrait permettre de prévenir les dévaluations compétitives.

F. Fonctionnement de l'UEM

1. Nouveaux instruments de politique monétaire

Une nouvelle banque centrale : la BCE

88. Le SEBC (Système européen de banques centrales) est composé de la Banque centrale européenne (BCE) et des banques centrales nationales (BCN) des États membres de l'union monétaire. La BCE, dont le siège se trouve à Francfort, est un organisme *indépendant* fonctionnant sous un régime fédéral.

Le président, nommé pour huit ans, est le Néerlandais Wim Duisenberg.

Les *rôles* principaux du SEBC sont les suivants :
— poursuivre une politique monétaire commune pour l'ensemble des États membres ;
— gérer les réserves officielles de change ;
— assurer le fonctionnement des systèmes de paiement ;
— mettre en œuvre la politique de change définie par le conseil Écofin ;
— effectuer la gestion prudentielle du monde bancaire européen et de ses systèmes de paiements ;
— préparer l'éventuelle intégration de nouveaux pays au sein de la zone euro.

À côté du SEBC, deux organismes sont susceptibles d'influencer les décisions de la BCE via la représentation politique des Quinze :
— le Conseil européen qui regroupe les chefs d'État et de gouvernement ;
— le Conseil Écofin qui réunit les ministres de l'économie et des finances des pays membres.

89. En ce qui concerne la *gestion des changes*, le conseil Écofin a la responsabilité du régime de change (politique de change flottant versus de change fixe par rapport au dollar) tandis que la BCE a la responsabilité de la gestion courante. Il faut remarquer que personne n'est donc responsable du choix entre une politique d'euro fort ou faible.

90. La mise en œuvre de la politique monétaire se fait de façon décentralisée par les banques centrales nationales, sur instructions de la BCE. Les banques centrales nationales ont donc perdu de nombreuses prérogatives.

91. Par ailleurs, la Banque centrale européenne ne pouvant être créée avant la mise en place de l'euro, un organisme temporaire a été institué afin de préfigurer la BCE. Il s'agit de l'Institut monétaire européen (IME). La BCE a repris toutes les ressources (hommes, locaux, outils) de l'IME.

Nouveaux outils de politique monétaire à la disposition du SEBC

93. La conduite de la politique monétaire s'est très vite heurtée à une *culture très différente* des pays européens. En effet, l'histoire mouvementée de ces derniers siècles a généré des comportements différenciés selon les pays, suite à des périodes de très forte inflation (RFA), de difficultés économiques nécessitant une forte croissance (France, en 1945), qui se sont ajoutées aux cultures nationales (jacobinisme français, laissez-faire anglais...).

La définition d'instruments communs de politique monétaire s'est donc avérée être une tâche ardue, et pas seulement pour des raisons techniques. Cette sélection s'est néanmoins trouvée facilitée par la politique de la Banque de France d'alignement du franc sur le deutsche Mark, et donc la mise en place d'une gestion monétaire très proche de celle de l'Allemagne durant les cinq dernières années.

Nous détaillons dans ce qui suit les instruments utilisés en France et en Allemagne avant l'arrivée de l'euro pour illustrer ces points, sachant que ces deux pays ont fortement influé sur le choix d'outils de politique monétaire de la BCE.

Il faut noter que, dans tous les cas, la politique monétaire permet d'influer sur les taux d'intérêt à court terme. Les taux à long terme sont fixés par le marché sur la base d'anticipations sur la croissance ou l'inflation.

94. *Instruments utilisés par la Banque de France* — La politique monétaire française est traditionnellement basée sur un double critère d'inflation et de croissance de la masse monétaire. Cependant, les dernières années ont vu une prépondérance du *critère de la masse monétaire* en ligne avec la politique allemande.

Le référentiel monétaire utilisé de la Banque de France est l'agrégat de monnaie M3 (l'agrégat M3 est la somme de la masse monétaire fiduciaire, des dépôts à vue, des dépôts à terme de moins de 4 ans et des comptes d'épargne à moins de 3 mois). Cet agrégat a été pris au début des années 1990 en raison notamment de l'intégration dans cet agrégat des titres d'OPCVM court terme et dans le but de rapprocher sa politique de celle des autres pays européens. La banque influe sur cet agrégat tant par la fixation des taux que par la quantité de monnaie qu'elle fournit aux banques privées.

95. Les *interventions* de la Banque de France sur le marché interbancaire (prêts et emprunts) se faisaient principalement par le biais de deux éléments, qui sont :
— les prises en pension sur appel d'offres, qui étaient l'instrument essentiel de politique monétaire ;
— les prises en pension de 5 à 10 jours.

Ces deux types d'intervention étaient dits interventions « aux taux officiels ». Dans les deux cas, la Banque de France fournissait des liquidités aux banques privées, en échange de garanties (titres), mais suivant des modalités techniques différentes.

Les pensions sur appel d'offres fixaient un taux plancher alors que les prises en pension de 5 à 10 jours fixaient un taux plafond car le taux de ces dernières excédaient en général de 100 à 200 points de base celui des appels d'offres. Le marché interbancaire se structurait entre ces deux référentiels.

Jusque dans les années 70, les réserves obligatoires constituaient un instrument essentiel de la politique monétaire, qui a disparu en pratique dans le courant des années 80 (elles ont existé par la suite, mais ont atteint un niveau tellement faible qu'elles ont perdu tout rôle). Il en est de même pour les taux de réescompte qui n'ont plus été utilisés par la Banque de France.

96. *Instruments utilisés par la Bundesbank* — La Bundesbank utilisait également l'agrégat monétaire M3 mais son principal objectif de politique monétaire était le *contrôle de l'évolution de la masse monétaire*. L'inflation n'était pas un objectif direct, car elle n'était vue que comme une conséquence de la masse monétaire.

Les quatre principaux *instruments* de la Bundesbank étaient :
— le taux de réescompte

— le taux lombard;
— le taux « de repos »;
— la politique des réserves obligatoires.

Dans les trois premier cas, la Bundesbank fournissait des liquidités aux banques privées. Dans le dernier cas, elle les soustrayait via une obligation de dépôt non rémunéré auprès de la Bundesbank.

Le taux de réescompte et le taux lombard permettaient de définir des taux minimaux et maximaux, tandis que le taux de repos, qui représentait près des trois quarts des opérations, était l'élément décisif. C'était le système le plus proche de celui des appels d'offres français.

97. *Instruments dont dispose la BCE* — Deux options s'offrent à la BCE pour définir sa stratégie de politique monétaire. La première est de s'inspirer du modèle allemand et de prendre pour cible la masse monétaire ou de s'orienter vers une cible directe d'inflation suivant le modèle anglais.

Le scénario le plus vraisemblable est la fixation d'un objectif de prix et l'utilisation de l'agrégat monétaire pour contrôler cet objectif. Le modèle serait donc proche du système auparavant en vigueur en France et en Allemagne, complété par l'emploi des réserves obligatoires suivant le mode allemand.

Les instruments dont dispose le SEBC sont les suivants :
— les opérations d'open market (pilotage des taux d'intérêt à court terme et gestion de la liquidité);
— les facilités permanentes (prêt marginal et dépôt);
— les réserves obligatoires.

Les *opérations d'open market* qui sont des appels d'offres aux conditions du marché permettront de piloter les taux d'intérêt ainsi que de contrôler la liquidité du marché. Les principaux instruments de ces opérations sont les prises en pension et les prêts garantis. En pratique, ces instruments sont très proches du système d'appel d'offres français ou du « repos » allemand.

Les *facilités permanentes* serviront à fournir mais également à retirer de la liquidité à 24 h. Le taux d'intérêt de la facilité constitue un plafond pour le taux d'intérêt à 24 h. Les facilités permanentes encadrent donc les taux du marché au jour le jour et servent d'indicateur concernant l'orientation générale de la politique monétaire.

Les *réserves obligatoires* permettent de stabiliser les taux d'intérêt du marché monétaire en créant ou en renforçant un déficit de liquidités.

98. *Euro fort ou euro faible ?* — Un des enjeux majeurs de l'Union monétaire réside dans le *choix* d'un objectif d'euro faible ou fort.

Une politique d'*euro fort* vise à développer la confiance des marchés dans la monnaie via une politique rigoureuse et stable. Elle permet, une fois cette confiance obtenue, de mener une politique plus souple. Néanmoins, le développement de cette confiance peut imposer une politique trop rigoureuse pour la croissance économique dans un premier temps.

Une politique d'*euro faible* consiste à favoriser la croissance économique via une monnaie faible. Cela renchérit les importations et favorise les exportations. Néanmoins, un accroissement de l'inflation est à craindre assez vite, ce qui réduit cet avantage. Une telle politique, appelée dévaluation compétitive, a été récemment employée par l'Italie et l'Angleterre.

99. Derrière le choix ci-dessus se pose la question de l'adéquation de la politique économique à la culture nationale. Une tendance naturelle à l'augmentation des prix est incompatible avec une politique de monnaie forte.

Les critères de convergence se situent par nature dans la logique d'une *politique monétariste*, donc de monnaie forte. Ils sont donc en droite ligne avec la culture allemande de gestion de la monnaie. L'essentiel du débat entre pro et anti-euro se concentre donc sur cet aspect : il ne sera plus possible de mener une politique économique indépendante par la relance, sauf à convaincre la Banque centrale européenne d'agir dans ce sens, ce qui est improbable vu la continuité prévisible de la politique monétaire avec celle actuelle de la Bundesbank. Il existe néanmoins un risque de politique monétariste trop stricte, qui ne tiendrait plus compte des réalités économiques (chômage, croissance) dans l'Europe des Onze.

Un réseau relie les Banques centrales européennes

100. La livraison de la monnaie par les banques centrales et le remboursement à l'échéance se fait via le *système TARGET* (Trans-european Automated Real-time Gross settlement Express Transfer), c'est-à-dire le système européen de transfert express automatisé à règlement brut en temps réel. Ce système a été créé pour permettre la réalisation de la politique monétaire mais est aussi disponible pour les paiements transfrontaliers entre banques. Il permet de traiter les paiements transfrontaliers effectués en euros aussi efficacement que s'il s'agissait de paiements nationaux.

Le fonctionnement du système TARGET s'effectue grâce à l'interconnexion des RTGS (Real Time Gross settlement System) de chaque pays. Le système TARGET est utilisé depuis le 1er janvier 1999. Les flux financiers liés aux appels d'offres de la BCE passent via ce réseau TARGET.

2. Conséquences de la politique de change

Vers une croissance des marchés financiers européens

105. L'euro devrait favoriser l'essor des marchés financiers en raison de leur plus grande *liquidité* et de leur plus grande *profondeur* (on rappelle que la liquidité est la possibilité de trouver une contrepartie chaque fois que l'on souhaite acheter ou vendre des titres ; la profondeur est le fait que les cours n'évoluent pas même si l'on souhaite acheter ou vendre un grand nombre de titres).

Cette évolution des marchés européens est la conséquence du fait qu'il n'y a plus d'obligation de congruence des avoirs (obligation de placer ses avoirs dans les pays des déposants) au sein de l'Europe, et donc que tous les gestionnaires européens peuvent placer leurs fonds dans toute l'Europe.

Cependant, une telle évolution ne sera une réalité que lorsque l'*accès aux Bourses étrangères* en Europe se fera dans des conditions de coût et de commodité équivalentes à l'accès à la Bourse de son pays. Les *alliances* en cours de développement entre Bourses nordiques, entre la Bourse de Francfort et la Bourse de Londres, entre la Bourse de Paris et les Bourses des pays latins, sont autant d'éléments allant dans ce sens. Dans une large mesure, ces évolutions n'en sont qu'à leur début. Elles sont rendues d'autant plus complexes qu'elles associent une problématique technique (développer une plateforme commune de connexion à distance), juridique (droit comptable, rôle des organismes de contrôle, ...) et politique (quel pays envisage de voir disparaître sa Bourse ou son marché à terme sans rechigner ?).

106. L'objectif est d'attirer les *fonds communs de placement* américains ou asiatiques. Ces FCP placent aujourd'hui environ 7 % de leurs avoirs en Europe et au vu de l'importance économique de l'Europe ainsi que des contraintes de placement (les règles de congruence), il y a une opportunité pour passer de 7 à 15 %. Cet accroissement porterait sur des dizaines voire des centaines de milliards de dollars.

L'apport de telles masses monétaires impliquerait naturellement deux phénomènes liés : une baisse des taux d'intérêt (plus d'offre pour une même demande), et une hausse du cours de l'euro par rapport aux devises étrangères. Des études ont permis de montrer que dans l'hypothèse d'une politique monétaire inchangée par rapport à la moyenne actuelle des politiques européennes, l'euro monterait de 2 % par an par rapport au dollar.

Ce phénomène serait renforcé par l'attitude des banques centrales non euro. Aujourd'hui, la décomposition type de leurs avoirs est de 80 % en dollars et 20 % en autres devises. Avec l'euro, il est sérieusement envisagé qu'elle évolue vers 40 % des avoirs en dollars, 40 % en euros et 20 % en autres devises.

À l'inverse, les crises en Asie ou Amérique Latine tendent à faire du dollar une valeur refuge. De plus, la forte croissance américaine tend les taux d'intérêt, et donc attire les fonds mondiaux qui y trouvent une meilleure rémunération que dans la zone euro.

L'euro peut-il rivaliser avec le dollar ?

107. Le *poids de l'Europe* va sensiblement évoluer suite à l'Union monétaire. L'Europe des Onze (hors Royaume-Uni, Danemark, Suède et Grèce) représente 94 % du PIB des États-Unis et 108 % de sa population (chiffre 1997). L'Europe des Quinze, incluant donc en particulier l'Angleterre et son marché financier de première importance, représente 117 % du PIB américain et 140 % de sa population.

Or, plus une économie est puissante, plus elle impose facilement que les transactions soient effectuées dans sa monnaie. Il semble aujourd'hui peu réaliste d'envisager que l'euro remplace le dollar comme monnaie de référence pour des produits tels que le *pétrole* ou les principales *matières premières*. Mais, sur l'ensemble des échanges commerciaux à l'échelle mondiale, l'euro peut devenir une monnaie phare utilisée pour les produits sur lesquels l'Europe a déjà une position dominante.

De plus, l'importance de la CE pour les échanges économiques des *pays de l'Est ou de l'Afrique* fait que leur commerce extérieur risque de passer rapidement à l'euro.

Ce phénomène sera amplifié par une utilisation plus systématique de l'euro dans les *échanges intracommunautaires*, échanges qui se font actuellement largement en dollars. Des commandes récentes d'Airbus en euros, alors que le marché des avions est généralement en dollars, sont les prémices d'un tel mouvement.

Les *simulations* actuelles (Source : CEPS Research Report N° 20 « The Future of the euro as an international currency : a transaction perspective ») montrent que l'euro avec 15 pays permettrait de voir s'élever sa part du commerce international à 24 % (28 % à moyen terme), contre 59 % pour le dollar.

Le métier de gestion des paiements internationaux

108. Une des conséquences de ce mouvement vers une plus large utilisation de l'euro dans les échanges internationaux est la possibilité de transférer tout le métier de gestion des paiements internationaux de New York vers l'Europe. Ce métier de « Correspondent Banking » est une des chasses gardées des banques américaines, et son *déplacement en Europe* est une des opportunités significatives pour les banques européennes.

G. Impacts pour les banques, entreprises, sociétés d'assurances et administrations publiques

Banques

110. Les banques sont probablement le *secteur économique le plus touché* par l'euro. Ces impacts se situent à tous les niveaux de la chaîne de la valeur ajoutée, et représentent en moyenne un coût équivalent à une année de développements informatiques, dont 70 % ont été dépensés avant la mi-1999. Cela a imposé de mobiliser quasiment toutes les ressources de projet (hommes, budget) sur l'année 1998.

Chronologiquement le premier des impacts de l'euro, les *déclarations réglementaires auprès de la Banque de France* ont dû être redéfinies afin de converger vers un modèle unique européen. Ces déclarations servent à vérifier la bonne santé des banques afin d'éviter des crises financières majeures.

Beaucoup plus significative en termes de ressources est la nécessité de faire *migrer l'ensemble des marchés organisés* (Bourses, marchés à terme) *et de gré à gré à l'euro*. Cette migration a été effectuée avec succès lors du week-end de la nouvelle année 1999. Elle a imposé de revoir tous les cours, les valorisations de portefeuilles clients ou d'OPCVM (fonds communs et SICAV), les indices de référence pour les taux d'intérêt (création d'un EURIBOR qui remplace le PIBOR, et d'un EONIA qui remplace les TAM), de faire migrer les dettes publiques (OAT, BTAN) vers des titres d'une valeur unitaire d'un euro...

À cela s'ajoute une forte évolution dans le *métier de gestion de fonds*, avec :
— de nouvelles opportunités de gestion pour compte de fonds étrangers ;
— une évolution d'une gestion de fonds par zone géographique ou par pays vers une gestion de fonds par secteur d'activité (mécanique, nouvelles technologies...) sur l'ensemble de l'Europe, ce qui n'était jusqu'à maintenant pas possible vu l'étroitesse des marchés nationaux. Cette dernière évolution imposera une plus grande spécialisation des gérants de fonds.

En parallèle, la banque de détail a dû s'adapter à une *période de transition* de trois ans pendant laquelle deux expressions (le franc et l'euro) de la même monnaie coexistent. Cela a imposé de revoir toutes les *chaînes de traitement* des moyens de paiement, de crédit, de gestion de comptes... qui sont généralement mono-devises (un montant n'est pas stocké en précisant sa devise). Cette adaptation a représenté un coût majeur pour une rentabilité faible car elle ne sera utile que pendant 3 ans et n'apportera aucune croissance du marché.

Enfin, l'année 2002 imposera de modifier tous les **distributeurs automatiques**, les **machines à changer**, les **caisses automatiques...** afin de traiter les pièces et billets en euros.

En parallèle, des moyens dédiés devront être fournis aux agences bancaires afin d'accueillir les clients souhaitant **changer** leurs francs en euros.

Enfin, il faudra désinstaller les **logiciels** ayant servi à gérer la bi-monnaie, et faire migrer tous les comptes et crédits existants à l'euro.

Ces évolutions s'accompagneront d'une augmentation de la **concurrence** à l'échelle de l'Europe. En effet, il est déjà possible d'offrir des services en France à partir des autres pays de la zone euro, sans avoir à investir dans une infrastructure bancaire en France. On prévoit donc une entrée sur le marché bancaire français de concurrents banques directes allemandes ou néerlandaises.

Par voie de conséquence, il est probable que les **pratiques bancaires** convergeront vers un standard qui reste à déterminer, par exemple avec une facturation des chèques et une rémunération faible des comptes courants. Cette évolution était prévue par la majorité des banques dès janvier 1999, mais le fort refus montré par la clientèle dans les sondages et enquêtes a imposé un certain recul. La commission Jolivet étudie ce sujet et devait remettre ses recommandations avant la fin mars.

En parallèle, des **évolutions fondamentales** se font jour dans le monde bancaire, plus ou moins en relation avec l'arrivée de l'euro :
— Le fort coup d'accordéon qui a eu lieu sur le marché des changes (plus de change entre devises in) et la position fragile des principales banques anglaises et américaines (situées hors de la zone euro, donc devant gérer des contraintes que les banques continentales n'ont pas sur les transactions en euros) ont poussé ces banques à développer un **marché organisé des changes.** Ce projet, appelé CLS, est en phase de construction du système central en Angleterre, en Belgique et en France. Il permettra dans un premier temps de compenser des opérations de change sur la livre sterling, l'euro, le yen, le dollar et le franc suisse. Il permettra de réduire significativement les risques de contrepartie et les coûts des transactions interbancaires.
— La disparition du change entre monnaies in et la mise en place de systèmes de paiements internationaux en euros ont très fortement réduit les coûts opérationnels des **paiements transfrontaliers**. Cependant, cette évolution ne profite dans un premier temps qu'aux activités des marchés financiers. Les particuliers n'ont vu aucune évolution significative de la **tarification** appliquée. Les banques doivent en effet revoir tous leurs systèmes de gestion des flux, dans une logique d'automatisation poussée. Les reponsables de la CE et de la BCE répètent régulièrement que les banques doivent réduire leurs tarifs sur ce point (voir n° 383).
— Une période d'instabilité plus ou moins longue a commencé depuis le 1er janvier 1999 dans les **systèmes de paiements internationaux** en euros. En effet, il existe actuellement de très nombreux systèmes (TARGET, EBA, EAF2, SNP, Swift, CHAPS euro, ...) permettant des paiements internationaux, ce qui pose de nombreux problèmes de gestion des flux et des liquidités aux banques et soulève la question d'une éventuelle marginalisation de certains de ces systèmes.

Enfin, la **concurrence acharnée des marchés financiers** organisés (en particulier, les Bourses et marchés à terme de Londres, Francfort et Paris) se déroule dans un contexte de *modernisation* à marche forcée *des systèmes informatiques* et de *guerre des prix* totale. Par exemple, le marché à terme de Francfort, le DTB, a inauguré sa nouvelle plateforme informatique en 1998 en offrant des transactions à coût zéro pendant plusieurs mois. À Paris, le MATIF a fermé sa cotation à la criée et le groupe SBF met en place un système de compensation pour les titres du Trésor (activité de Spécialiste en Valeurs du Trésor, jusqu'ici fonctionnant exclusivement de gré à gré).

Entreprises

111. Relativement favorisées dans le passage à l'euro, les entreprises disposent d'une période de transition de trois ans pour effectuer leur migration. Ce délai est néanmoins court pour les entreprises très décentralisées qui sont souvent une association de centaines de sociétés avec des systèmes d'information et des processus très différents.

Chronologiquement, le premier sujet généralement étudié est la *gestion de la trésorerie.* En effet, les marchés financiers sont en euros depuis le 1ᵉʳ janvier 1999, ce qui impose à toutes les entreprises accédant directement aux marchés pour émettre des billets de trésorerie ou des obligations de revoir leurs modes de fonctionnement. Par voie de conséquence, la gestion du compte bancaire associée à la gestion de trésorerie doit migrer à l'euro, avec toutes les difficultés concomitantes de gestion des arrondis, de rapprochement bancaire...

Le deuxième thème intuitivement majeur est la *migration de la comptabilité.* En pratique, l'urgence concerne surtout les grandes entreprises multinationales d'origine européenne, pour lesquelles l'emploi d'une unité commune à taux de change fixe est un élément de grande commodité. Cependant, cette migration amène rapidement des préoccupations lourdes telles que « comment faire migrer la comptabilité alors que les comptables sont surchargés par les arrêtés de comptes de fin d'année ? » ou « comment chaque poste du plan de comptes doit-il migrer alors que les deux monnaies (devise nationale et euro) n'ont pas la même précision et que la migration de toutes les opérations non dénouées (à émettre, à recevoir, haut de bilan...) vont générer des écarts d'arrondis avec un impact fiscal possible ? ». La difficulté est particulièrement importante pour les entreprises à la comptabilité monodevise.En pratique, il est maintenant admis que la bascule à l'euro de a comptabilité nécessite de faire un arrêté comptable simplifié. Il est donc souvent préférable de faire cette bascule lors d'une fin de trimestre. Il est déconseillé de la faire lors de la clôture des comptes.

Si la *période de transition* doit servir à faciliter la migration des entreprises, elle s'avère être une complexité supplémentaire dans la gestion des clients.

En effet, le passage à l'euro du client ou du fournisseur nécessite au préalable un accord avec l'autre partie. À défaut, un écart significatif entre la facture et le paiement pourrait apparaître, surtout lorsque des grandes quantités sont commandées (un prix en euros est égal au prix en francs à 3 centimes près, la commande de 1 000 unités peut donc générer un écart de 30 francs). Une vision d'ensemble doit donc être développée afin d'inclure l'ensemble de la chaîne « Catalogue/ Tarifs, Commande, Facturation, Livraison, Règlement, Rapprochement, Lettrage » et pouvoir accepter un fonctionnement différent suivant le client ou le fournisseur.

Cette relation se complique dans le cas du commerce de détail avec la nécessité d'un *double affichage* dont la vocation informative ou contractuelle devra être clarifiée. Les limites de ce double affichage franc/euro apparaissent immédiatement lorsque l'on affiche déjà un prix au kilo, un prix total, et les nouveaux prix promotionnels !

Enfin, il sera nécessaire de pouvoir accepter les **paiements en euros.** Or, le montant à inscrire sur un chèque en euros ne se trouve pas au même endroit que le montant sur un chèque en francs ! La machine qui remplit seule les chèques doit donc être adaptée pour faire face à ce nouveau problème. De même, il faut mettre à jour les logiciels des lecteurs de cartes bancaires avec toutes les conséquences indirectes sur les chaînes informatiques en aval.

Un cas particulier est la migration de la **sphère sociale** à l'euro, et en particulier de la paie et des déclarations sociales. En pratique, la complexité de cette opération, les risques de mouvements sociaux et le manque de préparation des organismes sociaux fait que peu d'entreprises envisagent quoi que ce soit avant 2002.

De manière liée, l'arrivée de l'euro doit permettre une réduction des frais de change, et donc in fine une réduction des coûts des produits importés de l'ordre de 1 à 2 %. Tout le débat entre fournisseurs et grande distribution est de savoir **comment se répartir ce gain**, sachant que la rentabilité nette après impôts de la grande distribution avoisine certaines fois 1 % sur chiffre d'affaires.

Enfin, la migration finale de 2002 à l'euro imposera un **grand projet organisationnel et informatique**, partant du principe que tout système contenant des montants devra être touché. Cette évolution se situera dans un contexte plus large :
— de plus grande ouverture de la concurrence à l'échelle de l'Europe ;
— de nécessité de revoir tous les prix d'attraction : un T-shirt à 150 FF devra être vendu 20, 23 ou 25 €... ce qui représente respectivement une baisse de prix de 12,54 % ou une hausse de prix de 0,6 % ou de 9,3 % (Rappel : 1 € = 6,55957 FF) ;
— d'européanisation des processus de production et de vente, à l'instar du fonctionnement des entreprises aux États-Unis, qui n'utilisent plus depuis longtemps le critère de frontières des États pour définir leur organisation.

Sociétés d'assurances

112. Les sociétés d'assurances sont dans une situation intermédiaire entre les banques et les entreprises commerciales ou industrielles. En effet, elles sont aussi concernées par tous les impacts sociaux, fiscaux, comptables, ou de relation clientèle que doivent subir les entreprises. Cependant, elles ont la particularité de manier essentiellement des flux de type financier, tant vis-à-vis de leurs clients que dans leur fonctionnement interne de production.

En pratique, les **impacts** s'avèrent **très différents selon les métiers** de l'assurance. En effet, l'assurance vie, l'IARD, la santé et les grands risques industriels sont autant de sujets à étudier de manière séparée. De plus, chaque activité se devra d'étudier les aspects gestion de la production, gestion des prestations, gestion des historiques, réassurance et coassurance.

De manière synthétique, on peut dire que l'**IARD** est essentiellement confrontée à une problématique de bascule en 2002, considérant que chaque client n'a en moyenne qu'un seul contact avec son assurance par an et un sinistre tous les sept ans. La demande de bascule à l'euro sera donc très faible.

Le secteur de la **santé** affronte une situation similaire. En effet, à quoi servirait une migration anticipée si la sphère sociale (sécurité sociale, retraite, salaires...) reste en francs ?

La situation devient déjà p us complexe avec les **grands risques industriels**, sachant que l'on a affaire à un petit nombre de contrats, mais à de gros montants. Ce sont souvent des projets à capi:aux très internationaux, ou des entreprises clientes de type multinationales. On peut donc prévoir une demande de fonctionnement en euros auprès de tous les partenaires financiers, et donc des assureurs. In fine, cela impose probablemen: une forte évolution des systèmes afin de gérer une nouvelle monnaie (l'euro) et la fongibilité des monnaies. Cependant, ce secteur d'activité est déjà largement international, et les systèmes d'information sont généralement de type multidevises, ce qui simplifie fortement les travaux à réaliser.

Toute la difficulté se concentre sur l'**assurance vie.** Ce métier collecte des fonds en quantités importantes, qui seront placés sur des marchés ayant basculé à l'euro. De plus, les règles actuelles de congruence (nécessité de placer les fonds dans les pays où ils sont collectés) vont disparaître au profit d'une politique européenne de placement. Cette évolution imposera le développement de nouvelles compétences, voire un appel plus large à une sous-traitance auprès d'organismes financiers. Cette évolution se fera néanmoins très progressivement car on ne réoriente pas brutalement un portefeuille de placement qui peut faire plusieurs centaines de milliards de francs.

Par ailleurs, certains clien:s souhaiteront disposer de **contrats** en euros (« Les marchés sont en euros, et tous mes autres avoirs sont donc dans cette monnaie ») tandis que d'autres souhaiteront surtout ne rien changer. On se rapproche ici de la problématique des banques qui devront gérer des comptes en francs et des comptes en euros pour leurs clients, alors que les systèmes d'information ne sont généralement pas conçus pour gérer une notion de devise.

Tout comme pour la banque, la demande anticipée de produits en euros sera probablement limitée à la clientèle haut de gamme, voir moyen de gamme. La clientèle générale cherchant plus à épargner de manière régulière et étant moins sensible au mode de gestion des fonds.

Dans une large mesure, l'obsolescence des **systèmes d'information** d'assurances et les grandes fusions récentes du monde de l'assurance provoquent et vont provoquer une vague de remise à niveau préalable des systèmes.

Administrations publiques

114. Les administrations publiques se doivent de montrer l'exemple dans le passage à l'euro, mais se retrouvent sous une contrainte budgétaire renforcée par les critères de Maastricht. Par ailleurs, les caractéristiques très particulières du métier des administrations font que les progiciels ont une place réduite dans les systèmes d'information. Enfin, la taille des administrations rend d'autant plus difficile toute évolution des processus ou des systèmes.

Face à l'ensemble de ces contraintes, l'administration doit définir une politique réaliste qui inclut tous les aspects de sa **relation avec les administrés.** Cela concerne par exemple le fisc, les déclarations sociales, les paiements des actes administratifs (timbres fiscaux, enregistrements hypothécaires...), les enregistrements monétaires de ces actes administratifs (montant d'une garantie hypothécaire...), etc. Toute évolution impose de modifier les systèmes d'information, la formation des fonctionnaires, et naturellement tous les actes législatifs ou réglementaires qui en sont à la base.

Par ailleurs, de nombreux *processus purement internes* à l'administration vont être affectés par l'arrivée de l'euro. Par exemple, les prévisions macroéconomiques sont basées sur des mesures de prix et de consommation sur les 10 dernières années. Il sera donc nécessaire de faire migrer ces historiques, sachant que le choix du taux de conversion (l'écu au cours de l'époque ou l'euro au cours définitif) peut influer très significativement sur les prévisions. De telles questions vont se poser sur les processus budgétaires, la gestion des engagements de programmes pluriannuels...

Enfin, en raison du caractère redistributif du système français, les relations entre les particuliers et l'administration publique sont essentiellement d'ordre financier ; c'est pourquoi la *communication* sur l'euro est déterminante. Le Gouvernement doit donc informer et former la population française. Cela s'est traduit par une campagne de publicité initiée en novembre 1997 et qui se prolongera jusqu'en 2002 en utilisant les divers moyens disponibles tels que la publicité, les brochures, les conférences et séminaires, les shows itinérants... En France, le budget prévu pour les actions d'information et de communication est estimé à 40 millions de francs.

Entreprises publiques

115. Pour les entreprises publiques, l'arrivée de l'euro s'inscrit dans un contexte fort de bouleversement de l'environnement. Le marché européen de l'électricité s'est ouvert le 19 février 1999. Quelques jours auparavant, le projet de loi sur la modernisation du service public de l'électricité était débattu à l'Assemblée nationale. La France satisfait donc aux exigences de la directive européenne puisqu'elle présente un processus de transposition et un calendrier précis. Le dossier, politiquement et socialement complexe, présente des enjeux stratégiques économiques importants.

Le schéma ci-dessous rappelle la structure du secteur européen de l'électricité.

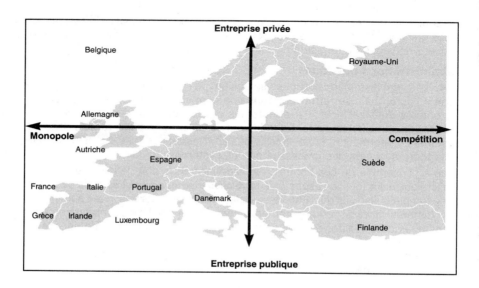

116. Ce schéma pourrait évoluer très rapidement. Si la France semble vouloir adopter une attitude de strict respect de la directive (une ouverture maîtrisée du marché), d'autres pays, comme l'Italie, se sont engagés bien plus avant et commencent la privatisation de leur électricité.

D'autres tendances sont aussi à prendre en compte :
— de nouveaux concurrents, avec des structures de coût parfois radicalement différentes de celles des monopoles traditionnels à forte intégration verticale, pénètrent le marché. Ces nouveaux entrants comptent aussi les fournisseurs d'énergie américains, nouveaux distributeurs ou grands producteurs élargissant leur activité ;
— les concurrents existants scindent leurs activités, définissant les secteurs industriels sur lesquels ils souhaitent être compétitifs et les clients qu'ils souhaitent servir en priorité ;
— les fusions et acquisitions gardent un rythme élevé à travers l'Europe.

117. L'euro fait donc partie d'un tableau plus large de bouleversements des industries de l'énergie en Europe.

Ses impacts seront néanmoins importants dans les domaines stratégiques (vitesse d'adaptation des concurrents aux exigences financières et informatiques), opérationnels (capacité à travailler en euros) ou simplement informatiques (conversion, arrondis, facturation en euros, ...).

La simple question de la *transparence des prix* devrait faire évoluer le marché rapidement. Rappelons par exemple qu'il existe une différence de prix de :
— 300 % entre les pays au plus fort et au plus faible coût pour le gaz domestique,
— 90 % pour l'électricité domestique,
— 50 % pour le gaz industriel (charge d'entreprise moyenne),
— 85 % pour l'électricité industrielle (2,5 MW, facteur de charge de 40 %).

Certains grands clients français d'EDF, comme Rhône-Poulenc ou Usinor dont l'énergie est le poste le plus important des achats, ont déjà annoncé qu'ils suivraient de très près l'évolution des prix.

Compétition européenne pour la fourniture d'énergie — Dans le passé, peu ou pas de commerce transfrontalier d'électricité ou de gaz n'a été réalisé avec les utilisateurs finaux, les principaux échanges étant réalisés entre les monopoles locaux ou nationaux. Cette situation est amenée à changer avec la libéralisation du marché et l'amélioration des réseaux de connection. Ainsi, plus le marché se libéralisera, plus l'impact de l'euro sera important.

En réduisant les coûts et les risques d'investissements et de commerce transfrontaliers, l'euro représente une opportunité majeure pour les entreprises désireuses de s'étendre en Europe. L'euro devrait en outre encourager les alliances, fusions et acquisitions, particulièrement dans le domaine de l'électricité.

Investissement et financement — Avec l'euro, les entreprises publiques devraient pouvoir tirer avantage :

— d'un marché des services financiers plus compétitif, offrant des taux d'intérêt plus compétitifs et des produits innovants ;

— d'un meilleur accès au marché des capitaux de manière directe et non plus à travers les banques, comme c'est le cas traditionnellement pour lever des fonds en Europe ;

— de marchés de capitaux et de dettes d'entreprises plus importants et plus fluides ;

— d'un environnement économique plus stable dans lequel investir et se financer, avec des taux d'inflation et d'intérêt plus bas.

Les entreprises publiques font un usage de capitaux très important. Toutes les entreprises publiques, même celles des pays « out », devront réexaminer leurs besoins de financement et leurs programmes d'investissement pour identifier les bénéfices à tirer de l'euro.

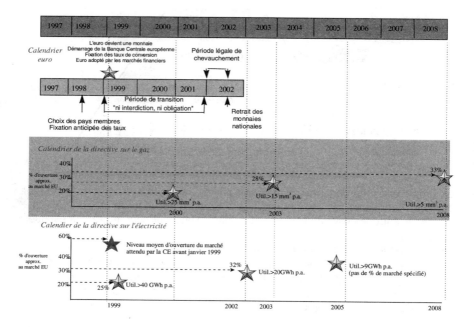

Conséquences juridiques, comptables, fiscales et sociales

PREMIÈRE PARTIE

Conséquences
juridiques, comptables
fiscales et sociales

CHAPITRE I

Conséquences juridiques

125. Depuis le 1ᵉʳ janvier 1999, la monnaie de onze États de l'Union européenne est l'euro. La législation monétaire applicable dans la zone euro est constituée de deux règlements communautaires, adoptés en juin 1997 et mai 1998.

126. Le *règlement 1103/97* (voir n° 1901) « fixant certaines dispositions relatives à l'introduction de l'euro » a été adopté le 17 juin 1997 par le Conseil des ministres dans le cadre du sommet d'Amsterdam. Il affirme le principe de continuité des contrats à l'occasion du passage à l'euro, la continuité entre l'écu et l'euro au taux de un pour un et pose des règles de conversion et d'arrondis qui ont permis aux informaticiens et aux comptables de préparer l'adaptation des programmes informatiques au passage à l'euro.

127. Le *règlement 974/98* (voir n° 1902) « concernant l'introduction de l'euro » a été adopté le 3 mai 1998 par le Conseil des ministres dans le cadre du sommet de Bruxelles. Il précise que le remplacement des monnaies nationales par l'euro le 1ᵉʳ janvier 1999 est suivi d'une période de transition qui s'achèvera le 31 décembre 2001, pendant laquelle les monnaies nationales continuent d'exister comme des subdivisions de l'euro. Pendant cette période, les actes juridiques (lois, règlements, contrats...) sont exécutés dans l'unité monétaire dans laquelle ils sont libellés (euro ou franc) sauf si les parties en conviennent autrement.

128. Ces deux règlements constituent la *loi monétaire* des États membres participant à l'Union monétaire. Comme tous les règlements européens, ils sont directement applicables, ce qui signifie qu'ils n'ont pas besoin d'être transposés en droit interne pour être appliqués.

129. Du côté français, le Parlement a adopté le 2 juillet 1998 une *loi d'adaptation à l'euro* (voir n° 1900) qui règle nombre de questions en matière comptable, fiscale, financière et de droit des sociétés.

SECTION I

Statut légal de l'euro

130. En droit interne, il n'est pas contesté que la monnaie fasse partie des prérogatives propres à l'État. L'euro est donc la monnaie des onze États participants. Par ailleurs, le droit international reconnaît le principe de la souveraineté monétaire des États.

I. Monnaie des onze États participants

132. Depuis le 1er janvier 1999, l'euro est la monnaie de onze États (Allemagne, Autriche, Belgique, Espagne, Finlande, France, Italie, Irlande, Luxembourg, Pays-Bas, Portugal) et remplace leurs monnaies nationales respectives. Ces dernières ont cessé d'exister en tant que monnaies au sens juridique du terme. Pendant la période transitoire de trois ans (1999-2001), l'euro existe donc en France sous plusieurs dénominations :
— l'euro et sa subdivision décimale, le cent (centième d'euro) ;
— le franc, qui est une subdivision non décimale de l'euro.

133. L'ensemble des *moyens de paiement scripturaux* (chèque, TIP, virement, opération par carte bancaire, avis de prélèvement, télépaiement) peut être émis en euros à la demande de la clientèle. Mais il n'y a pour les entreprises et pour les particuliers ni obligation, ni interdiction de l'utiliser. À la différence des chèques, pour lesquels une formule spécifique est prévue, le passage à l'euro n'impose pas la distribution de nouvelles cartes bancaires. La clientèle peut donc utiliser l'euro pour ses paiements par carte si les logiciels des terminaux de paiement ont été modifiés.

134. Les *pièces* et les *billets* en euros commenceront à être introduits le 1er janvier 2002. Ils circuleront avec les pièces et les billets en francs qui conserveront leur cours légal pendant six à huit semaines.

Toutes les références monétaires nationales des instruments juridiques — contrats, factures, statuts des entreprises — seront considérées comme des références à l'euro, selon les taux de conversion applicables.

136. *Précisions* - Dans un avis publié au JORF du 2 décembre 1997 (p. 17418), la Commission générale de terminologie et de néologie se prononce sur les termes « euro » et « cent ». Au *pluriel*, il convient d'écrire des euros, des cents, conformément à l'usage qui prévaut en français pour les noms communs. Par ailleurs, la *prononciation* du terme « cent » est la même que celle de l'adjectif numéral *cent* (100). Enfin, la Commission recommande le terme « centime » comme *désignation usuelle* en français du « cent ». Mais pour éviter toute ambiguïté pendant la période de coexistence du franc et de l'euro, le terme « eurocentime » pourra être utilisé.

A. Gérer la coexistence franc/euro pendant la période transitoire

150. Comment gérer la coexistence de l'euro et des monnaies nationales pendant la période transitoire de trois ans ?

Un certain nombre de dispositions mettent en œuvre le *principe* « ni interdiction, ni obligation » arrêté lors du Conseil européen de Madrid de décembre 1995, qui établit qu'au cours de la période transitoire il n'y aura pour les entreprises et pour les particuliers ni obligation, ni interdiction d'utiliser l'euro.

Ce principe souffre cependant quelques *exceptions* concernant les marchés financiers et les paiements.

1. Le principe « ni interdiction, ni obligation »

152. Le règlement 974/98 du 3 mai 1998 donne un contenu pratique au principe « ni interdiction, ni obligation » institué par le Conseil européen. Il prévoit que l'introduction de l'euro au 1er janvier 1999 n'aura pas pour effet de modifier le libellé monétaire des lois, contrats et autres *instruments juridiques existants*, et cela jusqu'à la fin de la période transitoire.

> Ce règlement définit les « instruments juridiques » comme « les dispositions législatives et réglementaires, actes administratifs, décisions de justice, contrats, actes juridiques unilatéraux, instruments de paiement autres que les billets et les pièces, et autres instruments ayant des effets juridiques ».

Il n'est donc pas nécessaire d'effectuer matériellement une nouvelle dénomination de ces instruments juridiques. Ils continueront, par exemple, d'être libellés en francs si tel était le cas pendant toute la durée de cette période (sauf accord contraire de l'ensemble des parties dans le cadre d'un contrat ou modification des textes par les autorités publiques).

Toutefois, dans un souci de clarté, les entreprises peuvent réviser la dénomination de certains instruments, tels que les contrats à long terme.

154. Le règlement dispose également que les *nouveaux instruments juridiques* peuvent être valablement libellés en euros ou en francs. Dans leurs relations contractuelles, notamment, les parties sont libres de choisir l'unité qu'elles préfèrent (voir n°s 200 s.).

156. Les *actes à exécuter* en vertu d'instruments juridiques prévoyant l'utilisation du franc ou libellés en francs sont exécutés en francs. Les actes à exécuter en vertu d'instruments prévoyant l'utilisation de l'unité euro ou libellés dans l'unité euro sont exécutés dans cette unité. Mais les parties peuvent déroger par convention à ces dispositions.

Ainsi, lorsqu'un contrat est établi en francs français, toutes les factures, tous les bons de commande, relevés de comptes, etc., doivent être établis dans cette monnaie, sauf accord contraire du cocontractant.

2. Exceptions

158. Le règlement 974/98 du Conseil du 3 mai 1998 admet deux entorses au principe « ni interdiction, ni obligation » quant à l'exécution des actes juridiques.

Marchés financiers

159. La première exception (art. 8-4) s'applique aux *marchés organisés*, comme les bourses de valeurs, qui peuvent adopter une unité de compte spécifique.

> Chaque État membre participant peut prendre les mesures nécessaires pour :
> — relibeller en unité euro l'encours des dettes émises par les administrations publiques de cet État membre, telles que définies dans le système européen de

comptes intégrés, libellées dans son unité monétaire nationale et émises selon sa législation nationale. Si un État membre a pris une telle mesure, les émetteurs peuvent relibeller en unité euro les dettes libellées dans l'unité monétaire nationale de cet État membre à moins que les conditions du contrat excluent expressément cette possibilité ; la présente disposition s'applique aux titres émis par les administrations publiques des États membres ainsi qu'aux obligations et autres titres de créances, négociables sur le marché des capitaux et aux instruments du marché monétaire, émis par d'autres débiteurs,

— permettre :

a) aux marchés où s'effectuent régulièrement le négoce, la compensation ou le règlement de l'un des instruments énumérés à la partie B de l'annexe de la directive 93/22/CEE du Conseil, du 10 mai 1993, concernant les services d'investissement dans le domaine des valeurs mobilières et des matières premières et

b) aux systèmes où s'effectuent régulièrement l'échange, la compensation et le règlement des paiements,

de modifier l'unité de compte de leurs procédures opératoires, l'unité monétaire nationale étant remplacée par l'unité euro.

Depuis le lundi 4 janvier 1999, première séance boursière de l'année, l'ensemble des *titres* est désormais coté exclusivement en euros. Mais les sociétés, les intermédiaires financiers et les investisseurs choisissent librement la monnaie qu'ils utilisent : les épargnants notamment peuvent passer leurs ordres de bourse en francs ou en euros. En cas de litige, c'est le cours en euros qui fait foi. Pendant toute la période transitoire, les sociétés cotées peuvent conserver leur comptabilité en francs si elles le souhaitent, les dividendes peuvent être versés au choix de la société en francs ou en euros, quelle que soit la monnaie dans laquelle elle tient ses comptes. Les actionnaires peuvent les recevoir dans la monnaie de leur choix, la banque se chargeant, gratuitement, de la conversion si nécessaire.

Paiements

160. La seconde exception concerne les paiements.

En pratique, pendant la période transitoire, les particuliers et les petites entreprises devraient majoritairement continuer à utiliser le franc pour les opérations courantes. Ils peuvent toutefois utiliser l'euro à partir d'un compte en francs.

Le règlement du Conseil (art. 8-3) prévoit que toute somme libellée dans l'unité euro ou dans l'unité franc et à régler en France par le crédit d'un compte du créancier peut être payée par le débiteur dans l'unité euro ou dans l'unité franc (selon le principe de « *fongibilité* » des monnaies).

La somme est alors portée au crédit du compte du créancier dans l'unité monétaire dans laquelle ce compte est libellé (franc ou euro) : la conversion est opérée par la banque au taux de conversion officiel (6,55957) en appliquant les règles de conversion ou d'arrondissage (voir n°s 263 s.).

162. Les paiements peuvent donc être effectués en l'une ou l'autre dénomination, euro ou monnaie nationale ; l'institution financière qui reçoit le crédit aura l'*obligation de convertir*, si nécessaire, le paiement effectué dans la dénomination du compte du créancier. Si le compte du créancier est libellé en francs, le paiement sera donc converti dans cette monnaie.

L'*autorisation* du détenteur du compte n'est pas nécessaire.

Sur le traitement des *écarts de conversion*, voir n° 281. Sur les *frais bancaires*, voir n°s 378 s.

163. Ainsi un client n'est pas obligé d'avoir un compte en francs et un compte en euros pour pouvoir remettre, par exemple, des chèques en francs et en euros.

L'interface entre les flux en francs et ceux en euros est assurée, pendant la période transitoire, par la m se en place de *convertisseurs* situés principalement dans les établissements de crédit ou chez les donneurs d'ordre eux-mêmes.

B. Moyens de paiement en euros

168. Le *franc*, on le rappelle, a cours légal en tant que subdivision de l'euro jusqu'à la fin de la période de retrait des monnaies nationales. Toutefois, il ne sera plus possible d'éme⁼tre des chèques libellés en francs, dès la fin de la période transitoire, en princ pe à partir du 1er janvier 2002.

L'euro est la monnaie des États membres participant à l'union monétaire depuis le 1er janvier 1999. Tous les moyens de paiement scripturaux utilisés actuellement doivent être disponibles en euros depuis cette date : chèque, virement, opération par carte bancaire, avis de prélèvement, etc. Cependant, jusqu'à la fin de la période transitoire (31 décembre 2001), un commerçant qui l'affiche clairement peut *refuser* le paiement en euros.

> Il sera pourtant délicat c'opposer un refus sachant que les banques ont l'obligation de convertir, si nécessaire, le paiement effectué dans une dénomination autre que celle du compte du créancier (voir n° 162).

En revanche, la monnaie f duciaire (pièces et billets en euros) ne sera mise en circulation qu'à partir du 1er janvier 2002.

1. Monnaie scripturale

Chèques

170. Les banques, en fonction des orientations arrêtées par chaque établissement, peuvent offrir des comptes et des produits en euros aux clients qui le souhaitent *depuis le 1er janvier 1999*. Afin d'éviter tout risque de fraude et d'erreur, les établissements de crédit proposent aux clients des formules spécifiques en euros. Ainsi les *chèques er euros* ont des caractéristiques matérielles différentes des chèques en francs.

> Cependant, aucune règle juridique n'interdit la *« mutation » des chèques*, qui consiste à libeller une formule de chèque dans une unité monétaire autre que celle qui s'y trouve inscrite. Lorsqu'un client inscrit sur une formule de chèque destinée à accueillir des francs une somme libellée en euros (ou en dollar ou en yen), l'établissement de crédit concerné ne rejette pas le chèque « muté ». En revanche, il facture à l'émetteur du chèque des frais destinés à couvrir les coûts de traitement supplémentaires induits par ce chèque « muté ».

171. Pendant la période transitoire, la monnaie scripturale reste soumise au régime monétaire national en vigueur le 31 décembre 1998, sous réserve de sa compatibilité avec le règlement 974/98 du 3 mai 1998 sur l'introduction de l'euro.

En France, le chèque n'étant pas une monnaie ayant cours légal, les commerçants (sauf adhérents d'un centre de gestion agréé) sont libres de refuser un chèque en paiement des produits ou services qu'ils fournissent à de simples particuliers. Le créancier qui affiche son refus du paiement par chèque libellé en francs français peut donc, a fortiori, refuser un chèque libellé en euros. Cependant, on le rappelle, en vertu du principe « ni interdiction, ni obligation », il est possible juridiquement de refuser les chèques en euros tout en acceptant les chèques en francs.

Sur les paiements transfrontaliers, voir n°s 382 et 2414 s.

Cartes bancaires

172. À la différence des chèques pour lesquels une formule spécifique est prévue, le passage à l'euro n'impose pas la distribution de nouvelles cartes bancaires. *Depuis le début de l'année 1999*, la clientèle peut utiliser le franc comme l'euro pour ses paiements par carte au fur et à mesure de la modification des logiciels des terminaux de paiements et sous réserve de l'acceptation du paiement en euros par le bénéficiaire.

> Au début de l'année 1999, les terminaux électroniques acceptant le paiement en euros étaient rares, leur mise en place ayant été retardée par l'apparition d'une nouvelle norme informatique (MPE V5).

173. En France, les commerçants concluent avec l'émetteur de la carte un contrat définissant les conditions dans lesquelles ils participent au service de la carte. Ces contrats mettent généralement à la charge du commerçant l'obligation d'accepter la carte pour le paiement de tout achat ou service qu'il propose à la clientèle. Cependant, le commerçant est souvent autorisé à n'accepter le paiement par carte qu'au-delà d'un certain montant à condition d'en informer clairement la clientèle. Il peut en être de même pour l'euro.

2. Monnaie fiduciaire

175. Les pièces et les billets en euros commenceront à être introduits le *1er janvier 2002* au plus tard. Ils circuleront avec les pièces et les billets en francs qui conserveront leur cours légal pendant une période de six à huit semaines. Le cours légal du franc ne pourra en effet être supprimé que lorsque l'ensemble du territoire français sera approvisionné en euros (délais d'adaptation des distributeurs de billets et des automates, des capacités des guichets bancaires, des transporteurs de fonds, etc.).

176. *Sept billets* de 5, 10, 20, 50, 100, 200 et 500 euros seront disponibles. Les *huit pièces* comprendront une face commune à l'ensemble de l'Union européenne et, à la différence des billets, une face nationale. En France, la face nationale portera la mention « RF » : République française ; il y aura une Marianne sur les pièces de 1, 2 et 5 cents, une semeuse pour les pièces de 10, 20 et 50 cents, et un arbre pour les pièces de 1 et 2 euros.

177. Au-delà de la période de double circulation des monnaies, les pièces et les billets en francs cesseront d'avoir cours légal mais pourront encore être *échangés gratuitement* pendant une période de dix ans pour les billets et d'un an pour les pièces.

178. Comme c'est le cas actuellement pour les billets libellés en francs, les billets en euros auront un *pouvoir libératoire* illimité, c'est-à-dire que le créancier ne pourra pas les refuser, quel que soit leur nombre.

En revanche, les pièces métalliques ne constituent qu'une monnaie d'appoint. Au-delà d'un certain montant fixé pour chacune d'elles par la réglementation française, le créancier peut refuser de les recevoir. De même, l'article 11 du règlement 974/98 du 3 mai 1998 prévoit que nul n'est tenu d'accepter plus de cinquante pièces en euros lors d'un seul paiement.

C. L'euro sera-t-il utilisé dans les DOM-TOM ?

182. Les *départements d'outre-mer* sont partie intégrante de l'Union européenne. Ils sont donc vis-à-vis de l'euro exactement dans la même situation que les départements métropolitains.

183. Les *territoires français d'outre-mer* n'entrent pas dans le champ d'application du traité CE. Pour ces territoires dans lesquels circule le franc CFP, le protocole n° 13 sur la France annexé au traité de Maastricht stipule que la France « conservera le privilège d'émettre des monnaies dans ses territoires d'outre-mer selon les modalités établies par sa législation nationale, et elle sera seule habilitée à déterminer la parité du franc CFP ».

La responsabilité de la mise en circulation des pièces et billets en franc CFP est assurée par un établissement public, l'Institut d'émission d'outre-mer (IEOM). Cette émission monétaire est propre à l'IEOM et n'est pas financée par la Banque de France puisque la monnaie émise a deux contreparties : les avoirs de l'Institut sur le Trésor public français et les avoirs de l'Institut sur l'économie de sa zone d'émission. L'existence du franc CFP n'est donc pas de nature à affecter la définition et la mise en œuvre de la politique monétaire unique.

Depuis le 1er janvier 1999, a *parité* du franc CFP est définie par rapport à l'euro, en application du taux de conversion irrévocablement fixé entre l'euro et le franc français : 1000 francs CFP = 8,38 euros (arrêté du 31 décembre 1998 : JO du 3 janvier 1999, page 154).

En ce qui concerne les collectivités territoriales de Mayotte et de Saint-Pierre-et-Miquelon où circule le franc français, l'euro se substitue au franc.

II. Statut international

190. Le droit international général reconnaît aux États une compétence pleine et entière quant au *choix* de leur unité monétaire. Ce principe, reconnu par la jurisprudence internationale, n'est pas contesté.

> Ainsi, par exemple, le mark est-allemand disparu avec la RDA en 1990 a été remplacé par le deutsche mark de la République fédérale d'Allemagne. Après la dislocation de l'URSS, les nouveaux États ont eu toute autorité pour créer leur propre monnaie qui s'est substituée au rouble.

La **modification** de l'unité monétaire nationale est également un droit reconnu en vertu du principe de la souveraineté monétaire.

> Un État affecté par une dévaluation de la monnaie d'un État tiers n'a jamais pu obtenir la moindre compensation ou réparation du fait, par exemple, de la perte de valeur de créances qu'il détient, libellées dans cette devise.

Des **limites** à la compétence nationale en matière monétaire peuvent toutefois être imposées en vertu d'un traité spécifique.

C'est le cas de l'accord de Bretton-Woods portant statuts du Fonds monétaire international (FMI) qui interdit formellement aux pays membres de définir leur monnaie par rapport à l'or. En revanche, il les laisse entièrement libre d'adopter la monnaie de leur choix.

1. Traités et conventions internationales faisant référence au franc

192. La question s'est posée de l'incidence du remplacement du franc français par l'euro dans les traités et conventions internationales où la monnaie française est choisie comme monnaie de référence.

Comme indiqué ci-dessus (n° 190), la force obligatoire des traités n'interdit pas à un État de modifier unilatéralement son régime monétaire.

La référence à une monnaie donnée par les parties contractantes implique une incorporation implicite dans l'accord de la **loi monétaire** *(lex monetae)* de l'État d'émission.

Par conséquent, en l'absence de clause spécifique prévue par le traité ou la convention internationale concernée, la substitution de l'euro au franc ne peut donc pas être invoquée par des États tiers à l'Union européenne, parties au traité ou à la convention internationale, pour suspendre, renégocier ou résilier un accord interétatique désignant le franc, ou l'une des monnaies remplacées par l'euro, comme monnaie de référence.

2. Contrats internationaux

195. Comme pour les traités, la référence à une monnaie donnée par les parties à un contrat international implique une incorporation dans leurs obligations contractuelles de la loi monétaire de l'État dont la monnaie est utilisée.

La loi applicable au contrat peut être celle d'un État tiers mais, en cas de litige, le juge étranger éventuellement saisi devrait appliquer automatiquement la loi monétaire, en l'occurrence les deux règlements communautaires sur le passage à l'euro, pour constater le changement monétaire.

La question de la continuité des contrats soumis à la législation d'un État tiers est traitée en détail aux n°s 230 s.

3. Francs CFA et comorien

198. Le Conseil Écofin du 23 novembre 1998 a formellement entériné les statuts des francs CFA et comorien au sein de la zone euro (JOCE 1998 L 320). La

France peut maintenir les accords sur des questions de change qui la lient actuellement à 14 pays d'Afrique et aux Comores. La convertibilité à parité fixe entre l'euro et les francs CFA et comorien est garantie par un engagement budgétaire du Trésor français. Aucune modification de parité n'est nécessaire ; la parité en euro se déduit mécaniquement de la parité fixe avec le franc français (1 FF = 100 F CFA ; 1 FF = 75 FC) et du taux de conversion du franc français à l'euro (1 € = 6,55957 FF) :
— 1 € = 655,96 F CFA ;
— 1 € = 491,97 FC.

4. L'euro sera-t-il utilisé à Monaco ?

199. La Principauté de Monaco et la France sont liées de longue date par un certain nombre d'accords, tant en matière monétaire, de contrôle des changes et de réglementation bancaire. Le franc français étant la monnaie qui a cours légal à Monaco, les autorités monégasques ont adopté un texte, calqué sur les *dispositions françaises*, qui précise les conséquences du passage à l'euro dans la Principauté (Ordonnance souveraine n° 13827 du 15 décembre 1998 : JO de Monaco 18 décembre 1998).

Par ailleurs, l'introduction de l'euro rendant nécessaire la renégociation des accords avec Monaco, le Conseil a adopté une décision sur la position à adopter par la Communauté en ce qui concerne un *accord sur les relations monétaires avec la Principauté*. La France conduira les négociations avec Monaco et est habilitée à conclure un accord au nom de la Communauté. Dans le cadre de cet accord, Monaco devrait être autorisé à utiliser l'euro en tant que monnaie officielle et à conférer cours légal aux pièces et billets en euros qui seront émis par les États faisant partie de la zone euro. La Principauté s'engagerait également à collaborer à la lutte contre la contrefaçon des pièces et billets en euros (Décision du Conseil du 31 décembre 1998 : JOCE 1999 L 30).

SECTION II
Continuité des contrats

200. La monnaie de règlement étant une condition substantielle d'un contrat, son changement pourrait, théoriquement, conduire à annuler ce dernier.

En réalité, une grande partie des contrats ne devrait pas être affectée par la création de l'euro :
— soit parce qu'ils sont régis par le droit d'un État membre de l'Union monétaire (la continuité de ces contrats est garantie par l'adaptation de la législation au nouvel ordre monétaire) ;
— soit parce que ce sont des contrats dans lesquels des clauses spécifiques ont été prévues, anticipant le passage à l'euro ;
— soit parce que les juridictions étrangères respectent la loi monétaire.

201. L'introduction de l'euro ne permet pas d'invoquer l'impossibilité d'exécuter un contrat pour le résilier ou le modifier. L'article 3 du *règlement 1103/97* indique, en effet, que « l'introduction de l'euro n'a pas pour effet de modifier les termes d'un instrument juridique ou de libérer ou de dispenser de son exécution, et elle ne donne pas à une partie le droit de modifier un tel instrument ou d'y mettre fin unilatéralement. La présente disposition s'applique sans préjudice de ce dont les parties sont convenues ».

> Les « instruments juridiques » sont définis à l'article 1 comme « les dispositions législatives et réglementaires, actes administratifs, décisions de justice, contrats, actes juridiques unilatéraux, instruments de paiement autres que les billets et les pièces, et autres instruments ayant des effets juridiques ».

202. Depuis le 1er janvier 1999, les contrats en francs sont considérés comme établis en euros, mais toujours sous la dénomination franc, lequel n'est qu'une expression monétaire de l'euro. Les parties peuvent d'un commun accord, si elles le souhaitent, libeller leur contrat dans l'unité monétaire euro : il s'exécutera alors directement en euros.

Le 1er janvier 2002, l'ensemble des contrats en cours se trouvera automatiquement converti en euros.

203. La législation européenne ne s'applique évidemment qu'au sein de l'Union européenne, mais elle représente un modèle positif pour les parties et les juges des pays tiers. L'application du principe de la « *lex monetae* », qui est un principe de droit universellement accepté, doit assurer la continuité des contrats actuellement libellés en devises, mais qui seront remplacés par l'euro dans les juridictions des pays tiers.

A. Contrats soumis à la législation d'un état de la zone euro

210. Le principe de la continuité s'applique à tous les types de contrats : contrats commerciaux, contrats de travail, emprunts, contrats d'assurances ou contrats financiers. Mais seuls seront véritablement concernés les contrats conclus avant le 1er janvier 1999 dont le terme est postérieur à cette date et qui font référence au franc, à la monnaie d'un pays de la zone euro ou à l'écu.

1. Contrats concernés

211. Quelles seront les conséquences du passage à l'euro pour les *contrats existants* (assurances, baux de location, échéanciers d'emprunt...) ? Les contrats exprimés en francs continueront de s'exécuter en francs jusqu'au 31 décembre 2001 sauf volonté contraire des parties. Après le 1er janvier 2002, ils s'exécuteront automatiquement en euros sans qu'en règle générale un avenant soit nécessaire.

212. Pour les *contrats entrant en vigueur depuis le 1er janvier 1999*, les parties peuvent librement désigner l'unité euro ou l'unité franc comme monnaie de compte ou de paiement. Les contrats en francs peuvent être convertis en euros si toutes les parties le souhaitent.

213. En ce qui concerne l'*obligation d'utiliser l'euro*, le règlement 974/98 du 3 mai 1998 ne prévoit pas explicitement à partir de quelle date les parties ne pourront plus conclure de contrats en francs.

Cependant, le 1er janvier 2002, l'euro devient la monnaie des États membres participants et le franc n'est plus considéré comme une subdivision de l'euro. L'utilisation de l'unité franc ne paraît donc plus possible dans les contrats.

En tout état de cause, cette solution devient certaine lorsque les pièces et les billets en francs auront perdu leur cours légal.

214. La question particulière de la continuité des contrats dans les relations contractuelles de **consommation** est en discussion (voir n° 373). Pour le moment, toutefois, aucune réglementation spécifique n'est prévue.

2. Taux d'intérêt et indices

220. Le règlement 1103/97 ne traite pas explicitement de la question de la disparition ou du remplacement des taux d'intérêt; toutefois, par application du principe de continuité, les contrats comportant des taux de référence ne doivent pas être interrompus.

Si les parties contractantes ne sont pas en mesure d'accepter le remplacement d'un taux de référence, les tribunaux tenteront d'assurer l'exécution du contrat en choisissant un taux aussi proche que possible du taux existant.

221. En application du principe de continuité, les **taux d'intérêt fixes** prévus au contrat continuent de s'appliquer après le passage à l'euro, sauf clause contraire. C'est l'hypothèse la plus simple mais qui reste relativement rare.

222. En revanche, les **taux d'intérêt variables** reposent sur des références qui, dans certains cas, ont été modifiées ou remplacés en vue de leur « européanisation ». C'est le cas notamment du TMP (taux moyen pondéré) remplacé par l'EONIA *(euro overnight indexed average)* ou du PIBOR remplacé par l'EURIBOR (Arrêté ministériel du 10 novembre 1998 : JO du 11 novembre 1998, p. 17035).

223. Les principes juridiques actuels ont permis d'assurer la substitution systématique de ces nouveaux taux aux contrats en cours. Ainsi, aujourd'hui, le loyer des contrats de prêts à taux variables varie en fonction des nouveaux indices européens, en particulier L'EURIBOR.

> Ce nouvel indice de référence interbancaire européen résulte des taux proposés par les banques les plus représentatives exerçant leurs activités au sein de la zone euro. Le nombre d'établissements contributeurs a été fixé à 64, dont 58 banques de l'Union européenne (parmi lesquelles dix banques françaises) et six banques internationales n'appartenant pas à la future zone euro, mais disposant d'au moins un établissement dans celle-ci.

224. Une disposition législative était nécessaire pour rendre la substitution de taux opposable à un emprunteur contestataire. La **loi du 2 juillet 1998** (art. 24 — reproduit en annexe au n° 900) dispose que la modification, du fait de l'introduction de l'euro, de la composition ou de la définition d'un taux variable ou d'un indice auquel il est fait référence dans une convention est sans effet sur l'application de cette convention. Lorsque ce taux variable ou cet indice disparaît du fait de l'introduction de l'euro, le ministre chargé de l'économie peut désigner, par arrêté, le taux variable ou l'indice qui s'y substitue. Toutefois, les parties à la convention peuvent déroger, d'un commun accord, à l'application du taux ou de l'indice ainsi désigné.

B. Contrats soumis à la législation d'un État tiers

230. Le règlement 1103/97 impose la continuité des contrats libellés dans la monnaie d'un État de la zone euro conclu entre des ressortissants de l'Union européenne. Il est contraignant pour tous les contrats soumis à la loi d'un État membre de l'Union européenne mais sans effet sur les contrats soumis à la législation d'un État tiers.

> Les contrats libellés dans une monnaie d'un État tiers ne posent évidemment aucun problème de continuité lors du passage à l'euro.

Demeure donc la question de la continuité des contrats libellés dans la monnaie d'un État de la zone euro, qui sont soumis à une loi d'un État tiers à l'Union européenne et/ou attribuent compétence à une juridiction (ou instance arbitrale) située dans un État tiers à l'Union.

1. Caractéristiques des contrats internationaux

231. Les parties à un contrat international ont, en principe, la possibilité de soumettre leur contrat à la *loi* de l'État de leur choix. Cette loi peut être la loi nationale de l'une des parties mais également la loi d'un autre État.

De même, les parties peuvent choisir de soumettre les litiges éventuels à la *juridiction* d'un État qu'ils ont déterminée, voire à une instance internationale judiciaire ou arbitrale. Cependant, ces clauses attributives de juridiction sont soumises le plus souvent à des conditions de fond et de forme particulières. Dès lors, un juge saisi sur leur fondement vérifiera si ces conditions sont remplies avant de se déclarer compétent et de juger l'affaire.

Par ailleurs, il existe également, dans certaines matières, des chefs de *compétence* exclusive (une seule juridiction est compétente). Ainsi, par exemple, en matière de droits réels immobiliers, ce sont les tribunaux de l'État où l'immeuble est situé qui doivent être saisis. Un jugement rendu par une juridiction d'un État différent ne pourrait pas en principe recevoir d'exequatur.

232. Dans ce contexte de très grande liberté contractuelle, l'application des textes adoptés aux niveaux français ou communautaire ne peut pas être a priori certaine.

À cet égard, un *risque* principal peut être identifié : celui de voir certaines parties au contrat invoquer une circonstance nouvelle pour demander la résiliation anticipée des contrats au motif que l'équilibre initial de la transaction est rompu.

Ce risque semble cependant faible étant donné l'abondante communication faite autour du passage à la monnaie unique. Depuis la signature du traité de Maastricht, notamment, les engagements sont connus.

De plus, en principe, les juridictions étrangères — et notamment celle de l'État de New York — appliquent la loi monétaire.

Plusieurs États américains importants ont déjà adopté des textes législatifs prévoyant la continuité des contrats, sur le modèle du règlement communautaire 1103/97.

2. Recommandations

234. L'introduction de l'euro ne devrait donc pas poser de problèmes majeurs pour l'exécution des contrats internationaux; la continuité des contrats ne devrait pas être remise en cause. Néanmoins, pour éviter ou limiter des risques de contentieux, le groupe de travail interministériel de la mission euro a été amené à formuler des recommandations concernant les contrats à venir et les **contrats** en cours libellés **en francs** (ou toute autre monnaie de la zone euro).

Pour les contrats futurs

236. 1° Choisir, dans la mesure du possible eu égard aux contraintes de la négociation, le **droit** d'un État membre de l'Union européenne.

En tout état de cause, il conviendra d'éviter de choisir un droit « trop exotique » dont le régime serait mal connu.

2° Désigner, lorsque c'est juridiquement possible, une **juridiction** ou éventuellement une instance arbitrale située dans un État membre de l'Union pour trancher des litiges éventuels.

Dans l'hypothèse où la voie de l'arbitrage est retenue, éviter de prévoir l'application des principes généraux du droit du commerce international (ou clause analogue).

3° Insérer une **clause informative** sur le passage à la monnaie unique dans tous les contrats susceptibles d'être conclus dès à présent.

Cette clause permettra de préciser l'environnement économique et juridique du contrat et d'éviter ainsi ces litiges. Elle pourrait être rédigée ainsi :

« En tant que de besoin, il est rappelé que le franc français (ou une autre devise concernée) a été remplacée le 1er janvier 1999 par la monnaie unique européenne en application de la réglementation communautaire.

« Conformément aux principes généraux du droit monétaire, les références au franc sont considérées comme des références à l'euro. »

Cette clause pourrait être introduite dans le préambule du contrat international.

Fondamentalement, ce qui doit distinguer le préambule du reste du contrat, c'est son contenu puisque celui-ci n'a pas pour objet de définir les obligations des parties. En l'occurrence, il semble donc que les clauses informatives sur le passage à l'euro pourraient être idéalement placées dans cette partie du contrat. Le principe de l'absence de formalisme en matière contractuelle n'oblige pas les parties à distinguer matériellement le préambule du reste du contrat. Toutefois, elles peuvent l'isoler en le faisant précéder d'un titre tel que « préambule » ou « exposé des motifs ».

Pour les contrats en cours

238. 1° Recenser les contrats en cours dont la **loi applicable** est celle d'un État tiers à l'Union européenne et/ou la juridiction compétente en cas de litige serait située hors de l'Union.

2° Vérifier s'il n'existe pas de *clauses ambiguës* relatives aux « circonstances nouvelles » susceptibles d'aboutir à la renégociation du contrat lors du passage à l'euro.

3° Introduire, si possible par avenant ou simple échange de lettres, une *clause informative* identique à celle qui est prévue pour les contrats futurs.

C. Contrats libellés en écus

240. Écu et euro sont distincts dans la mesure où ils ne sont pas composés des mêmes monnaies. Le principe de continuité des contrats en écus pourrait donc se révéler contestable.

Les situations sont différentes selon que le contrat prévoit un règlement en écus « publics » ou « officiels » ou en écus « privés ».

1. Contrats en écus publics

243. L'écu public était détenu et utilisé par les *banques centrales* européennes, voire par d'autres banques centrales ou *institutions monétaires* internationales (tiers détenteurs). Il était défini comme un « panier de quantités fixes de la monnaie de chacun des pays membres ».

244. Le panier officiel de l'écu a été converti en euros le 1er janvier 1999 sur la base d'une *parité* un pour un. En conséquence, toute référence à l'écu officiel (défini par le règlement 3320/94/CE) figurant dans un instrument juridique est remplacée, depuis le 1er janvier 1999, par une référence à l'euro au taux d'un euro pour un écu.

2. Contrats en écus privés

248. L'écu privé était un panier de monnaies créé et utilisé par des *banques commerciales* pour leurs propres besoins et ceux de leurs clients (émissions obligataires, certificats de dépôts, instruments à terme, crédits,...). À la différence de l'écu public, l'écu privé possédait, en sus de sa valeur théorique, une valeur marché, car il faisait l'objet d'une cotation séparée sur le marché des changes, au même titre qu'une monnaie étrangère. En général, la valeur marché de l'écu était légèrement supérieure à sa valeur théorique.

249. La règle de *conversion* « un écu = un euro » s'applique à tous les contrats qui font explicitement référence à l'écu officiel tel qu'il est défini dans la législation de la Communauté. Afin d'assurer l'application de cette règle de conversion à l'écu utilisé par les opérateurs dans leurs relations de droit privé, l'article 2 du règlement 1103/97 établit une *présomption* selon laquelle toute référence à l'écu qui n'aurait pas été défini est présumée constituer une référence à l'écu-panier officiel, cette présomption pouvant être écartée en prenant en considération la volonté des parties.

SECTION III

Règles de conversion et d'arrondissage

260. Au cours des trois années de transition (1999-2001), des conversions massives (assorties d'arrondis) seront effectuées, ce qui risque d'aboutir à des erreurs de conversion ou d'addition et à des divergences dans les procédures de calcul. Afin de prévenir ces risques de conflit au cours de l'introduction de l'euro, un certain nombre de règles assurent une juste utilisation des taux de conversion et des méthodes d'arrondi.

A. Règles générales

263. Le règlement 1103/97 (art. 4 et 5) définit des règles générales pour les *sommes d'argent à payer ou à comptabiliser* lorsqu'il y a lieu de les arrondir après conversion. Ces règles doivent être appliquées dans toutes les opérations internes (comptabilité notamment) ou externes (relations avec les clients et les fournisseurs) à l'entreprise.

1. Arrondissage

264. Les *montants en euros* doivent toujours être arrondis au « cent » supérieur ou inférieur le plus proche.

> On notera que l'article 5 du règlement ne vise que « les sommes d'argent à payer ou à comptabiliser » de sorte que pour les autres montants monétaires, aucune règle d'arrondi n'est imposée. Dans ce cas (par exemple, information sur un *seuil*), on pourrait donc théoriquement arrondir à une unité plus grande ou plus petite. Pour tous les *calculs intermédiaires* qui conduisent aux sommes à payer ou à comptabiliser, il est même souvent conseillé de ne pas arrondir pour éviter des écarts trop importants à l'arrivée (dans le bulletin de paie, par exemple).
>
> *Exemple :*
> 50 000 FF = (50 000/6,55957) 7 622,45086 €, arrondi à 7 622 € ou à 7 622,451 €.

265. Les *montants en francs* devront être arrondis à la subdivision de l'unité monétaire nationale la plus proche (le centime).

Si l'application du taux de conversion donne un résultat qui se situe exactement au milieu, la somme est arrondie au chiffre supérieur.

> *Exemples :*
> 15,324 FF est arrondi à 15,32 FF.
> 15,327 FF est arrondi à 15,33 FF.
> 15,325 FF est arrondi à 15,33 FF.

2. Conversion

268. Il est précisé que :

— Les taux de conversion sont exprimés pour la contre-valeur d'un euro dans chacune des unités monétaires nationales des États membres participants. Ils comportent **six chiffres significatifs** (total des chiffres avant et après la virgule), soit, pour le franc, cinq chiffres après la virgule, et ne peuvent être arrondis ni tronqués.

> À titre d'exemple, le taux de conversion est défini ainsi : 1 € = 6,55957 FF ou 40,3399 FB ou 1,95583 DM ou 1936,27 LIT.

— Depuis le 1er janvier 1999, toute somme d'argent à convertir de l'unité monétaire nationale d'un État membre participant dans l'unité monétaire nationale d'un autre État membre participant doit d'abord être convertie en euros ; cela signifie en pratique qu'on ne peut **pas** utiliser de **taux de conversion bilatéraux** entre les unités monétaires nationales des États membres participants (par exemple, 1 DM = 3,3539 FF). Il n'y aura donc pas de taux directs de conversion franc/mark ou franc/florin.

> **Exemple :**
> 45 FF = 6,86021 €.
> 6,86021 € = 13,4174 DM, arrondi à 13,42 DM.
> Résultat : 45 FF = 13,42 DM.

— Les taux de conversion irrévocables sont utilisés pour les conversions entre l'euro et les unités monétaires nationales et inversement. Il est interdit d'utiliser des **taux inverses** calculés à partir des taux de conversion (par exemple, 1 FF = 0,15245 €). Ainsi une conversion unité monétaire nationale/euro consistera en une division du montant exprimé en unité monétaire nationale par le taux de conversion de l'euro contre celle-ci.

> **Exemple :**
> 5478,56 FF = (5478,56/6,55957) 835,20109 €, arrondi à 835,20 €
> et non
> 5478,56 x 0,15245 = 835,20647 €, arrondi à 835,21 €.

269. Les **calculettes** qui sont mises sur le marché français depuis le 1er janvier 1999 doivent impérativement respecter ces règles et l'indiquer sur le boîtier, la notice d'utilisation ou le convertisseur lui-même par le marquage « conforme au règlement (CE) n° 1103/97 ». Le décret 98-1142 du 15 décembre 1998 (JO du 16) rappelle ces règles et autorise l'administration à agir pour sanctionner les produits non conformes.

B. Applications pratiques

275. Les **recommandations complémentaires** élaborées en France (« Le passage à l'euro : les arrondis, recommandations, mai 1997, ministère de l'économie, des finances et de l'industrie, mission euro, AFECEI, Banque de France, Conseil national de la comptabilité ») concernent les conversions suivies de conversions inverses, les conversions de sommes et produits et le traitement comptable des opérations de conversion et d'arrondissage.

1. Arrondissage

276. L'*arrondi d'une somme* n'est généralement pas égal à la **somme des arrondis**. Il en va de même de l'arrondi d'un produit et du produit des arrondis.

Exemple :

	4 518 FF →		688,76 €
+	185 FF →	+	28,20 €
+	7 805 FF →	+	1 189,86 €
+	1 042 FF →	+	158,85 €
=	13 550 FF	=	2 065,67 €

↓ 2 065,68 €,
soit *1 cent*
de différence.

↓ 13 549,91 francs,
soit *9 centimes*
de différence.

Dans un souci de simplicité et afin de limiter les écarts liés aux opérations de conversion et d'arrondissage, il est recommandé de ne **convertir** que **le résultat final** et non chaque poste de l'opération.

277. Par dérogation à l'article 13 du Code de commerce qui interdit la compensation comptable entre charges et produits, les différences d'arrondis et de conversion — à la hausse ou à la baisse — résultant de l'application des règles d'arrondissement propres à l'introduction de l'euro sont inscrites en résultat pour leur montant net (article 16-2 de la loi du 2 juillet 1998 — reproduit en annexe au n° 1900) (voir chapitre Comptabilité n°s 490 s.).

2. Conversion

280. Dans le cas d'une **conversion euro/franc/euro**, le montant initial est automatiquement retrouvé compte tenu de la plus grande précision du franc par rapport à l'euro.

Exemples :
15 € = 98,3935 FF, arrondi à 98,39 FF.
98,39 FF = 14,9994 €, arrondi à 15 €.

281. En revanche, il n'en va pas de même pour une **conversion** en sens inverse **franc/euro/franc**. Cette opération conduit à un écart de conversion qui ne devrait pas dépasser trois centimes.

Exemple :
38,23 FF = 5,82812 €, arrondi à 5,83 €.
5,83 € = 38,2422 FF, arrondi à 38,24 FF.

L'*écart* joue tantôt à l'avantage, tantôt au détriment du débiteur. Au plan macro-économique, l'ensemble ces opérations devrait s'équilibrer. Par ailleurs, les systèmes de paiement français seront à même de résoudre cette difficulté et permettront de retrouver la somme initiale exacte à l'issue des opérations.

L'article 25 de la loi du 2 juillet 1998 (n° 1900) prévoit que lorsque le montant d'une créance ou d'une dette donne lieu à une conversion de cette nature, effectuée conformément aux règles de la conversion et de l'arrondissement prévues par les articles 4 et 5 du règlement 1103/97 du 17 juin 1997, aucune contestation relative à l'écart pouvant résulter de cette double conversion ne pourra être reçue.

3. Conversion entre une monnaie de la zone euro et une monnaie tierce

283. La conversion entre l'*euro* et une *monnaie tierce* telle que le dollar ou le yen sort du champ d'application des règles prescrites par le règlement 1103/97.

En revanche, une opération de conversion entre une *monnaie de la zone euro* et une *monnaie tierce* implique une conversion entre l'euro et la monnaie de la zone euro car celle-ci n'est plus cotée sur le marché des changes. Dans ce cas, le règlement communautaire est applicable à cette opération (voir Commission européenne, *Euro-paper* n° 22, II/717/97).

Concernant la question des *arrondis*, on distingue deux cas dans les exemples suivants :

1. Dans le cas d'une *conversion de $ en FF*, le montant en $ sera d'abord converti en un montant € par l'application du taux de change $/€. Le montant intermédiaire en € sera ensuite converti en un montant en FF par l'application du taux de conversion (1 € = 6,55957 FF). Ce n'est qu'à cette dernière opération que les règles d'arrondi du règlement 1103/97 (voir n°s 264 et 265) sont applicables.

2. Dans le cas d'une *conversion de FF en $*, l'article 5 du règlement n'est pas pertinent. Le montant libellé en FF devra être converti en € par l'application du taux de conversion. Ce montant en € ne devra pas être arrondi au *cent* le plus proche car il ne constitue qu'une étape intermédiaire du calcul (ce n'est pas une somme d'argent à payer ou à comptabiliser). Il devra ensuite être converti en $ par l'application du taux de change $/€. Cette dernière étape n'est pas couverte par le règlement communautaire.

SECTION IV

Règles applicables aux sociétés commerciales

290. Nombre de règles applicables aux sociétés commerciales concernant, notamment, la conversion du capital social et les seuils législatifs ou réglementaires devront être adaptées pour le passage à la monnaie unique.

A. Seuils législatifs et réglementaires

295. Les seuils législatifs et réglementaires cités dans les textes qui constituent l'environnement juridique des entreprises sont très nombreux.

Le seuil peut être défini comme « toute somme arrondie déclenchant l'application d'une règle juridique ». Il peut s'agir notamment d'un tarif, du barème de l'impôt, du plafond de ressources pour telle ou telle prestation sociale, d'un seuil d'accès à un droit ou à une obligation d'un seuil de compétence. Par exemple :

— le capital minimum, soit 50 000 FF pour les sociétés à responsabilité limitée et 250 000 FF pour les sociétés par actions ne faisant pas publiquement appel à l'épargne ;

— l'obligation de désigner un commissaire aux comptes pour les sociétés à responsabilité limitée lorsque deux des trois seuils suivants sont atteints : total du bilan de 10 millions de francs, chiffre d'affaires de 20 millions de francs, effectif de 50 personnes.

Lors de leur conversion en euros, ces seuils deviendront moins « lisibles » car il ne s'agira plus de montants ronds.

Le capital minimum exigé pour les sociétés par actions, par exemple, serait de 38 112,25 €.

La question s'est donc posée de savoir quand et comment modifier ces montants.

Pendant la période transitoire

296. En application de l'article 7 du règlement 974/98 du 3 mai 1998, les textes libellés en unité monétaire nationale resteront libellés dans cette même unité monétaire pendant toute la période de transition.

Il a donc été décidé de ne **pas modifier** les seuils en franc pendant la période transitoire. Il est, en effet, difficilement envisageable d'avoir simultanément des seuils arrondis en unité euro et en unité franc.

Il est cependant évidemment possible d'obtenir la **contre-valeur** en unité euro des seuils exprimés en unité franc en appliquant les règles de conversion officielles. Toutefois, de manière générale, ces contre-valeurs en unité euro ne seront pas formellement inscrites dans les textes.

Après la période transitoire

297. L'article 14 du règlement 974/98 du 3 mai 1998 impose la conversion en euros de l'ensemble des références en francs à la fin de la période transitoire (à compter du 1er janvier 2002).

Il suffira donc d'une « **loi-cadre** » pour assurer le basculement de l'ensemble des seuils existants. Ces textes n'auront pas, d'un point de vue juridique, besoin d'être formellement modifiés.

Cependant, les États membres conservent leur compétence pour éventuellement « arrondir » les montants obtenus afin de rétablir leur lisibilité. Le législateur pourra alors établir des seuils plus « **pragmatiques** » après leur conversion en euros.

Un groupe de travail interministériel piloté par le ministère de la justice s'est fixé comme premiers objectifs le recensement de tous les textes officiels contenant la mention « francs », la classification des seuils (seuils neutres, seuils sensibles, seuils mixtes), l'établissement d'une liste des solutions envisageables (maintien du chiffre arrondi, modification à la hausse ou à la baisse et écart possible) ainsi que les conséquences budgétaires, sociales ou financières des choix opérés.

B. Conversion du capital social

300. Le capital social représente le montant des apports faits par les associés lors de la constitution de la société. Au cours de la vie sociale, il peut être augmenté, soit par de nouveaux apports, soit par incorporation de bénéfices non distribués. Il peut également être réduit par des reprises d'apports ou par suite de pertes. Toute modification apportée au capital est une modification statutaire qui suppose l'accomplissement de nombreuses formalités : réunion des associés, publicité, etc.

301. Depuis le 1er janvier 1999, les entreprises qui le souhaitent peuvent convertir leur capital social à l'euro, étant entendu que cette conversion sera automatique le 1er janvier 2002 si elle n'a pas été effectuée avant cette date.

> La conversion du capital social à l'euro avant 2002 n'implique pas nécessairement le basculement parallèle de l'ensemble de la comptabilité (voir BRDA 5/99 p. 4).

Cette mesure exigeait une modification de l'article 16 du Code de commerce (voir le chapitre Comptabilité, nos 510 s.) et de la loi du 24 juillet 1966 sur les sociétés commerciales, ce qui a été fait par la loi du 2 juillet 1998 (art. 16 et 17 reproduits en annexe au n° 1900), qui concerne principalement les *sociétés anonymes* et les *sociétés à responsabilité limitée*.

> Un dispositif particulier est inséré à l'article 17 IV de la loi pour faciliter la conversion du capital social en euros dans les *sociétés coopératives*, en simplifiant les procédures d'augmentation de capital par incorporation de réserves, très encadrées dans ce type de sociétés.

302. Pour convertir leur capital social en euros, les entreprises peuvent envisager *deux options* : soit la conversion globale du capital social, soit la conversion du nominal de chaque part ou action.

1. Conversion globale du capital social

305. La solution la plus *simple* pour convertir le capital social à l'euro est de le convertir globalement, en divisant ensuite le résultat de la conversion par le nombre d'actions (ou de parts) pour obtenir la valeur nominale en euros de ces actions (ou parts).

Cette méthode conduirait toutefois les sociétés à afficher dans leurs statuts (et sur tous les actes et documents destinés aux tiers) une valeur nominale de l'action comportant de nombreux chiffres après la virgule et donc *peu lisible* par leurs actionnaires.

> Exemple d'une société dont le capital social de 1 500 000 francs, correspondant à 15 000 actions de 100 FF.
> Conversion globale du capital social :
> 1 500 000 FF = (1 500 000/6,55957) 228 673,53 €.
> La valeur nominale de l'action serait alors de :
> 228673,53 /15 000 = 15,2449 €, arrondis à 15,24 €.

307. Pour faciliter la conversion, l'art. 17, I de la loi permet aux *sociétés par actions* de *ne plus mentionner la valeur nominale de leurs actions dans les statuts*. Toutefois, il resterait toujours possible d'obtenir la valeur nominale d'une action, ce qui est parfois nécessaire pour certaines opérations telles qu'une augmentation de capital ou un remboursement des actionnaires, en procédant à une division du capital par le nombre d'actions émises.

La loi précise que l'option de ne plus mentionner la valeur nominale s'applique alors à toutes les *émissions d'actions*. Pour des raisons de lisibilité, en effet, une société ne pourra pas faire coexister des actions ou des parts avec valeur nominale et des actions ou des parts sans valeur nominale.

La valeur nominale des actions étant fixée dans les statuts, une modification de ces derniers nécessiterait la convocation d'une *assemblée générale* extraordinaire, seule habilitée à prendre une telle décision.

On rappelle que les *sociétés à responsabilité limitée* n'ont pas d'obligation législative de mentionner la valeur nominale des parts dans leurs statuts.

2. Conversion de la valeur nominale des actions ou des parts sociales

310. Cette option permet d'obtenir une *valeur* du nominal *lisible*, c'est-à-dire arrondie à la dizaine d'euros ou à l'euro le plus proche. Mais la somme de ces montants arrondis sera alors nécessairement différente du montant global du capital social converti en euros. Cela d'autant plus que le montant de l'action ou de la part sociale est faible et que leur nombre est élevé.

311. La conversion de la valeur nominale des actions ou des parts sociales conduit donc nécessairement à une augmentation ou à une réduction de capital.

Exemple d'une société anonyme dont le capital social de 1 500 000 FF, correspondant à 15 000 actions de 100 FF.
Conversion globale du capital social :
1 500 000 FF = (1 500 000/6,55957) 228 673,53 €.
Conversion de la valeur nominale de l'action :
100 FF = (100/6,55957) 15,2449 €, arrondis à 15,24 € (au cent d'euro près) ou 15 € (à l'euro près).
Selon le montant arrondi retenu, on obtient un total de :
15,24 x 15 000 = 228 600 €
soit une différence de 73,53 €
ou
15 x 15 000 = 225 000 €
soit une différence de 3 673,53 €.
Dans cette hypothèse, la société devrait réaliser une réduction de capital de 73,53 € ou de 3 673,53 €.

Le dispositif prévu par la loi aménage l'application de certaines dispositions de la loi du 24 juillet 1966 pour des raisons conjoncturelles liées au choix laissé aux sociétés, pendant la période transitoire, de convertir leur capital social en euros quant elles le souhaitent.

Augmentation de capital

313. L'augmentation de capital par incorporation de réserves ou de bénéfices est un procédé d'accroissement du capital sans apports nouveaux en société. Dans la mesure où elle représente une mesure de technique comptable (elle se concrétise par un simple jeu d'écriture), la loi française la réglemente de manière souple.

Une augmentation de capital entraîne nécessairement une modification des statuts, décision qui relève de la compétence exclusive de l'assemblée générale extraordinaire (AGE) pour les sociétés par actions (dont les sociétés anonymes sont une catégorie).

Toutefois, pour les **sociétés anonymes**, la loi du 24 juillet 1966 prévoit déjà la possibilité d'une délégation de pouvoirs au conseil d'administration ou au directoire en vue d'augmenter le capital (voir Mémento Sociétés commerciales n° 2027).

314. Pour les **sociétés à responsabilité limitée**, la décision doit être prise par les associés représentant au moins la moitié des parts sociales. La décision d'ajustement étant motivée par des raisons techniques, la loi assouplit les conditions d'une augmentation de capital pour les SARL sur le modèle des dispositions applicables aux sociétés anonymes.

315. Si l'assemblée d'une société à responsabilité limitée décide, en raison de la conversion du capital social en euros, d'une augmentation de capital par incorporation de réserves ou de bénéfices, cette assemblée pourra, dans la limite d'un plafond qu'elle fixe, déléguer aux gérants les pouvoirs nécessaires à l'effet de procéder à cette augmentation dans un **délai** de vingt-six mois, en une ou plusieurs fois, d'en constater la réalisation et de procéder à la modification corrélative des statuts (art. 17, II de la loi du 2 juillet 1998).

On observera que le délai de 26 mois reprend celui prévu par la loi du 24 juillet 1966 sur les sociétés commerciales pour les délégations consenties, dans les sociétés anonymes, au conseil d'administration et au directoire, afin de procéder à une augmentation de capital par incorporation de réserves. Historiquement, ce délai se justifie de la manière suivante :

— la délégation de pouvoirs ne pouvait être que limitée dans le temps : ce motif a conduit à retenir une durée de deux ans pour réaliser l'émission de valeurs mobilières, constater le résultat et procéder à la modification corrélative des statuts ;

— deux mois supplémentaires ont été ajoutés pour l'accomplissement des formalités de convocation des assemblées générales : il s'agit d'une « marge administrative ».

La limitation de cette disposition aux seules augmentations de capital par incorporation de réserves ou de bénéfices a pour objet d'éviter que l'augmentation de capital ne se traduise par une modification de la répartition du capital entre les associés. Cette procédure permettrait donc, en cas de conversion nécessitant une augmentation de capital, un arrondissement à l'euro près, à la dizaine d'euros près, ou, selon toute modalité voulue par les associés, dans la limite des capacités de la société à augmenter son capital.

Réduction du capital

318. La réduction du capital constitue une atteinte aux principes de fixité et d'intangibilité du capital social. Elle peut, en effet, entraîner un amoindrissement de la protection des créanciers en facilitant la distribution des bénéfices du fait de la diminution de la somme qui sert de paramètre pour le calcul des bénéfices distribuables. Elle est donc soumise à des **règles strictes**, mais différenciées selon que la réduction est ou non motivée par des pertes de la société.

319. La loi a pour objet d'assouplir la procédure de réduction de capital non motivée par des pertes en écartant l'application de certaines dispositions des articles 63 et 216 de la loi du 24 juillet 1966 (notamment en ce qui concerne le droit d'opposition des créanciers et des obligataires). L'affectation du produit de la réduction du capital à un compte indisponible de réserve permettrait en effet de considérer que la réduction de capital ne peut pas s'analyser comme un remboursement aux actionnaires et de maintenir ainsi une protection des intérêts des créanciers et des obligataires.

320. L'assemblée générale extraordinaire des *sociétés par actions* et des *sociétés à responsabilité limitée*, qui décide de procéder aux réductions de capital consécutives à la conversion et à l'arrondissage au centième d'euro ou à l'euro près du capital social ou des actions et des parts, peut déléguer au conseil d'administration, au directoire ou aux gérants, selon le cas, les pouvoirs nécessaires à l'effet de procéder à cette réduction de capital dans un délai de vingt-six mois, d'en constater la réalisation et de procéder à la modification corrélative des statuts (art. 17, III de la loi).

C. Conversion des obligations

325. L'article 18 de la loi du 2 juillet 1998 (reproduit au n° 1900) autorise les sociétés par actions à convertir en euros, pendant la période transitoire, les obligations qu'elles ont émises. Conformément au principe « ni interdiction, ni obligation », ce texte n'impose pas la conversion mais propose une *procédure dérogatoire au droit commun* pour en prendre la décision.

La décision de conversion ne pouvait être prise qu'à compter de la date de conversion par l'État de sa dette en euros, ce qui a été fait dès le 1er janvier 1999 (arrêté du 28 décembre 1998 : JO du 30 p. 19931).

Ce cadre législatif porte à la fois sur la méthode de conversion à utiliser et sur la procédure à suivre.

Les modalités d'application en ont été fixées par les décrets 98-1020 et 98-1021 du 10 novembre 1998 (JO du 11 novembre, p. 17013).

1. Méthode de conversion

326. La conversion des obligations doit s'effectuer conformément au règlement communautaire du 17 juin 1997 (voir n° 268). Le résultat numérique de cette opération ne sera pas un nombre entier, sauf cas exceptionnels ; la question s'est donc posée de la gestion des décimales apparues lors du calcul.

327. La loi retient une conversion avec *arrondi à un euro*. La diminution induite de la créance détenue par le titulaire de l'obligation, en valeur nominale, sera compensée par un *versement en espèces* correspondant au montant rompu, sans que le porteur puisse faire valoir de droit autre que celui de la perception de ce versement.

Les aspects fiscaux de ces opérations de conversion sont traités aux n°s 673 s.

2. Procédure à suivre

329. Pour les sociétés commerciales soumises aux dispositions de la loi du 24 juillet 1966, les *droits des créanciers* obligataires sont définis par les articles 289 à 339 de cette loi. En particulier, l'article 313 précise que l'**assemblée générale des obligataires** « délibère sur toutes mesures ayant pour objet d'assurer la défense des obligataires et l'exécution du contrat d'emprunt ainsi que sur toute proposition tendant à la **modification du contrat** ».

330. Or, la méthode de conversion proposée, associée nécessairement à la mise en œuvre d'une procédure simplifiée, constitue une **modification du contrat d'émission** ; elle conduit à une réduction de la valeur nominale des titres détenus et à un versement compensatoire en espèces, l'ensemble relevant en fait d'un remboursement anticipé.

331. Pour faciliter les opérations de conversion, l'article 18, II de la loi, par dérogation à l'obligation légale de convoquer l'assemblée générale des obligataires, autorise les **dirigeants** de la société à procéder à cette conversion.

Pour plus de détails, voir le Mémento Sociétés commerciales n° 2801.

D. Publicité des comptes sociaux

333. Pour la période transitoire, la Commission des opérations de bourse (Bull. n° 316, septembre 1997) a recommandé aux **sociétés faisant appel public à l'épargne** :
— de publier à la fois en francs et en euros un certain nombre de données significatives (les principaux postes du bilan, les soldes intermédiaires du compte de résultat, le résultat net par action et le dividende) dans toutes les publications réglementaires auxquelles ces sociétés sont soumises (document de référence, note d'information, prospectus, etc.) ; les deux expressions monétaires devront également être données lorsque un ou plusieurs de ces éléments figureront dans un communiqué de presse ;
— si elles ont converti leur comptabilité à l'euro, de présenter, dans les publications réglementaires précitées, des séries historiques des comptes converties en euros sur la base de la parité définitivement fixée au 1er janvier 1999.

Voir le chapitre Comptabilité, n°s 518 s.

E. Distribution des dividendes

335. En ce qui concerne la distribution des dividendes, le libre choix est aussi la règle entre 1999 et 2002. Selon la décision des entreprises, ils seront votés en francs ou en euros, mais il est probable qu'un grand nombre de sociétés les exprimeront dans les deux unités monétaires. Quoi qu'il en soit, ce sont, là encore, les établissements bancaires qui se chargeront des opérations de conversion sur les comptes des particuliers, s'il y a lieu.

SECTION V

Consommateurs

340. La période transitoire de trois ans (1999-2001) au cours de laquelle cœxistent le franc et l'euro, alors que les pièces et les billets en euros ne seront disponibles qu'en 2002, nécessite un effort de communication à l'égard du consommateur puisque l'ouverture d'un compte bancaire en euros est possible, ainsi que les paiements par chèque ou par carte bancaire ; les ordres de bourse devront être passés en euros, mais, dans le même temps, aucun paiement en espèces ne sera possible avant 2002.

La période suivante, qui verra cœxister pièces et billets libellés en euros ou en francs pendant quelques semaines au début de 2002, constitue aussi une difficulté sérieuse et risque de désorienter les consommateurs.

> Des *observatoires locaux* du passage à l'euro sont mis en place progressivement depuis janvier 1999 afin de permettre le suivi de l'introduction de l'euro, de la loyauté des transactions et de la transparence des pratiques des professionnels. Chaque observatoire associe l'ensemble des secteurs professionnels concernés, les administrations publiques intéressées et les citoyens, dont les représentants des consommateurs (Avis du Conseil national de la consommation du 20 octobre 1998 ; Recommandation de la Commission du 23 avril 1998 : JOCE 1998 L 130).

341. Cette section présente les questions concrètes qui concernent à la fois les consommateurs et les entreprises. Nous aborderons successivement les dispositions prises ou envisagées relatives à l'affichage des prix, à la pratique des nouveaux prix et échelles de valeur en euros et à la prise en charge des coûts de conversion.

A. Affichage, étiquetage et information sur les prix

343. L'avènement de l'euro va entraîner la disparition de l'ensemble des référentiels de prix chez les consommateurs. De nouvelles habitudes vont devoir être prises, sachant que les montants en euros seront environ 6,5 fois inférieurs aux anciens montants en francs.

Une correction des « prix psychologiques » est inévitable : le prix d'une chemise à 199 FF atteindra en effet 30,34 €, ce qui n'a plus d'intérêt sur le plan du marketing (voir n°s 2200 s.). Pour retrouver des prix psychologiques en euros, le conditionnement des produits devra parfois être repensé. Le problème central des entreprises est de conserver la confiance du consommateur, d'où l'importance de l'information diffusée.

346. Plus que d'autres, les entreprises en relation avec le grand public (distribution notamment) sont incitées à un double affichage des prix : les détaillants ont pour objectifs de conserver la confiance des clients au cours de la période de changement et d'aider le consommateur dans l'apprentissage de nouvelles valeurs de référence.

1. Modalités et durée du double affichage

350. Depuis le 1er janvier 1999, l'information donnée aux consommateurs sur les prix peut être exprimée en euros. Dans ce cas, les règles de conversion et d'arrondi prévues par le règlement européen du 17 juin 1997 doivent être respectées (de même, en cas de double affichage des montants sur le bulletin de paie, par exemple).

Le double affichage joue un rôle important dans la mesure où il facilite le passage à l'euro des consommateurs, des détaillants et des prestataires de services. Il peut aider les consommateurs à s'adapter à de nouveaux prix et à de nouvelles structures de valeurs libellés en euros, et à surveiller les variations de prix, de manière à les rassurer sur l'équité du processus de transition.

Il est également essentiel que les consommateurs soient familiarisés avec l'euro et qu'ils accordent leur confiance à cette monnaie pour qu'ils ne retardent pas temporairement certaines de leurs transactions aux alentours du 1er janvier 2002 et pour que la rapidité des transactions aux caisses soit maintenue : il s'agit là de préoccupations fondamentales des commerçants. En outre, le double affichage peut contribuer à familiariser le personnel avec l'euro et l'aider ainsi dans l'exécution de ses tâches et dans la prévention des erreurs.

351. Dans un rapport publié le 11 février 1998 (Aspects pratiques de l'introduction de l'euro : le point de la situation — II/19/98), un des groupes de travail mis en place par la Commission estime que l'adoption d'une règle unique ne serait pas judicieuse.

Ainsi, il considère qu'une double indication des montants devrait figurer sur les **relevés bancaires**, les **contrats d'assurances** et les **factures des services publics** dès le début de la période de transition (1999-2001).

Dans le **commerce de détail**, une introduction progressive du double affichage pourrait avoir lieu, notamment au cours des derniers mois précédant le 1er janvier 2002. Dans ce domaine, le calendrier précis dépendra cependant du rythme auquel les clients et les consommateurs souhaiteront accomplir la transition, de la nature du commerce de détail concerné, ainsi que des types de produits vendus.

Le même groupe d'experts estime qu'une période trop longue de double affichage **après le 1er janvier 2002** risque de ralentir le passage des consommateurs à l'euro, en leur permettant de rester attachés trop longtemps aux montants exprimés en monnaie nationale.

352. Les modalités et la durée du double affichage doivent être arrêtées en concertation avec les professionnels concernés et les associations de consommateurs. La Commission examine la question au niveau européen. Elle est aussi traitée dans le cadre du Conseil national de la consommation et du Comité national de l'euro.

2. Réglementation sur l'affichage des prix

361. Compte tenu de la diversité des systèmes d'indication des prix actuellement en vigueur, des nombreux facteurs qui influencent les aspects techniques du double affichage, ainsi que des besoins spécifiques de certaines entreprises (petits commerces, agences de voyages, stations-service, maisons de vente par correspondance et de vente à distance), on s'accorde aujourd'hui sur la nécessité de faire preuve de *souplesse* en matière de double affichage.

Cette souplesse devrait faciliter l'apparition de méthodes de double indication qui répondent le mieux aux besoins des consommateurs. Elle devrait également permettre aux détaillants de donner à leur double affichage le format le mieux adapté aux caractéristiques techniques de leur équipement existant. Elle contribuera donc à réduire au minimum le coût du double affichage, coût qui serait en partie répercuté sur le consommateur sous forme de hausses de prix.

362. Quoi qu'il en soit, bon nombre de détaillants, de services publics, de banques et d'entreprises d'assurances pratiquent déjà un double affichage des prix et des informations financières, alors qu'ils n'y sont pas obligés.

Cette politique s'explique par les *avantages commerciaux* qui peuvent résulter d'un double affichage, ainsi par le rôle important que joue la *concurrence* en encourageant la fourniture d'informations de grande qualité aux consommateurs et aux clients.

Au niveau national

364. La réglementation française qui exigeait que les prix soient indiqués en francs (arrêté du 3 décembre 1987) a été modifiée par un *arrêté ministériel* du 25 novembre 1998 (JO du 3 décembre, page 18223). Depuis le 1er janvier 1999, l'information sur les prix peut, en outre, être exprimée en euros mais il n'y a aucune contrainte imposée en ce sens.

En revanche, le commerçant qui choisit de procéder au double affichage doit impérativement appliquer les règles de conversion et d'arrondis prévues par le règlement 1103/97/CE du 17 juin 1997 (voir nos 263 s.). Dans ce cas, l'arrêté ministériel exige également l'affichage d'informations sur le taux de conversion officiel (1 € = 6,55957 FF) et sur les règles de conversion et d'arrondi.

365. En matière de double affichage, le *Conseil national de la consommation* (avis du 20 octobre 1998) considère que le recours à une réglementation impérative n'est pas nécessaire, au moins au début de la période transitoire. Toutefois, le CNC admet que pour être efficace, l'information des consommateurs doit respecter certaines modalités de mise en œuvre.

Les informations données sur les lieux de vente ont pour objet d'assurer la *transparence des paiements* en euros pour que les consommateurs effectuent leurs achats dans un climat de confiance. Elles comprennent :
— le taux officiel de conversion ;
— un exemple de conversion en euros de la valeur des pièces et/ou billets en francs (exemple : 10 FF = 1,52 €) ;
— le rappel de la stricte égalité des prix affichés en francs et en euros, par application des règles de conversion et d'arrondi ;
— le principe de la conversion en euros de la somme totale à payer ;

— les moyens de paiement euros acceptés et les éventuelles restrictions apportées à l'utilisation de ces moyens de paiement (exemple : chèques euros uniquement compensables en France).

Pour éviter toute confusion entre les deux unités monétaires, l'étiquetage ou l'affichage des prix en euros doit être facilement **repérable** par les consommateurs. En outre, les prix en euros devront être accompagnés du symbole € ou de l'abréviation EUR. Par ailleurs, le Conseil préconise que la taille des caractères des prix exprimés en euros soit réduite par rapport à ceux affichés en francs.

Les professionnels qui s'engageront à appliquer ces règles pourront utiliser le **logo de confiance** prévu par la recommandation européenne du 23 avril 1998 concernant le double affichage des prix et l'acceptation des paiements en euros.

Au niveau communautaire

367. La Commission européenne estime que l'imposition d'une réglementation obligatoire au niveau européen sur le double affichage ne constituerait pas la meilleure manière d'assurer un double affichage conforme aux besoins des consommateurs, ni de réduire au minimum les coûts liés à la transition vers l'euro.

Néanmoins, elle a adopté le 23 avril 1998 (JOCE 1998 L 130, p. 26) une recommandation sur des « **principes de bonne pratique** » qui doivent être respectés conformément à la législation existante :
— les **taux de conversion** doivent être utilisés pour calculer les contre-valeurs dans le double affichage ;
— l'**arrondissage** au centième le plus proche doit représenter le degré de précision minimal pour les prix ou autres montants monétaires convertis de l'unité monétaire nationale en unité euro ;
— le double affichage des prix et d'autres montants monétaires doit être non équivoque, aisément **identifiable** et facilement **lisible**.

En ce qui concerne la **clarté** du double affichage, la Commission recommande d'opérer une **distinction** claire entre l'unité de référence (l'unité dans laquelle le prix est fixé et dans laquelle sont calculés les montants à payer) et la contre-valeur qui n'est indiquée qu'à titre d'information ; en règle générale, le double affichage pourrait se limiter au prix final à payer ou, sur les tickets de caisse et autres relevés financiers, au montant total.

Enfin, la Commission invite les détaillants à indiquer clairement s'ils sont disposés à accepter les **paiements en euros** au cours de la période transitoire (voir n° 365 in fine).

B. Contrôle des abus lors du passage à l'euro

370. De nombreuses entreprises seront sollicitées pendant la période transitoire (1999-2001) pour travailler en euros. Les professionnels du commerce, en particulier, auront une mission fondamentale, celle de faire admettre l'euro aux consommateurs. À cette fin, les abus lors du passage à l'euro seront **sanctionnés**.

Les pouvoirs publics français ont engagé la concertation entre les consommateurs et les professionnels, afin d'assurer une information efficace et transparente sur les prix, et renforcent leur **surveillance des marchés** depuis le passage à l'euro. En outre, le **jeu de la concurrence** entre établissements, mais aussi entre États membres, où les prix seront plus facilement comparables, devrait limiter les risques d'augmentation des prix. Enfin, la Banque centrale européenne veille constamment à maintenir la **stabilité des prix** : c'est la mission qui lui est confiée par le Traité.

372. Afin d'éviter le détournement de la mise en place de l'euro à des fins publicitaires et d'assurer le respect des règles, le Conseil national de la consommation (BOCC du 19 décembre 1997, p. 871) souhaite qu'un texte spécifique sanctionne les ventes ne respectant pas la stricte **parité des monnaies**, les rabais effectués uniquement sur une des deux monnaies et les conversions tronquées. Pour le faire respecter, des agents devraient être habilités à effectuer des contrôles.

Dans le Plan national de passage à l'euro, le Gouvernement a annoncé que les services de contrôle, notamment ceux de la Direction générale de la concurrence, de la consommation et de la répression des fraudes, contribueront à **sécuriser les paiements** en euros, en veillant à la transparence des transactions et au libre jeu de la concurrence.

Les contrôles porteront notamment sur le respect des règles du **Code de la consommation** (affichage des prix, régularité des publicités commerciales, offres promotionnelles, etc.) qui s'appliquent pour les achats les plus courants des consommateurs.

L'ensemble des **outils de conversion** dans les unités monétaires (cela concerne aussi bien les convertisseurs, dont les calculettes, que les autres instruments proposant un double affichage) peuvent également être contrôlés pour s'assurer du strict respect des règles de conversion et d'arrondissage (voir n° 269).

373. Certains commentateurs estiment que la seconde phrase de l'article 3 du règlement 1103/97 selon laquelle le principe de continuité des contrats s'applique « sans préjudice de ce dont les parties sont convenues » est source d'insécurité juridique pour la continuité des **relations contractuelles de la consommation**.

À l'occasion de la disparition du franc (2002), les parties à un contrat pourront, en effet, décider d'un commun accord de le renégocier, voire de le résilier. Les associations représentatives des consommateurs craignent donc que la partie professionnelle à un contrat ne tire profit abusivement des clauses existantes dans le contrat lui permettant de le résilier unilatéralement ou d'en modifier les conditions. Elles estiment nécessaire que le législateur national prépare un texte spécifique à l'introduction de l'euro dans les relations de consommation. D'autant plus que, selon elles, la référence à la législation relative aux clauses abusives n'est aucunement satisfaisante.

Pour le moment, aucune réglementation en ce sens n'est prévue.

C. Frais bancaires de conversion en euros

378. L'incertitude liée à la question des coûts de passage à la monnaie unique est une préoccupation majeure, notamment en matière de tarification des services bancaires.

Les deux règlements communautaires sur l'euro (voir n°s 126 s.) n'autorisent ni n'interdisent explicitement le prélèvement de frais de conversion.

Cependant, d'autres principes juridiques énoncés dans les règlements et dans les législations nationales peuvent implicitement restreindre les possibilités dont disposent les banques dans ce domaine : ainsi, les banques ne peuvent prélever de frais de conversion sur les paiements entrants, ni sur la conversion des avoirs en compte à la fin de la période de transition.

De même, le fait de prélever une commission plus importante pour un service libellé en euros que pour le même service libellé en francs risque de compromettre l'équivalence juridique entre l'euro et l'unité monétaire nationale.

379. Les *banques* sont opposées à toute réglementation sur ce point. Elles estiment que, en pratique, c'est la pression concurrentielle qui guidera leur politique à cet égard.

À l'inverse, les représentants des **consommateurs** souhaitent que la question de neutralité de la tarification soit clairement établie dans une législation européenne. Selon le BEUC (Bureau européen des unions de consommateurs), la conversion des *comptes courants* et des services de paiement qui y sont associés ainsi que la redénomination des *produits d'épargne* devraient être gratuites dès 1999, de même que l'échange des *billets et pièces* nationaux en billets et pièces en euros en 2002 (notamment pour les personnes qui ne font pas partie de leur clientèle).

380. Lors de la septième réunion du *Comité national de l'euro*, tenue le 1er juillet 1998, les représentants du secteur bancaire ont pris plusieurs engagements sur les frais bancaires et le passage à l'euro. Quelques exemples ont été donnés d'opérations gratuites et payantes.

Exemples de *conversion sans frais* :
— le client détient un compte en francs. Il en demande la conversion définitive en euros, pendant la période de transition. Cette conversion est effectuée sans frais selon les modalités propres à chaque banque ;
— le client détient un compte en francs. L'établissement reçoit des opérations en euros à comptabiliser sur ce compte. L'établissement les convertit automatiquement en francs, sans frais. On trouvera ci-dessous quelques exemples de conversion automatique sans frais : au crédit, versement de salaires, de retraites, de prestations sociales, de remises de chèques, de revenus de valeurs mobilières, etc. exprimés initialement en euros ; au débit, avis de prélèvement et paiement par carte libellés en euros, ou paiement par chèque sur la formule spécifique en euros ;
— le client détient un compte en euros. L'établissement reçoit des opérations en francs. L'établissement les convertit automatiquement en euros, sans frais.

Exemples d'opérations *susceptibles de faire l'objet d'une facturation* :
— l'établissement, à la demande de son client, a exécuté, de manière définitive, la conversion de son compte en euros. Ultérieurement, le client demande à revenir à un compte en francs ;
— l'établissement propose à son client, qui le souhaite, des extraits de compte enrichis, faisant apparaître l'unité de compte dans laquelle le paiement a été ordonné ;
— l'établissement achète ou vend, à son client, des billets d'une autre monnaie « in » durant la période transitoire. Il n'y a plus de commission de change, mais une commission couvrant les frais autres que le change (frais de manutention, de stockage et d'assurance des espèces, notamment).

381. Un *arrêté ministériel* du 30 décembre 1998 précise les obligations des personnes pratiquant des opération de change manuel ou d'échange manuel (JO du 6 janvier 1999, page 285).

L'affichage des conditions des *opérations de change* (achat/vente de devises étrangères) comporte au minimum les opérations suivantes :
— les cours de change de l'euro (ou du franc pendant la période transitoire) vis-à-vis des principales devises ;
— les modalités de calcul des frais et commission éventuellement perçus. Est prohibée toute inscription laissant croire que les opérations ne donneraient pas lieu à perception de frais ou de commission, alors que ceux-ci seraient inclus dans les cours retenus.

L'affichage des conditions des *opérations d'échange* (échanges de monnaies de la zone euro liées entre elles par des parités fixes) comporte au minimum les opérations suivantes :
— les taux de conversion et les cours bilatéraux correspondants des opérations le plus souvent traitées ;
— les modalités de calcul des frais et commissions.

382. De son côté, la *Commission européenne* a adopté, le 23 avril 1998, une recommandation (JOCE 1998 L 130, p. 22) sur les principes de bonne pratique que les banques devraient appliquer.

Elle *juge nécessaires* du point de vue juridique :
— la conversion sans frais des paiements entrants durant la période transitoire ;
— la conversion sans frais des comptes à la fin de la période transitoire ;
— un même tarif de facturation pour les services libellés en euros et pour les services identiques libellés en unité monétaire nationale.

Elle *recommande* :
— la conversion sans frais des paiements sortants durant la période transitoire ;
— la conversion sans frais des comptes durant la période transitoire ;
— l'échange sans frais des billets et des pièces, dans des proportions et selon des fréquences usuelles, durant la période finale (début 2002).

383. De nombreuses critiques ont été récemment formulées, portant sur les commissions prélevées lors de l'*échange de billets dans la zone euro*, sur la lourde facturation des *opérations transfrontalières* effectuées par chèque, carte bancaire ou virement, et sur l'application incorrecte du *taux de conversion* officiel.

La Commission européenne a annoncé le 5 février 1999 de **nouvelles mesures** visant à la réduction des frais bancaires excessifs. Elle examine les informations fournies par les fédérations bancaires européennes en vue de publier un état exhaustif de l'évolution, depuis l'introduction de l'euro, des frais bancaires facturés pour les échanges de billets et les paiements transfrontaliers par chèque, par virement et par carte dans la zone euro.

En outre, la Commission a arrêté des mesures concrètes pour que les citoyens puissent apporter des précisions, et recevoir des informations en retour, sur des cas présumés de non-respect du cadre juridique relatif à l'euro (par exemple : application incorrecte du taux de conversion officiel) et de la recommandation sur les frais bancaires de conversion vers l'euro. On peut contacter la Commission (DG XV) par télécopie (00.32.2.295.07.50) ou par courrier électronique (euro-point@dg15.cec.be). La Commission utilisera les renseignements obtenus des banques et des citoyens pour faire le point de la situation dans une **communication** sur l'avenir des systèmes de paiement dans le marché unique.

CHAPITRE II

Conséquences comptables

SECTION I

Comptes individuels

Résumé des principales conséquences comptables et sur l'information financière

400. Cinq avis du CNC (Conseil national de la comptabilité) et la loi DDOEF du 2 juillet 1998 (publiée en annexe au n° 1900) traitent des conséquences comptables résultant du passage à la monnaie unique :

Coûts de passage — Les coûts sont à immobiliser selon les règles habituelles.

Lorsqu'ils constituent des charges, le Comité d'urgence du CNC a restreint la possibilité de les provisionner en limitant la constitution au respect de certaines conditions comme : décision des dépenses déjà prise avec précision, dépenses supplémentaires par rapport à la normale et ayant pour seul effet l'adaptation de l'entreprise à l'euro. Lorsque les conditions sont remplies, la constitution est alors obligatoire.

À défaut de pouvoir être provisionnées, les charges sont constatées lors de leur engagement et peuvent, si elles se rattachent à des produits déterminés, être portées en charge à répartir.

Les charges et provisions seront en principe présentées en résultat exceptionnel.

Différences de conversion — Il s'agit des écarts de change latents existant au 31 décembre 1998 entre deux monnaies « in » (zone euro). Avec l'entrée en vigueur des parités fixes au 1er janvier 1999, ces écarts ont perdu leur caractère latent pour devenir « définitifs ».

Les profits et pertes correspondants ont alors été directement rapportés au compte de résultat des exercices 1998 et 1998-1999. Toutefois, souhaitant conserver le plein effet de certaines règles existantes (PCG ou règles particulières à un secteur d'activité, banques ou assurances), le CNC a prévu certaines adaptations de ce principe général.

Différences d'arrondis — Il s'agit des écarts générés par les calculs d'arrondis, effectués selon les dispositions prévues par le règlement 1103/97 du 17 juin 1997 (publié en annexe au n° 1901), à l'occasion de l'une des opérations suivantes :
— conversion en euros de soldes d'ouverture exprimés en francs ;

— enregistrement comptable en francs de pièces justificatives en euros (et réciproquement) ;

— règlements reçus (ou émis) dans une unité monétaire différente de celle de la facture d'origine.

Enregistrés au cours de l'exercice en charges et produits financiers, ils devront être présentés pour le montant net en fin d'exercice.

Tenue de la comptabilité en euros — À partir du 1er janvier 1999, l'euro est devenu la monnaie légale des États membres participants à l'Union monétaire (statut de monnaie unique).

Pendant la période transitoire (allant du 1er janvier 1999 au 31 décembre 2001), les entreprises ont le choix entre tenir leur comptabilité en francs ou en euros. Pour le CNC (avis 98-E) il n'y a pas de lien entre la monnaie de tenue de leur comptabilité et la monnaie de publication de leurs comptes. Pour publier leurs comptes en euros il suffit que le conseil d'administration ou le gérant les arrête en euros.

En revanche, la déclaration fiscale ne pourra être établie en euros que si la comptabilité est tenue en euros, donc au mieux pour les exercices clos le 31 janvier 1999 avec une bascule de la comptabilité à l'euro pour le dernier mois de l'exercice, soit au 1er janvier 1999.

> Sur les différentes méthodes de **bascule de la tenue de comptabilité**, voir le chapitre complet consacré à ce sujet « Bascule de la comptabilité », nos 2 800 s.

Publication des comptes en euros et information comparative — Afin d'assurer la comparabilité historique des comptes, la première publication de comptes annuels ou de situations intermédiaires (individuels ou consolidés) exprimés en euros donnera lieu à la présentation d'informations comparatives, exprimées en euros sur la base de la parité fixée au 1er janvier 1999 (avis CNC n° 98-01).

Pour les sociétés cotées, la COB recommande l'établissement, pendant toute la période transitoire, d'un tableau de chiffres significatifs (chiffre d'affaires, résultat net part du groupe, capitaux propres part du groupe, etc.) présenté à la fois en francs et en euros. Ce tableau devrait être établi que les comptes soient publiés en francs ou en euros.

I. Traitement des coûts liés au passage à l'euro

A. Conditions pour immobiliser

405. *Avis du Comité d'urgence du CNC n° 97-01 (24 janvier 1997)* — « Une partie des coûts de passage à la monnaie unique consiste en l'acquisition ou dans la création d'un élément de l'actif immobilisé. Leur comptabilisation s'effectue selon les critères habituels.

Pour les logiciels, les conditions d'immobilisation ont été fixées par les avis 01 et 04/1987 du Conseil National de la Comptabilité. Les logiciels créés spécifiquement pour les besoins de la période transitoire sont amortis sur cette période. »

406. *Commentaires* — Il est important de bien distinguer :
— les éléments nouveaux, acquis ou créés,
— des modifications sur des éléments d'actifs déjà existants.

1. Éléments acquis ou créés

407. L'avis indique que leur comptabilisation s'effectue selon les critères habituels, soit :
— pour les acquisitions, à leur coût d'acquisition (voir MC n° 1524) ;
— et les créations, à leur coût de production (voir MC n° 1527). En ce qui concerne les logiciels, particulièrement concernés par la mise en place de l'euro, l'avis rappelle les avis du CNC de janvier et avril 1987, ce qui signifie notamment (voir MC n°s 2428 s.) les spécificités suivantes.

a. Logiciels acquis

408. Ils doivent être immobilisés et amortis sur leur durée probable d'utilisation dès leur date d'acquisition.

Soit sur une durée de trois ans maximum s'ils sont acquis pour les besoins de la période transitoire.

En ce sens, avis du CNC (Com. Urg.) n° 97-1 pour les logiciels créés, voir ci-après n° 409.

Si l'entreprise désire bénéficier de l'amortissement exceptionnel fiscal sur 12 mois, elle doit porter la quote-part d'amortissement supplémentaire par rapport aux amortissements pour dépréciation en amortissements dérogatoires.

b. Logiciels créés

409. Ils doivent être immobilisés si les conditions suivantes sont simultanément remplies :
— le projet doit avoir de sérieuses chances de réussite technique,
— l'entreprise doit avoir indiqué concrètement l'intention de produire le logiciel concerné et de s'en servir durablement pour répondre à ses propres besoins. Le coût de production porté à l'actif doit être limité aux charges correspondant à l'analyse organique, à la programmation, aux tests et jeux d'essais ainsi qu'à la documentation.

Les logiciels créés doivent être amortis dès leur achèvement en principe sur leur durée probable d'utilisation.

Toutefois, il résulte de l'avis du CNC n° 97-1 que les logiciels créés spécifiquement pour les besoins de la période transitoire doivent être amortis sur la période transitoire, donc *au maximum sur trois ans, et à compter du 1er janvier 1999*, même si leur date d'achèvement est antérieure.

Sur le plan fiscal ils peuvent désormais (instruction fiscale du 2 mars 1999, BOI 4 E-2-99) être déduits immédiatement comme des charges malgré une comptabilisation en immobilisations par le biais de la constatation d'un amortissement dérogatoire (voir n° 622).

2. Modifications d'éléments d'actifs immobilisés déjà existants

a. Dépenses d'adaptation d'immobilisations (autres que des logiciels)

Les dépenses d'adaptation constituent en général des charges

410. L'avis du Comité d'urgence du CNC n° 97-1 sur le traitement des coûts de passage à l'euro ne précise pas le traitement des dépenses de modification d'immobilisations existantes.

Les avis du CNC de 1987 sur les logiciels ne traitaient pas non plus des dépenses engagées pour améliorer des logiciels déjà existants.

En conséquence, il convient, à notre avis, d'appliquer les **critères habituels** de distinction entre charges et immobilisations retenus **sur le plan comptable** et qui s'avèrent être **en pratique ceux utilisés par le Conseil d'État** (voir MC n°s 1491 s.) et donc :
— d'immobiliser les dépenses qui ont pour effet d'augmenter la durée ou la valeur de l'immobilisation,
— de passer en charges les dépenses qui n'ont pour effet que de maintenir l'immobilisation dans un état normal d'utilisation.

Ces critères sont également ceux utilisés par l'Administration, mais nous ne partageons pas les conclusions auxquelles elle aboutit. Nos lecteurs pourront se reporter à l'analyse détaillée de cette question présentée dans le chapitre fiscal, ci-après aux n°s 625 s.

À notre avis, contrairement à ce qu'affirme l'Administration, les dépenses d'adaptation des immobilisations existantes n'augmentent en général ni la durée d'utilisation ni la valeur de ces immobilisations. Elles constituent donc en général des charges.

> *Remarque* : L'enjeu de cette solution pratique dépasse le point de savoir si une dépense doit être passée en charge ou au contraire être immobilisée. En effet, de cette réponse découlent deux autres conséquences non négligeables : le fait qu'il s'agisse d'une charge permet de s'interroger :
> — d'une part, sur une provision pour dépenses futures éventuelles,
> — et, d'autre part, sur le point de savoir si le bien existant à l'actif a perdu de sa valeur, ce qui reviendrait également à permettre la constitution d'une provision pour dépréciation (voir n° 440).

En effet, en règle générale, les dépenses d'adaptation à l'euro ne font que maintenir la durée de vie initiale des immobilisations puisqu'elles n'ont d'autre objectif que de poursuivre l'exploitation du bien. Elles ne peuvent donc pas, à notre avis, être immobilisées pour ce motif.

De même, la valeur des biens déjà existante ne devrait pas être augmentée, l'incidence de la dépense d'adaptation devant être appréciée par rapport à sa valeur économique, c'est-à-dire sa valeur d'utilité, qui est déterminée par la somme des avantages économiques futurs que l'immobilisation est susceptible de procurer à l'entreprise.

> De la même façon, pour la norme internationale IAS 16 révisée relative aux immobilisations corporelles, il y a augmentation de valeur lorsqu'il est probable que les avantages économiques futurs de l'actif existant excéderont le niveau normal antérieurement déterminé, par exemple en augmentant la capacité ou en allongeant la durée d'utilisation, en améliorant la qualité de la production, ou en réduisant substantiellement les coûts d'exploitation initialement prévus.
>
> **Remarque :** Bien entendu, toute nouvelle norme devrait, par hypothèse, améliorer quelque chose. Mais, sans remettre ce « plus » en question, encore faut-il que celui-ci soit d'ordre économique et non de tous ordres (image vis-à-vis des clients, sécurité passive, etc.). Seuls les avantages *économiques* impliquent l'immobilisation.
>
> En ce sens également, les normes IAS 16 révisée et IAS 38 relatives aux immobilisations corporelles et incorporelles qui excluent la possibilité d'activer les avantages « associés » à l'utilisation de l'immobilisation.

Or, les dépenses d'adaptation à l'euro d'une immobilisation ne devraient entraîner ni gains de productivité, ni une amélioration de la qualité des produits, ni une diminution des frais d'exploitation liés à l'utilisation de cette immobilisation.

Elles n'entraînent donc pas une augmentation de la valeur de l'immobilisation et ne peuvent donc pas, à notre avis, être immobilisées pour ce motif.

Cas particuliers

411. Il y a lieu toutefois d'être attentif dans deux situations particulières :

Biens non conformes acquis moins cher — Dans le cas particulier où les biens ont été acquis alors que l'entreprise savait qu'elle devrait les adapter, la dépense d'adaptation augmente nécessairement la durée d'utilisation du bien et doit être immobilisée.

> Il en est de même selon la norme comptable internationale IAS 16 révisée.

Dépenses mixtes (dépenses d'adaptation et d'amélioration) — A priori ces dépenses seront considérées par le Conseil d'État comme immobilisables en totalité et c'est au contribuable de démontrer qu'outre les dépenses d'amélioration, il existe des dépenses d'adaptation qui constituent des charges. En effet, il est toujours délicat de faire le partage entre ce qui relève de la mise en conformité au sens strict et ce qui, par ailleurs, permet d'augmenter objectivement la durée d'utilisation du bien. D'ailleurs, dans les deux cas où le Conseil d'État a été confronté à des dépenses de mise en conformité qui avaient eu pour conséquence également d'augmenter la durée d'utilisation et de réduire les risques de dysfonctionnement (arrêts du 5 octobre 1977, n° 99287 et du 9 juillet 1980, n° 17194 : RJF 10/80, n° 764), il a jugé que globalement ces dépenses devaient être immobilisées.

Ainsi, dans le cas particulier où les entreprises profitent du passage à l'euro pour réaliser d'autres dépenses de modification de leurs immobilisations (cas des dépenses mixtes), il convient alors d'*analyser les dépenses au cas par cas* et il appartient à l'entreprise de déterminer la part des dépenses non exclusivement liées au passage à l'euro et de les immobiliser, par application du principe général, si elles augmentent la valeur ou la durée d'utilisation de l'immobilisation.

> Par exemple, un distributeur de billets peut être modifié pour permettre la délivrance d'euros mais aussi pour proposer de nouveaux services (consultation du solde du compte, interrogation des dernières opérations, etc.).

b. Dépenses d'adaptation des logiciels existants

412. Ces dépenses concernent les logiciels qui traitent des informations libellées en francs : logiciels de gestion (de comptabilité, de paie, etc.) mais aussi les logiciels assurant le fonctionnement des immobilisations qui gèrent des moyens de paiement (distributeurs de billets, caisses enregistreuses, etc.).

> *Remarque :* Ces dépenses sont parmi les plus importantes, les coûts informatiques représentant d'après nos informations 60 % des coûts de passage à l'euro.

L'avis du CNC d'avril 1987 sur les logiciels n'a pas traité le problème des dépenses d'adaptation des logiciels. À notre avis, ces dépenses doivent, comme nous le soutenons depuis 10 ans (voir MC n° 2429-9), être traitées par analogie avec les dépenses de modification d'immobilisations existantes.

En conséquence, en tant que dépenses de modification, comme nous l'avons déjà précisé à propos des dépenses réalisées sur des immobilisations autres que les logiciels (voir ci-dessus n°s 410 s.), ces dépenses doivent être :

— immobilisées, seulement si elles ont pour effet d'augmenter la durée d'utilisation ou les performances des logiciels ;

— portées en charges de l'exercice, si elles n'ont pour effet que de maintenir les logiciels dans un état normal d'utilisation.

En général, les dépenses d'adaptation des logiciels constitueront, à notre avis, des charges qu'il conviendra de déduire au même titre que les dépenses d'adaptation des autres immobilisations.

Mais, là encore, il conviendra de faire attention au cas des dépenses mixtes, point particulièrement important dans le cas des logiciels où des améliorations pourront être fréquemment apportées en même temps que les simples adaptations au passage à l'euro.

Cette solution nous paraît pouvoir s'appliquer aux dépenses d'adaptation tant des logiciels indépendants (dissociés) que des logiciels indissociés (intégrés à l'intérieur d'immobilisations, matériels par exemple).

B. Conditions pour porter en charges à répartir

415. *Avis du Comité d'urgence du CNC n° 97-01 (24 janvier 1997)* — « Certains coûts, bien que ne répondant pas à tous les critères d'inscription à l'actif, car ils ne sont pas des éléments du patrimoine, ont cependant une valeur économique positive pour l'entreprise.

Ils ne pourront être regardés comme des charges à répartir sur plusieurs exercices que s'il est établi qu'au cours de ces exercices des produits spécifiques pourront leur être directement rattachés. »

1. Les conditions pour pouvoir étaler

416. Selon l'avis, certaines dépenses ayant une valeur économique positive pour l'entreprise, ne pourront être regardées comme des charges à répartir sur plusieurs exercices que si l'entreprise établit qu'au cours de ces exercices des produits spécifiques pourront leur être directement rattachés.

À notre avis, les termes utilisés dans l'avis reprennent clairement la terminologie du PCG concernant les charges différées (et non les charges à étaler), ce qui en pratique conduit à ne permettre leur étalement que si :

— les dépenses sont génératrices de *produits* déterminés à *venir spécifiques à l'euro* ;

> Exemple des frais d'entrée et des frais de gestion perçus par les banques sur les nouveaux OPCVM européens qu'elles ont lancés.

— la rentabilité globale est démontrée. Mais il y a lieu, à notre avis, par prudence et logique économique, de raisonner sur un *cash-flow additionnel* net englobant ainsi non seulement les produits spécifiques nouveaux mais également les pertes de produits anciens du seul fait de l'*euro*.

2. Choix en cas de possibilité d'étalement

417. Les règles comptables ne rendent pas obligatoire l'étalement mais en laissent la possibilité si les conditions sont remplies.

Sur le plan fiscal, dans le cas particulier du passage à l'euro (voir chapitre fiscal n° 646), les entreprises ont exceptionnellement le choix entre :

— étaler la déduction fiscale des dépenses comptabilisées en charges à répartir ;
— déduire immédiatement ces dépenses même si elles ont été comptabilisées en charges à répartir.

En ajoutant les diverses possibilités offertes aux entreprises sur un plan général par la comptabilité, et sur le plan particulier de l'euro par la fiscalité :

— si les entreprises souhaitent fiscalement étaler la déductibilité de leurs dépenses, elles doivent alors porter les dépenses en charges différées ;
— si les entreprises souhaitent déduire fiscalement immédiatement ces dépenses, elles ont le choix entre les comptabiliser en charges ou les porter en charges différées.

3. Modalités d'étalement

418. Les textes comptables ne fournissent pas de précision sur l'amortissement des charges à répartir.

Ces charges sont différées parce qu'elles sont directement rattachables à des produits futurs. L'objectif étant de les enregistrer dans le même exercice que les produits qu'elles engendrent, il ne paraît pas pertinent de leur appliquer un plan d'amortissement arbitraire.

À notre avis, les charges à répartir devraient être amorties sur la durée et en fonction des opérations spécifiques qui les engendrent. Ainsi, l'amortissement devrait s'effectuer en fonction des recettes réalisées par rapport aux recettes globales attendues dans un délai raisonnable et non de façon linéaire, celui-ci paraissant incompatible avec le principe de rattachement des charges aux produits, qui a conduit à différer les charges.

Mais, selon l'instruction (voir chapitre fiscal n° 645), les dépenses comptabilisées en charges à répartir doivent être déduites dans les mêmes conditions que les frais d'établissement et donc être amorties sur une période maximale de 5 ans, suivant un plan d'amortissement linéaire, les dotations devant être au minimum d'un cinquième et au maximum de la moitié des frais en cause.

> *Remarque :* Comme pour l'amortissement des frais d'établissement, les entreprises pourront donc réputer différé, en période déficitaire, l'amortissement de ces charges à répartir.

En conséquence, à notre avis, en l'absence de précision comptable, les entreprises sont tenues, en pratique, d'appliquer les modalités d'amortissement fixées par l'instruction. Les charges différées doivent donc être amorties dès leur inscription à l'actif, sans attendre la constatation des produits qui s'y rattachent, et au maximum sur cinq ans.

Toutefois, à notre avis, par application du principe de rattachement des charges aux produits, la période d'amortissement de ces dépenses ne peut pas dépasser celle au cours de laquelle elles génèrent des produits.

C. Conditions pour devoir provisionner

420. *Avis du Comité d'urgence du CNC n° 97-01 (24 janvier 1997)* — « Une partie des autres coûts doit être provisionnée.

Dans le cadre des provisions ayant pour objet de couvrir des pertes ou dettes, la réglementation française fait obligation de constituer des provisions pour couvrir des charges qui trouvent leur origine dans l'exercice ou dans un exercice antérieur.

Dans le respect de la règle de prudence et des obligations de régularité et de sincérité, il est ainsi tenu compte « des risques et des charges que des événements survenus ou en cours rendent probables, nettement précisés quant à leur objet mais dont la réalisation est incertaine » (PCG).

Cette obligation ne doit évidemment pas conduire à provisionner des charges futures que l'entreprise aurait assumées dans le cadre de son exploitation normale.

Devront donc être provisionnées les dépenses futures déjà décidées et destinées à adapter l'entreprise à la nouvelle monnaie, lorsqu'elles remplissent simultanément les conditions suivantes :
— elles sont clairement identifiables ;
— leur montant et le moment où elles surviendront ne peuvent pas être définitivement fixés mais peuvent être prévus avec une précision suffisante ;
— elles ne correspondent pas à l'affectation de moyens existants et normalement nécessaires à l'exploitation courante de l'entreprise ;
— elles ne peuvent être rattachées à l'exploitation courante ; elles auront pour seul effet d'adapter l'entreprise aux conséquences directes de l'événement exceptionnel que constitue le passage à la monnaie unique. »

1. Obligation comptable de provisionner

421. *Provision totale liée au respect de conditions —* Les coûts non immobilisables devront, selon l'avis du Comité d'urgence du CNC, être provisionnés en totalité dès qu'un certain nombre de conditions (analysées ci-après) seront remplies.

Ainsi, l'avis rejette :

— l'idée de laisser un choix entre provisionner ou non, la constitution étant liée au respect de conditions;

— la possibilité d'étaler la constitution de la provision sur plusieurs exercices comme une provision pour grosses réparations.

> *Remarque* : Sur les apports de cet avis sur le traitement des provisions en général, voir n°s 437 s.

a. 1re condition : Dépenses destinées à adapter l'entreprise à l'euro

422. Les seules dépenses visées par l'avis sont celles concernant l'*euro*.

Il est donc indispensable pour provisionner de *pouvoir distinguer* les dépenses liées à l'*euro des autres dépenses*. Voir n° 427.

b. 2e condition : Dépenses déjà décidées

423. Parmi les dépenses répondant à la 1re condition, il convient de ne retenir que les seules dépenses déjà décidées.

Cela signifie, à notre avis, qu'un simple inventaire (ou budget) des dépenses ne suffit pas, il est nécessaire qu'elles soient *approuvées par l'autorité* ayant la compétence et le pouvoir d'engager ces dépenses dans l'entreprise, soit vraisemblablement, vu l'importance des dépenses, par la Direction Générale.

Il y a lieu de prendre en compte, conformément aux règles françaises, toutes les approbations décidées *avant la date d'arrêté des comptes* (et non pas se limiter à celles décidées avant la date de clôture).

c. 3e condition : Dépenses clairement identifiables

424. À notre avis, cela signifie qu'un montant global de dépenses, même approuvé, ne suffit pas pour provisionner.

Il faut que les dépenses soient *détaillées par nature* de charges (personnel, formation, publicité, logiciels, etc.) et pour chaque société du groupe.

d. 4e condition : Dépenses suffisamment précises

425. À notre avis, cette condition implique que seules les dépenses précises pouvant être raisonnablement quantifiées doivent être provisionnées, ce qui *devrait être le cas de toutes les dépenses « déjà décidées »*, la quantification étant nécessaire pour leur approbation.

Bien entendu, il n'y a pas lieu d'attendre que toutes les dépenses soient précises pour commencer à provisionner, mais seules les dépenses précises pourront donner lieu à provision.

e. 5ᵉ condition : Dépenses supplémentaires

426. Selon l'avis du Comité d'urgence du CNC, les dépenses correspondant à l'affectation de moyens existants et normalement nécessaires à l'exploitation courante de l'entreprise ne peuvent être provisionnées. Ainsi, seules les dépenses supplémentaires peuvent l'être.

Par **moyens existants**, il faut comprendre, à notre avis, aussi bien les moyens (humains ou matériels) internes qu'externes à l'entreprise, les charges fixes que les charges variables, la sous-activité que la sur-activité, etc.

> Le fait que la répartition des dépenses soit amenée à changer, par exemple plus de dépenses externes et moins de dépenses internes, n'a pas d'incidence sur le niveau des « moyens existants ».

La notion de « moyens normalement nécessaires à l'exploitation courante de l'entreprise » fait référence, à notre avis, à la distinction comptable courant-exceptionnel ; celle-ci doit être appliquée en fonction de la **définition habituellement retenue dans l'entreprise** (voir MC nᵒˢ 2755 s.).

Mais **reste un point délicat** : faut-il apprécier les moyens existants par rapport aux chiffres passés, par exemple une moyenne des chiffres 1997 et 1998, ou bien faut-il tenir compte des prévisions de moyens sur les exercices futurs (1999, 2000 notamment) ?

> Ainsi, par exemple, une entreprise en sureffectif qui prévoyait une restructuration en 2000 mais qui, vu le surcroît de travail occasionné par le passage à l'euro, décide de décaler ou de surseoir à toute décision, doit-elle provisionner des dépenses de personnel ?
>
> Ces dépenses correspondant au personnel « conservé » sur 1998 et 1999 doivent-elles être considérées comme des moyens existants ou bien comme des dépenses supplémentaires provisionnables ?

À notre avis, ne pouvant justifier une provision sur des intentions finalement non concrétisées, il serait plus logique de **comparer les dépenses futures aux moyens existants à la date de clôture de l'exercice** plutôt qu'aux moyens futurs, ce qui ne permettrait donc pas, dans notre question précédente, de constituer des provisions pour les dépenses de personnel liées à la restructuration envisagée puis finalement annulée.

f. 6ᵉ condition : Dépenses ayant pour seul effet l'adaptation à l'euro

427. Non seulement les dépenses décidées doivent être destinées à adapter l'entreprise à l'euro (1ʳᵉ condition), mais il faut en outre qu'elles aient pour seul effet d'adapter l'entreprise aux conséquences directes du passage à l'euro.

Ce point englobe, à notre avis, trois conditions :

— seules **les dépenses qui n'auraient pas été engagées si l'euro n'avait pas été décidé par l'Union Européenne**, peuvent être prises en compte ;

— parmi ces dépenses, seules celles **concernant directement l'euro** peuvent être retenues ; en cas de dépenses mixtes, il convient à notre avis de provisionner la quote-part relative à l'euro et non de ne rien provisionner en considérant qu'elles n'ont pas pour seul effet d'adapter l'entreprise à l'euro ;

> Le cas des campagnes publicitaires illustre les difficultés d'application de ces deux premières conditions. L'entreprise projette de réaliser des campagnes publicitaires sur l'euro, mais :
>
> — elle aurait de toute façon effectué des campagnes de publicité,

— la campagne sur l'euro aura également un impact général sur l'entreprise.

Il convient donc pour provisionner la seule quote-part relative à l'euro, de limiter la provision à la partie au-delà des budgets habituels de publicité (ce qui revient à appliquer la 5ᵉcondition — dépenses supplémentaires — par nature de dépenses identifiables explicitées lors de la 3ᵉcondition).

— et, enfin, parmi ces dépenses, seules *celles n'ayant aucun effet bénéfique pour l'entreprise en dehors de l'adaptation* à l'euro peuvent être provisionnées.

Ainsi, si ces dépenses procurent une quelconque augmentation de productivité, de rendement, de chiffre d'affaires, etc., elles ne peuvent être provisionnées.

De même, aucune provision ne pourrait concerner des dépenses engagées dans le cadre de nouvelles opportunités que l'entreprise souhaiterait saisir à l'occasion du passage à l'euro (exemples : opportunités de trading sur les qualités de crédit au sein des marchés de dettes européens et des possibilités de diversification vers des monnaies « exotiques », ou développement de produits dérivés sur l'euro, ou mise en place d'un nouveau système de règlements).

2. Mais certaines provisions ne sont pas déductibles fiscalement

428. Les solutions préconisées par l'instruction fiscale (voir chapitre fiscal nᵒˢ 640 s.) s'écartent des règles comptables sur deux points, à notre avis :

— la date à laquelle la décision d'engager des dépenses doit être prise ;

— la définition des dépenses qui constituent des immobilisations et qui donc ne peuvent être provisionnées.

a. Décision d'engager les dépenses postérieure à la clôture

429. Selon l'instruction, seules les dépenses que l'entreprise a décidé d'engager *avant la clôture de l'exercice* peuvent faire l'objet d'une provision déductible au titre de cet exercice.

L'avis du Comité d'urgence du CNC exige également que les dépenses soient déjà décidées mais, conformément aux règles comptables en vigueur, la date butoir à prendre en compte pour apprécier l'existence d'une telle décision est celle de l'arrêté des comptes et non celle de la clôture.

Par prudence, en effet, il doit être tenu compte des risques et des pertes intervenus au cours de l'exercice ou d'un exercice antérieur, même s'ils sont connus entre la date de clôture de l'exercice et celle de l'établissement des comptes (C. com. art. 14, al. 3).

En pratique, les provisions couvrant *des dépenses décidées entre la date de clôture et la date d'arrêté des comptes doivent donc être comptabilisées mais réintégrées* pour la détermination du résultat fiscal afin d'être déduites l'exercice suivant.

Si l'entreprise souhaite éviter cette réintégration, rien ne lui interdit de ne pas prendre de décision entre la date de clôture et la date d'arrêté des comptes, et donc de reporter sur l'exercice suivant la constitution de la provision.

b. Dépenses constituant des immobilisations

430. Selon l'instruction fiscale (voir chapitre fiscal nᵒˢ 640 s.), aucune dépense d'adaptation (d'immobilisations ou de logiciels déjà existants) ne peut être déduite sous forme de provision.

Au contraire, à notre avis, ces dépenses d'adaptation, si elles ont pour objet exclusif l'adaptation à l'euro, constituent en réalité des charges (voir n°ˢ 410 s.), et les entreprises sont donc tenues de les provisionner si elles remplissent les six conditions prévues par l'avis du Comité d'urgence du CNC et de les déduire fiscalement.

> **Remarque** : Ainsi, la différence d'opinion que nous avons exprimée sur le traitement des dépenses d'adaptation dépasse le problème de la distinction charges-immobilisations pour rejaillir sur la déductibilité immédiate sous forme de provisions de toutes les dépenses d'adaptation déjà décidées à la clôture de l'exercice.

Cette position, pratique et importante, s'applique également et pour les mêmes raisons aux dépenses d'adaptation des logiciels (dissociés ou indissociés) limitées au seul passage à l'euro.

3. Exemples de dépenses à provisionner

431. L'instruction donne des exemples de dépenses pouvant être provisionnées et qui, compte tenu de la similitude entre les conditions exigées fiscalement et celles prévues par l'avis du CNC, peuvent à notre avis être transposés sur le plan comptable.

a. Exemples cités par l'instruction

432. Peuvent *notamment* faire l'objet d'une provision :
— les *coûts de restructuration* du service de change, notamment les coûts de déménagement ou de reconversion si la décision d'y procéder a fait l'objet d'un engagement ferme et irrévocable pris au cours de l'exercice ;
— les *dépenses de formation* du personnel si les bénéficiaires ainsi que le contenu et la nature de la formation sont précisément définis. En outre, le montant de la dépense doit être évalué sur la base de devis d'organismes de formation ou de formations équivalentes déjà organisées par de tels organismes et non en fonction de la masse salariale de l'entreprise ou de son budget de formation habituel ;
— les charges de personnel, autres que celles de retraite, liées *aux embauches à titre temporaire* et spécifique réalisées pour exercer des missions précisément définies destinées à adapter l'entreprise à l'euro.
Voir également le chapitre fiscal n°ˢ 643 s.

b. Autres dépenses à provisionner

433. À notre avis, sont également susceptibles d'être provisionnées notamment les dépenses externes ou correspondant à du personnel embauché spécifiquement :
— d'adaptation des immobilisations existantes, logiciels compris, dès lors que ces dépenses n'augmentent ni la durée d'utilisation ni la valeur des immobilisations concernées ;
— liées aux formalités juridiques (modification des contrats en cours ou des statuts et publicité afférente à ces modifications) ;
— de communication et de publicité à destination des clients, au-delà des dépenses résultant de l'exploitation normale.

4. Les dépenses ne pouvant pas être provisionnées

434. Les dépenses qui ne peuvent être provisionnées recouvrent, à notre avis, celles :
— qui doivent être immobilisées ;

> *Rappel* : La définition par l'Administration de ce qui peut on non être immobilisé est contestable en ce qui concerne les dépenses d'adaptation.

— qui ne répondent pas aux conditions prévues par l'avis du CNC ou l'instruction pour les provisionner ;
— qui ont la nature de charges à répartir.

Comptablement, ces dépenses doivent alors être constatées en charges dans l'exercice au cours duquel elles sont engagées. Fiscalement, il en est de même.

a. Exemples fournis par l'instruction

435. Selon l'instruction, ne peuvent donner lieu à provision et doivent donc être passées en charges dans l'exercice au cours duquel elles sont engagées notamment, d'un point de vue général, les charges normales de l'entreprise, c'est-à-dire les travaux qui seront exécutés pour le passage à l'euro par le personnel de l'entreprise existant à la clôture de l'exercice.

Voir le chapitre fiscal n°s 640 s.

b. Autres dépenses ne pouvant pas être provisionnées

436. À notre avis, il s'agit notamment :
— des dépenses qui n'auront pas fait l'objet de devis détaillés approuvés par l'organe de direction habilité à engager de telles dépenses ;
— des dépenses non spécifiquement liées à l'euro.

> Dans le cas de dépenses mixtes, il appartient à l'entreprise de déterminer la part des dépenses exclusivement liée à l'euro et de ne provisionner que celle-ci.

5. Apports de l'avis sur le traitement des provisions en général

437. *Le CNC avait le choix entre deux solutions connues* — Des articles 14 du Code du Commerce, 8 du décret du 29 novembre 1983 et de la terminologie du PCG, il résulte qu'il y a lieu de provisionner, à la date d'arrêté des comptes, les risques, pertes et charges que des événements survenus ou en cours rendent probables.

Le Comité d'urgence du CNC se trouvait devant l'alternative suivante, représentant deux « extrêmes » :
— une provision maximum, solution résultant de la pratique française, permettant de provisionner toute dépense qui s'avère probable ;
— une provision minimum, solution résultant des réflexions ou textes européens, .internationaux et américains, interdisant de provisionner toute dépense liée à une activité qui se poursuit.

> Voir développements dans notre BCF 2/97, p. 16 s.

438. *Le CNC a retenu une solution intermédiaire, limitant la pratique française* — Le Comité d'urgence du CNC est parti de la solution résultant de la pratique habituelle française, mais a tenu à la réduire en ajoutant des conditions à la constitution d'une provision et notamment que les dépenses futures provisionnables :
— soient déjà décidées ;
— ne représentent que des dépenses supplémentaires par rapport à la normale ;
— et n'aient pour seul effet que l'adaptation à l'obligation nouvelle (l'euro).

D. Valeur d'inventaire
des immobilisations non adaptées

440. Ni l'avis du Comité d'urgence du CNC, ni l'instruction fiscale n'abordent le problème de la diminution de valeur des immobilisations devant être adaptées pour le passage à l'euro et pour lesquelles l'entreprise n'a pas encore pris de décision à la date d'arrêté des comptes.

Or, *tant que les dépenses d'adaptation ne sont pas décidées*, il existe une incertitude quant à la valeur actuelle des immobilisations qui peut se traduire, à notre avis, par la constitution d'une provision pour dépréciation, dès lors que cette valeur actuelle se trouve notablement inférieure à la valeur nette comptable résultant du plan d'amortissement (C. com. art. 7-5°).

Il convient donc, à notre avis, conformément aux règles générales (C. com. art. 8), de *vérifier lors de l'inventaire annuel, et en particulier du fait des événements comme les passages à l'euro et l'an 2000*, la valeur des immobilisations devant être adaptées et de constater une provision pour dépréciation le cas échéant.

La valeur actuelle des immobilisations non encore adaptées doit être déterminée en tenant compte à notre avis :

— de la probabilité de leur adaptation ; dans le doute, par prudence, les entreprises doivent à notre avis considérer qu'elles n'adapteront pas les immobilisations concernées ;

— de la valeur vénale du bien (C. com. art. D. 7-4°) ;

— des cash-flows qui pourront être générés jusqu'au passage à l'euro (en ce sens, norme américaine FAS 121 et norme IAS 36 ; pour plus de détails, voir BCF 01/99, p. 21).

En pratique, en l'absence en général de plus-values latentes, la provision pour dépréciation du bien à adapter devrait être proche de la provision pour dépenses futures. Cette provision, si elle est justifiée sur le plan comptable, devrait être déductible fiscalement.

Dans le cas particulier où, à la date d'arrêté des comptes, *l'entreprise a décidé de ne pas adapter une immobilisation*, elle doit alors, à notre avis, modifier son plan d'amortissement et amortir la valeur nette comptable sur la durée restant à courir jusqu'à la mise au rebut obligatoire.

E. Présentation des dépenses au compte de résultat

442. *Avis du Comité d'urgence du CNC n° 97-01 (24 janvier 1997)* — « Les provisions sont constituées dès que ces conditions sont remplies. La dotation est égale au montant estimé des dépenses. Elle est classée, comme la reprise ultérieure, parmi les éléments exceptionnels.

Les autres coûts sont comptabilisés, lorsqu'ils surviennent :
— en charges exceptionnelles lorsqu'ils présentent les mêmes caractéristiques que les coûts provisionnés suivant le présent avis ;
— en charges d'exploitation courante pour les autres. »

a. Comptabilisation en exceptionnel des dépenses provisionnées

443. L'application de l'avis aux dépenses remplissant les conditions décrites ci-avant (voir n°s 420 s.) impose que :
— *lors de la constitution de la provision*, la dotation soit classée parmi les éléments exceptionnels,
— *lors de l'engagement des dépenses* (provisionnées ou non), celles-ci soient comptabilisées en exceptionnel, impliquant (le cas échéant) une reprise de provision dans le résultat exceptionnel.

En pratique, à notre avis, les dépenses sont à comptabiliser durant l'exercice selon leur nature (étant par hypothèse identifiables) dans le résultat d'exploitation, puis, à l'aide d'un transfert de charges, portées en charges exceptionnelles.

b. Comptabilisation des autres dépenses

444. Lorsque les dépenses n'ont pas donné lieu à provision, l'avis du Comité d'urgence du CNC laisse alors *aux entreprises le soin d'apprécier* leur caractère d'exploitation ou exceptionnel en fonction des conditions nécessaires pour provisionner.

En pratique, à notre avis, le critère déterminant devrait être : dépenses supplémentaires par rapport aux dépenses normales et ayant pour seul effet l'adaptation à l'euro. Si tel n'était pas le cas, les dépenses auraient alors un caractère d'exploitation.

II. Traitement des différences de conversion

(Valable pour les comptes clos à compter du 31 décembre 1998)

Tableau récapitulatif des solutions proposées par l'avis du CNC n° 98-01 (pour les entreprises industrielles et commerciales)

450. Avant de les examiner en détail, il nous a paru important de récapituler, dans le tableau ci-après établi par nos soins, les différentes solutions du CNC.

Nature de l'élément sur lequel apparaît la perte ou le profit de change	Traduction comptable
Créances et dettes — Cas général	— Inscription immédiate de la perte ou du profit de change en produits et charges financiers, dans le résultat de l'exercice 1998-1999 (1)
— Emprunts en devises « in » finançant une immobilisation située dans le pays de la devise	— Si perte latente de change, possibilité de continuer à étaler cette dernière sur la durée la plus courte de l'emprunt ou de la vie utile du bien (2)
Titres (non abordé par l'avis du CNC)	— Aucun écart mis en évidence et aucune incidence directe (3)
Contrat de change (hors bilan) — Spéculatif	— Inscription immédiate de la perte ou du profit de change en produits et charges financiers, dans le résultat de l'exercice clos 1998-1999 (4)
— Qualifié de couverture d'un élément du bilan	— Pas d'incidence particulière (5)
— Qualifié de couverture d'une transaction future	— Pas d'incidence particulière (6)

(1) Sans attendre le dénouement des créances et dettes concernées.

(2) Maintien de l'option prévue par le PCG (voir MC n° 2083-2).

(3) Maintien au cours historique et constitution d'une provision seulement si la valeur d'inventaire des titres (prise dans son ensemble) fait apparaître une moins-value par rapport à leur coût d'acquisition initial.

(4) Sans attendre le dénouement des contrats.

(5) Le CNC part en effet du principe que les dettes ou créances couvertes ont été enregistrées dès le début, en francs, au cours garanti par le contrat (voir également le cas où il y a couverture sans pour autant que celle-ci transforme la créance ou la dette en francs, MC n° 2083-1).

(6) Les gains et pertes de change sur l'instrument de couverture et sur l'élément couvert sont inscrits simultanément en résultat dans l'exercice de dénouement de l'opération sous-jacente. En revanche, s'il apparaît de manière certaine que l'opération sous-jacente n'aura pas lieu, le contrat de change est traité comme une opération spéculative (inscription immédiate en résultat des pertes et gains latents).

A. Conversion des actifs et passifs libellés dans des devises de la zone euro

(ne sont plus concernées que les sociétés ne clôturant pas avec l'année civile, soit les comptes 1998-1999)

1. Conversion des créances et des dettes libellées dans des devises de la zone euro

451. *Avis du CNC n° 98-01 (17 février 1998)*

Le Plan Comptable Général (PCG.II.12 et 13) indique à propos de l'évaluation des dettes et créances dont la valeur dépend des fluctuations monétaires :

« 1. Les créances et les dettes en monnaies étrangères sont converties et comptabilisées en francs sur la base du dernier cours de change.

2. Lorsque l'application du taux de conversion à la date de l'arrêté des comptes a pour effet de modifier les montants en francs précédemment comptabilisés, les différences de conversion sont inscrites à des comptes transitoires, en attente de régularisations ultérieures (bien entendu, au cours de la période comptable de règlement, la comparaison entre les règlements effectués et la valeur d'origine entraîne la constatation d'un résultat de change, pertes ou gains effectivement réalisés) :

— à l'actif du bilan pour les différences correspondant à une perte latente (compte 476) ;

— au passif du bilan pour les différences correspondant à un gain latent (compte 477).

3. Les pertes ou gains latents compensés par une couverture de change sont inscrits distinctement au bilan sous ces comptes transitoires.

4. Les gains latents n'interviennent pas dans la formation du résultat.

5. Les pertes latentes entraînent, par contre, la constitution d'une provision pour risque (perte de change). »

« Dès la date d'entrée en vigueur des taux de conversion fixes des devises de la zone euro, les gains ou pertes de change liés aux créances et dettes libellées dans ces devises perdent leur caractère latent pour devenir définitifs et irréversibles. Cela rend inapplicables les dispositions du Plan Comptable Général.

Dans ces conditions, et sous réserve de la dérogation visée au paragraphe b) ci-dessous (relatif à la conversion des emprunts affectés à l'acquisition d'immobilisations), ces gains ou pertes de change sont inscrits en produits ou charges financiers dès cette date, sans attendre le dénouement des créances et dettes concernées. »

a. Inscription des gains de change latents en résultat dès la clôture des comptes 1998-1999

452. Pour l'avis du CNC n° 98-01 :

— d'une part, ces différences doivent être immédiatement rapportées au résultat financier de l'exercice, matérialisant ainsi le caractère définitif des gains latents sur les créances et dettes (non couvertes) libellées en monnaie « in » ;

Il en est de même des pertes latentes, y compris celles des exercices antérieurs (ce qui entraîne la reprise des provisions constituées antérieurement).

— d'autre part, partant du principe que les taux de conversion bilatéraux sont fixés dès le 2 mai 1998 et qu'aucune variation entre les monnaies « in » n'est possible entre le 31 décembre 1998 et le 1er janvier 1999, le CNC a considéré que ce traitement était applicable aux exercices clos le 31 décembre 1998.

L'entrée en vigueur de l'euro devrait donc permettre aux sociétés françaises :
— d'une part, de « matérialiser » un certain nombre de gains latents non pris en compte jusqu'ici ;
— et, d'autre part, de rapprocher dans une certaine mesure leur résultat individuel de leur résultat consolidé, notamment pour les groupes qui retiennent pour l'élaboration de leurs comptes consolidés l'option prévue par l'article D 248-8 (inscription au compte de résultat consolidé des écarts de conversion actif et passif figurant dans les comptes individuels ; voir MC n° 4634-2).

b. Modalités de comptabilisation en résultat

453. *Inscription dans le résultat financier* — Les pertes et gains de change « réalisés » étant inscrits dans des comptes spéciaux 666 « Pertes de change » et 766 « Gains de change » dans les produits et charges financières, il paraît, à notre avis, logique d'utiliser ces deux mêmes comptes pour enregistrer les différences de conversion « définitives et irréversibles » constatées entre deux monnaies « in » à la clôture.

Compensation impossible — Contrairement aux différences d'arrondis (voir ci-après n°s 490 s.), il n'a pas été prévu de dérogation au principe général de non-compensation édicté par l'article 13 du Code de commerce et spécifiquement repris par le PCG en ce qui concerne l'enregistrement des pertes et gains de change au compte de résultat (PCG, p. II. 12).

En conséquence, aucune compensation entre pertes et gains latents ne sera possible.

c. Conséquences pratiques

455. *Pour les comptes 1998-1999* — Le caractère « définitif et irréversible » des différences de conversion (écarts de change) sera entériné.

Les provisions pour pertes de change constituées antérieurement devront donc être reprises en résultat.

Pour la conversion définitive des créances et des dettes, les taux de conversion fixes applicables au 1er janvier 1999 devront être utilisés.

Toutes les créances et dettes libellées en devises « in » et nées postérieurement au 1er janvier 1999 sont en fait, désormais, considérées comme des créances et dettes en francs.

2. Conversion des emprunts libellés dans des devises de la zone euro, affectés à l'acquisition d'immobilisations situées dans les pays de ces devises

457. *Avis du CNC n° 98-01 (17 février 1998)* — « En cas de perte latente afférente à un emprunt, libellé dans une devise étrangère, affecté à l'acquisition d'immobilisations situées dans le pays de cette devise, le Plan Comptable général (PCG.II. 13 §.6.b) prévoit, à titre dérogatoire, la possibilité de ne pas constituer de provision globale afin d'étaler la perte sur la durée la plus courte soit de l'emprunt, soit de la vie utile du bien.

Le choix de cette option prévue par le Plan Comptable Général étant antérieur à l'introduction de l'euro, l'option d'étalement de la perte latente sur la durée la plus courte soit de l'emprunt, soit de la vie utile du bien, conserve son plein effet. »

458. *Commentaires* — Selon l'avis du CNC, la dérogation prévue par le PCG concernant l'étalement des pertes latentes de change n'est pas remise en cause par le passage à l'euro et la fixation des parités.

B. Traitement des contrats de change relatifs à des devises de la zone euro et non dénoués lors de l'introduction de l'euro

1. Contrats de change à caractère spéculatif

460. *Avis du CNC n° 98-01 (17 février 1998)* — « Les différences de change relatives aux contrats présentant un caractère spéculatif sont inscrites en résultat financier dès l'entrée en vigueur des taux de conversion fixes des devises de la zone euro. »

461. *Commentaires* — Conformément à la règle générale, le CNC impose la constatation immédiate des pertes et gains de change sur contrat à caractère spéculatif.

2. Contrats de change couvrant des éléments du bilan

462. *Avis du CNC n° 98-01 (17 février 1998)* — « Les opérations de couverture (correspondant le plus souvent à des achats ou ventes de devises à terme) ont pour objet d'annuler le risque d'exposition des entreprises aux fluctuations monétaires, en fixant à l'avance le montant en francs de transactions libellées en devises étrangères. À ce titre, les montants comptabilisés en francs intègrent déjà les taux de change issus des contrats de couverture.

La comptabilisation des opérations sous-jacentes s'effectue donc sur la base des taux de change fixés par les contrats de couverture, sans que le passage à la monnaie unique ait d'incidence comptable particulière. »

463. *Commentaires* — En principe, il convient, à notre avis, de distinguer les deux situations suivantes.

a. Dettes et créances converties au cours de couverture et transformées en francs

464. La comptabilisation des opérations sous-jacentes s'effectue sur la base des taux de change fixés par les contrats de couverture, sans que le passage à la monnaie unique n'ait d'incidence comptable particulière.

L'avis du CNC part du principe que les dettes et créances couvertes sont enregistrées dès leur origine en francs, au cours garanti par le contrat de change à terme : les montants comptabilisés en francs intègrent déjà les taux de change issus des contrats de couverture.

> On considère, en effet, en matière de dettes et créances commerciales, que les couvertures qui permettent de connaître le montant définitif de la dette ou de la créance à l'avance en fixant le cours de la devise à l'échéance (et ce, quel que soit le cours réel de cette devise à l'échéance) modifient la nature de la créance ou de la dette couverte et transforment cette dernière en dette ou créance libellée en francs. Aucun écart de conversion n'a alors à être dégagé à la clôture de l'exercice (voir MC n° 2083-1).

b. Dettes et créances couvertes maintenues au cours historique

465. L'avis du CNC n'évoque pas ce cas mais, dans la pratique, toutes les entreprises industrielles et commerciales ne convertissent pas leurs créances et leurs dettes au cours de couverture ; en effet, il ressort de l'analyse de 126 rapports annuels de sociétés cotées (1) que seuls 46 % des groupes industriels analysés déclarent procéder de cette manière pour leurs dettes et créances commerciales.

> (1) Réalisée par Price Waterhouse dans le cadre de l'ouvrage « Communication et Information Financière : Guide 1998 », Les Échos Éditions.

En ce qui concerne les opérations purement financières, cette pratique peut s'expliquer par le fait que la plupart des swaps de devises adossés à des prêts ou emprunts en devises font l'objet d'un suivi et d'un enregistrement distinct.

En outre, toutes les couvertures ne fixent pas de manière certaine le cours de la monnaie étrangère à l'échéance (couverture au moyen d'options, par exemple).

Dans ces situations, la nature des dettes et créances sous-jacentes n'est pas modifiée et ces dernières restent libellées en devises étrangères. La créance ou la dette, d'une part, et le contrat de couverture, d'autre part, doivent alors faire l'objet d'une réévaluation à chaque date d'arrêté.

En ce qui concerne la clôture 1998-1999, les différences de conversion calculées sur la base des parités fixes du 1er janvier 1999 auront toutes un caractère « définitif et irréversible », qu'elles proviennent de l'instrument de couverture ou de l'élément couvert. Bien que ce point n'ait pas été envisagé par le CNC, il paraît à notre avis logique de les rapporter, dans un cas comme dans l'autre, dans le résultat financier de l'exercice (leur impact jouant en sens inverse en vertu de la règle dite « de symétrie »), sans pour autant compenser les charges et produits financiers en résultat.

> *Exemple* : Fin septembre 1998, et à une échéance de 12 mois, le DM est en « déport » par rapport au FF de 0,1 %. Ce qui veut dire que les taux d'intérêt français sont inférieurs de 0,1 % aux taux d'intérêts allemands sur cette échéance. Le cours « spot » DM/FF s'établit à 3,3521 FF et le cours à terme (à un an et à l'achat) à 3,3468 FF. Une entreprise achetant à terme 1 million de DM, s'engage à payer 3 346 800 FF lors de la

réception dans un an (septembre 1999) des devises. Dans ce cas, le cours à terme garanti (3,3468) est inférieur au cours comptant (3,3521) et se décompose de la manière suivante :

	pour 1 DM	pour 1 million de DM
Cours comptant (cours spot) :	3,3521	3 352 100
Déport :	<0,53>	<5 300>
Cours à terme (cours garanti) :	3,3468	3 346 800

Les parités fixes €/FF et €/DM ont été arrêtées le 1er janvier 1999 à 6,55957 et 1,95583 soit un taux calculé FF/DM de 3,35385. Dans ces conditions :

— la conversion de la dette de 1 000 000 DM en francs fera apparaître un écart (défavorable) de 1 700 FF [= 1 000 000 x (3,3538 - 3,3521)],

— celle de la couverture, un écart (favorable) de 7 000 FF [= 1 000 000 x (3,3538 - 3,3468)],

— soit une différence (favorable sur le résultat financier) de 5 300 FF.

3. Contrats de change couvrant des transactions futures

466. *Avis du CNC n° 98-01 (17 février 1998)* — « Sont visés les contrats de couverture de change portant sur des opérations sous-jacentes (enregistrées en carnet ou non) non encore exécutées lors de leur conclusion.

Les gains et pertes de change relatifs à l'opération sous-jacente et à l'instrument de couverture sont inscrits simultanément en résultat au cours de l'exercice de dénouement de l'opération sous-jacente, sans que le passage à la monnaie unique ait d'incidence comptable particulière.

Le cas échéant, lorsqu'il apparaît de manière certaine que l'opération sous-jacente n'aura pas lieu, les différences de change relatives à l'instrument de couverture sont inscrites en résultat. »

a. Absence d'incidence sur le résultat

467. Selon l'avis du CNC (n° 98-01), le passage à la monnaie unique n'aura pas d'incidence comptable particulière sur ces contrats. En effet, les gains et pertes de change relatifs à l'opération sous-jacente et à l'instrument de couverture ne sont inscrits en résultat qu'au cours de l'exercice de dénouement de l'opération sous-jacente, ce principe n'étant pas remis en cause par la fixation définitive des parités au 1er janvier 1999.

> *Remarque* : En principe, aucune réévaluation des instruments de couverture n'est effectuée lors des clôtures ultérieures. Toutefois, certaines sociétés constatent des écarts de conversion sur les contrats non encore dénoués qu'elles inscrivent dans des comptes de régularisation actif ou passif pour les rapporter en résultat dans l'exercice de dénouement de la transaction (cas notamment des instruments négociés sur un marché organisé avec appels de marge). Conformément à l'avis du CNC, ces écarts ne doivent pas être dégagés en résultat tant que l'opération sous-jacente n'est pas dénouée.

b. Cas particuliers

468. *Étalement du report/déport* — Par analogie avec l'approche retenue par la norme américaine FAS 52, certains groupes procèdent à l'étalement du report (déport) inclus dans le cours à terme garanti par les contrats de couverture. De cette manière, le « coût » de la couverture est imputé prorata-temporis tout au long de la période pendant laquelle l'entreprise a décidé de se protéger contre une fluctuation des cours et non pas uniquement à l'exercice de dénouement de la transaction. Nous avons vu qu'à partir du 1er janvier 1999, il n'existe plus qu'un seul cours de conversion unique : le taux de conversion fixe est un cours comptant (cours « spot ») et il n'y a plus de cotation de cours à terme (une seule courbe des taux pour l'ensemble des monnaie « in » et donc disparition du phénomène de report-déport). Faut-il dès lors cesser l'étalement et immédiatement rapporter en résultat la part non encore amortie du report-déport ? À notre avis, non ; en effet, le montant étalé est le montant initial (historique), sans qu'il y ait réajustement de ce dernier en fonction de l'évolution respective des deux courbes de taux d'intérêts. En conséquence, la fixation définitive des parités et la disparition des reports/déports entre monnaies « in » n'ont pas de raison de venir modifier une décision de gestion prise antérieurement.

469. *Options (étalement des valeurs temps)* — À notre avis, de même que pour le report/déport, l'étalement devra être poursuivi.

470. *Disparition de la transaction future* — L'avis CNC n° 98-01 précise que s'il apparaît de manière certaine que l'opération sous-jacente n'aura pas lieu, les différences de change relatives à l'instrument de couverture sont (immédiatement) inscrites en résultat. Dans ce cas, en effet, le contrat de change devient une opération spéculative.

III. Traitement des différences d'arrondis
(Opérations à partir du 1er janvier 1999)

1. D'où proviennent-elles ?

490. L'entrée en vigueur de la monnaie unique suppose la mise en œuvre de processus de conversion entre les monnaies nationales et l'euro. Ces processus donnent lieu à des arrondis qui engendrent un ensemble d'écarts (encore appelés « Différences d'arrondis de conversion »).

a. Règles d'arrondissage

491. Le règlement européen 1103/97 du 17 juin 1997 fixant certaines dispositions relatives à l'introduction de l'euro précise, dans ses articles 4 et 5, les règles de conversion et celles d'arrondis. Ainsi, notamment :

— les taux de conversion comportent six chiffres significatifs (le taux de conversion entre l'euro et le franc a ainsi été fixé par le Conseil de l'Union européenne en date du 31 décembre 1998 à 1 € = 6,55957 FF) ;

— les sommes converties en euros sont arrondies au cent inférieur ou supérieur le plus proche ;

— l'arrondi des montants en unité monétaire nationale s'effectue à la subdivision de la monnaie nationale la plus proche (par exemple, pour le franc, le centime).

Voir développements dans le chapitre juridique, n°s 260 s.

b. Opérations générant des arrondis

492. Les différences d'arrondis pourront résulter en pratique d'opérations différentes, comme par exemple :

1. La conversion en euros de soldes d'ouverture exprimés en francs (problème lié à la conversion d'une somme). La somme de montants convertis n'est pas, en effet, systématiquement égale à la conversion de la somme des montants et cela quel que soit le sens de la conversion. De même, le produit de montants convertis n'est pas égal à la conversion du produit de ces montants.

2. L'enregistrement comptable en francs de *pièces justificatives* libellées en euros (et réciproquement).

En effet, des arrondis apparaîtront :
— si une société tient sa comptabilité en francs mais enregistre des pièces justificatives en euros,
— si une société tient sa comptabilité en euros mais enregistre des pièces justificatives en francs.

3. Le fait d'effectuer ou de recevoir un *règlement* dans une unité monétaire différente de celle de la facture d'origine. En effet, la réalisation de *conversions successives* dans le sens franc → euro → franc génère un écart.

2. Traitement comptable

493. *Loi DDOEF du 2 juillet 1998, article 16- II* — « Les différences d'arrondis de conversion résultant de l'application des règles d'arrondissement propres à l'introduction de l'euro sont inscrites en résultat pour leur montant net. »

494. *Avis du CNC n° 98-09 (17 décembre 1998)* — « L'article 16 du Code de commerce, modifié par la loi n° 98-546 du 2 juillet 1998, prévoit que « les différences d'arrondis de conversion résultant de l'application des règles d'arrondissement propres à l'introduction de l'euro sont inscrites en résultat pour leur montant net ». Les arrondis de conversion sont inscrits en charge ou produit financier, et il est recommandé pour les entreprises utilisant la nomenclature du Plan Comptable Général d'adopter les comptes suivants :

— 6688 — charge d'arrondis de conversion euro,

— 7688 — produit d'arrondis de conversion euro.

En fin d'exercice l'un des deux comptes sera soldé de manière à ce que seul le montant net, charge ou produit financier, figure au compte de résultat. »

3. Non-respect des règles d'arrondissage et régularité des comptes

495. Des règles de conversion strictes et contraignantes ont été adoptées par le règlement du Conseil des Communautés européennes n° 1103/97 du 17 juin 1997 (publié en annexe, n° 1901). Elles s'imposent aux États membres concernés et impliquent l'utilisation obligatoire après le 1er janvier 1999 :

— du taux de conversion officiel exprimant la valeur d'un euro en francs et non du taux inverse ;

— de taux de conversion ayant six chiffres significatifs (soit, dans le cas de l'euro exprimé en francs, cinq chiffres après la virgule) ;

— de l'euro comme pivot pour toute conversion de devise étrangère en francs (devises « in »).

En pratique, par exemple, cela signifie que, pour les entreprises qui n'auront pas basculé à l'euro pendant la période transitoire et qui tiendront donc leur comptabilité en francs, l'interdiction d'utiliser les taux inverses pour la conversion de sommes libellées en devises de la zone euro, implique que les sommes libellées en devises devront d'abord être converties en euros, arrondies, puis converties en francs avant d'être comptabilisées (voir règlement 1103/97 précité, art. 4-4).

Les règles de conversion et d'arrondi explicitées ci-avant concernent la conversion d'une devise de la zone euro en une autre et pas la conversion d'une somme libellée en devise « out » en devise nationale ou inversement. Cependant, puisqu'il n'existe plus de taux de conversion bilatéral, cette conversion pourra entraîner le respect d'une partie des règles. Ainsi, dans le cas de la conversion en francs d'un montant en dollars, la conversion sera réalisée par la détermination d'un montant en euros (puisque seuls existent des taux de change et conversion \$US/€ et €/FF) sans que ce montant intermédiaire soit soumis à la règle d'arrondi (trois décimales au moins) définie par l'article 4 du règlement précité. Les règles à respecter seront l'utilisation du taux de conversion €/FF à six chiffres significatifs et la règle d'arrondi du montant converti en franc. La conversion en dollars d'un montant en francs sera également réalisée par la détermination d'un montant en euros mais ne sera soumise à aucune des règles définies par l'article 4 du règlement européen.

Dans un document du 19 février 1998 « Aspects pratiques de l'introduction de l'euro » la Commission européenne indique « qu'il est pratiquement exclu de trouver des taux de conversion bilatéraux implicites qui donnent toujours le même résultat que l'algorithme (de la méthode de triangulation définie par l'article 4-4 précité). C'est la raison pour laquelle il est conseillé, afin d'éviter tout risque juridique, d'utiliser la méthode de triangulation ».

496. Compte tenu des difficultés pratiques liées aux modifications des systèmes que ces règles engendrent, des entreprises envisageaient de ne pas les appliquer et notamment d'utiliser les taux inverses résultant des parités fixes.

En dehors des inconvénients possibles au niveau de leur gestion (voir Partie II, n°s 2701 s.), la question qui se pose est de savoir si la non-application de cette règle constituerait sur le plan de la certification des comptes une irrégularité comptable que le commissaire aux comptes peut devoir signaler.

La CNCC ne s'est pas pour l'instant prononcée officiellement sur ce sujet. Mais, il résulte de deux réponses du Bulletin CNCC (n° 105, mars 1997, p. 105 s.), portant sur l'appréciation de la régularité de la tenue de la comptabilité en général, que l'application de méthodes de conversion différentes ne saurait affecter l'opinion d'un commissaire aux comptes sur les comptes d'une société dans la mesure où seraient respectées les conditions suivantes :

— les arrondis de conversion résultant de ces méthodes seraient comptabilisés dans des comptes propres du compte de résultat ;

— il serait possible de démontrer facilement que la différence entre les résultats de la méthode utilisée et les résultats de la méthode légale n'a pas d'impact significatif sur les comptes ;

— la méthode retenue n'a pas d'incidence sur l'étendue des travaux de contrôle.

4. Utilisation d'un nombre de décimales supérieur à 2

497. On constate que l'arrondi à deux décimales d'un montant converti en euros, en application des dispositions du règlement européen 1103/97, peut générer des incidences significatives.

> Ainsi, par exemple, dans le cas du remboursement des frais de déplacement des salariés d'une entreprise, les incidences ne seront pas totalement négligeables pour chaque salarié et pour l'entreprise sur le total des notes de frais remboursées.
>
> Supposons que l'indemnité kilométrique soit fixée à 2,83 FF.
>
> Pour 1 000 kilomètres parcourus, le salarié toucherait :
>
> 1 000 x 0,43 = 430 €
>
> ou encore une contre-valeur francs de 2820,62
>
> contre un montant en francs, avant conversion, de 1000 x 2,83 = 2 830 FF.
>
> Soit un écart de près de 10 francs pour 1000 km.

La solution, pour réduire l'écart généré par un arrondi à deux décimales, est d'utiliser dans les calculs un nombre de décimales important, voire cinq décimales. C'est la solution préconisée en novembre 1998 par le groupe de travail Simon-Creyssel. Il ressort des interprétations de la Commission européenne (document « introduction de l'euro et arrondi des sommes d'argent » de mars 1998) et du préambule n° 11 du règlement du Conseil n° 1103/97 que l'utilisation d'un nombre de décimales supérieur à deux n'est pas contraire aux dispositions de l'article 5 de ce même règlement.

> Pour reprendre l'exemple, si l'indemnité est fixée à 0,4314 € au lieu de 0,43, alors le salarié touchera 431,4 € pour 1 000 km parcourus, soit une contre-valeur FF de 2 829,80 au lieu de 2 830 FF avant toute conversion.

Voir également n°s 2725 s.

IV. Information à fournir dans l'annexe et le rapport de gestion

1. Coûts de passage à l'euro

500. *Avis du CNC n° 97-01 (24 janvier 1998)* — « L'annexe est un état qui comporte les explications nécessaires pour une meilleure compréhension des autres documents de synthèse et complète, ou présente sous une autre forme, les informations qu'ils contiennent.

Concernant les coûts de passage à la monnaie unique l'annexe devra indiquer :

— la nature et le montant des charges à répartir et la durée prévue pour leur amortissement ;

— la nature des charges provisionnées et les modalités d'évaluation de leur montant ;

— la nature et le montant des autres charges exceptionnelles. »

501. *Information dans l'annexe* — Il ressort de l'avis :

— qu'en l'absence de provision ou de dépenses exceptionnelles liées à l'euro, aucune information ne doit être fournie ;

— qu'en cas de constitution de provision pour euro ou de charges exception-nelles non provisionnées, il y a lieu d'indiquer la nature des dépenses et, pour les provisions, les modalités d'évaluation; et qu'en cas de charges à répartir, la nature de ces charges, leur montant et leur durée d'amortissement doivent être fournis.

502. *Information dans le rapport de gestion* — Il n'est pas du ressort d'un avis du CNC d'indiquer le contenu du rapport de gestion.

Mais, à l'instar de ce que la réglementation (art. L 340) prévoit pour les activités de frais de recherche et de développement, il pourrait être utile de fournir des informations générales sur les conséquences de l'euro sur l'entreprise dans le rapport de gestion.

De même, les sociétés cotées peuvent s'inspirer de la recommandation COB sur l'an 2000 pour présenter les éventuelles conséquences du passage à l'euro (voir n° 505).

2. Différences de conversion

503. Aucune information spécifique n'est prévue par l'avis du CNC n° 98-01.

À notre avis, si des gains latents enregistrés en résultat du fait des parités fixes s'avéraient significatifs, une information en annexe devrait être fournie afin d'assurer la comparabilité des comptes.

3. Capital social

504. Juridiquement, les sociétés peuvent décider la conversion de leur capital social au moment qu'elles jugent opportun durant la période transitoire. La déci-sion de convertir le capital n'est pas liée juridiquement à la tenue de la comptabi-lité en euros.

Pour plus de détails, voir n° 528.

Dans le cas de la publication des comptes en euros avant la conversion du capital à l'euro, il convient, à notre avis, de donner une information dans l'annexe aux comptes sur la présentation du montant du capital social.

Cette information pourrait d'ailleurs figurer directement au pied du bilan, en utili-sant une formule du type : « capital de xxx francs, soit yyy euros ».

4. Autres informations

505. *Les autres informations à communiquer* ont été précisées par :
— la COB (Rec. n° 98-01 sur les risques informatiques liés au passage à l'an 2000 rappelée dans le bulletin COB n° 330 de décembre 1998);
— le bulletin de la Compagnie nationale des commissaires aux comptes (n° 110 de juin 1998) sur la responsabilité des dirigeants et des commissaires aux comptes face à l'an 2000;

— la fiche III-4 du guide de la CNCC sur le commissaire aux comptes et l'euro.

Les recommandations de la COB et de la CNCC relatives à l'an 2000 sont en effet, à notre avis, applicables au passage à la monnaie unique. Philippe Danjou, Chef du Service des Affaires Comptables de la COB, a d'ailleurs rappelé la nécessité pour les entreprises de *mieux informer sur les risques, notamment sur les risques liés au passage à l'euro, sur le degré d'adaptation à l'euro*.

Il s'agit notamment d'indiquer :
— l'état général de préparation de l'entreprise,
— le montant estimé des dépenses,
— les mesures prises pour identifier et surmonter les risques de dépendance vis-à-vis des tiers,
— l'impact éventuel sur les résultats futurs de l'entreprise.

La CNCC recommande de présenter dans l'annexe, non seulement une information sur les provisions, mais également une information sur les *incertitudes existantes* et pesant, éventuellement, sur la continuité de l'exploitation (Bull. n° 110 de juin 1998).

La CNCC indique dans la fiche III-4 précitée que peuvent faire partie des informations à mentionner dans l'annexe :

— le basculement de la comptabilité des entités à l'euro durant toute la période transitoire ;

— la monnaie utilisée dans le cas où les états de synthèse ne la préciseraient pas.

V. Monnaie de tenue de la comptabilité

510. On sait que l'article 16 du Code de commerce imposait, avant modification, une comptabilité tenue en francs.

D'où les principales questions fondamentales suivantes :

1. À partir de quand la comptabilité devra-t-elle être tenue en euros ?

511. La comptabilité devra nécessairement être tenue en euros à partir du 1er janvier 2002, l'unité franc n'ayant plus cours légal.

Cas d'une clôture décalée — Les sociétés pourront basculer au plus tard le 1er janvier 2002 qui correspondra alors, pour elles, à une bascule en cours d'exercice. Cependant, dans ce cas, les sociétés ne pourront utiliser que certaines méthodes de bascule (et notamment pas la méthode dite de « rétropolation »).

Pour plus de détails voir Partie Stratégie, chapitre « Bascule de la comptabilité », n° 2826.

2. À partir de quand la comptabilité pourra-t-elle être tenue en euros?

512. *Loi n° 98-546 DDOEF du 2 juillet 1998, article 16* — « Par dérogation aux disposi-tions de l'article 16 du Code de commerce, les documents comptables peuvent être établis en unité euro. Ce choix est irrévocable. »

513. *Commentaires* — Ainsi, pendant la période transitoire (1999-2001), une option est offerte aux entreprises, leur permettant d'établir leurs documents comptables en euros. Cette option est applicable à partir du 1er janvier 1999, date à laquelle la modification de l'article 16 du Code de commerce a pris effet.

Si cette option est appliquée, elle sera irrévocable.

> Sur les différentes méthodes de bascule voir Partie Stratégie, chapitre « Bascule de la comptabilité », nos 2805 s., et pour le choix optimum de la date de basculement, nos 2755 s.

VI. Arrêté et publication des comptes en euros

1. Existe-t-il un lien entre la monnaie de tenue de comptabilité et la monnaie utilisée pour les comptes?

515. *Avis n° 98-E du 17 décembre 1998 du Comité d'Urgence du CNC* relatif aux consé-quences comptables du passage à la monnaie unique (Avis complémentaire à l'Avis n° 98-01) — « Le Comité d'Urgence du Conseil national de la comptabilité, saisi le 8 décembre 1998 par le président du Conseil, après consultation du bureau, d'une demande relative à la présentation des comptes en francs et en euros pendant la période transitoire, a adopté le 17 décembre 1998 l'avis suivant.

L'article 16 du code de commerce, modifié par la loi n° 98-546 du 2 juillet 1998, dispose que « par dérogation aux dispositions de l'article 16 du code de com-merce, les documents comptables peuvent être établis en euro. Ce choix est irré-vocable ».

Par ailleurs, l'article 14 du règlement (CE) n° 974/98 du Conseil de l'union euro-péenne du 3 mai 1998 dispose que « les références aux unités monétaires natio-nales qui figurent dans les instruments juridiques existants à la fin de la période transitoire (31 décembre 2001) doivent être lues comme des références à l'unité euro en appliquant les taux de conversion respectifs ».

Dans ces conditions, le Comité d'Urgence est d'avis que :

— à compter du 1er janvier 1999 les comptes pourront être tenus en euros. Ce choix est irrévocable et entraîne le choix de l'euro pour l'arrêté des comptes ;

— les comptes annuels ainsi que les comptes consolidés des sociétés commer-ciales et des commerçants pourront être arrêtés ou établis en euros à compter du 1er janvier 1999, quelle que soit l'unité, franc ou euro, retenue pour la tenue des comptes de l'exercice écoulé. Les comptes arrêtés en euros doivent être publiés dans cette même unité. »

516. *Commentaires* — Deux choix sont donc offerts aux entreprises :

— l'un concernant la monnaie de tenue de leur comptabilité (francs ou euros) ;

— et l'autre, lorsque la comptabilité est tenue encore en francs, la monnaie d'établissement des comptes (francs ou euros).

En conséquence, même si la comptabilité ne peut être tenue en euros qu'à partir du 1er janvier 1999, il n'existe aucun obstacle à la publication de comptes 1998 en euros à partir de cette date (même si la comptabilité a été tenue en francs en 1998). Il en sera de même pour les comptes 1999 si la comptabilité continue d'être tenue en francs courant 1999.

> *Remarque : Au contraire, sur le plan fiscal*, il existe un lien entre la monnaie de tenue de la comptabilité et la monnaie à utiliser pour la déclaration fiscale des résultats. En effet, tant que la comptabilité ne sera pas tenue en euros, aucune déclaration fiscale ne pourra être établie en euros (voir nos 710 s.).

2. Que signifie : Arrêter des comptes en euros?

517. Arrêter des comptes en euros implique :
— de clôturer les comptes en francs ;

— de convertir les états financiers y compris l'annexe comptable en euros sur la base de la parité franc/euro fixée au 1er janvier 1999 ; la conversion concerne les chiffres de l'exercice et des années antérieures présentées ;

> Pour plus de détails sur les informations à fournir dans l'annexe, voir nos 500 s.
>
> Sur le retraitement de l'information fournie les exercices antérieurs, voir nos 518 s.

— de faire arrêter les comptes en euros par l'organe de direction : conseil d'administration, directoire ou gérant ;
— de faire arrêter les autres documents adressés aux actionnaires (ou associés) en euros par l'organe de direction.

> Les documents adressés aux actionnaires ou associés sont :
>
> — le tableau des filiales et participations s'il ne figure pas dans l'annexe aux comptes,
>
> — le tableau des résultats des cinq derniers exercices pour les SA,
>
> — le rapport de gestion ou rapport de la gérance,
>
> — le projet d'affectation du résultat,
>
> — les projets de résolutions de l'assemblée.
>
> Sur le plan de l'information financière, la COB a insisté sur le fait que le choix d'une monnaie s'appliquera à l'ensemble de la communication financière de l'entreprise : documents de gestion, communiqués et documents de présentation des opérations financières (Bull. n° 328, octobre 1998, p. 57 s.)

Remarque : Rien n'oblige à arrêter des comptes individuels en euros pour pouvoir publier des comptes consolidés en euros. Cependant la COB a précisé qu'il « n'est pas souhaitable » d'utiliser des unités monétaires différentes pour les comptes individuels et les comptes consolidés (Bull. n° 330, décembre 1998, p. 47).

3. En cas de publication en euros, quelle information comparative fournir?

a. Principe général de retraitement de l'information fournie des exercices antérieurs

518. *Avis du CNC n° 98-01 (17 février 1998)* — « Afin d'assurer la comparabilité historique des comptes, la première publication de comptes annuels ou situations intermédiaires (individuels ou consolidés) exprimés en euros donne lieu à la présentation d'informations comparatives, exprimées en euros sur la base de la parité fixée au premier janvier 1999. »

519. *Commentaires* — Il résulte de l'avis du CNC n° 98-01, qu'en cas de première publication en euros pendant la période transitoire (1999-2001), la reconstitution des historiques (tableau des résultats des cinq derniers exercices, par exemple) et la publication de toute information comparative (chiffres des exercices N-1 et N-2) en euros seront nécessaires.

Ces reconstitution et publication devront se faire sur la base de la parité franc/euro fixée au 1er janvier 1999.

520. *Remarques* — Ces obligations appellent les commentaires suivants :

L'information comparative en euros n'entraîne pas l'obligation de continuer de publier des chiffres en francs. Néanmoins, notamment les sociétés cotées pour les besoins de leurs actionnaires individuels, devraient pratiquer le « double affichage des comptes ».

1. Plusieurs solutions s'offrent aux sociétés :

— présenter 2 ou 3 colonnes en euros (N, N-1, N-2) et la colonne N en francs pour le bilan et le compte de résultat ;

— présenter le même nombre de colonnes en euros et en francs pour donner toute l'information comparative dans les deux expressions monétaires ;

Certains pourront cependant trouver cette présentation peu lisible et portant à confusion sur la monnaie de publication des comptes.

— ne publier que les bilans et comptes de résultat en euros et fournir dans l'annexe, les bilans et comptes de résultat comparatifs en francs.

Cette solution est la plus simple et correspond à la solution de la Commission européenne (voir 2 ci-après).

L'annexe aux comptes pourra inclure uniquement des chiffres en euros, des chiffres en euros avec conversion des chiffres significatifs en francs, des chiffres en euros convertis en totalité en francs (les montants en francs étant indiqués entre parenthèses).

2. La Commission européenne est plutôt favorable à une publication uniquement en euros, les éléments en monnaie nationale étant alors fournis dans l'annexe.

3. Le retraitement des données sur la base d'une parité fixée au 1er janvier 1999 peut gommer l'effet variation de change sur les chiffres déjà publiés des exercices ou périodes antérieures.

Ainsi, par exemple :

— la comparaison des chiffres d'affaires de deux groupes appartenant au même secteur industriel risque de donner des résultats différents dus au simple fait que la conversion des comptes en euros se fera sur la base des parités fixes du 1er janvier 1999 (et non pas sur la base des taux de change réels) ;

— de la même manière, le chiffre d'affaires d'un groupe n'affichera pas forcément la même progression, selon que l'histoire sera donnée en francs, en écu ou en euro (tableau des résultats des cinq derniers exercices, par exemple).

Dans ce cas, à notre avis, une information en annexe pourrait utilement mettre cette conséquence en évidence.

b. Extension de l'information pour les sociétés cotées

521. *Recommandation de la COB 97-01 (Novembre 1997)* — La COB demande aux sociétés faisant appel public à l'épargne :

a) « D'établir, *pendant toute la période transitoire*, un *tableau de chiffres significatifs* présentés à la fois *en francs et en euros* et comprenant notamment :
— des éléments du compte de résultat : chiffre d'affaires, résultat net part du groupe, deux soldes intermédiaires de gestion tels que, par exemple, le résultat opérationnel et le résultat avant impôts ;
— des éléments du bilan : capital, capitaux propres part du groupe, dettes financières, valeurs immobilières nettes, total du bilan ;
— le dividende et le bénéfice net par action.

Cette liste pourra être adaptée et complétée en fonction du secteur d'activité de l'entreprise, l'important étant d'assurer la continuité de l'information pendant toute la période transitoire.

Dès le 1er janvier 1999, ce tableau devrait figurer dans tous les documents réglementaires relatifs à l'information financière à publier : documents de référence, prospectus, notes d'information, résumés.

En outre, si les éléments présentés dans le tableau sont cités dans les communiqués de presse, ils devront également figurer dans les deux unités monétaires. »

b) « De *convertir*, si elles ont basculé leur comptabilité à l'euro, *les séries historiques de comptes* présentées dans le document de référence, les prospectus et les résumés, la conversion étant simplement réalisée sur la base de la parité euro fixée le 1er janvier 1999. »

522. *Commentaires* — La COB, dans sa recommandation, ne précise pas si ce tableau est relatif aux comptes individuels ou aux comptes consolidés. Compte tenu de certaines informations demandées (résultat net part du groupe, capitaux propres part du groupe), certains pensent que seuls les comptes consolidés sont concernés. À notre avis, compte tenu des objectifs recherchés par la COB dans le cadre de cette communication financière en euros (meilleure information des investisseurs), *cette recommandation s'applique autant aux comptes individuels qu'aux comptes consolidés*.

Ce tableau est à présenter dans le **rapport de gestion** (cf. Philippe Danjou, Chef du Service des Affaires Comptables de la COB).

4. Si les comptes sont publiés en francs, peut-on, à titre d'information, présenter des comptes en euros?

523. Certaines sociétés qui arrêteront leurs comptes en francs souhaiteront présenter une information comparative en euros, information supplémentaire à celle recommandée par la COB pour les sociétés cotées (tableau de chiffres significatifs).

Ces sociétés peuvent, à notre avis, pour la présentation du bilan et du compte de résultat prévoir une colonne N, supplémentaire aux colonnes N et N-1 en francs, qui présenterait les chiffres en euros. Les tableaux de l'annexe pourraient également inclure une colonne N pour la présentation des données en euros. Mais une société pourra choisir de ne convertir que certains chiffres de l'annexe.

VII. Dividendes en euros

Certaines questions pratiques se posent aux sociétés qui décideront de verser des dividendes en euros. Nous présentons dans cette section les principales conséquences comptables d'une telle décision.

1. La distribution d'un dividende en euros est-elle possible alors que les comptes ont été arrêtés et approuvés en francs?

524. *Le vote d'un dividende en euros* alors que les comptes sont arrêtés en francs est possible. L'euro et le franc sont en effet, depuis le 1er janvier 1999, l'expression d'une même monnaie. Dans ce cas, l'assemblée approuvera les comptes annuels en francs et décidera d'une affectation de résultat en francs et euros, l'euro étant réservé à exprimer le montant du dividende.

À notre avis, si rien n'interdit que toutes les composantes de l'affectation du résultat soient libellées en euros, dans la mesure où les comptes sont tenus en francs, il est plus simple de réserver l'euro à l'expression du seul dividende pour éviter des opérations multiples de conversion.

> *Par exemple si une société dégage un bénéfice de 158 700,65 FF, en supposant que 2 500 actions composent son capital social, l'affectation du résultat pourrait prendre la forme suivante :*
>
> | | |
> |---|---|
> | Résultat de l'exercice | 158 700,65 |
> | Report à nouveau débiteur | (13 500,20) |
> | Montant à affecter | 145 200,45 |

Réserve légale 5 %   *7 260,02*
Dividende :
7 euros par action soit 17 500 euros
pour une contre-valeur de (1)   *114 792,48*
Solde en report à nouveau   *23 147,95*

(1) La contre-valeur en francs du dividende en euros a été déterminée en appliquant les règles de conversion et d'arrondi prévues par les articles 4 et 5 du règlement CE n° 1103/97 du 17 juin 1997 :

17 500 x 6,55957 = 114 792,475 FF arrondi à 114 792,48 FF.

2. Quelles sont les règles qui s'appliquent au paiement du dividende et quel est l'avantage d'un dividende voté en euros?

525. Comme l'a souligné l'ANSA dans sa synthèse actualisée d'octobre-novembre 1998 sur l'euro et le fonctionnement des sociétés par actions, contrairement aux apparences, c'est la fixation par l'assemblée générale d'un dividende en euros qui limite le problème des arrondis de conversion par rapport à un dividende fixé en francs.

Ce problème concerne essentiellement les sociétés cotées qui font appel aux banques pour le paiement de leurs dividendes.

En effet, le système de règlement/livraison de titres (RELIT) fonctionnant en euros, le dividende voté en francs sera converti par les banquiers en euros selon les dispositions du décret 98-1021 du 10 novembre 1998 puis, pour les actionnaires qui en feront la demande, reconverti en francs. La double conversion conduira à un arrondi technique.

Cet **arrondi** devrait être **minime si les dispositions** de l'article 20 de la loi DDOEF et de l'article 8 du décret n° 98-1021 du 10 novembre 1998 **sont appliquées** par les entreprises et les intermédiaires chargés du règlement comme le montre l'exemple suivant.

Soit un dividende unitaire voté de 4,30 FF pour 40 millions d'actions en circulation.

La contre-valeur en euros de ce dividende unitaire, en application des dispositions de l'article 20 précité ressort à :

4,30 : 6,55957 = 0,655530774

arrondi à 5 décimales soit 0,65553 €.

Ainsi, deux actionnaires qui possèderaient respectivement 500 actions et 10 millions d'actions et qui souhaiteraient obtenir un montant en francs recevront, en application des dispositions du décret précité :

0,65553 x 500 = 327,765 €.

et 0,65553 x 10 000 000 = 6 555 300 €

C'est ce montant arrondi à deux décimales qui sera versé aux actionnaires, donc :

au premier : 327,76 € = 2 149, 96 FF au lieu de 4,30 x 500 = 2 150 FF

au second 6 555 300 € = 42 999 949 FF au lieu de 43 000 000 FF.

Cependant si les règles ne sont pas respectées et en particulier si le montant du dividende unitaire est arrondi au cent d'euro, alors un **écart plus significatif** pourrait apparaître entre le montant du dividende voté en francs et le montant réglé.

Ainsi, dans l'exemple précédent, si le dividende unitaire de 4,30 FF est arrondi au cent d'euro le plus proche soit 0,66 €,

la valeur totale du dividende réglé sera de 0,66 x 40 000 000 = 26 400 000 €
ou encore une contre-valeur francs de 173 172 648 FF
alors que le dividende voté est de 4,30 x 40 000 000 = 172 000 000 FF
d'où un écart de plus d'un million de francs pour l'ensemble des dividendes,
et de plus de 290 000 FF pour l'actionnaire ayant 10 millions d'actions dans l'exemple
(43 293 162 FF contre 42 999 949 FF).

3. Comment enregistrer dans les comptes la décision de distribution d'un dividende en euros alors que les comptes sont tenus en francs?

526. L'enregistrement comptable découle de la présentation de l'affectation du résultat telle que décrite dans *l'exemple présenté au n° 524*.

Les écritures comptables sont les écritures habituelles :

Dt du compte Résultat (12)	*(158 700,65)*
Ct du compte Report à nouveau (11)	*13 500,20*
Ct du compte Réserve légale (1061)	*7 260,02*
Ct du compte Report à nouveau (11)	*23 147,95*
Ct du compte Dividendes à payer (457)	*114 792,48*

La mise en paiement du dividende voté en euros générera un écart d'arrondi sur le solde du compte Dividendes à payer qui devra être enregistré dans le compte de charge ou de produit prescrit par l'avis n° 98-09 du CNC (6688 ou 7688).

4. Comment prendre en compte l'existence d'un acompte sur dividendes en francs dans le cadre de la distribution définitive du résultat en euros?

527. L'acompte sur dividendes versé en francs devra simplement être converti en euros en appliquant la règle d'arrondi prévue par l'article 5 du règlement CE n° 1103/97 du 17 juin 1997 et déduit du montant global du dividende en euros. Ce solde sera alors divisé par le nombre d'actions et la valeur unitaire du dividende à payer sera obtenue en appliquant la règle précitée.

*Ainsi, si dans notre **exemple précédent, présenté aux n°s 524 et 526**, un acompte sur dividende de 60 000 FF a été versé soit 24 FF par action, ce montant s'impute comme suit :*

60 000 : 6,55957 = 9 146, 9410 €	*arrondi à 9 146,94*
17 500 — 9146, 94 = 8 353, 06 €	
8 353,06 : 2 500 actions = 3,3412 €	*arrondi à 3,34*

L'affectation du résultat est identique à celle déjà présentée. Une information sur le versement de l'acompte et du solde à payer est donnée.

Le versement du solde du dividende en euros générera un arrondi sur le solde net du compte Dividendes à payer (net du montant enregistré au compte 129 - Acompte sur dividende), écart qui sera enregistré dans le compte de charge ou de produit prescrit par l'avis n° 98-09 du CNC.

Ainsi, les versements pourraient être les suivants :

3,34 x 2 actions = 6,68 € soit 43,82 FF
3,34 x 50 actions = 167 € soit 1 095,45 FF
3,34 x 2 100 = 7 014 € soit 46 008,82 FF

3,34 x 348 = 1 162,32 € soit 7 624,32 FF
soit une contre-valeur totale de 54 772,41 FF
alors que le solde à payer est de 54 792,48 (114 792,48 — 60 000).
Un écart d'arrondi de 20,07 FF sera alors enregistré en produit.

VIII. Conversion du capital social en euros

Nous présentons dans cette section les aspects comptables et d'information financière de la conversion du capital à l'euro. Pour les aspects purement juridiques, se reporter aux n°s 300 s.

1. La décision de conversion du capital est-elle liée à la décision de bascule de la comptabilité à l'euro et réciproquement ?

528. Juridiquement, les sociétés peuvent décider la conversion de leur capital social au moment qu'elles jugent opportun durant la période transitoire. La *décision de convertir* le capital n'est *pas liée* juridiquement *à la décision de tenir la comptabilité en euros*, dans un sens comme dans l'autre.

La conversion du capital social résulte d'une décision d'AGE (car modification des statuts) qui peut déléguer au conseil d'administration la réalisation de l'opération. Juridiquement, plusieurs méthodes de conversion sont possibles (article 17 de la loi DDOEF) : conversion globale du capital ou conversion de la valeur nominale des actions. Compte tenu de l'arrondissage nécessaire, cette conversion implique une variation à la hausse ou à la baisse du capital.

Remarque : Si la société décide de basculer sa comptabilité à l'euro avant que la conversion du capital ait été décidée, elle devra nécessairement procéder, à notre avis, à une conversion globale du capital social dans les comptes et constater au cent d'euro le montant résultant de l'opération.

Il n'y aura donc dans ce cas ni augmentation, ni réduction de capital due au basculement. Celle-ci n'interviendra qu'après la décision de l'assemblée générale qui reste libre de choisir entre les deux modes de conversion.

Dans le cas d'une clôture d'exercice après la date de bascule et avant décision de l'Assemblée pour décider de la conversion du capital, il conviendrait, à notre avis, de donner une information dans l'*annexe* aux comptes sur la présentation du montant du capital social *ou* plus directement un renvoi au *pied du bilan* qui indiquerait par exemple : « capital social de xxx francs, soit yyy euros ».

2. Quelles sont les règles d'arrondi en matière de conversion du capital social ?

529. Pour comprendre le problème, prenons un exemple pour une action dont la valeur nominale est égale à 100 francs. La contre-valeur en euros est déterminée à partir du taux de conversion défini au 1er janvier 1999. Cette valeur, non arrondie, est égale à 15,24490172 euros.

La question qui se pose est de savoir quelle valeur nominale en euros retenir :

— 15,24 (arrondi au cent d'euro le plus proche) ;

— 15,24 ou 15,25 (arrondi au cent d'euro près) ;

— 15 (arrondi à l'euro le plus proche) ;

— 15 ou 16 (arrondi à l'euro près) ;

— 10 ou 20 (arrondi à la dizaine d'euros près) ?

Le règlement européen n° 1103/97 du 17 juin 1997 (article 5) prescrit d'arrondir « au cent supérieur ou inférieur le plus proche » soit à 15,24 euros.

La loi DDOEF du 2 juillet 1998 prévoit à l'article 17-III que les SA et SARL, convertissant en unité euro leur capital social ou les actions ou parts qui le composent, arrondissent ces montants au centième d'euro ou à l'euro près. Au cas particulier, les entreprises ont donc, selon la loi française, le choix entre 15,24, 15,25, 15 ou 16.

Les textes ont donc défini un cadre pour arrondir la valeur nominale des actions (ou parts sociales) ou le montant global du capital social.

Remarque : Certaines entreprises souhaitent profiter de l'*occasion* de l'opération de conversion du capital en euro pour y rattacher d'autres arrondis afin d'*améliorer la lisibilité de la valeur nominale de l'action ou du montant du capital social*.

Ainsi, si le capital social est composé de 1 500 000 actions de 100 FF, l'arrondi de la valeur nominale au centième d'euro le plus proche, soit 15,24 €, conduit à un capital social de 22 860 000 €. Un arrondi de ce montant à 22 millions € pour des raisons de meilleure lisibilité n'est plus un arrondi lié à la conversion du capital.

C'est ainsi que l'ANSA va même jusqu'à évoquer un arrondi à la dizaine d'euros près dans sa synthèse actualisée d'octobre-novembre 1998 sur l'euro, soit dans notre exemple 10 ou 20 euros pour une valeur nominale de 100 francs.

Ces solutions sont toujours possibles mais sous réserve de respecter les règles juridiques générales en matière d'augmentation ou de réduction de capital.

Ainsi :

— si un tel arrondi entraîne une *augmentation de capital, aucun risque juridique* n'est lié à la non-application stricte des règles d'arrondis précitées puisqu'une société est toujours libre de procéder à des augmentations de capital par élévation de la valeur nominale de ses titres, par incorporation de réserves, primes ou bénéfices, dans les conditions légales et réglementaires usuelles, que cette opération ait comme cause le passage à l'euro ou tout autre, *sauf dans le cas particulier d'une SARL qui souhaiterait bénéficier de la délégation au(x) gérant(s)* du pouvoir de réaliser l'augmentation de capital. Dans ce cas en effet, l'application stricte des textes et des méthodes d'arrondi est nécessaire pour bénéficier des dispositions de la loi DDOEF qui autorise la délégation au(x) gérant(s) ;

— si un tel arrondi entraîne une *réduction de capital*, à notre avis, *l'assouplissement de la procédure* de réduction de capital prévu par la loi DDOEF *pour le passage à l'euro ne pourrait pas s'appliquer*, les conditions d'arrondi étant différentes de celles prévues par les textes.

SECTION II
Comptes consolidés

I. Traitement des coûts de passage à l'euro

1. Comptes individuels de la société mère et des filiales françaises

530. Le traitement des coûts de passage effectué dans les comptes individuels et présenté ci-avant dans la section I (n°s 400 s.) n'a pas lieu d'être remis en cause dans le cadre des comptes consolidés.

2. Comptes des filiales étrangères

531. Il peut s'avérer nécessaire en cas de filiales étrangères de devoir procéder à des retraitements d'homogénéité du fait de règles locales divergentes concernant les coûts de passage à l'euro (comptabilisation des coûts et présentation des coûts au compte de résultat et/ou annexe).

Cependant, si les montants concernés ne sont pas significatifs au regard des états financiers de l'ensemble consolidé, ces retraitements peuvent ne pas être réalisés.

II. Différences de conversion

A. Actifs et passifs en devises « in » (zone euro)

1. Comptes individuels de la société mère et des filiales françaises

535. Le traitement des différences de conversion sur les actifs et passifs en devises « in » effectué dans les comptes individuels et présenté ci-avant dans la section I (n°s 450 s.), notamment la prise en compte des gains latents en résultat, n'a pas lieu d'être remis en cause dans le cadre des comptes consolidés.

2. Comptes des filiales étrangères

536. Il peut s'avérer nécessaire en cas de filiales étrangères de procéder à des retraitements d'homogénéité du fait de règles locales divergentes concernant les écarts de conversion.

B. Conversion des comptes des filiales étrangères situées dans les pays « in » (zone euro)

1. Méthode du cours de clôture

540. *Avis du CNC n° 98-01 (17 février 1998)*

Le Plan Comptable Général (PCG II.156) indique, à propos de la méthode du cours de clôture, plus particulièrement applicable aux entreprises étrangères autonomes :

a) Conversion — Tous les éléments d'actif et de passif, monétaires ou non monétaires, sont convertis au cours à la date de clôture de l'exercice.

Les produits et les charges (y compris les dotations aux comptes d'amortissements et de provisions) sont convertis au cours de clôture. Toutefois, l'utilisation d'un cours de change moyen peut être retenue s'il permet une meilleure appréciation des opérations réalisées au cours de l'exercice.

b) Comptabilisation des écarts — Les écarts de conversion constatés, tant sur les éléments patrimoniaux que sur ceux du compte de résultat (dans l'hypothèse de l'utilisation d'un cours moyen) sont portés, pour la part revenant à l'entreprise consolidante, dans les capitaux propres au poste « Écarts de conversion » et pour la part des tiers au poste « intérêts minoritaires ».

En cas de cession de tout ou partie de la participation détenue dans l'entreprise étrangère, l'écart de conversion qui figure dans les capitaux propres est réintégré au compte de résultat pour la partie de son montant afférente à la participation cédée.

« Les écarts de conversion liés aux devises de la zone euro sont portés :
— pour la part revenant à l'entreprise consolidante, dans les capitaux propres consolidés ;
— et, pour la part revenant aux tiers, dans les intérêts minoritaires,

sans que le passage à la monnaie unique et son corollaire lié à la fixation irréversible et définitive de ces écarts de conversion aient d'incidence comptable particulière. L'annexe consolidée mentionne le montant des écarts de conversion liés aux devises de la zone euro inclus dans les capitaux propres consolidés pour la part revenant à l'entreprise consolidante.

En cas de cession de tout ou partie d'une participation détenue dans une entreprise de la zone euro, les écarts de conversion figurant dans les capitaux propres sont inscrits au compte de résultat pour la partie de leur montant afférente à la participation cédée. Ainsi, l'impact sur le résultat consolidé de la cession d'une participation ne dépend pas du fait que l'opération est enregistrée avant ou après la date d'entrée en vigueur des taux de conversion fixes. »

541. *Commentaires* — L'avis du CNC n° 98-01 précise que le passage à la monnaie unique et son corollaire lié à la fixation irréversible et définitive des écarts de conversion n'ont *pas d'incidence comptable particulière*.

En conséquence, les écarts de conversion constatés antérieurement doivent être maintenus dans les capitaux propres ; conformément à la règle générale, ils ne seront inscrits en résultat que lors de la cession de la participation.

Ces écarts n'ont *pas à figurer sur une ligne distincte* du poste « Écarts de conversion », *mais* l'avis du CNC impose qu'une information soit fournie dans l'*annexe* (voir n° 546).

Remarque : Est-il préférable de *convertir en euros* les états financiers *au niveau des filiales* (autonomes) de la zone euro ou de convertir en euros le résultat de la consolidation *au niveau de la mère* ?

L'introduction de l'euro ne change rien, en principe, à la procédure habituelle de conversion des états financiers des filiales situées dans la zone euro au sein d'un groupe.

Toutefois, le fait de convertir en euros, à partir de la première consolidation en euros de l'exercice 1999, les états financiers des *filiales au niveau de chaque entité*, entraînera la conversion au taux de clôture des réserves cumulées et du résultat de la période. Cette procédure *ne permettra donc pas de conserver la trace de la conversion au taux historique* des réserves et un retraitement sera nécessaire (au niveau supérieur) pour faire ressortir le montant du poste écarts de conversion qui existait au 31 décembre 1998. La conversion en euros au niveau de la maison mère permet une conversion directe du solde du poste écarts de conversion qui existait au 31 décembre 1998. Sous réserve du retraitement nécessaire dans la première solution, les deux méthodes de conversion en euros conduisent au même résultat.

> *Remarque* : Indépendamment de toute conversion, dans les comptes consolidés, des comptes de la filiale étrangère, celle-ci pourra, pour ses propres besoins de publication de comptes dans son pays, établir des comptes en euros. Ce faisant, les éléments historiques disparaîtront naturellement et *la société consolidante devra alors faire ressortir le montant des écarts de conversion historiques* dans le cadre d'une procédure qui ne sera pas liée à une conversion d'états financiers en devises étrangères.

2. Méthode du cours historique

542. *Avis du CNC n° 98-01 (17 février 1998)*

> Le Plan Comptable Général (PCG.II.155 et 156) indique à propos de la méthode du cours historique, plus particulièrement applicable aux entreprises étrangères non autonomes :
>
> « *a) Conversion* — Les éléments non monétaires sont convertis au cours historique, c'est-à-dire au cours de change à la date de l'entrée des éléments d'actif considérés dans le patrimoine de chaque entreprise.
>
> Les éléments monétaires sont convertis au cours de change à la date de clôture de l'exercice.
>
> Les produits et les charges sont, en principe, convertis au cours en vigueur à la date où ils sont constatés ; en pratique, ils sont convertis à un cours moyen de la période (mensuel, trimestriel, semestriel, voire annuel). Toutefois, les dépréciations constatées par voie d'amortissements ou de provisions sur des éléments d'actif convertis au cours historique sont elles-mêmes converties au cours historique.

b) Comptabilisation des écarts — Les écarts de conversion constatés sur les éléments monétaires qui figurent au bilan d'ouverture de l'exercice (après répartition) sont portés au compte de résultat consolidé dans un poste particulier « Écarts de conversion ». Pour ce qui concerne les éléments monétaires à long terme, une comptabilisation échelonnée est autorisée. Elle ne peut cependant pas excéder la durée de vie de la créance ou de la dette concernée. Le montant de l'écart dont l'inscription au compte de résultat est différée est alors inscrit à l'actif ou au passif du bilan consolidé au poste « Écarts de conversion ». Lorsque l'entreprise consolidante entend pratiquer l'étalement, toutes indications utiles sont fournies dans l'annexe.

L'écart de conversion constaté sur les éléments du compte de résultat est inscrit au compte de résultat consolidé au poste Écarts de conversion. »

« Le passage à la monnaie unique n'a aucune conséquence comptable sur la méthode du cours historique. Les dispositions du Plan Comptable Général conduisant :
— à la comptabilisation immédiate des écarts de conversion au compte de résultat ;
— et, à titre optionnel, à la comptabilisation échelonnée en résultat des écarts de conversion relatifs aux éléments monétaires à long terme (la décision de gestion sous-jacente est indépendante du passage à la monnaie unique),

conservent leur plein effet.

En outre, dans la mesure où les montants des actifs non monétaires exprimés en euros sont différents selon que la conversion porte :
— soit sur les comptes consolidés (exprimés en francs et convertis en euros sur la base du cours historique de la devise locale) ;
— soit sur les comptes de l'entreprise étrangère (exprimés dans la devise locale et convertis en euros sur la base du cours de clôture de la devise locale),

il convient, dans cette seconde hypothèse, d'aligner, par voie de retraitement de consolidation, les montants des actifs non monétaires de l'entreprise étrangère exprimés en euros sur ceux figurant dans les comptes consolidés, car ces derniers représentent le coût historique pour le groupe. »

543. *Commentaires* — Pour les groupes (peu nombreux en pratique) ayant retenu la méthode du cours historique, le passage à la monnaie unique n'a *aucune incidence comptable particulière*.

En effet, la fixation définitive des parités des devises « in » est sans incidence sur les dispositions du PCG qui prévoient pour l'application de la méthode du taux historique :
— l'enregistrement immédiat en résultat des écarts de conversion constatés sur les éléments monétaires (les éléments non monétaires étant maintenus au cours historique) ;
— à titre optionnel, la possibilité de comptabiliser en résultat de manière échelonnée sur la durée de vie de la créance ou de la dette concernée les écarts de conversion constatés sur des éléments monétaires à long terme.

Cependant, lorsque les comptes des filiales sont directement consolidés en euros, le CNC note la nécessité d'aligner — par voie de retraitement de consolidation — le montant des actifs non monétaires des filiales étrangères exprimés en euros, sur ceux figurant dans les comptes consolidés établis en francs puis convertis en euros, car ces derniers représentent le coût historique pour le groupe.

En effet, la consolidation d'un groupe comprenant des filiales étrangères peut s'effectuer de deux manières différentes :

— soit en euros, en consolidant les comptes des filiales et de la société mère convertis en euros ;

— soit en francs, en consolidant les comptes des filiales convertis en francs puis en convertissant les comptes consolidés en euros.

Or, l'application de la première modalité conduit à ne pas utiliser le taux historique et donc à réévaluer les éléments non monétaires des filiales consolidés.

En conséquence, l'avis du CNC préconise :

— soit de consolider d'abord les comptes des filiales en francs puis de convertir les comptes consolidés en euros ;

— soit de retraiter le montant des éléments non monétaires pour le ramener à son coût historique si les comptes des filiales ont été consolidés directement en euros.

544. *Remarque : Comment traiter* par une société française, les écarts de change liés à la conversion au taux historique des immobilisations de ses *établissements étrangers non autonomes* ?

Les comptes des succursales étrangères non autonomes sont convertis au taux historique pour les éléments non monétaires (essentiellement les immobilisations) et le compte de liaison, au taux de clôture et au taux moyen pour les autres postes (PCG p.II.121 § 1, p.II.12 et 13). Dans tous les cas, c'est seulement au moment où les immobilisations, dont la valeur dépend des fluctuations des monnaies étrangères, sortent de l'actif que le bénéfice ou la perte résultant des fluctuations des monnaies étrangères est définitivement dégagé et porté aux comptes de charges ou de produits financiers concernés (PCG p.II.12).

Le passage à l'euro ne doit pas avoir d'incidences autres que celles liées à la fixation définitive des parités sur les comptes des sociétés (constatation en résultat des pertes ou gains de change latents sur des éléments monétaires car devenus définitifs). Il ne peut donc pas conduire à réévaluer ou à dévaluer des actifs ou des passifs non monétaires, comme déjà précisé au n° 543.

En conséquence, à notre avis et en conformité avec les dispositions de l'avis n° 98-01 du CNC, les entreprises ayant des succursales non autonomes dans des pays de la zone euro :

— maintiennent les immobilisations au cours historique dans les comptes de l'entreprise mère ;

— pour ce faire, après la reprise des comptes de la succursale, comptabilisent la différence de valeur en euros de l'immobilisation entre les comptes de la succursale et de l'entreprise mère dans un sous-compte d'écart de conversion rattaché au compte principal de chaque élément concerné. Cette comptabilisation se fait en contrepartie du compte de liaison ;

— constatent, lors de la cession de l'immobilisation, le gain ou la perte de change résultant de la différence entre le cours historique et le cours actuel de la devise « in ».

III. Information à fournir dans l'annexe consolidée

1. Informations figurant déjà dans les comptes individuels

545. Les informations prévues par le CNC et la COB (voir n°s 500 s.) s'appliquent également aux comptes consolidés.

Il en est de même de celles requises pour les filiales étrangères situées dans les pays de la zone euro.

2. Informations supplémentaires

546. Nous avons vu (n°s 540 s.) que les écarts de conversion résultant de la conversion des comptes des filiales étrangères situées dans les pays « in » doivent figurer en capitaux propres sans être mis en évidence sur une ligne distincte.

C'est pourquoi, en contrepartie, l'avis du CNC n° 98-01 indique que l'annexe consolidée doit mentionner le montant des écarts de conversion liés aux devises de la zone euro (« devises in ») inclus dans les capitaux propres consolidés, pour la part revenant à la société consolidante.

À notre avis, lors des exercices ultérieurs, cette information doit être maintenue dans l'annexe des comptes consolidés tant que la filiale concernée n'a pas fait l'objet d'une cession intégrale.

IV. Information à fournir dans le rapport de gestion du groupe

547. Les informations prévues par la recommandation COB sur l'an 2000 et le bulletin n° 110 de la CNCC (voir n° 505) dont peuvent s'inspirer les sociétés pour communiquer sur les risques liés au passage à l'euro, sur le degré d'adaptation de l'entreprise, s'appliquent également aux comptes consolidés.

En ce qui concerne le tableau de chiffres significatifs recommandé par la COB, voir n°s 521 s.

V. Monnaie de publication des comptes consolidés

Est-il possible de publier des comptes consolidés en euros tout en publiant des comptes individuels en francs?

550. Le CNC a autorisé la publication des comptes en euros indépendamment de la monnaie de tenue de la comptabilité (avis 98-E du 17 décembre 1998). Nous avons déjà évoqué les conséquences pratiques pour les sociétés choisissant de publier leurs comptes en euros (voir n°s 515 s.).

À notre avis, rien n'oblige à arrêter les comptes individuels en euros pour établir et donc publier des comptes consolidés en euros.

La COB a toutefois précisé que l'utilisation d'unités monétaires différentes pour les comptes individuels et les comptes consolidés n'est pas souhaitable, cette « déconnexion » n'étant prévue par aucun texte relatif aux modalités d'établissement des comptes consolidés et n'étant pas de nature à faciliter la compréhension des comptes (Bull. n° 330, décembre 1998, p. 47).

SECTION III

Contrôle des comptes

551. La Compagnie Nationale des Commissaires aux Comptes (CNCC) vient de publier la mise à jour n° 2 datée de décembre 1998 du guide « Le commissaire aux comptes et l'euro ».

Outre l'actualisation de certaines fiches relatives aux conséquences générales de la mise en œuvre de l'euro, cette mise à jour comporte de nouvelles fiches sur l'incidence de l'euro sur le contrôle des comptes par le commissaire aux comptes et sur ses rapports, desquelles il ressort notamment les tâches suivantes à effectuer par le commissaire aux comptes, pendant la période transitoire.

1. Adaptation des diligences des commissaires aux comptes

552. Lors du contrôle des comptes, le commissaire aux comptes doit :
— mesurer, dans le cadre de l'appréciation du contrôle interne, l'incidence du passage à l'euro sur les contrôles mis en place par l'entité, et sur lesquels il peut s'appuyer, et en tirer les conséquences sur son programme de contrôle ;
— adapter ses techniques habituelles de contrôle au contexte spécifique du passage à l'euro ;

Le commissaire aux comptes devra par exemple procéder à un examen analytique des flux euros et des flux francs, obtenir des confirmations directes dans l'une ou l'autre des monnaies ou dans les deux, contrôler les conversions lors du contrôle sur pièces, etc.

— mettre en œuvre des contrôles spécifiques.

Les situations particulières qui justifient la mise en œuvre de contrôles spécifiques sont listées par le guide et ces contrôles y sont détaillés.

Il s'agit de contrôler notamment la comptabilisation des coûts de passage à l'euro, des écarts de conversion dans les comptes individuels et consolidés, la conversion du capital social, la monnaie de publication des comptes et la reprise correcte des reports à nouveau en cas de basculement de la comptabilité.

2. Adaptation des rapports généraux des commissaires aux comptes

553. Lors de l'émission des rapports sur les comptes annuels, le commissaire aux comptes doit :

a) En ce qui concerne la monnaie des comptes certifiés :

— certifier les comptes individuels et consolidés dans la monnaie dans laquelle ils ont été arrêtés ;

Obligation résultant de l'avis n° 98-E du Comité d'Urgence du CNC.

— s'assurer que la conversion en euros des comptes a été correctement effectuée, sur la base de la parité au 1er janvier 1999, dans le cas où les comptes ont été arrêtés en euros à partir d'une comptabilité tenue en francs ;

— *rappeler*, pendant toute la période transitoire, *dans l'introduction de son rapport* général sur les comptes annuels et de celui sur les comptes consolidés, *l'expression monétaire* (francs ou euros) dans laquelle les comptes ont été établis et sur lesquels porte sa certification ;

b) En ce qui concerne les chiffres comparatifs :

— s'assurer de la correcte conversion en euros, sur la base de la parité au 1er janvier 1999, des données comparatives mentionnées dans les comptes pour l'exercice N-1, en cas de première publication en euros ;

Dans le cas où le commissaire aux comptes constate des anomalies qui ont une influence directe et significative sur l'interprétation des comptes de l'exercice contrôlé, ou en l'absence de chiffres comparatifs, il peut émettre une réserve ou un refus de certifier.

— dans le cas de *sociétés cotées,* s'assurer que la société répond à la recommandation n° 97-01 de la COB sur la communication financière durant la période transitoire.

Dans cette recommandation, la COB demande aux sociétés cotées :

— quelle que soit leur monnaie de publication des comptes, d'établir un tableau de chiffres significatifs présentés à la fois en francs et en euros ;

— si elles publient leurs comptes en euros, de convertir les séries historiques de comptes présentés dans les différentes publications réglementaires.

c) En ce qui concerne l'annexe :

— vérifier pendant toute la période transitoire que l'annexe comporte des informations sur le basculement de la comptabilité en euros et la monnaie utilisée pour la publication des comptes dans le cas où celle-ci ne serait pas précisée sur les états de synthèse ;

Si ces informations ne sont pas données, le commissaire aux comptes peut émettre une réserve.

d) Dans les autres situations ayant une incidence sur l'opinion :
— formuler le cas échéant une réserve ou un refus de certifier en cas de désaccord avec le choix ou l'application des règles et méthodes comptables, de limitation dans les diligences ou d'incertitudes.

Le guide fournit une liste d'exemples de situations liées au passage à l'euro qui peuvent conduire à une certification avec réserves ou un refus de certifier.

e) Dans le cadre des vérifications spécifiques, c'est-à-dire du contrôle du rapport de gestion et des autres documents adressés aux actionnaires, associés :
— vérifier la mention de la monnaie utilisée et la conversion des informations comparatives en cas de publication en euros.

Remarque : Lors des communications au conseil d'administration, le commissaire aux comptes doit, s'il l'estime utile, porter à la connaissance du conseil d'administration, dans le cadre du rapport article L 230, les faiblesses ou risques liés au passage à l'euro qu'il aura pu relever dans le cadre de sa mission générale.

Le guide précise que ces faiblesses ou risques sont relatifs aux :
— degrés de préparation de l'entité ;
— adaptations du système d'information à prévoir ;
— procédures nouvelles à mettre en place ;
— critères retenus par l'entité pour le choix de la date de passage à l'euro.

3. Émission d'un rapport en cas de réduction de capital consécutive à sa conversion à l'euro

554. En cas de réduction de capital liée à sa conversion en euros, le commissaire aux comptes établit un rapport conformément aux dispositions légales applicables en cas de réduction. La révision de la norme de travail relative à la réduction de capital étant en cours suite à certaines nouveautés introduites par la loi DDOEF du 2 juillet 1998, de nouveaux modèles de rapport seront prochainement communiqués aux commissaires aux comptes.

4. Des difficultés rencontrées dans le passage à l'euro, peuvent-elles entraîner le déclenchement de la procédure d'alerte?

555. Dans la mise à jour n° 2 de son guide « Le commissaire aux comptes et l'euro », la CNCC précise que le commissaire aux comptes doit **mettre en œuvre** la procédure d'alerte s'il juge que le dispositif mis en place pour organiser le passage à l'euro est inexistant ou inadapté et que cette situation constitue un fait de nature à compromettre la continuité de l'exploitation.

CHAPITRE III

Conséquences fiscales

600. L'introduction de la monnaie unique et la coexistence de deux unités monétaires au cours de la période transitoire entraînent un ensemble de conséquences
fiscales qui concernent principalement l'incidence sur les résultats imposables de
l'ensemble des coûts supportés par les entreprises pour assurer le passage à
l'euro, ainsi que la souscription des différentes déclarations et le paiement de
l'impôt qui devront obligatoirement être effectués en euros à compter de 2002.

Ces questions ont été abordées dans le cadre du groupe de travail Simon/
Creyssel consacré aux conséquences de la monnaie unique pour les entreprises,
et font l'objet de développements spécifiques dans le cadre du plan national de
passage à l'euro présenté le 24 novembre 1997 et actualisé en dernier lieu au
15 février 1998.

En outre, la loi d'adaptation à l'euro n° 98-546 du 2 juillet 1998, complétée par un
décret n° 98-1019 du 9 novembre 1998, comporte plusieurs mesures fiscales qui
précisent les modalités de passage à la monnaie unique. Ces dispositions ont été
commentées dans le cadre d'une instruction administrative du 12 novembre
1998 (13 RC).

Compte tenu de ces éléments, nous abordons dans le présent chapitre les questions suivantes :
— l'incidence du passage à l'euro sur les résultats imposables ;
— les modalités de traitement des arrondis de conversion qui apparaissent au
cours de la période transitoire ;
— les conséquences fiscales de la conversion des titres ;
— les incidences du passage à l'euro sur les déclarations fiscales ;
— le paiement de l'impôt en euros ;
— les incidences du passage à l'euro sur les contrôles fiscaux et le contentieux
fiscal.

SECTION I

Conséquences sur la détermination des résultats imposables

I. Régime des dépenses liées au passage à l'euro

610. Le passage à la monnaie unique induit la réalisation d'investissements importants par les entreprises qui peuvent se traduire par l'acquisition d'équipements nouveaux ou par des aménagements d'immobilisations existantes. La question qui se pose au plan fiscal comme au plan comptable est de savoir si ces dépenses doivent être immobilisées, auquel cas elles ne peuvent être déduites que par le biais d'amortissements, ou si elles présentent le caractère de charges dont la déduction pourrait le cas échéant être anticipée par la constatation de provisions.

Le régime applicable à ces frais ne fait l'objet d'aucune disposition légale particulière. Il convient par conséquent, d'une manière générale, de faire application des règles de droit commun. Des précisions ont toutefois été apportées à cet égard par le Comité d'urgence du Conseil national de la comptabilité (Avis 97-1 du 24-1-97) et par une instruction de l'administration fiscale (Inst. 25-8-97, 4 E-5-97). Les positions adoptées par l'administration apparaissent toutefois rigoureuses sur certains points, concernant en particulier les dépenses d'aménagement des immobilisations, et les entreprises pourront opportunément se fonder sur les règles dégagées dans ce domaine par la jurisprudence.

Nous examinons successivement ci-après le régime applicable :
— aux coûts informatiques liés au passage à l'euro ;
— aux dépenses d'acquisition et d'aménagements d'immobilisations autres que les logiciels ;
— aux charges d'exploitation engagées dans la perspective de l'introduction de la monnaie unique ;
— aux dépenses comptabilisées en charges à répartir sur plusieurs exercices.

A. Coûts informatiques liés au passage à l'euro

611. Afin d'adapter leurs systèmes informatiques à l'introduction de l'euro et à la coexistence de la monnaie nationale avec l'euro pendant toute la durée de la période transitoire, les entreprises sont amenées à engager d'importantes dépenses informatiques. La nature des opérations qui peuvent être effectuées fait l'objet de développements détaillés ci-après n°s 2600 s. Ces coûts, qui ont été évalués à environ 60 % des charges liées au passage à la monnaie unique, constituent un enjeu majeur pour l'ensemble des entreprises, et en particulier pour celles du secteur bancaire ou de la distribution.

L'extrême diversité des besoins informatiques générés par le passage à la monnaie unique, ainsi que l'ampleur de certaines de ces dépenses peuvent conduire à des traitements comptables et fiscaux très divers et à des prises de décisions lourdes de conséquences sur les résultats imposables. Les entreprises doivent donc porter une attention toute particulière au régime de ces dépenses.

Nous étudierons successivement dans la présente partie, le régime applicable aux acquisitions de logiciels, aux dépenses de conception de logiciels et, enfin, la question la plus délicate des modifications d'applications informatiques existantes. Pour chacune de ces opérations, il conviendra d'examiner si et dans quelles conditions la déduction des dépenses concernées est susceptible d'être anticipée fiscalement par voie de provision.

1. Acquisitions de logiciels

612. Pour répondre à leurs besoins informatiques courants, les entreprises peuvent être amenées à acquérir des logiciels standard ou même à renouveler leurs applications informatiques devenues inutilisables du fait du passage à la monnaie unique. Dans cette hypothèse, le traitement fiscal des dépenses soulève assez peu de difficultés. Il convient de mettre en œuvre les règles de droit commun qui régissent les acquisitions de logiciels. Trois traitements différents sont envisageables en fonction, d'une part, de la situation économique et financière de l'entreprise et d'autre part, de la valeur du logiciel acquis :
— amortissement du logiciel sur sa durée normale d'utilisation ;
— déduction immédiate des logiciels de faible valeur ;
— amortissement accéléré du logiciel sur douze mois.

> En pratique, la **distinction** entre les **acquisitions** et les **créations de logiciels** est très importante dès lors que ces opérations relèvent de régimes fiscaux distincts. Si la qualification des dépenses concernées est en général assez aisée, elle peut néanmoins se révéler délicate dans certains cas, notamment si l'entreprise procède à l'adaptation de logiciels acquis compte tenu de ses besoins spécifiques, ou fait appel à la sous-traitance. Le cas échéant, il convient, à notre avis, d'utiliser les critères traditionnels de qualification et d'examiner notamment l'importance respective des frais d'acquisition et des dépenses d'aménagement supportées afin de déterminer le régime fiscal applicable à chaque type d'opération.

613. Lorsqu'ils ont été acquis à l'extérieur en vue d'être utilisés durant plusieurs exercices pour les besoins de l'exploitation, les logiciels constituent normalement des *éléments incorporels de l'actif immobilisé*. À ce titre, ils doivent être inscrits à l'actif et faire l'objet d'un amortissement.

Toutefois, lorsque la *valeur unitaire* hors taxe des logiciels acquis *n'excède pas 2 500 F*, l'administration admet, dans un souci de simplification, que les dépenses en cause soient comprises dans les charges immédiatement déductibles. En l'absence de précision du Plan comptable général sur ce point, ce traitement peut à notre avis être également appliqué en comptabilité. L'administration a d'ailleurs indiqué que la déductibilité immédiate de ces dépenses est subordonnée à leur comptabilisation à un compte de frais généraux.

614. Le coût d'acquisition des logiciels inscrits à un compte d'immobilisation est déduit par le biais *d'amortissements linéaires* dont le taux est en principe déterminé en fonction de la période pendant laquelle le programme répond aux besoins de l'entreprise ou à ceux de sa clientèle (CE 22-2-84 n° 39535 : RJF 4/84 n° 408). En pratique, les logiciels conçus spécifiquement pour la période transitoire peuvent donc être amortis sur cette période.

615. Toutefois, par dérogation aux règles de droit commun, l'article 236-II du CGI prévoit que le coût de revient des logiciels acquis peut faire l'objet d'un *amortissement accéléré* sur une période de douze mois. En pratique, cet amortissement exceptionnel est calculé « prorata temporis » sur l'exercice d'acquisition et pour le solde sur l'exercice suivant. Ce dispositif conserve un caractère facultatif, et le choix opéré à cet égard constitue une décision de gestion, étant précisé que toutes les entreprises peuvent s'en prévaloir, quel que soit leur régime d'imposition.

Sur le plan comptable sa mise en œuvre donne lieu à la constatation d'amortissements dérogatoires.

Il est à noter qu'en cas d'*acquisition simultanée* de matériels informatiques et de logiciels, seuls les logiciels peuvent bénéficier de l'amortissement exceptionnel. D'une manière générale, il convient d'obtenir une facture faisant apparaître distinctement le prix du matériel et celui du logiciel.

Ce régime fiscal favorable à l'acquisition de logiciels peut toutefois s'avérer pénalisant pour les entreprises déficitaires dès lors que la fraction des déficits provenant de cet amortissement exceptionnel est expressément exclue du régime de report illimité des *amortissements réputés différés*. Les entreprises concernées ont donc intérêt à y renoncer et à amortir leurs logiciels acquis sur leur durée normale d'utilisation.

616. Dans l'hypothèse où l'acquisition de logiciels est opérée en vue de remplacer des applications anciennes devenues obsolètes, la mise en service du nouvel équipement entraîne la *mise au rebut* du précédent. Si les logiciels remplacés ne sont pas complètement amortis, sur le plan comptable ou sur le plan fiscal, l'opération se traduit par la constatation d'une *moins-value* au titre de l'exercice concerné.

Il apparaît toutefois que dans la situation où l'entreprise est en mesure d'établir que l'introduction de la monnaie unique rend de manière certaine l'application inutilisable, en raison de son ancienneté et de ses caractéristiques, cette circonstance peut justifier le raccourcissement de son plan d'amortissement.

617. Compte tenu de ces règles, la possibilité d'*anticiper par voie de provisions* les dépenses d'acquisition de logiciels apparaît en pratique très limitée. En effet, hormis le cas des acquisitions de logiciels de faible valeur assimilées à des charges déductibles, l'acquisition de nouveaux logiciels se traduit nécessairement par l'entrée d'un nouvel élément dans l'actif immobilisé, incompatible avec la constitution d'une provision déductible.

2. Conception de logiciels

620. Afin de faire face aux besoins informatiques spécifiques à leur activité ou à leur structure propre, de nombreuses entreprises sont amenées à développer et à créer de nouvelles applications informatiques en vue du passage à l'euro. Selon les cas, elles peuvent réaliser elles-mêmes ces opérations par l'intermédiaire de leurs *services informatiques internes*, ou doivent les sous-traiter à des *prestataires extérieurs*.

> On notera que, dans l'hypothèse où elles sont effectuées au sein de l'entreprise, les opérations de conception de logiciels ne donnent pas lieu, en matière de TVA, à la constatation de livraisons à soi-même dès lors qu'il s'agit de prestations de services conduisant à la création d'éléments incorporels. Les dépenses engagées auprès de prestataires extérieurs donnent lieu à une déduction de la TVA dans les conditions de droit commun, compte tenu, le cas échéant, du prorata de l'entreprise, ou des règles dont relève le secteur d'activité distinct concerné.

Quelle que soit la formule retenue à cet égard, le régime fiscal de ces dépenses de création de logiciels repose sur l'existence d'un choix entre leur déduction immédiate des résultats de l'exercice au cours duquel elles sont exposées et leur immobilisation (CGI, art. 236-I). Toutefois, cette faculté d'option n'est pas prévue en comptabilité.

621. Les *dépenses de conception* qui relèvent du régime spécial prévu à l'article 236 du CGI s'entendent, selon l'administration, des frais supportés en vue :

— de définir et de décrire les spécifications fonctionnelles des logiciels à réaliser ;

— d'assurer les travaux de programmation et les tests de contrôle préalables, soit à la fabrication et à la commercialisation des logiciels, soit à leur utilisation par l'entreprise elle-même.

En revanche, les dépenses d'enregistrement et de reproduction des logiciels sur un support en sont exclues. De même, n'ouvrent pas droit au dispositif spécial les dépenses de transposition d'un programme informatique sur un nouveau matériel (CE 6-12-85 n° 53001 : RJF 1/86 n° 9).

Par ailleurs, l'administration a expressément précisé que les dépenses engagées pour la réalisation des *modifications d'applications informatiques existantes* nécessitées par le passage à l'euro sont assimilables à des dépenses de création de logiciel, et relèvent à ce titre du régime de l'article 236 du CGI. Toutefois, la qualification de ces dépenses soulève d'importantes difficultés qui font l'objet des développements spécifiques ci-après n°s 625 s.

> *Au plan comptable*, un avis du CNC *(avril 1987, n° 66)* retient une définition des dépenses de conception de logiciel qui comporte quelques différences avec celle énoncée par l'administration. Selon cet avis, les dépenses engagées dans la phase conceptuelle d'élaboration du logiciel ne doivent être comprises dans son coût de production que pour la part correspondant à la conception détaillée de l'application (analyse organique), à l'exclusion, au moins dans la plupart des cas, de celles relatives à sa conception

générale (analyse fonctionnelle), qui sont comprises parmi les charges de l'exercice concerné. En revanche, les dépenses supportées après la réalisation de la programmation et des tests pour la création de documentations, à usage interne ou externe, sans lesquelles le logiciel ne peut être utilisé, sont considérées comme constitutives d'un élément de son coût de production sur le plan comptable alors qu'elles ne sont pas visées par l'administration.

En pratique, les entreprises doivent s'en tenir à une même définition du coût de production de leurs logiciels en comptabilité et en fiscalité, étant précisé que la mise en œuvre de la définition retenue par le CNC ne devrait pas, à notre avis, soulever de contestation.

622. *Au plan comptable*, il résulte de l'avis précité du CNC, auquel renvoie l'avis du comité d'urgence en date du 24 janvier 1997 concernant le traitement des dépenses liées au passage à la monnaie unique, que les dépenses de création de logiciel doivent obligatoirement être immobilisées lorsque :

— le projet est *doté de sérieuses chances de réussite* technique ou commerciale ;

— et que l'entreprise a matérialisé sa décision de produire le logiciel en cause et de s'en servir durablement.

S'agissant de dépenses de conception de logiciel nécessitées par le passage à l'euro, ces conditions sont nécessairement remplies.

Les entreprises n'ont donc pas de choix quant au traitement comptable de ces dépenses. Elles sont tenues de passer en charges les dépenses préalables au début du processus de production (étude préalable et analyse fonctionnelle), et d'immobiliser les dépenses engagées postérieurement.

La *combinaison* de ces *règles comptables* impératives avec *les dispositions fiscales* de l'article 236-I du CGI qui offrent une faculté d'option quant aux modalités de déduction de ces dépenses soulève une difficulté.

À cet égard, l'administration a récemment précisé que l'avis du Conseil national de la comptabilité ne saurait aboutir en définitive à priver de portée pratique le *choix légal* offert aux entreprises par les dispositions de l'article 236-I du CGI.

Dès lors, les entreprises qui portent ces dépenses à l'actif immobilisé pour se conformer aux prescriptions comptables et entendent néanmoins se prévaloir de l'article 236 précité peuvent, en pratique, constater un amortissement de 100 % de leur montant dès l'exercice au cours duquel elles sont portées à l'actif. Cet amortissement peut être comptabilisé comme un *amortissement dérogatoire* (Inst. 2-3-99, 4 E-2-99).

623. *L'option fiscale* entre la déduction immédiate et l'immobilisation de ces dépenses est exercée distinctement pour chacun des logiciels créés. Elle constitue une *décision de gestion* opposable à l'entreprise.

Les entreprises qui, en raison notamment de leur situation déficitaire ne souhaiteraient pas imputer massivement les frais de conception de logiciels supportés à l'occasion du passage à l'euro doivent constater leur *amortissement*, selon le mode *linéaire* sur une durée déterminée d'après la date à laquelle ils cesseront de répondre à leurs besoins ou à ceux de leur clientèle.

Le point de départ de l'amortissement ne peut, sur le plan comptable, être antérieur à l'achèvement des logiciels. Il en est, à notre avis, de même sur le plan fiscal. Les amortissements ainsi constatés ouvrent droit au régime des *amortissements réputés différés* en période déficitaire.

624. L'administration a expressément exclu la possibilité de constater en franchise d'impôt des *provisions* à raison des dépenses de conception de logiciel dès lors qu'elles ne présentent pas le caractère de charges mais concourent au coût de revient d'immobilisations et ce, alors même qu'elles sont susceptibles d'être déduites immédiatement en application de l'article 236-I du CGI (Inst. 25-8-97, 4 E-5-97, n° 24). En d'autres termes, la faculté de déduction immédiate offerte par cet article n'a pas pour effet selon cette analyse de modifier la nature intrinsèque de ces dépenses.

3. Dépenses d'aménagement des applications informatiques existantes

a. Les enjeux comptables et fiscaux de la qualification des dépenses

625. Dans la plupart des cas, les entreprises doivent modifier leurs applications informatiques existantes afin de les adapter au passage à l'euro. Ces travaux concernent aussi bien les logiciels comptables (gestion des comptes clients, des immobilisations...) que les logiciels de gestion (commandes, factures paiements, achats...).

La détermination du régime fiscal de ces dépenses s'avère délicate compte tenu de l'extrême variété des situations rencontrées en pratique, et de la difficulté qu'il peut y avoir à identifier, au sein de dépenses globalisées, l'objet des différentes opérations réalisées qui peuvent concerner outre le passage à l'euro, le passage à l'an 2000 ou l'amélioration des performances intrinsèques du logiciel.

La question qui se pose pour la détermination du régime de ces dépenses est de savoir si elles constituent des charges déductibles ou sont constitutives du coût de revient d'immobilisations. À la différence des dépenses d'adaptations d'immobilisations autres que les logiciels (voir n°s 636 s.), le traitement des frais engagés pour la modification d'applications informatiques existantes comporte des enjeux distincts selon que l'on se place sur le plan comptable ou sur le plan fiscal, même si les critères à retenir pour leur qualification sont analogues.

Si les dépenses supportées dans ce cadre sont considérées comme constitutives du coût de revient d'une immobilisation, elles ne peuvent pas *en comptabilité* donner lieu à la constatation d'une provision, ni même faire l'objet d'une déduction immédiate. Cette déduction ne peut être opérée que par la voie d'un amortissement.

En revanche, l'*enjeu* de cette qualification *en matière fiscale* est limité à la question du *provisionnement* de ces dépenses, dès lors que leur assimilation à des immobilisations ne fait pas obstacle à leur déduction au titre de l'exercice au cours duquel elles sont exposées sur le fondement de l'article 236-I du CGI qui permet la déduction immédiate des dépenses de conception de logiciel (à ce sujet, voir n° 622).

b. Détermination du régime des dépenses d'après la nature des opérations effectuées

626. La détermination des critères de qualification des dépenses d'aménagement des logiciels à retenir en comptabilité n'a donné lieu à aucune précision particulière des autorités compétentes en la matière. Ni l'avis du **Conseil national de la comptabilité** relatif aux coûts de passage à la monnaie unique, ni celui relatif au traitement des logiciels ne se sont prononcés sur ce point. Il en résulte que, selon les règles habituelles en cette matière, il convient de faire application sur le plan comptable des principes dégagés par la jurisprudence fiscale du Conseil d'État.

L'**administration** a adopté sur cette question une position rigoureuse. Elle considère, en effet, que les dépenses de modification des applications informatiques existantes constituent dans leur principe des immobilisations assimilables à des créations de logiciels (Inst. 25-8-97, 4 E-5-97, n° 24). Certes elles peuvent faire l'objet d'une déduction immédiate en application de l'article 236-I du CGI, ainsi que nous l'avons indiqué précédemment, mais elles ne peuvent alors donner lieu à la constatation de provisions.

Cette position, qui procède de la même analyse que celle énoncée à propos des dépenses de mise en conformité des immobilisations est, à notre avis, critiquable en raison de son **caractère systématique**. En effet, le régime applicable à ces frais doit, selon nous, être déterminé d'après les règles habituelles retenues par la **jurisprudence** à propos des dépenses d'aménagement, d'entretien et de réparation des immobilisations qui se caractérise par un pragmatisme fondé sur l'examen concret de la nature exacte des opérations effectuées.

627. Il résulte des principes dégagés par la jurisprudence que l'immobilisation des dépenses d'aménagement d'immobilisations existantes suppose qu'elles se traduisent par :
— l'apparition d'un **nouvel élément d'actif** ;
— ou la **prolongation notable de leur durée** probable d'utilisation ;
— ou encore par une **augmentation** de leur **valeur**.

En revanche, peuvent être regardées comme des charges immédiatement déductibles les dépenses qui ont pour seul effet de **maintenir** les immobilisations **en état d'usage** et de fonctionnement jusqu'au terme de leur période normale d'utilisation.

La position de l'administration, qui fait référence à ces critères jurisprudentiels dans son instruction, repose implicitement sur l'analyse suivant laquelle les dépenses d'adaptation des immobilisations liées au passage à l'euro **augmentent leur durée de vie** dès lors que sans ces aménagements les éléments en cause ne pourraient plus être utilisés au-delà de l'introduction de la monnaie unique.

Toutefois, cette interprétation du critère de la prolongation de la durée d'utilisation prête à discussion. Il pourrait être opposé que ces dépenses ont pour seul objet de préserver les possibilités de fonctionnement des biens en cause jusqu'à l'expiration de leur durée de vie normale. On notera à cet égard que le Conseil d'État admet de ranger dans cette catégorie des **travaux** de montant élevé dont la **réalisation** est **indispensable**, mais qui ne peuvent pas pour autant être considérés comme prolongeant la période d'utilisation des immobilisations. C'est notamment le cas des travaux de réfection d'une toiture d'un immeuble (CE 26-6-92 n° 78850 : RJF 10/92, n° 1307).

En outre, il ressort de la jurisprudence que cette distinction entre les dépenses ayant pour objet le maintien en état et celles ayant pour effet de prolonger la durée d'utilisation est opérée d'après la **durée de vie** objective du bien **appréciée** *lors de son acquisition*, indépendamment des événements survenus postérieurement (CAA Nantes 17-3-93 n° 91-698 : RJF 10/93 n° 1277). L'adoption d'une position différente aurait pour conséquence paradoxale d'immobiliser toutes les dépenses réalisées dans le seul but d'éviter la mise au rebut d'une immobilisation.

> On rappelle en outre que la jurisprudence a abandonné toute référence à la durée d'amortissement du bien pour la détermination du régime des dépenses d'aménagement (CE 30-3-94, n° 114589, 119360, 119361 : RJF 6/94 n° 678). Par suite, le critère relatif à l'augmentation de la durée d'utilisation s'applique indistinctement aux biens partiellement ou totalement amortis.

Par ailleurs, il apparaît que les dépenses d'adaptation strictement liées au passage à l'euro ne devraient pas d'une manière générale avoir pour conséquence, en tant que telles, d'*augmenter la valeur* des applications informatiques concernées. En effet, l'incidence sur la valeur du logiciel doit s'apprécier par rapport à sa *valeur économique*. Or, la réalisation de ces opérations ne devrait pas en elle-même entraîner de gains de productivité ou de rendement. Dès lors qu'elles ne comportent aucune amélioration des performances intrinsèques des logiciels et ne permettent donc pas à l'entreprise de réaliser des gains ou de réduire les frais d'exploitation liés à leur utilisation, du fait par exemple de la limitation des risques de dysfonctionnement, il convient à notre avis de considérer que leur valeur économique ne se trouve pas affectée.

Il pourrait toutefois en aller autrement si le *prix d'acquisition* d'un logiciel ne permettant pas le passage à l'euro a été *sous-évalué* afin de tenir compte des futures dépenses d'adaptation que l'acquéreur devrait supporter.

628. Il résulte de cette analyse que dans la mesure où les dépenses engagées par les entreprises sont strictement limitées au passage à l'euro et ne se traduisent pas par une amélioration des performances des logiciels, leur déduction immédiate en charges devrait d'une manière générale pouvoir être retenue. Les critères d'appréciation qui viennent d'être dégagés sur le fondement de la jurisprudence devraient à notre avis concerner aussi bien les *logiciels dissociés* que l'adaptation de *logiciels indissociés* des matériels dont ils permettent le fonctionnement.

c. Conséquences pratiques

629. L'application des principes qui viennent d'être analysés devrait conduire à considérer que des *dépenses d'adaptation mineures* opérées sur des logiciels récents, ou l'introduction de *convertisseurs* sur la chaîne informatique sont constitutives de charges.

En revanche, les modifications assimilables à une *refonte pure et simple* des applications, compte tenu notamment du coût relatif élevé des aménagements apportés par rapport à la valeur du logiciel, devraient être immobilisées.

Le problème de la détermination du régime des dépenses est délicat pour les *dépenses mixtes* qui concernent à la fois l'adaptation à l'euro et des améliorations de l'application qui peuvent concerner ses performances intrinsèques, l'*extension* de la nature des *services rendus* ou la prise en compte du passage à l'an 2000. Dans ce cas, il appartient aux entreprises d'analyser rigoureusement la nature des modifications réalisées et d'isoler de manière aussi précise que possible les dépenses informatiques non exclusivement liées au passage à l'euro. Ces dépenses doivent, conformément au principe général, être immobilisées si elles augmentent les performances ou la durée de vie du logiciel. La **ventilation des coûts** supportés doit s'effectuer par tout moyen, et notamment grâce à la comptabilité analytique ou à des factures détaillées délivrées par des prestataires informatiques.

> La nécessité de procéder à une répartition rigoureuse de ces dépenses revêt d'autant plus d'importance que la jurisprudence du Conseil d'État a tendance à considérer, en présence de dépenses mixtes, que c'est au contribuable de démontrer la part des dépenses qui revêtent le caractère d'immobilisations et celles qui constituent des charges. En l'absence d'une telle distinction, il a jugé globalement que ces dépenses constituaient des immobilisations (CE 5-10-77 n° 99687 : RJF 11/77 n° 589). De même, il a été jugé que des travaux exécutés en vue, d'une part, de la mise en conformité de certaines installations et, d'autre part, du remplacement de l'un des éléments hors d'usage constituaient des immobilisations (CE 9-7-80 n° 17194 : RJF 10/80 n° 764).

630. Dès lors que les dépenses d'adaptation des applications informatiques revêtent le caractère de charges, compte tenu des critères qui viennent d'être analysés, l'**anticipation** de leur déduction **par voie de provision** peut être pratiquée, sous réserve toutefois que les conditions générales de constitution des provisions soient également remplies. Il importe en particulier que la décision de réaliser ces opérations ait été prise à la clôture de l'exercice et que leur coût ait été évalué avec une précision suffisante (à ce sujet, voir n°s 641 s.).

B. Acquisition et adaptation d'immobilisations autres que les logiciels

1. Régime des investissements nouveaux

635. Les coûts supportés à l'occasion de l'acquisition d'équipements nouveaux rendus nécessaires par l'introduction de la monnaie unique doivent être traités selon les règles de droit commun. Ce point a été expressément confirmé aussi bien par l'avis du Comité d'urgence du CNC que par l'administration fiscale.

Il en résulte que ces éléments d'actif doivent être inscrits à l'actif du bilan et faire l'objet d'amortissements déterminés d'après leur durée normale d'utilisation.

Pour la détermination de la **valeur d'inscription** au bilan il convient de prendre en compte, conformément aux règles habituelles, leur coût d'acquisition augmenté des frais accessoires nécessaires à leur mise en état d'utilisation. Dès lors, si des aménagements sont apportés dès l'acquisition d'un matériel, les dépenses engagées pour leur réalisation doivent être incluses dans le prix de revient amortissable du bien concerné.

Dans l'hypothèse où la réalisation d'investissements nouveaux résulte de la nécessité de **remplacer des équipements** devenus obsolètes du fait du passage à la monnaie unique, ceux-ci doivent être **mis au rebut**. S'ls ne sont pas complètement amortis à la date de l'opération, l'entreprise constate une moins-value déductible de ses résultats imposables au titre de l'exercice concerné.

Il apparaît toutefois que, si l'obsolescence de certains matériels en raison de l'introduction de l'euro peut être considérée comme certaine, cette circonstance est à notre avis de nature à justifier la *modification de leur plan d'amortissement* de telle sorte qu'ils seront complètement amortis à la date de leur remplacement.

La mise en œuvre d'une telle solution pourrait notamment concerner certains équipements du secteur de la distribution qui devraient obligatoirement être renouvelés avant le 1er janvier 2002.

2. Régime des aménagements et adaptations des immobilisations

636. Le passage à la monnaie unique nécessite l'adaptation de certaines catégories d'immobilisations autres que les logiciels. En particulier, à compter du 1er janvier 2002, l'introduction de billets et de pièces en euros va obliger nombre d'entreprises à modifier leurs équipements de gestion des moyens de paiement (distributeurs de billets, caisses enregistreuses, distributeurs automatiques...). Seront donc principalement concernés par ce type d'adaptation les *établissements financiers* et les *sociétés de distribution*. Pour ces entreprises, le nombre souvent élevé d'appareils à adapter peut engendrer des coûts relativement importants dont il convient de déterminer le traitement comptable et fiscal.

La question qui se pose à cet égard est là encore de savoir si ces dépenses constituent des charges ou des immobilisations. Ce problème se pose en des termes sensiblement identiques à ceux développés pour les adaptations d'applications informatiques existantes.

L'*enjeu* de cette qualification est toutefois plus important en l'espèce au plan fiscal. En effet, les dépenses considérées comme constitutives du coût de revient d'immobilisations ne pourront être déduites que de manière étalée par voie d'amortissement.

Ainsi, s'agissant de ces frais, les règles applicables pour leur qualification comme pour la détermination de leur régime sont identiques en comptabilité et en fiscalité.

637. L'avis du *Conseil national de la comptabilité* relatif aux coûts de passage à la monnaie unique ne se prononce pas sur le traitement des dépenses de modification d'immobilisations inscrites à l'actif. Il convient, de même que pour les adaptations de logiciels de mettre en œuvre au plan comptable les principes dégagés par la jurisprudence du Conseil d'État à propos des dépenses d'entretien et d'aménagement d'immobilisations.

L'administration considère quant à elle, selon une position rigoureuse à notre avis, que les dépenses nécessitées par le passage à l'euro afférentes à des équipements existants doivent, à l'instar des dépenses d'adaptation de logiciels, être immobilisées et peuvent faire l'objet d'un amortissement sur leur durée probable d'utilisation (Inst. 25-8-97, 4 E-5-97, n° 13). Ainsi, elle estime que les dépenses liées à l'adaptation des *machines à pièces* en vue de l'introduction de l'euro constituent des immobilisations amortissables dans les conditions de droit commun (Rép. Weber, AN 30-11-98, p. 6543).

Il est à noter qu'en ce qui concerne les *frais de mise en conformité* des immobilisations, l'administration a retenu une position analogue mais en a toutefois atténué la rigueur en admettant un amortissement des dépenses concernées sur la durée résiduelle des biens auquel elles s'incorporent (Rép. Roques, AN 30-12-96, p. 6874). Elle pourrait, selon nos informations, permettre un tel amortissement accéléré pour les dépenses nécessitées par le passage à l'euro.

La position de l'administration visant à immobiliser systématiquement les dépenses en cause nous paraît critiquable pour les mêmes raisons que celles développées ci-dessus en matière d'adaptation de logiciels. En effet, il convient, selon nous, d'appliquer aux dépenses nécessitées par le passage à l'euro les principes posés par la jurisprudence à propos des dépenses d'aménagement, d'entretien et de réparation dont il ressort que seuls les frais qui ont pour effet d'augmenter la valeur ou la durée d'utilisation des immobilisations doivent être inscrits à l'actif.

L'étude des modalités de mise en œuvre de ces critères telle que nous l'avons menée ci-avant n°s 626 s. conduit à considérer que le *seul fait d'adapter les immobilisations* concernées *au passage à l'euro* n'augmente en principe ni leur durée d'utilisation appréciée au moment de l'inscription à l'actif, ni leur valeur économique, mais a pour objet le maintien en état de fonctionnement jusqu'à l'expiration de leur durée d'utilisation. Par suite, ces dépenses peuvent, à notre avis, d'une manière générale, être déduites au titre de l'exercice au cours duquel elles sont engagées.

Toutefois, dans l'hypothèse où les entreprises profitent du passage à l'euro pour réaliser d'autres dépenses de modifications de leurs immobilisations (*dépenses mixtes*), il leur appartient de déterminer, comme en matière de dépenses d'adaptation de logiciels, la part des frais supportés non exclusivement liée au passage à l'euro et, le cas échéant, de les immobiliser par application des principes généraux visés ci-dessus.

638. Dès lors que ces dépenses présentent le caractère de charges, l'*anticipation* de leur déduction *par voie de provision* est possible sous réserve que la décision de réaliser les adaptations en cause soit prise à la clôture de l'exercice et que leur coût soit évalué avec une précision suffisante (voir sur ce point les indications fournies ci-après n°s 640 s.).

C. Déduction des charges d'exploitation

640. Le passage à l'euro génère pour l'entreprise des charges spécifiques de nature très diverse, liées à la *communication*, au *marketing*, à la *formation* du personnel ou encore à la réalisation d'opérations de *restructuration*. Au plan fiscal, ces frais constituent sans aucun doute des charges d'exploitation qui sont déductibles en tant que telles au titre de l'exercice au cours duquel elles sont engagées. Mais la question se pose de savoir si et dans quelles conditions leur déduction est susceptible d'être anticipée par la constitution de provisions.

1. Conditions générales de provisionnement des coûts

641. On rappelle que l'avis du Comité d'urgence *du Conseil national de la comptabilité* en date du 24 janvier 1997 a fixé les conditions dans lesquelles les entreprises peuvent provisionner en comptabilité les coûts liés au passage à l'euro. Il en résulte que ces dépenses peuvent donner lieu à la constatation de provisions sous réserve :

— qu'elles soient clairement identifiables ;

— que leur montant et leur date de réalisation soient fixés avec une précision suffisante ;

— qu'elles ne correspondent pas à l'affectation de moyens existants ;

— et enfin qu'elles ne puissent être rattachées à l'exploitation courante et qu'elles aient pour unique effet d'adapter l'entreprise aux conséquences directes du passage à l'euro.

L'analyse détaillée de ces conditions et modalités comptables de provisionnement des dépenses liées à l'introduction de la monnaie unique est présentée ci-avant n°s 420 s. Nous examinons dans la présente rubrique les conditions dans lesquelles les provisions ainsi comptabilisées peuvent être admises en déduction des résultats imposables.

642. Dans le cadre de son instruction relative aux conséquences de l'introduction de la monnaie unique, l'*administration* s'est largement fondée sur cet avis du CNC. Elle a également rappelé que ces provisions doivent nécessairement satisfaire aux conditions générales de déduction prévues à l'article 39-1-5° du CGI.

En particulier, seules les dépenses correspondant à des charges déductibles peuvent donner lieu à la constatation de provisions déductibles des résultats imposables, à l'exclusion de celles constitutives du coût de revient d'immobilisations. En ce qui concerne les conséquences que tire l'administration de cette condition légale à propos des dépenses engagées dans le domaine de l'informatique, voir n° 626.

En outre, conformément aux règles générales, la constatation de provisions en franchise d'impôt suppose que les dépenses correspondantes présentent un caractère probable et soient nettement précisées. En pratique, il importe par conséquent qu'une *décision* des organes compétents de l'entreprise ait été adoptée quant au principe de l'engagement de ces dépenses, et que leur *montant* soit évalué de manière précise.

L'administration a précisé à cet égard que la constitution de provisions ne saurait être admise pour la détermination des résultats imposables si leur évaluation est opérée de manière globale ou forfaitaire, par exemple par référence à l'importance d'un poste comptable.

> On rappelle sur ce point que la jurisprudence relative aux provisions pour charges réaffirme avec constance l'exigence d'une décision formelle de l'entreprise et d'une évaluation précise de leur montant (CE 6-7-1990 n° 73078 : RJF 10/90 n° 1166).

Il convient également de noter qu'au plan fiscal, la condition relative au caractère probable des circonstances invoquées pour la constatation de provision est appréciée compte tenu des événements survenus à la *clôture de l'exercice*, et non à la date d'arrêté des comptes. En pratique, la formalisation des décisions d'engagement des dépenses provisionnées doit donc nécessairement être intervenue au plus tard le dernier jour de l'exercice concerné.

Enfin, l'administration a expressément repris à son compte la règle posée par le CNC selon laquelle les dépenses liées au passage à l'euro ne peuvent être provisionnées si elles correspondent à *l'affectation de moyens existants*. Elle a précisé à cet égard que les travaux qui sont exécutés par le *personnel de l'entreprise* existant à la clôture de l'exercice ne peuvent pas donner lieu à la déduction de provisions en franchise d'impôt.

2. Principales provisions déductibles des résultats imposables

643. Dans le cadre des conditions générales examinées ci-dessus, différentes catégories de charges d'exploitation clairement identifiables comme résultant du passage à l'euro peuvent donner lieu à la constitution de provisions en franchise d'impôt.

Il en est ainsi en ce qui concerne les dépenses de *formation* du personnel, dès lors que les besoins à satisfaire en ce domaine sont précisément délimités et arrêtés par les responsables de l'entreprise. Afin que la condition relative à l'évaluation précise de ces coûts puisse être considérée comme satisfaite, il convient en pratique qu'un plan de formation ait été établi et que l'entreprise soit en mesure de produire un devis des organismes de formation concernés, compte tenu de l'effectif du personnel qui est susceptible de participer à ces actions. L'administration a néanmoins indiqué que la détermination de cette provision peut être effectuée d'après le montant des dépenses engagées auprès des mêmes organismes pour des formations équivalentes. En revanche, elle n'admet pas un calcul fondé sur la masse salariale de l'entreprise ou sur son budget de formation habituel.

Enfin, selon nos informations, l'administration entendrait limiter le montant de la provision susceptible d'être admise en déduction des résultats imposables aux dépenses facturées par les prestataires extérieurs, et exclure les salaires dus au personnel au titre des périodes consacrées aux formations en cause. Ce refus serait fondé sur la circonstance que les charges en cause ne constituent pas un *surcoût* résultant du passage à l'euro.

> Bien entendu ces dépenses de formation, y compris les salaires des personnels qui en bénéficient, sont, dans leur intégralité, le cas échéant, susceptibles d'être prises en considération pour le calcul du *crédit d'impôt formation* au titre de l'année au cours de laquelle elles sont engagées, selon les règles de droit commun.

Les dépenses de *communication* et de *publicité* engagées dans le cadre du passage à l'euro peuvent également, à notre avis, donner lieu à la constitution de provisions déductibles des résultats imposables. Il importe là encore que l'entreprise ait précisément évalué le montant des frais qu'elle entend engager pour ces opérations. Cette évaluation peut par exemple être effectuée sur le fondement de budgets prévisionnels de l'entreprise, suffisamment précis, entérinés par les responsables concernés, de telle sorte que la décision de réalisation de ces actions puisse être considérée comme prise à la clôture de l'exercice.

L'anticipation de ces coûts par voie de provision soulève une difficulté spécifique, dans la mesure où, conformément à la position du CNC qui a été reprise par l'administration, seuls les frais spécifiquement liés au passage à l'euro peuvent être provisionnés. Dès lors, les entreprises doivent précisément identifier, au sein de leurs budgets de communication et de leurs coûts publicitaires, la part qui se rattache exclusivement à l'euro.

644. Pour certaines entreprises, le passage à l'euro entraîne la réalisation d'opérations de *restructuration* ou de *reconversion* du personnel. Il en est ainsi par exemple pour les services de change des établissements financiers ou d'entreprises ayant une activité internationale importante. L'administration a précisé à cet égard que les coûts correspondants peuvent donner lieu à la constatation de provisions en franchise d'impôt dès lors que ces opérations font l'objet d'un engagement ferme et irrévocable.

Parmi les surcoûts liés au passage à l'euro peuvent également figurer des charges résultant de la nécessité de procéder à des *embauches temporaires* de personnels. Dès lors que la décision de réaliser ces recrutements est prise, et que les tâches des personnes concernées consistent en la réalisation de missions ou d'études précisément définies et résultant directement de l'introduction de la monnaie unique, les charges de personnel qui en résultent peuvent être déduites par anticipation des résultats imposables par voie de provisions.

Toutefois, il convient de noter que la déduction de telles provisions ne devrait pas être admise par l'administration s'agissant du recrutement d'*informaticiens* dont les missions consistent en la création de logiciels. Elle considère en effet, on le rappelle, que les dépenses de création ou d'aménagement de logiciels étant constitutives du coût de revient d'immobilisations, elles ne sauraient donner lieu à la constatation de provisions en franchise d'impôt (voir n°s 624 et 626).

D. Déduction des dépenses comptabilisées en charges à répartir

645. Il résulte de l'avis du Comité d'urgence du CNC en date du 24 janvier 1997 que les coûts liés au passage à la monnaie unique peuvent être comptabilisés parmi les charges à répartir sur plusieurs exercices s'il est établi qu'au cours de ces exercices des produits spécifiques peuvent leur être directement rattachés. En ce qui concerne l'analyse de la nature des dépenses susceptibles de relever de ce régime en comptabilité, voir ci-avant n°s 415 s.

Au plan fiscal, la *doctrine administrative* considère que les charges comptabilisées en charges à répartir doivent être déduites des résultats de l'exercice au cours duquel elles sont engagées.

> Cette règle a été réaffirmée par une décision du *Conseil d'État* selon laquelle les frais de confection des catalogues de vente par correspondance sont déductibles des résultats de l'exercice de leur engagement, même s'ils peuvent produire des effets sur le chiffre d'affaires et les bénéfices réalisés au titre des exercices suivants (CE 29-7-98 n° 149517 : RJF 10/98 n° 1083).

Par dérogation à sa position de principe, l'administration a précisé que les dépenses liées au passage à l'euro comptabilisées en charges à répartir peuvent bénéficier du régime de déduction des *frais d'établissement*. Cette solution est réservée aux dépenses résultant exclusivement de l'introduction de la monnaie unique.

Elle présente en pratique essentiellement un intérêt pour les entreprises placées en *situation déficitaire*. En effet l'application du régime des frais d'établissement permet de déduire les dépenses en cause des résultats imposables de manière étalée, suivant un plan d'amortissement linéaire d'une durée maximale de cinq ans. En outre, la fraction des déficits correspondant à ces déductions pratiquées au titre des frais d'établissement bénéficie du régime de report illimité des *amortissements réputés différés* en période déficitaire.

II. Régime des écarts de change

646. On sait qu'en application de l'article 38-4 du CGI, les entreprises qui détiennent des devises ou qui ont des créances ou des dettes libellées en monnaies étrangères doivent, à la clôture de chaque exercice, évaluer ces avoirs et dettes compte tenu du *cours des changes à la date du bilan*. Les *écarts de conversion* en résultant entraînent une augmentation ou une diminution du résultat fiscal de l'exercice. Ainsi, à la différence des règles applicables en comptabilité, les écarts de change constatés à la clôture de l'exercice sont pris en compte dans le résultat fiscal qu'ils soient positifs ou négatifs.

Pour la détermination des résultats de l'*exercice clos le 31 décembre 1998* ou la période d'imposition arrêtée à la même date, un aménagement à cette règle a été introduit par l'article 28 de la loi n° 98-546 du 2 juillet 1998. Ainsi, les devises, créances, dettes et titres libellés en écus ou en devises de la zone euro ont dû être évalués à la clôture de cet exercice d'après les taux de conversion arrêtés le 31 décembre 1998 par le Conseil de l'Union européenne. (Ces taux sont reproduits au n° 71.)

Les gains ou pertes de change en résultant ont été pris en compte immédiatement dans les résultats imposables. Une règle analogue s'est appliquée en comptabilité (n°s 451 s.).

En revanche, les entreprises dont l'*exercice* est *décalé* par rapport à l'année civile ont appliqué l'article 38-4 du CGI sans tenir compte de son aménagement issu de la loi du 2 juillet 1998. Par exemple, une entreprise qui a clôturé son exercice le 30 juin 1998 et qui détenait des créances libellées en DM les a évaluées en fonction du taux de change du DM au 30 juin 1998. En effet, bien qu'ils aient été arrêtés le 1er mai 1998 par le Conseil européen, les taux de change entre les devises des États membres de l'Union européenne ont continué à fluctuer jusqu'au 31 décembre 1998.

S'agissant des *exercices clos à compter du 1er janvier 1999,* aucun écart de change à raison des créances et dettes libellées dans l'une des monnaies de la zone euro ne sera pris en compte dans les résultats des entreprises dont l'exercice coïncide avec l'année civile, puisque les cours de conversion en euros arrêtés le 31 décembre 1998 sont définitifs.

Quant aux entreprises dont l'*exercice* est *décalé*, il conviendra de retenir ces taux de conversion pour évaluer les créances et dettes de l'entreprise et déterminer les écarts de change imposables ou déductibles à la clôture du premier exercice arrêté à compter du 31 décembre 1998. Ainsi, une entreprise qui clôturera son exercice le 30 juin 1999 devra évaluer sa créance en DM en fonction du taux de conversion arrêté le 31 décembre 1998.

647. *Exemple*

Soit une entreprise française dont l'exercice coïncide avec l'année civile et qui a contracté en janvier 1998 une dette de 100 000 DM alors que le taux de change DM/F était par hypothèse de 3,30.

Les taux de conversion arrêtés le 31 décembre 1998 sont :

Euro/F : 6,55957

Euro/DM : 1,95583

Pour la détermination des résultats de l'exercice clos le 31 décembre 1998, la dette comptabilisée pour 330 000 F a été évaluée d'après les parités fixées par le Conseil :

$$100\,000 \text{ DM} = \frac{100\,000}{1,95583} \text{€} = 51\,129,18812 \text{ €}$$

100 000 DM = 51 129,18812 × 6,55957 F = 335 385,49 F

À la clôture de l'exercice le 31 décembre 1998, l'entreprise a constaté comptablement et fiscalement une perte de 5 385,49 F.

Pour les années suivantes et jusqu'à la disparition complète des monnaies nationales (à partir du 1er janvier 2002), aucun écart de change à raison de la créance libellée en DM ne sera pris en compte dans les résultats de l'exercice.

III. Régime des instruments financiers à terme

648. Il est rappelé qu'en application de l'article 38-6 du CGI, les **profits ou pertes** constatés sur des **contrats à terme en cours à la clôture d'un exercice** en fonction des prix du marché à cette date sont normalement compris dans les résultats de cet exercice.

Cette règle concerne les contrats, options et autres instruments financiers à terme conclus en France ou à l'étranger qui sont cotés sur une Bourse de valeurs ou traités sur un marché ou par référence à un marché. Elle comporte cependant des exceptions pour les opérations de couverture et les positions symétriques.

C'est ainsi que l'imposition des profits est reportée au **dénouement du contrat** lorsque celui-ci a pour objet de compenser le risque d'une **opération** de l'un **des deux exercices suivants**, traitée sur un marché de nature différente. De plus, les profits sur des contrats à terme portant sur des devises et ayant pour seul objet la couverture du **risque de change d'opérations futures** sont imposés au titre du ou des mêmes exercices que les opérations couvertes, à condition que ces dernières soient identifiées dès l'origine par un acte ou un engagement précis et mesurable pris à l'égard d'un tiers.

Enfin, en cas de **positions symétriques** prises sur des contrats qui peuvent être de nature et de durée différentes, la perte résultant d'une position n'est déductible que pour la partie qui excède les gains non encore imposés sur les positions prises en sens inverse. La déduction de la fraction de la perte égale au profit non imposé est reportée jusqu'à la date d'imposition de ce profit.

La mise en place de l'euro n'a pas modifié ces principes bien qu'elle ait figé les écarts de change au 31 décembre 1998 (cf. ci-avant, n° 646). Elle appelle les précisions et observations suivantes.

A. Couvertures d'actifs ou de passifs monétaires

649. Dans la mesure où les écarts de change ont été figés définitivement le 31 décembre 1998, les *contrats de couverture* d'actifs ou de passifs monétaires ont dû, dans la plupart des cas, être *dénoués*.

Dès lors, l'écart de conversion constaté à la date du dénouement est compris dans les résultats imposables de l'exercice en cours par application de l'article 38-2 du CGI sous déduction des profits ou des pertes déjà pris en compte dans les exercices précédents en application des articles 38-6-2° et 3° du même code.

650. Dans le cas où les *opérations* de couverture n'ont pas été *dénouées*, le *profit* de change peut être reporté aux différentes échéances du ou des contrats de couverture lorsque les conditions prévues aux articles 38-6-2° du CGI (couverture d'une opération future dont l'échéance expire au cours de l'un des deux exercices suivants) ou 38-6-2° bis du CGI (couverture d'un risque de change d'une opération future précisément identifiée) sont satisfaites.

Si ces conditions ne sont pas remplies, le profit est imposé en application de l'article 38-6-1° si l'instrument est visé par ce texte (instruments financiers cotés).

Lorsque le contrat de couverture fait apparaître une **perte** à la clôture de l'exercice, cette perte est déductible du résultat imposable pour la partie qui excède les gains non encore imposés sur l'opération couverte dans les conditions prévues à l'article 38-6-3° du CGI.

L'ensemble de ces règles s'applique à toutes les opérations de couverture de change, sans distinguer selon qu'elles concernent des devises d'États compris dans la zone euro ou d'États extérieurs à cette zone.

Elles concernent également les instruments ayant pour objet une couverture mixte par exemple taux de change et taux d'intérêt.

En définitive, la mise en place de l'euro n'affecte en rien l'application du régime fiscal de ces instruments financiers prévu à l'article 38-6 du CGI et n'a pas conduit à une prise en compte anticipée des gains réalisés. Le *montant de ces gains* est en pratique *figé* mais continuera, en l'absence de dénouement volontaire du contrat, à bénéficier du *report d'imposition* dans les conditions prévues par cette disposition.

B. Instruments financiers à terme non utilisés comme couverture

652. Dans la mesure où les *instruments financiers* à terme sont utilisés à des *fins spéculatives*, le profit ou la perte latent est compris dans les résultats de chacun des exercices concernés en fonction des prix du marché à la clôture de l'exercice.

Dès lors, les gains ou pertes afférents à des instruments financiers portant sur des devises de la zone euro sont déterminés de manière définitive et compris dans les résultats imposables du premier exercice clos à compter du 31 décembre 1998. En effet, à la clôture des exercices suivants, aucun écart d'évaluation ne sera constaté puisque, la parité entre les monnaies est désormais figée.

C. Acquisition d'immobilisations en devises

653. D'une manière générale, la valeur d'un bien acquis en devises étrangères est déterminée d'après le *cours de conversion de la devise* concernée au *jour de son acquisition*.

Lorsqu'un *emprunt* a été souscrit dans la *devise* concernée pour assurer le financement de l'investissement, les évolutions du cours de la devise postérieures à l'acquisition sont normalement prises en compte comme pour les autres créances et dettes, d'après le cours constaté à la clôture de chacun des exercices concernés par application de l'article 38-4 du CGI.

Pour les exercices clos au 31 décembre 1998, lorsque l'emprunt a été réalisé dans une devise d'un État de la zone euro le cours à retenir était celui arrêté à cette date par le Conseil de l'Union européenne (cf. ci-avant n° 646).

654. Il convient par ailleurs de noter que dans l'hypothèse où, pour couvrir le risque de change découlant de l'acquisition d'une immobilisation en devises, les entreprises ont, préalablement à la réalisation de l'opération, procédé à un *achat à terme* des *devises* correspondantes, l'administration admet, selon nos informations, que la valeur d'inscription du bien à l'actif du bilan soit déterminée de manière définitive en appliquant le taux de change retenu pour l'acquisition à terme des moyens de paiement.

Il en résulte que l'évolution ultérieure du cours de la devise reste sans incidence sur les résultats imposables. Ainsi, les entreprises qui acquièrent selon ces modalités des immobilisations dans une devise de la zone euro n'ont pas à prendre en compte le cours de l'euro pour la détermination de leur valeur d'inscription au bilan lorsque l'achat à terme des devises est intervenu avant le 31 décembre 1998.

IV. Appréciation des seuils fiscaux exprimés en francs

655. Le Code général des impôts comporte de nombreuses dispositions qui fixent des montants en valeur absolue exprimée en francs. L'administration fait également référence dans certains cas à des seuils fiscaux exprimés en francs.

Parmi les principaux seuils fiscaux, on peut citer notamment :

— les seuils limites d'*application des régimes d'imposition* en fonction du chiffre d'affaires en matière de bénéfices industriels et commerciaux, fixés par exemple en ce qui concerne le régime réel simplifié d'imposition à 5 000 000 F ou 1 500 000 F selon qu'il s'agit d'une entreprise de ventes ou de fourniture de logement, ou d'une entreprise de prestations de services ;

— les tarifs de l'*imposition forfaitaire annuelle* en fonction du chiffre d'affaires de l'entreprise ;

— le coût de revient des participations ouvrant droit à l'application du régime *des sociétés mères et filiales*, fixé à 150 MF ;

— le montant des dépenses engagées au titre de certaines catégories de charges au-delà duquel elles doivent figurer sur le *relevé des frais généraux* ;

— le seuil d'exonération de la *contribution de 10 %* sur l'impôt sur les sociétés dont bénéficient certaines entreprises dont le chiffre d'affaires est inférieur à 50 millions de francs (CGI art. 235 ter ZB) ;

— le seuil d'application du *taux réduit d'imposition* à l'impôt sur les sociétés en cas de réinvestissement des bénéfices réalisés par des petites entreprises dont le chiffre d'affaires est inférieur à 50 millions de francs ;

— le montant du *prix d'acquisition des véhicules de tourisme* au-delà duquel l'amortissement n'est pas déductible : 120 000 F pour les véhicules mis en circulation à compter du 1-11-96 ;

— la *valeur unitaire* hors taxe des matériels, outillages et logiciels en deçà duquel l'administration permet la déduction immédiate, fixée à 2 500 F ;

— le montant ou le plafond de certains *crédits d'impôt* exprimés en valeur absolue : crédit d'impôt emploi égal à 10 000 F par salarié supplémentaire ; majoration du crédit d'impôt formation à hauteur de 3 000 F par le nombre de stagiaires supplémentaires ; plafond du crédit d'impôt recherche fixé à 40 MF.

656. Au cours de la *période transitoire,* la *référence juridique* demeure le seuil fixé en francs. Les entreprises qui tiennent leur comptabilité en euros doivent convertir dans cette monnaie chacun des seuils qui leur sont applicables afin de déterminer les règles dont elles relèvent. Cette conversion est opérée d'après le cours de l'euro fixé le 31 décembre 1998 (soit 1 euro = 6,55957 F), compte tenu des règles d'arrondis prévues par le règlement européen.

Cette méthode de conversion pure et simple permet ainsi de respecter le principe d'égalité devant l'impôt car, quelle que soit la monnaie retenue pour la tenue de la comptabilité, les conséquences fiscales et financières sont les mêmes.

À titre d'*exemple,* nous présentons ci-après quelques seuils fiscaux exprimés en euros :

– Coût de revient des participations ouvrant droit à l'application du régime *mère filles* : 22 867 352,59 €.

– Plafond d'amortissement d'un *véhicule de tourisme* : 18 293,88 €.

– Valeur unitaire hors taxe des *matériels* et *logiciels* en deçà de laquelle la *déduction immédiate* est permise : 381,12 €.

Par ailleurs, pour connaître son *régime d'imposition* (savoir par exemple si elle relève ou non du réel simplifié), une entreprise de vente ayant opté pour la tenue de sa comptabilité en euros doit comparer son chiffre d'affaires taxable (par exemple égal à 772 158,95 €) au seuil de 5 000 000 F converti en euros soit 762 245,0862 € arrondi à 762 245,09 €.

Du fait de la conversion en euros, tous les seuils fiscaux comportent nécessaire-ment des décimales. *À partir du 1er janvier 2002*, il est probable que leur montant sera revu par le législateur afin d'obtenir des chiffres ronds exprimés dans cette monnaie.

Par ailleurs, précisons qu'*en cas de pluralité d'éléments concourant à l'établissement d'une même base*, la somme des conversions diffère de la conversion de la somme. L'administration préconise donc de réduire au minimum le nombre de conversions en ne convertissant que le total des éléments considérés.

SECTION II
Traitement des arrondis

A. Conversion des pièces comptables et des factures

660. Au *cours de la période transitoire*, l'introduction de l'euro entraîne la constata-tion d'arrondis de conversion résultant de l'*enregistrement comptable* de *pièces justi-ficatives* libellées dans une monnaie différente de celle retenue pour l'établisse-ment de la comptabilité ou de *règlements reçus ou émis* dans une unité monétaire différente de celle de la facture. Ces arrondis peuvent concerner aussi bien les montants hors taxes que la TVA due ou la TVA récupérable.

Pour opérer cette conversion des factures et des pièces comptables, il convient de mettre en œuvre les règles générales fixées par le règlement n° 1103/97 du 17 juin 1997. Par ailleurs, dans une instruction du 12 novembre 1998 (13 RC), l'administration a précisé les modalités à respecter par les entreprises qui, d'une part, en tant que fournisseurs, souhaitent émettre des factures en euros, d'autre part, en tant que clients, reçoivent des factures libellées dans une unité moné-taire différente de celle dans laquelle elles tiennent leur comptabilité.

1. Règles d'arrondis et de conversion

661. On rappelle que l'article 5 du règlement n° 1103/97 du 17 juin 1997 prévoit que les sommes d'argent à payer ou à comptabiliser, lorsqu'il y a lieu de les arron-dir après conversion dans l'unité euro [...], sont arrondies au cent supérieur ou inférieur le plus proche. Les sommes à payer ou à comptabiliser qui sont conver-ties dans une unité monétaire nationale sont arrondies à la subdivision supérieure ou inférieure la plus proche ou, à défaut de subdivision, à l'unité la plus proche ou, selon les lois ou pratiques nationales, à un multiple ou à une fraction de la subdivision ou de l'unité monétaire nationale. Si l'application du taux de conversion donne un résultat qui se situe exactement au milieu, la somme est arrondie au chiffre supérieur.

Le *taux de conversion* se présente avec *six chiffres significatifs,* soit cinq décimales pour le franc et exprime la contrevaleur d'un euro dans chaque monnaie nationale. On rappelle notamment que 1 euro = 6,55957 F (pour les autres taux de conversion arrêtés le 31 décembre 1998, voir n° 71). Il n'est pas possible d'utiliser des *taux inverses,* calculés à partir du taux de conversion. Chaque opération de conversion doit donc être effectuée à l'aide du taux officiel à cinq décimales, soit par une multiplication (euro → franc), soit par division (franc → euro) :

L'arrondi est effectué en fonction de la valeur de la troisième décimale :
– si la troisième décimale est inférieure strictement à 5, l'arrondissement s'effectue au centième inférieur (la deuxième décimale est conservée en l'état) ;
– si la troisième décimale est égale ou supérieure à 5, l'arrondissement se fait au centième supérieur (la deuxième décimale est augmentée d'une unité).

> *Exemples* — 1) *Paiement d'une facture établie en francs et aquittée en euros :*
> 18956,63 F / 6,55957 = 2889,919614 €, arrondis à 2889,92 €.
>
> 2) *Paiement d'une facture établie en euros et acquittée en francs :*
> 20702,50 € × 6,55957 = 135799,4979 F, arrondis à 135799,50 F.
>
> 3) *Perception du droit fixe d'enregistrement de 500 F :*
> 500 F / 6,55957 = 76,22450862 €, arrondis à 76,22 €.
>
> S'agissant du droit fixe de 500 F, l'application de la règle posée par l'article 26 de la loi n° 98-546 du 2 juillet 1998 qui prévoit que l'arrondissement des bases d'imposition et des cotisations s'effectue au franc ou à l'euro le plus proche entraîne l'arrondissement à 76 € (voir n° 680).

Prise en compte des écarts de conversion

662. Les écarts de conversion doivent être *comptabilisés* dans un compte spécifique.

> *Exemple* — Une entreprise qui tient sa comptabilité en francs émet une facture établie en francs pour un montant de 10292,66 F (8534,54 F HT + 1758,12 F TVA). Son client se libère de sa dette en euros, soit : 10292,66 F / 6,55957 = 1569,105902 €, arrondis à 1569,11 €.
>
> Ce paiement est crédité sur son compte bancaire pour la somme de 1569,11 € × 6,55957, soit 10292,68688 F, arrondis à 10292,69 F. Un écart de 0,03 F est donc constaté en résultat financier.

Compte tenu de leur faible montant unitaire et de la forte probabilité de compensation globale, l'article 16-II de la loi n° 98-546 du 2 juillet 1998 prévoit, par exception à l'article 13 du Code de commerce, que les arrondis de conversion résultant de l'application des règles d'arrondissage propres à l'introduction de l'euro sont inscrits en résultat pour leur montant net.

Selon l'avis n° 98-09 du CNC du 17 décembre 1998, les arrondis de conversion sont inscrits en *charge ou produit financier* (compte 6688 : charge d'arrondis de conversion euro ; compte 7688 : produit d'arrondis de conversion euro).

En fin d'exercice, l'un des deux comptes est soldé de manière que seul le *montant net,* charge ou produit financier, figure au compte de résultat.

663. *Fiscalement,* les arrondis inscrits en résultat financier sont également compris dans le résultat imposable. Cette règle est applicable quelle que soit la méthode utilisée lors du basculement de la comptabilité en euros.

2. Modalités de conversion des factures

a. Factures émises par les fournisseurs

664. L'administration a précisé que les entreprises ont la possibilité de faire apparaître l'euro sur leurs factures selon des modalités différentes :
— la facture étant établie en francs (ou en euros), le montant total à payer peut être converti en euros (ou en francs) : il s'agit du double affichage ;
— la facture établie dans l'une ou l'autre unité monétaire (franc ou euro) peut faire apparaître les éléments essentiels de la facture (montant total hors taxe, montant de la TVA, montant toutes taxes comprises) dans l'autre unité monétaire afin d'en faciliter notamment sa comptabilisation par le client. Dans ce cas, chaque élément essentiel de la facture doit être converti.

Double affichage

665. Pour permettre une adaptation progression à l'euro, l'ensemble des partenaires économiques ont été invités à pratiquer un « double affichage » des sommes à payer ou à verser. Ce double affichage francs/euros ou euros/francs porte sur le montant total à payer ou verser, une fois effectués tous les calculs intermédiaires.

Il est à noter à cet égard que le Conseil national de la consommation a, dans deux avis rendus les 19 juin et 4 décembre 1997, recommandé que seul le *montant global de l'opération* facturée soit converti à fin de double affichage.

666. *Exemple*

Prix unitaire HT	Quantité	Taux de TVA	Prix total HT	Montant TVA	Prix total TTC
456,00 F	2	5,50 %	912,00 F	50,16 F	962,16 F
798,00 F	8	20,60 %	6 384,00 F	1 315,10 F	7 699,10 F
		Total	7 296,00 F	1 365,26 F	8 661,26 F
Taux de conversion = 6,55957 F					1 320,40 €

Facture en deux unités monétaires

667. Certaines entreprises peuvent souhaiter établir l'intégralité d'une facture à la fois en francs et en euros (notamment dans le cadre de relations entre assujettis à la TVA).

On rappelle à cet égard qu'en application de l'article 289 du CGI, les factures doivent faire apparaître, outre le prix hors taxes, le taux et le montant de la TVA due.

Le plan comptable général prévoit quant à lui la comptabilisation des produits et des charges hors TVA récupérable.

La créance du fournisseur est égale au montant TTC. Si celle-ci est établie en francs et encaissée en euros, le règlement atttendu est égal au montant facturé en francs / 6,55957.

668. Si une entreprise souhaite faire apparaître sur une même facture des sommes exprimées à la fois en francs et en euros, le respect de ces principes fiscaux et comptables implique une approche (dite « *conversion-miroir* »), dans laquelle les éléments libellés en euros dans la facture sont la simple conversion des éléments essentiels de la facture libellée en francs (ou l'inverse), à savoir les montants HT, de la taxe et TTC.

Bien entendu, en cas de *pluralité de taux de TVA,* la conversion doit être effectuée au regard de chaque taux. Cette règle permet de conserver les égalités (sous réserve de l'arrondi de conversion) entre TVA collectée et TVA déductible, ainsi qu'entre créance du fournisseur et dette du client.

Il est recommandé de faire apparaître sur la facture les *écarts* qui résulteraient d'une différence entre le résultat de la *conversion du montant TTC* et la *somme des conversions* du total HT et de la TVA. Ces écarts sont comptabilisés au même titre que les écarts de conversion proprement dits, en perte ou profit.

669. *Exemple.*

Prix unitaire HT	Quantité	Taux de TVA	Prix total HT	Montant TVA	Prix total TTC
185,00 F	5	5,50 %	925,00 F	50,88 F ⌐	975,88 F
340,00 F	1	20,60 %	340,00 F	└── 70,04 F	410,04 F
		Total	1 265,00 F	120,92 F	1 385,92 F À payer
			192,85 €	7,76 € ⌐ └→ + 10,68 € = 18,44 €	211,28 € À payer
				211,29 €	+ 0,01 € Écart

b. Prise en compte des factures par le client

670. La prise en compte des factures, en respectant les principes exposés ci-dessus, dépend de la façon dont la facture est libellée. De plus, les entreprises sont, depuis le début de la phase transitoire, confrontées, en tant que clientes notamment, à des factures libellées dans une unité monétaire différente de celle de tenue de leur comptabilité.

Dans l'hypothèse où la facture est *présentée dans les deux unités monétaires,* elle contient toutes les informations indispensables à sa comptabilisation.

Dans le cas où la *facture* est *libellée dans une monnaie différente de celle de tenue de la comptabilité,* l'entreprise ne procède pas directement à la comptabilisation de la facture, même si celle-ci peut faire apparaître en double affichage le montant TTC à payer. Afin de respecter les principes exposés ci-dessus, la conversion des montants HT, de la TVA et TTC est en effet indispensable.

671. *Exemple* — Reprenons les données de l'exemple figurant au n° 666.

Comptabilisation par un client qui dispose d'une comptabilité en euros d'une facture établie en francs.

Montant HT	:	7 296,00 F	→	1 112,27 € (1)
TVA à 5,5 %	:	50,16 F	→	7,65 € (2)
TVA à 20,6 %	:	1 315,10 F	→	200,49 € (3)
Montant TTC	:	8 661,26 F	→	1 320,40 € (4)

la somme des éléments essentiels [(1) + (2) + (3)] convertis en euros, soit 1 320,41 € est différente de la conversion en euros du total TTC (4), soit 8 661,26 F → 1 320,40 €.

Au cas particulier, un écart de 0,01 € est constaté.

B. Arrondis fiscaux

680. L'article 26 de la loi n° 98-546 du 2 juillet 1998 a unifié les règles d'arrondis des bases et des impositions qui étaient auparavant variables selon la nature des impositions.

On rappelle notamment que la base d'imposition à la TVA était arrondie au franc le plus voisin et la taxe correspondante au franc inférieur, alors qu'en matière d'impôts directs, la base d'imposition était arrondie à la dizaine de francs inférieure et le montant de l'impôt au franc le plus voisin.

Depuis le 1er janvier 1999, les bases des impositions de toute nature sont arrondies au franc ou à l'euro le plus proche. Cette règle s'applique également au résultat de la liquidation des impositions.

Ainsi :

— la part des bases et cotisations fiscales inférieure strictement à 0,50 franc ou euro est négligée ;

— la part des bases et cotisations égale ou supérieure à 0,50 franc ou euro est arrondie à l'unité supérieure.

Tour élément venant modifier les bases (abattements, ...) ou les cotisations (décotes, crédits, d'impôt, réductions d'impôt, ...) est arrondi à l'unité la plus proche.

Cette règle s'apprécie impôt par impôt.

681. On rappelle toutefois que pour la ***souscription de la liasse fiscale*** (imprimés n°s 2050 à 2059 D et 2033 A à 2033 D), il convient de reprendre les montants des comptes annuels (y compris les totalisations) sans mention des centimes (Décret 83-1020 du 29-11-1983).

Cette règle (dite de « troncature ») doit être retenue aussi bien pour les déclarations souscrites en francs que pour celles souscrites en euros.

Mais, le ***montant du résultat fiscal*** imposable à inscrire sur l'imprimé n° 2058 A, qui est reporté sur la déclaration n° 2031 ou 2065, est déterminé en totalisant les montants non arrondis figurant sur chaque ligne. Ce total, qui constitue une base d'imposition, donne lieu à la mise en œuvre de la règle d'arrondissement au franc ou à l'euro le plus proche prévue par l'article 26 de la loi n° 98-546 du 2 juillet 1998.

682. *Exemple*

Le bénéfice imposable d'une entreprise qui tient sa comptabilité et souscrit ses déclarations fiscales en euros est égal à 16 193 €.

L'impôt sur les sociétés, hors contributions exceptionnelles ou temporaires, dû par l'entreprise en cause est alors déterminé dans les conditions suivantes :

16 193 × 33,1/3 % = 5 397,66 arrondi à 5 398 €.

SECTION III
Conséquences fiscales de la conversion des titres

690. Les dispositions des articles 17 et 18 de la loi n° 98-546 du 2 juillet 1998 prévoient les modalités juridiques selon lesquelles les entreprises peuvent assurer la conversion en euros des titres, qu'il s'agisse de titres représentatifs du capital (actions et parts sociales) ou de titres de créances. Nos lecteurs peuvent se reporter sur ces questions aux développements présentés ci-avant n°s 300 s. et 325 s.

Sur le plan fiscal, les difficultés susceptibles de se présenter concernent les conséquences à tirer de l'apparition des rompus et d'écarts d'arrondis à l'occasion de ces opérations de conversion.

A. Conversion des actions

691. Les entreprises qui tiennent leur comptabilité en euros depuis le 1er janvier 1999 seront amenées à convertir rapidement leur capital en euros. Il en est de même des sociétés cotées puisque toutes les opérations boursières sont exprimées en euros depuis le 1er janvier 1999.

Or en ce qui concerne la France, le capital des sociétés est divisé en actions ou parts sociales ayant chacune une valeur nominale.

On rappelle que l'article 17 de la loi n° 98-546 du 2 juillet 1998 prévoit à cet égard que les sociétés par actions et les sociétés à responsabilité limitée peuvent s'abstenir, à compter du 1er janvier 1999, de mentionner la valeur nominale de leurs titres dans les statuts. La valeur des droits représentés par chaque titre correspond alors au montant du capital social divisé par le nombre de titres. La mise en œuvre de cette solution n'emporte aucune conséquence fiscale.

Les entreprises qui souhaitent conserver la valeur nominale de leurs titres doivent résoudre une difficulté liée au traitement des arrondis dans la mesure où elles entendent logiquement définir la **valeur nominale en euros** des actions ou parts sociales d'après un **chiffre entier**. Bien entendu, si la société convertit chaque action en un nombre arrondi d'euros, les rompus sont d'autant plus importants qu'il y a d'actions.

> Soit par exemple une société au capital de 100 MF divisé en un million d'actions de 100 F. La valeur de l'euro étant fixée de 6,55957 F, le capital est d'un montant de 15 244 901,72 €.
>
> Mais chaque action de 100 F a dû elle-même être convertie en euros, soit 15,24 €.
>
> Si la société exprime avec ce détail la valeur nominale de chaque action, la différence par rapport au capital est de 4 901,72 €.
>
> Mais si la société souhaite arrondir l'action par exemple à 15 €, la différence par rapport au capital est alors de 244 901,72 €.

692. Il résulte de l'article 17 de la loi n° 98-546 du 2 juillet 1998 que les sociétés peuvent procéder ;

— à une **augmentation** ou à une **réduction de capital** selon une procédure simplifiée pour le traitement des arrondis liés à la conversion du capital social en unité euro ;

— à une réduction de capital lorsqu'elles convertissent en unité euro les actions ou parts sociales qui composent le capital en arrondissant ces montants au centième d'euro ou à l'euro près.

Si l'entreprise décide d'augmenter son capital par incorporation de bénéfices ou réserves, cette augmentation est soumise au **droit fixe d'apport** qui est de 1 500 F.

Lorsque les entreprises entendent procéder à des **réductions de capital** afin de convertir en unité euro leur capital social ou les actions ou parts, elles sont également redevables d'un droit fixe de 1 500 F à raison de l'opération.

Dans l'hypothèse où le montant de la réduction de capital est porté au compte de **réserve indisponible** prévu à l'article 17 précité, il n'est pas considéré comme distribué en application de l'article 112 du CGI.

Toutefois, en cas de **prélèvement sur cette réserve** en vue de la mise en paiement de dividendes, les sommes ainsi réparties sont soumises au régime des revenus distribués dans les conditions de droit commun. Ces distributions rendent, le cas échéant, le précompte exigible, et sont normalement imposables au nom de l'actionnaire bénéficiaire, sous réserve de l'application du régime des sociétés mères et filiales. Elles ouvrent droit à l'avoir fiscal.

B. Conversion des obligations

693. L'article 18 de la loi n° 98-546 du 2 juillet 1998 permet aux personnes morales publiques ou privées de convertir en unité euro et selon une procédure simplifiée les titres obligataires qu'elles ont émis dans une des devises des pays de l'Union européenne et monétaire. Les titres de créance qui peuvent être convertis en euros sont :

— les **obligations** du Trésor (les obligations assimilables du Trésor (OAT) et les emprunts à moyen et long terme), les bons du Trésor en compte courant ou sur formule ;

— ainsi que les obligations et les *titres de créances négociables* au sens de la loi du 26 juillet 1991 (certificats de dépôt, bons des institutions et sociétés financières, billets de trésorerie et bons à moyen terme négociables).

La conversion des titres obligataires s'effectue en *titres au nominal d'un euro.* Lorsque la conversion n'aboutit pas à un nombre entier d'euros, le *versement d'une soulte en espèces* correspondant au montant du rompu doit être effectué. Les modalités de détermination de ce versement ont été définies par le décret n° 98-1021 du 10 novembre 1998.

La conversion est facultative. Elle est décidée unilatéralement par l'émetteur du titre de créance et ne nécessite pas l'accord des porteurs du titre.

La conversion est faite, pour chaque émission, par le teneur de compte habilité, compte par compte.

694. Avant d'exposer ci-après les conséquences fiscales de la conversion en euros des titres obligataires pour leurs détenteurs (personnes physiques ou personnes morales), il convient de préciser qu'en ce qui concerne *l'entreprise émettrice* des obligations, le versement de la soulte constitue un remboursement partiel de sa dette et ne peut donc donner lieu à aucune déduction des résultats imposables.

1. Situation des entreprises

695. L'*opération de conversion* en euros de titres de créances libellés en francs n'entraîne aucune imposition des porteurs à raison des plus-values latentes afférentes à ces titres. En effet, la conversion, qui est de la seule initiative de l'émetteur, est purement intercalaire et n'emporte en aucun cas novation.

La *perception d'un rompu* devrait également rester sans incidence sur les résultats imposables de l'exercice concerné lorsque la soulte n'est pas valorisée en fonction de la cotation du titre. La perception de cette soulte ne se traduit en effet dans ce cas par aucun accroissement de l'actif net de l'entreprise dès lors que l'augmentation du compte de trésorerie est compensée par une diminution de la valeur pour laquelle les titres convertis figurent au bilan. En revanche, si les modalités de détermination du montant de la soulte prévues par le décret n° 98-1021 du 10 novembre 1998 aboutissent à le valoriser en fonction de la cotation du titre, l'entreprise devrait bénéficier d'une augmentation de son actif net à hauteur de cette valorisation et devrait comprendre le montant correspondant dans son résultat.

En toute hypothèse, à la suite de l'opération, la *valeur d'inscription* des titres au bilan correspond à leur prix d'origine diminué de la soulte perçue à raison du rompu découlant de la conversion de ce prix (compte non tenu le cas échéant de la fraction de la soulte résultant de la valorisation de son montant en fonction de la cotation du titre).

Le profit ou la perte réalisé lors de la *cession des titres* doit être déterminé à partir de leur valeur d'inscription au bilan.

C'est à partir de cette même valeur que sont calculées, le cas échéant, les *provisions* pour dépréciation constituées sur les titres en cause.

En cas de conservation des titres jusqu'à l'échéance, aucune imposition ne devrait être établie, dès lors que le montant remboursé correspond au nominal du titre diminué de la soulte.

Selon nos informations, l'administration devrait admettre, à titre de **mesure de simplification,** que les entreprises puissent comptabiliser la soulte dans le résultat de l'exercice de conversion. Dans ce cas de figure, le prix de revient des titres convertis n'aurait pas à être modifié et les profits et pertes afférents à la cession ultérieure des titres seraient calculés par rapport à ce prix, converti le cas échéant en euros, sans prise en compte de la soulte perçue. En cas de conservation des titres jusqu'à l'échéance, une moins-value égale au montant de la soulte devrait alors être constatée.

Pour les titres comportant une **prime de remboursement** supérieure à 10 % de leur prix d'acquisition ou de souscription, le versement de la soulte ne modifie pas la répartition actuarielle de cette prime prévue à l'article 238 septies E du CGI, dès lors que cette répartition est effectuée à partir du taux actuariel déterminé lors de l'acquisition ou de la souscription des titres en cause. Cette règle s'applique quelle que soit la méthode de comptabilisation retenue par l'entreprise (soulte imputée sur le prix de revient ou prise en compte dans le résultat).

696. *Exemple*

Soit une société A qui a basculé sa comptabilité en euros au 1-1-1999 et une société B qui tient sa comptabilité en francs. Ces sociétés ont souscrit respectivement 5 000 et 15 000 obligations émises par la société E pour un montant nominal de 1 000 F. À la date de leur conversion en euros, la valorisation de ces obligations s'élève à 1 100 F.

a) La valeur de l'euro étant fixée à 6,55957 F, la *conversion en euros* du coût de souscription de ces titres aboutit aux montants suivants :

— 5 000 000/6,55957 = 762 245,09 € pour la société A ;

— 15 000 000/6,55957 = 2 286 735,26 € pour la société B.

Pour la société A, la valeur brute du rompu s'élève à 0,09 €, et le montant perçu, compte tenu de la valorisation du titre à 110 % du prix d'émission, s'élève à 0,10 €.

La valeur d'inscription des titres au bilan est de 762 245 €. Le compte de trésorerie est débité pour 0,10 €. L'opération fait apparaître une augmentation d'actif net de 0,01 € comprise dans le résultat imposable de l'exercice.

En ce qui concerne la société B, la valeur brute du rompu est de 0,26 €, et elle perçoit donc 0,29 € compte tenu de la cotation du titre. Dès lors qu'elle tient sa comptabilité en francs, ses titres figurent au bilan pour 2 286 735 × 6,55957 = 14 999 998,30 F et le compte de trésorerie sera débité pour 0,29 × 6,55957 = 1,90 F. L'entreprise constate donc un accroissement d'actif net d'un montant de 0,20 F (soit 14 999 998,30 + 1,90 − 15 000 000).

b) La *cession ultérieure des titres* emportera les conséquences suivantes. Si la société A cède la totalité de ses titres pour un prix global de 800 000 €, le montant de la plus-value imposable s'élèvera à 800 000 − 762 245 = 37 755 €. Si la société B cède la moitié de ses titres pour un montant de 1 300 000 €, soit un prix exprimé en francs de 6,55957 × 1 300 000 = 8 527 441 F, le montant de la plus-value imposable s'élèvera à 8 527 441 − 14 999 998,30/2 = 1 027 441,85 F.

Si la société B avait appliqué la mesure de simplification autorisée en pratique par l'administration, elle n'aurait pas modifié à son bilan la valeur d'inscription des obligations émises par la société E (soit 15 000 000 F). Dès l'exercice de conversion, l'intégralité de la soulte aurait été comprise dans le résultat imposable (soit 1,90 F). La cession de la moitié des titres aurait ensuite donné lieu à la constatation d'une plus-value déterminée dans les conditions suivantes : 8 527 441 − 15 000 000/2 = 1 027 441 F.

2. Situation des personnes physiques

698. L'*opération de conversion* ayant un caractère intercalaire, aucune plus-value n'a à être constatée, ni a fortiori déclarée à la date de la conversion. Par ailleurs, l'article 18-IV de la loi n° 98-546 du 2 juillet 1998 prévoit expressément qu'à ce stade, le versement en espèces est reçu en franchise d'impôt sur le revenu ; il n'a donc pas d'avantage à être déclaré.

En cas de **cession des titres,** si ces derniers sont des **valeurs mobilières** visées à l'article 92 B du CGI (obligations cotées ou non cotées), et que le seuil d'imposition prévu à cet article est franchi, il convient, pour le calcul de la plus-value imposable, de tenir compte du versement en espèces reçu pour le soustraire du prix d'acquisition des titres cédés.

Si, en revanche, le seuil d'imposition n'est pas franchi (compte tenu de l'ensemble des cessions réalisées par le contribuable au cours de l'année), la plus-value (et, par voie de conséquence, le montant du versement en espèces) échappe à toute imposition.

Si la **cession** porte sur des **titres de créances négociables,** la plus-value est imposable quel que soit le montant des cessions. Son montant est déterminé dans les conditions prévues à l'article 94 A-1 et 2 du CGI, à savoir par différence entre le prix de cession et le prix d'acquisition, sans tenir compte, semble-t-il, du versement en espèces.

Lors du remboursement d'un titre de créance converti en euros comportant une **prime de remboursement,** le prix d'acquisition des titres remboursés est, pour la détermination de la prime imposable sur le fondement de l'article 238 septies A du CGI, diminué du montant du versement en espèces.

SECTION IV

Déclarations fiscales

700. L'étude des conséquences du passage à l'euro à l'égard des déclarations fiscales conduit à distinguer deux périodes :

— la **période transitoire,** pendant laquelle les déclarations des personnes physiques sont obligatoirement souscrites en francs, tandis que les déclarations des entreprises peuvent être souscrites en euros sous certaines conditions ;

— la période qui débutera le *1er janvier 2002,* caractérisée par une obligation générale de souscription des déclarations en euros.

I. Période transitoire

701. Alors que les personnes physiques continuent à déposer leurs déclarations fiscales en francs au cours de la période transitoire, les déclarations de toutes les entreprises, exploitées sous forme individuelle ou sociale, peuvent, sur option, être souscrites en euros sous réserve que la comptabilité soit tenue dans cette monnaie.

Par *souscription* d'une « déclaration en euros », l'administration a précisé qu'il faut entendre la rédaction de l'*intégralité de la déclaration*, c'est-à-dire la mention des bases en euros ainsi que le calcul de l'impôt à payer, lorsque celui-ci est effectué par le redevable.

La conversion du seul montant à payer en euros sur un document ne permet en revanche pas de qualifier le document de déclaration déposée en euros (la mention euro ne concerne dans ce cas que le paiement de l'impôt).

Lorsque la déclaration déposée ne fait pas apparaître le montant de l'impôt à payer, la liquidation incombant à l'administration est faite en francs alors même que les éléments de la base sont déclarés en euros (ex. : déclaration de taxe professionnelle en euros, taxation effectuée et présentée sur l'avis d'imposition en francs, avec un double affichage en francs et en euros de la somme à payer).

Nous envisagerons successivement :
— les déclarations concernées par la souscription en euros ;
— la condition préalable à l'option pour une telle souscription, à savoir le basculement de la comptabilité en euros ;
— et les modalités de souscription des déclarations en euros.

L'administration a apporté des précisions sur ces différents points dans une instruction du 12 novembre 1998, 13 RC.

A. Déclarations concernées

705. Au cours de la période transitoire, seules les entreprises peuvent souscrire les principales déclarations en euros. La liste de ces déclarations, regroupées par « familles », a été fixée par le décret n° 98-1019 du 9 novembre 1998.

1. Déclarations des particuliers

706. Aucune déclaration ne peut être souscrite en euros pendant la période transitoire. Par exemple, la *déclaration d'ensemble des revenus*, la *déclaration de succession* ou la déclaration du patrimoine passible de l'*impôt de solidarité sur la fortune* restent souscrites en francs.

L'administration a toutefois précisé que les **pièces justificatives**, éventuellement jointes à une déclaration souscrite en francs, peuvent rester en l'état si elles sont libellées en euros.

2. Déclarations des entreprises

707. Les principales déclarations peuvent être souscrites en euros sur option, à condition que l'entreprise tienne sa comptabilité en euros.

Sont *concernées* les déclarations relatives aux impôts dus par l'entreprise elle-même, appartenant aux familles de déclarations suivantes :
— les déclarations de résultats et leurs annexes ;
— les déclarations relatives à la taxe sur la valeur ajoutée ;
— les déclarations relatives aux taxes assises sur les rémunérations ou les salaires ;
— les déclarations relatives à la taxe professionnelle ;
— les déclarations des propriétés bâties sur les établissements industriels ;
— les déclarations relatives aux droits d'enregistrement, taxes assimilées et droits de timbre ;
— les déclarations relatives aux revenus de capitaux mobiliers soumis à prélèvements et retenues à la source ;
— la déclaration relative à l'octroi de mer et au droit additionnel.

D'autres déclarations peuvent également être souscrites en euros. Il s'agit :
— des déclarations relevant du ministère de l'intérieur (déclarations relatives à la taxe de séjour, déclarations relatives à la taxe sur les remontées mécaniques) ;
— de toutes les déclarations douanières, à l'exception de la déclaration d'échange de biens souscrite sous forme papier.

La liste détaillée des déclarations pouvant être souscrites en euros telle qu'elle a été publiée par l'administration est reproduite au n° 790.

708. En revanche, **ne peuvent être souscrites en euros** les déclarations des tiers déclarants relatives aux informations de recoupement telles que notamment les déclarations annuelles de données sociales (DADS 1), les déclarations des commissions, honoraires et droits d'auteurs (DAS 2), ou les déclarations récapitulatives des opérations sur valeurs mobilières et revenus de capitaux mobiliers appelées communément IFU (Imprimé Fiscal Unique).

Une exception à ce principe a toutefois été admise pour les DADS 1 relatives aux salariés relevant du régime général de sécurité sociale transmises par voie dématérialisée via la procédure TDS Normes (voir n° 980).

> Ainsi, la déclaration des salaires versés en 1999 souscrite au début de l'an 2000 pourra être rédigée en euros, sous réserve que l'entreprise déclarante utilise un support magnétique et informe le centre de transfert des données sociales dont elle dépend avant le 30 juin 1999.

De même, doivent obligatoirement être souscrites en francs :
— les déclarations relatives au forfait agricole ;
— les déclarations de TVA immobilière n°s 2090 et 2090 bis sur les prélèvements dus par les non-résidents, déposées dans les bureaux des hypothèques ;
— les déclarations spécifiques relatives à des taxes qui donnent lieu à application d'un tarif à des bases exprimées en toute unité autre que monétaire (poids,

superficie...), telles que les déclarations relatives aux opérations d'abattage et de découpage (modèle 3490) ou celles relatives aux salles de spectacles cinématographiques (modèle 3700).

Par ailleurs, les entrepreneurs individuels exerçant une activité relevant des bénéfices industriels et commerciaux, des bénéfices agricoles ou des bénéfices non commerciaux peuvent souscrire leur déclaration de résultats en euros dès lors qu'ils relèvent d'un régime réel d'imposition, mais ils doivent reporter sur leur déclaration personnelle de revenus (n° 2042) le bénéfice imposable en francs.

Il en est notamment de même des associés ou membres des sociétés de personnes personnellement soumis à l'impôt sur le revenu pour la part des bénéfices sociaux correspondant à leurs droits dans la société.

B. Basculement préalable de la comptabilité en euros

710. L'article 27 de la loi n° 98-546 du 2 juillet 1998 prévoit que les entreprises qui tiennent leurs documents comptables en euros peuvent souscrire certaines déclarations en euros. L'option pour la tenue de la comptabilité en euros, irrévocable, est donc un préalable nécessaire à l'option pour la souscription des déclarations dans cette monnaie.

> À l'inverse, rien ne s'oppose en principe à ce que les entreprises continuent à libeller leurs déclarations en francs alors même que leur comptabilité est tenue en euros. Mais une telle situation ne devrait guère se rencontrer en pratique. Elle supposerait en effet que les entreprises convertissent en francs chacun des postes comptables figurant sur les déclarations.
> Les premières déclarations en euros sont donc d'une manière générale, celles qui se rapportent à la première période pour laquelle la comptabilité est tenue en euros.

La comptabilité peut être tenue en euros depuis le 1er janvier 1999. (Notons que selon le CNC, la circonstance que la comptabilité a été tenue en francs en 1998 ne fait pas obstacle à la publication des comptes 1998 en euros : voir n° 515).

Nous apportons ci-après certaines précisions concernant la détermination de la nature des documents comptables à établir en euros, la date et les modalités du basculement de la comptabilité. Ces règles doivent être respectées pour que l'administration admette la souscription en euros des déclarations fiscales afférentes à la période concernée.

Portée du basculement

711. Par *documents comptables* dont la tenue en euros est autorisée depuis le 1er janvier 1999, l'administration a indiqué qu'il convient d'entendre les livres sur lesquels les mouvements affectant le patrimoine sont enregistrés (livre journal, grand-livre), le livre d'inventaire et les comptes annuels (bilan, compte de résultat et annexes). Le passage de la comptabilité à l'euro implique que l'ensemble de ces documents comptables soient tenus et établis en euros.

En pratique, les *pièces justificatives* pouvant être libellées dans les deux unités monétaires, des journaux auxiliaires distincts peuvent être tenus dans chacune des deux unités. Dans cette hypothèse, la conversion des opérations retracées dans la comptabilité auxiliaire tenue dans une unité monétaire différente de celle de la comptabilité générale s'effectue lors de la centralisation mensuelle. Indiquée à titre de règle pratique par l'administration, cette manière de procéder permet d'éviter de cumuler les écarts de conversion.

Date de basculement

712. L'administration a reconnu aux entreprises *deux possibilités* pour basculer leur comptabilité en euros : en *début ou en cours d'exercice social.*

En cas de *basculement à l'ouverture de l'exercice* social, il suffit de convertir les soldes des comptes de bilan de la balance de clôture de l'exercice précédent ainsi que toutes les informations qui ont une incidence sur les exercices postérieurs (par exemple, les informations relatives à l'exercice « N-1 » reportées dans les liasses fiscales, tableau des amortissements, provisions, plus-values en sursis de taxation...).

Toutefois, pour des raisons liées à la gestion interne de leurs services comptables, un certain nombre d'entreprises préféreront basculer leur comptabilité *en cours d'exercice*. Dans une telle hypothèse l'administration a précisé qu'il convient d'effectuer un *arrêté intermédiaire simplifié* sans pour autant procéder à l'arrêté des comptes et aux opérations d'inventaire. Ainsi, les comptes n'étant pas clôturés et afin de permettre la continuité de l'exercice, l'entreprise doit convertir la balance établie à la fin du mois précédant le basculement (masses et soldes).

Au besoin, en fonction de son organisation comptable, les comptes individuels et le grand-livre auxiliaire sont également convertis.

Le cas échéant, l'écart résultant de la différence entre la « conversion d'une somme » et la « somme des conversions » est comptabilisé. Cet arrêté intermédiaire ne donne lieu à aucune déclaration fiscale. Selon nos informations, l'administration devrait admettre une certaine liberté dans la mise en œuvre de ces principes, sous réserve que les entreprises adoptent une méthode rigoureuse quant aux modalités pratiques du basculement.

Dans tous les cas, les entreprises devront convertir leur comptabilité en euros au premier janvier 2002 au plus tard.

Modalités du basculement

713. L'option pour la tenue de la comptabilité en euros peut être exercée librement par l'entreprise, pour prendre effet soit au premier jour de l'exercice, soit en cours d'exercice.

L'entreprise n'est pas tenue d'informer l'*administration fiscale* du basculement de sa comptabilité à l'euro.

Les conditions de passage du franc à l'euro et d'établissement des documents comptables en euros entre le 1er janvier 1999 et le 31 décembre 2001 doivent nécessairement être retracées dans le document obligatoire décrivant les procédures et l'organisation comptables prévu par l'article 1er du décret n° 83-1020 du 29 novembre 1983.

C. Modalités de souscription en euros des déclarations fiscales

720. La condition préalable concernant l'établissement de la comptabilité en euros étant remplie, l'entreprise qui souhaite souscrire ses déclarations fiscales dans la même monnaie doit exercer une option.

Quelle que soit la monnaie choisie pour l'établissement de ses déclarations, l'entreprise doit ensuite respecter un principe d'unicité monétaire, applicable aussi bien au niveau d'une même déclaration qu'au niveau d'une famille de déclarations.

En outre, un soin particulier doit être apporté à la souscription des premières déclarations en euros qui donnent lieu, notamment, à la réalisation d'un certain nombre d'opérations de conversion.

1. Exercice d'une option

721. Le choix d'une entreprise de souscrire ses déclarations fiscales en euros s'effectue indépendamment pour *chaque impôt*. En pratique, les entreprises ont intérêt à exercer l'option au regard de tous les impôts concernés.

Toutefois, certaines d'entre elles peuvent choisir d'entrer progressivement dans le système déclaratif en euros. Aussi, le choix de l'*unité monétaire* de déclaration est *propre à chaque impôt*. Une entreprise peut ainsi choisir de déposer en euros sa déclaration de résultats et en francs ses déclarations de TVA, sous réserve de respecter le principe d'unicité monétaire (voir n⁰ˢ 722 s.).

Le choix de déclarer en euros est *irrévocable*. Il est formalisé sur la déclaration et doit être indiqué même lorsque la monnaie de déclaration reste le franc, ou s'il n'y a pas de changement par rapport à la précédente déclaration.

> En pratique, les imprimés mis en circulation depuis le 1ᵉʳ janvier 1999 (déclaration de résultats et déclaration de TVA notamment) ont été aménagés. Un nouveau cadre a été introduit, dans lequel les entreprises doivent cocher la case correspondant à l'unité monétaire (franc ou euro) dans laquelle est souscrite la déclaration.

2. Principe d'unicité monétaire

722. Une unicité de présentation s'impose. Pour garantir l'*homogénéité* des déclarations, qu'elles soient déposées en francs ou en euros, deux principes doivent être respectés :

— une seule unité monétaire doit être utilisée pour souscrire chaque déclaration ;
— la même unité monétaire doit être utilisée pour toutes les *déclarations* appartenant à une même *« famille »* (au sens du décret d'application n° 98-1019 du 9 novembre 1998 (voir n° 707)

L'administration a fourni un certain nombre de précisions pratiques à propos de l'application de ce principe aux déclarations de TVA et de taxes parafiscales, de résultats, de taxe professionnelle, de revenus de capitaux mobiliers, ainsi qu'aux actes ou extraits d'acte déposés en vue de la formalité de l'enregistrement ou de la publicité foncière.

Déclaration de TVA et de taxes parafiscales

723. *Les redevables assujettis au régime simplifié d'imposition* qui ont souscrit en euros une *déclaration trimestrielle d'acompte* 3310 — CA 4 (régime simplifié d'imposition) au titre des opérations du premier trimestre 1999 doivent également souscrire en euros la *déclaration récapitulative* afférente à l'année considérée (3517 S — CA 12/CA 12 E).

De même, les redevables qui ont souscrit une déclaration mensuelle d'acompte CA 4 au titre du mois de janvier 1999 ont dû souscrire dans cette même monnaie les deux autres déclarations afférentes aux opérations de février et de mars 1999 : c'est également l'euro qui sera utilisé pour la souscription de la déclaration récapitulative.

Mais l'administration a précisé qu'en cas de basculement en cours d'exercice, les déclarations CA 4 et CA 12/CA 12 E peuvent être souscrites dans des unités monétaires différentes. Sur la déclaration en euros de l'année (CA 12/CA 12 E), les acomptes versés en francs doivent alors être convertis.

724. *Exemple*

		Récapitulatif CA 12/CA 12 E	
Acompte 1er trimestre (CA 4 trimestrielle)	15 000 F	2 286,74 €	
Acompte 2e trimestre	5 000 F	762,25 €	
Acompte 3e trimestre	700 €	700,00 €	
Acompte 4e trimestre	950 €	950,00 €	
Déclaration CA 12 : TVA nette (due)			4 795 €
Déclaration CA 12 : acomptes déclarés (TVA versée)		4 698,99 €	4 699 €
Solde à verser			96 €

725. Si l'entreprise souscrit en euros ses déclarations 3310 — CA 3, elle doit en cas de situation créditrice, déposer sa *demande de remboursement de crédit* (imprimés 3519 et 3518) en euros. Les entreprises étrangères qui déposent des demandes de remboursement de TVA au titre de la 8e ou 13e directive peuvent souscrire les déclarations 3559 en euros.

Certaines déclarations telles que l'imprimé 3310 ter relatif aux *secteurs distincts d'activité* ou encore l'imprimé 3515 relatif au régime des acomptes provisionnels doivent être souscrites en euros si la déclaration 3310 — CA 3 est déposée en euros.

726. Les entreprises qui sont redevables de certaines *taxes fiscales et parafiscales* doivent déclarer celles-ci sur une *annexe à la déclaration de TVA* (imprimé 3310 A). Pour les entreprises qui tiennent leur comptabilité en euros et souscrivent leurs déclarations de TVA dans la même unité, cette annexe doit être souscrite en euros. Or, l'annexe regroupe des taxes qui peuvent être liquidées en euros et d'autres qui ne peuvent être liquidées qu'en francs. Dans ce cas, l'annexe doit être servie selon les modalités suivantes.

Les *taxes* qui peuvent être *liquidées en euros* sont les taxes calculées par application d'un taux à des bases exprimées en unité monétaire (exemples : taxe sur les achats de viande, taxe forfaitaire ANDA...).

Si l'entreprise a choisi d'établir ses déclarations de TVA en euros, les taxes fiscales et parafiscales doivent être déclarées en euros.

Si la liquidation doit être détaillée au cadre C, le calcul est effectué en euros.

Les *taxes* qui ne peuvent *pas* être *liquidées en euros* sont les taxes fiscales et parafiscales qui sont calculées par application d'un tarif à des bases exprimées en toute unité autre que monétaire (exemple : taxe due par les titulaires d'ouvrages hydroélectriques concédés, taxe due par les concessionnaires d'autoroutes...).

En pratique, quelle que soit l'unité monétaire utilisée pour établir la déclaration de TVA, la liquidation de ces taxes est toujours effectuée en francs au cadre C de l'imprimé. Lorsque la déclaration de TVA est souscrite en euros, le résultat de la liquidation doit être converti en euros, dans les conditions prévues à l'article 26 de la loi du 2 juillet 1998, c'est-à-dire à l'euro le plus proche. Le résultat ainsi converti est reporté au cadre B, colonne 2 « net à payer » à la ligne correspondant à la taxe. Dans tous les cas, si l'entreprise a choisi d'établir ses déclarations de TVA en euros, le(s) montant(s) figurant au cadre B, colonne 2 doivent être exprimé(s) en euros.

Déclarations de résultats

727. Une entreprise qui souscrit sa déclaration de résultats (imprimé n° 2031 ou 2065 par exemple) en euros doit joindre toutes les pièces annexes en euros, qu'il s'agisse des *tableaux de la liasse fiscale* (imprimés n°s 2050 à 2059 D ou 2033 A à 2033 D) ou des *déclarations complémentaires*, telles que les déclarations de frais généraux (n° 2067) ou les déclarations relatives au *crédit d'impôt recherche* (n° 2069 A), au *crédit d'impôt formation* (n° 2068 A) ou au *crédit d'impôt emploi* n° 2063).

728. En ce qui concerne la situation des *groupes fiscaux* soumis au régime de l'intégration, l'administration a admis la possibilité de déconnecter les dates de basculement en euros des déclarations souscrites par chacun des membres. En particulier, *l'unité monétaire* choisie par la *mère* pour tenir sa comptabilité et/ou souscrire ses déclarations propres ne s'impose pas à ses *filiales* dans leurs relations avec l'administration fiscale. Toutefois, la mère doit adopter la même unité monétaire pour ses résultats propres et le résultat d'ensemble.

Le tableau ci-après détaille les différents cas de figure.

MÈRE		FILLE		OBSERVATIONS
comptabilité tenue en :	déclarations établies en :	comptabilité tenue en :	déclarations établies en :	
FRANCS	FRANCS	FRANCS	FRANCS	Pas de choix possible.
EUROS	EUROS OU FRANCS	FRANCS	FRANCS	Certains documents déposés par la fille sont parfois, en pratique, établis par la mère (tableaux 2058 A bis, 2058 B bis, 2058 ER, 2058 FC, 2058 ES). Ils doivent alors faire l'objet, le cas échéant, d'une conversion avant d'être joints à la déclaration de la fille si l'unité monétaire d'établissement des déclarations est différente entre mère et fille.
EUROS	EUROS OU FRANCS	EUROS	EUROS OU FRANCS	
FRANCS	FRANCS	EUROS	EUROS OU FRANCS	

729. Par ailleurs, la faculté de souscrire les déclarations de résultats en euros est indépendante de la forme juridique de l'exploitation. Ainsi, les *entrepreneurs individuels* peuvent souscrire leurs déclarations professionnelles en euros dès lors qu'ils tiennent leur comptabilité en euros. Toutefois, leur *déclaration d'ensemble des revenus* (n° 2042) reste souscrite en francs durant la période transitoire.

Dans ces conditions, il convient de reporter sur la déclaration n° 2042 le bénéfice déclaré sur la déclaration professionnelle (n°s 2031, 2035 ou 2142 par exemple...), après conversion en francs.

Cette conversion se fait par application du taux de conversion selon les règles définies par le règlement CE n° 1103/97 du 17 juin 1997 (n°s 260 s.). Le résultat ainsi obtenu est arrondi au franc le plus proche par application des règles de l'article 26 de la loi n° 98-546 du 2 juillet 1998 (voir n°s 680 s.).

Exemple :
Résultat déclaré sur la déclaration catégorielle = 15 870 €
15 870 € × 6,55957 = 104 100,3759 F arrondi à 104 100 F
(à porter sur la déclaration des revenus n° 2042).

730. De même, les *entreprises soumises au régime des sociétés de personnes* peuvent souscrire leurs déclarations de résultats en euros lorsque la condition de tenue de comptes en euros est remplie.

Lorsque l'associé intègre sa quote-part dans les résultats d'une activité personnelle, sa déclaration de résultats est établie en fonction de la situation de sa propre entreprise (comptabilité tenue ou non en euros).

Dans tous les cas, le report sur la déclaration n° 2042 se fait en francs.

Déclarations de taxe professionnelle

731. L'option de souscription en euros de la déclaration de taxe professionnelle prise par l'entreprise doit s'appliquer à l'ensemble de ses *établissements* et de ses *chantiers* de travaux publics.

Toutefois, l'administration admet que les déclarations de taxe professionnelle des *établissements créés ou acquis* en cours d'année soient souscrites en euros, dès lors que la *comptabilité de l'année de création* de l'établissement ou de l'année du changement d'exploitant est également tenue en euros et ce, même si les déclarations de taxe professionnelle des autres établissements ou chantiers de travaux publics préexistants ont été souscrites en francs.

En revanche, les déclarations de taxe professionnelle se rapportant aux établissements créés ou acquis (1003 P) doivent être déposées en euros, si les autres déclarations de taxe professionnelle (1003) ont déjà été souscrites en euros.

Revenus de capitaux mobiliers

732. Les déclarations de *retenues à la source* sur les obligations et autres titres d'emprunt (imprimé n° 2753) ou de *prélèvements sur les produits de placement à revenu fixe* et retenues à la source (imprimé n° 2777) peuvent être souscrites en euros depuis le 1er janvier 1999 sur option irrévocable des *établissements payeurs.* Dans cette situation, les demandes de remboursement d'excédent de versement de prélèvement sur revenus de capitaux mobiliers (Inst. 25 avril 1997 BOI 13 O-2-97) doivent également être exprimées en euros.

733. Par ailleurs, l'administration a précisé que les contribuables résidant à l'étranger dans un État lié à la France par une convention fiscale qui perçoivent des *dividendes de source française* mis en paiement à compter du 1er janvier 1999 peuvent souscrire en euros le *formulaire conventionnel* adressé à l'attention de l'établissement payeur français afin de bénéficier de l'application du taux réduit de retenue à la source et le cas échéant, du transfert de l'avoir fiscal.

Lorsque le formulaire n'a pas été modifié à cet effet, il suffit de rayer les mentions relatives aux francs français dans les colonnes des rubriques « désignation des revenus » et « liquidation du dégrèvement » et de les remplacer par la mention « Euros ».

Le formulaire conventionnel transmis par l'établissement payeur au Centre des impôts des non-résidents doit en tout état de cause être entièrement servi, tant en ce qui concerne la partie devant être remplie par le non-résident bénéficiaire des sommes que celle devant être servie par l'établissement payeur français, dans la même unité monétaire.

Les demandes qui parviendraient au *Centre des impôts des non-résidents* en faisant apparaître une dualité d'unités monétaires peuvent être refusées par ce service et retournées à l'établissement concerné sauf si la partie réservée à l'établissement payeur fait apparaître la conversion en francs ou en euros et se trouve ainsi servie dans les deux unités monétaires.

Enfin, lorsque l'établissement payeur opte pour la souscription en euros de ses déclarations n° 2777 (voir n° 732), les formulaires conventionnels qu'il présente aux services fiscaux français postérieurement à la date à laquelle il a formulé cette option doivent faire apparaître les montants figurant sur la demande en euros (formulaires directement servis en euros ou faisant apparaître la conversion en euros des montants libellés en francs) (Note DGI du 6-4-99, 14 B-1-99).

Actes et extraits d'acte

734. Les prix figurant dans les actes déposés en vue de la *formalité de l'enregistrement* ou de *publicité foncière* peuvent être exprimés en francs ou en euros, selon la volonté des parties. Les extraits d'acte accompagnant ces documents doivent en revanche comporter un projet de liquidation des droits établi en francs.

3. Souscription des premières déclarations en euros

740. Des précisions sont apportées ci-après en ce qui concerne d'une part, la date à laquelle les différentes déclarations fiscales peuvent être souscrites en euros par les entreprises qui ont assuré le basculement de leur comptabilité, selon que leur exercice social coïncide ou non avec l'année civile et d'autre part, les mentions à porter sur ces déclarations.

a. Date de souscription des premières déclarations en euros

741. Sont détaillées ci-après, pour chaque « famille » de déclarations, les dates de souscription des premières déclarations en euros des entreprises dont l'exercice coïncide avec l'année civile. Le cas particulier des entreprises dont *l'exercice* est *décalé* est présenté au n° 765.

Signalons en outre que les développements ci-après concernent l'hypothèse dans laquelle *l'entreprise opte pour une tenue de sa comptabilité en euros dès l'exercice ouvert le 1ᵉʳ janvier 1999.* Il s'agit en pratique des situations dans lesquelles le basculement des comptes intervient entre le 1ᵉʳ janvier 1999 et le 30 novembre 1999.

Les *entreprises qui n'assureront le basculement de leur comptabilité en euros qu'*à compter de l'exercice 2000 ou 2001* auront la faculté d'établir leurs déclarations fiscales dans cette monnaie à compter de cet exercice.

Ainsi, les déclarations de résultats afférentes à l'exercice 2000 ou 2001, selon le cas, pourront être libellées en euros. Les modalités selon lesquelles les différentes déclarations seront susceptibles d'être établies pour la première fois en euros sont analogues à celles présentées ci-après, sous réserve de la prise en compte du décalage dans le temps résultant du basculement plus tardif de la comptabilité.

Il convient de souligner que cette option pour le basculement de la comptabilité au cours de la période transitoire présente un certain nombre d'avantages pour les entreprises dont les exercices ne coïncident pas avec l'année civile.

En effet, dans la mesure où il sera en tout état de cause impossible de poursuivre la tenue de la comptabilité en francs au-delà du 1ᵉʳ janvier 2002, et de déposer les déclarations fiscales correspondant à ces opérations en francs, les entreprises dont les exercices comptables sont décalés se heurteront, sur le plan fiscal, à un certain nombre de difficultés, examinées au n° 777, si elles n'ont pas anticipé le basculement à l'euro.

Les avantages que pourront retirer les entreprises au plan fiscal du basculement à l'euro au cours de la période transitoire devront néanmoins être mis en balance avec les inconvénients qu'une telle décision est susceptible de présenter pour la gestion de la comptabilité compte tenu de la coexistence d'opérations en francs et en euros.

Déclarations de résultats

742. D'une manière générale, l'administration considère que seules les déclarations qui se rapportent à une période ouverte depuis le 1ᵉʳ janvier 1999 sont susceptibles d'être souscrites en euros.

S'agissant des déclarations de résultats, les premières déclarations que les entreprises peuvent libeller en euros sont donc celles afférentes à l'*exercice 1999*. En revanche, les déclarations des résultats de l'*exercice 1998* ont dû obligatoirement être libellées en francs, dès lors que la comptabilité de cet exercice a nécessairement été tenue dans cette monnaie. La faculté, prévue par l'avis n° 98-E du 17 décembre 1998 rendu par le Comité d'urgence du CNC, de publier les comptes 1998 en euros est donc sans incidence sur le plan fiscal (voir n° 515).

La possibilité de déposer pour la première fois des liasses fiscales en euros au titre de l'exercice 1999 concerne en pratique essentiellement les *sociétés soumises à l'impôt sur les sociétés.*

> Les *exploitants individuels* imposés selon un régime réel dans la catégorie des BIC, des BNC ou des BA peuvent aussi basculer leur comptabilité en euros dès 1999 et établir leur liasse fiscale dans cette monnaie. Mais dans la mesure où les déclarations d'impôt sur le revenu doivent être souscrites en francs au cours de la période transitoire, les montants figurant sur les déclarations professionnelles devront alors être convertis en francs pour assurer leur report sur l'imprimé n° 2042.
>
> Une difficulté de même nature se pose pour les *sociétés de personnes* qui établissent leurs comptes et déclarations fiscales en euros dès 1999. Leurs associés personnes physiques, ou personnes morales qui tiennent encore leur comptabilité en francs, devront en effet convertir en francs la quote-part de résultats qui leur revient pour la reporter sur leurs propres déclarations.

Déclarations de TVA

743. Pour les redevables soumis au *régime réel normal d'imposition* qui tiennent leur comptabilité en euros depuis le 1er janvier 1999, les premières déclarations CA 3 susceptibles d'être déposées en euros sont celles afférentes :
— au mois de janvier 1999, déposées au cours du mois de février, en ce qui concerne la généralité des entreprises tenues de déposer une déclaration mensuelle ;
— ou au premier trimestre 1999, déposées au cours du mois d'avril, pour les entreprises admises à déposer leurs déclarations par trimestres civils, lorsque le montant de la taxe exigible annuellement est inférieur à 12 000 F.

Les entreprises relevant du *régime simplifié d'imposition* doivent, pour les opérations réalisées jusqu'à la fin du premier trimestre 1999, souscrire une déclaration trimestrielle ou mensuelle simplifiée CA 4 et déposer une déclaration annuelle de régularisation CA 12 le 30 avril de chaque année lorsque leurs exercices coïncident avec l'année civile. Si la comptabilité est tenue en euros depuis le 1er janvier 1999, les imprimés CA 4 afférents au premier trimestre 1999 (déposés au mois d'avril 1999) ou au mois de janvier 1999 (déposés en février de cette année) ont pu être souscrits en euros.

> On rappelle que l'article 9 de la loi n° 98-1266 du 30 décembre 1998 a substitué aux déclarations abrégées CA 4 un régime d'acomptes trimestriels, qui s'applique aux opérations réalisées à compter du deuxième trimestre 1999. Aucune modification n'est en revanche apportée au régime des déclarations de régularisation CA 12.

Ainsi la déclaration de régularisation CA 12 se rapportant à l'année 1999 et déposée le 30 avril 2000 pourra être souscrite en euros dès lors que l'entreprise aura basculé sa comptabilité au cours de cette année.

Déclarations des taxes assises sur les salaires

744. Pour les entreprises qui ont procédé au basculement de leur comptabilité en euros dès le 1er janvier 1999, peuvent être libellés dans cette monnaie :

151

— la déclaration de *formation professionnelle* continue se rapportant à l'année 1999 et déposée au plus tard le 30 avril 2000 ;
— le bordereau-avis de *taxe sur les salaires*, afférent au mois de janvier 1999 déposé en février ;
— la déclaration de *taxe d'apprentissage* qui se rapporte à l'année 1999, déposée au plus tard le 30 avril 2000.

En effet, l'administration, a précisé que même si les salaires de référence pour asseoir la taxe restent libellés en francs (hypothèse de basculement de la paie en euros le 1er janvier 2000), l'entreprise peut souscrire sa déclaration en euros puisque l'année 1999 est un exercice de tenue de compte en euros.

Afin de respecter le principe d'unicité de déclaration, il convient donc de convertir les bases en euros.

De même, si des dépenses libératoires ont été effectuées en francs et d'autres en euros, les premières doivent être converties en eurcs.

Les conversions éventuelles sont effectuées conformément aux modalités prévues à l'article 5 du règlement CE n° 1103/97 du 17 juin 1997 (voir n°s 260 s.).

Une difficulté particulière concerne la déclaration afférente à la *participation des employeurs à l'effort de construction*, dans la mesure où le montant minimal des investissements à réaliser au cours d'une année est déterminé d'après le montant des salaires versés au cours de l'année précédente. Le montant minimal des investissements de l'année 1999 est donc calculé d'après les salaires versés en 1998. L'administration a tiré les conséquences de ce décalage en considérant que les entreprises qui ont basculé leur comptabilité en euros dès le 1er janvier 1999 ne sont autorisées à souscrire dans cette monnaie que la déclaration afférente à cette taxe souscrite en 2001, qui mentionnera les salaires versés en 1999.

Déclarations de taxe professionnelle

745. Peut être libellée en euros la déclaration de taxe professionnelle déposée au plus tard le 30 avril 2000 concernant les éléments d'imposition de l'année 1999. Du fait du décalage existant entre la période de référence et l'année d'imposition, ces éléments serviront pour la détermination de la taxe professionnelle due au titre de l'année 2001. Il est à noter qu'en cas de création d'établissement au cours de l'année 1999 par une entreprise qui tient déjà sa comptabilité en euros, la *déclaration provisoire n° 1003 P* récapitulant les bases afférentes à la première année d'activité de l'établissement, qui doit être souscrite au plus tard le 31 décembre 1999, peut être libellée en euros.

Autres déclarations

746. S'agissant de la déclaration afférente à la *taxe sur les véhicules de sociétés*, l'administration considère que la déclaration n° 2585 afférente à la période d'imposition comprise entre le 1er octobre 1998 et le 30 septembre 1999 peut être souscrite en euros, bien qu'elle se rapporte pour partie à une période pour laquelle la comptabilité était tenue en francs.

Par ailleurs, selon les précisions contenues dans le plan national de passage à l'euro, les *déclarations en douane* peuvent être établies en francs ou en euros depuis le 1er janvier 1999. Toutefois, la *déclaration d'échange de biens* ne peut être libellée dans cette monnaie que si elle est effectuée sur support informatique ou télématique. A contrario, les déclarations établies sur support papier doivent être libellées en francs.

Enfin, les déclarations afférentes à la **taxe sur les conventions d'assurance** due à raison des opérations réalisées depuis le 1er janvier 1999 peuvent être libellées en euros. Il en est de même en ce qui concerne les déclarations relatives à l'*impôt de bourse*.

Tableau récapitulatif

747. Le tableau suivant récapitule les conditions dans lesquelles les différentes déclarations fiscales des entreprises dont l'exercice coïncide avec l'année civile peuvent être souscrites en euros, compte tenu des indications fournies ci-dessus.

Désignation des déclarations	Dernière déclaration en francs		Première déclaration en euros	
	Période concernée	Date légale de dépôt	Période concernée	Date légale de dépôt
Déclaration de résultats BIC-BNC-BA (régimes réels)	1998	30 avril 1999	1999	30 avril 2000
Impôt sur les sociétés	1998	30 avril 1999	1999	30 avril 2000
Précompte	décembre 1998	janvier 1999	janvier 1999	février 1999
Taxe professionnelle	1998	30 avril 1999 (1)	1999	30 avril 2000
Taxes assises sur les salaires – apprentissage et formation professionnelle – effort de construction (salaires) (2)	1998 1998 (2)	30 avril 1999 30 avril 2000	1999 1999 (2)	30 avril 2000 30 avril 2001
Taxe sur les véhicules des sociétés	du 01/10/97 au 30/09/98 ou du 01/10/98 au 30/09/99 (3)	nov. 1998 ou nov. 1999 (3)	du 01/10/98 au 30/09/99 ou du 01/10/99 au 30/09/2000 (3)	nov. 1999 ou nov. 2000 (3)

TVA et taxes assimilées
• Régime réel normal CA 3
  - mensuelle
  - (ou trimestrielle)
	
	déc. 1998
	(4e trim. 1998)
		
		janvier 1999
		(janvier 1999)
			
			janvier 1999
			(1er trim. 1999)
				
				février 1999
				(avril 1999)

• Régime simplifié
Droit commun
• CA 12 (année civile)
• CA 4
  - bimestrielle
  - trimestrielle
  - (ou mensuelle)
	
	1998
	
	oct./nov. 1998
	-
	(décembre 1998)
		
		30 avril 1999
		
		décembre 1998
		-
		(janvier 1999)
			
			1999
			
			-
			1er trim. 1999 (4)
			(janvier 1999)
				
				30 avril 2000
				
				-
				avril 1999
				(février 1999)

(1) Les bases déclarées sont celles de l'exercice clos au cours de l'année civile précédant le dépôt de la déclaration. Ainsi, en 1999 seront déclarées les bases de 1998 (en francs), pour une taxation en 2000. La possibilité de déclarer en euros sera offerte en revanche dès 1999 en cas de création ou de reprise d'un établissement en 1999.
(2) Pour les investissements, la dernière déclaration en francs concerne ceux réalisés en 1999, la première déclaration en euros ceux réalisés en 2000.
(3) Au choix du déclarant.
(4) Le mois de décembre est régularisé avec la déclaration annuelle (CA 12).

Désignation des déclarations	Dernière déclaration en francs		Première déclaration en euros	
	Période concernée	Date légale de dépôt	Période concernée	Date légale de dépôt
Taxe sur les salaires	décembre 1998	janvier 1999	janvier 1999	février 1999
Contribution à la charge des institutions financières (n° 2764) • exercice clos le 31 décembre • résultat fiscal déficitaire	1998 1998	15 octobre 1999 15 mai 1999	1999 1999	15 octobre 2000 15 mai 2001
RAS sur les bénéfices réalisés en France par les sociétés étrangères (n° 2754)	1998	30 avril 1999	1999	30 avril 2000
RAS sur les revenus des obligations et autres titres d'emprunt négociables (n° 2753)	décembre 1998	15 janvier 1999	janvier 1999	15 février 1999
RCM prélèvements sur les produits de placements à revenu fixe et retenues à la source (n° 2777)	décembre 1998	15 janvier 1999	janvier 1999	15 février 1999
Taxes sur les conventions d'assurances et contributions assimilées (n° 2787)	décembre 1998	15 janvier 1999	janvier 1999	15 février 1999
Contribution au fonds commun des accidents de travail agricole • (n° 2770) versement d'acompte • (n° 2771) règlement annuel	dernier trim. 1998 1998	20 janvier 1999 15 juin 1999	1er trimestre 1999 1999	20 avril 1999 15 juin 2000
Taxe annuelle de 3 % sur les immeubles détenus en France par les personnes morales (n° 2746)	1998 (immeubles détenus au 01/01/98)	15 mai 1998	1999 (immeubles détenus au 01/01/99)	15 mai 1999

b. Établissement des déclarations

755. Lorsque les déclarations de résultats et de TVA sont souscrites pour la première fois en euros, il convient de convertir dans cette monnaie certains éléments afférents à la période d'imposition précédente.

Déclarations de résultats

756. Dès lors que les entreprises tiennent leur comptabilité en euros et exercent corrélativement l'option pour la souscription de leurs déclarations dans cette monnaie, tous les montants figurant aussi bien sur les *déclarations de résultats* elles-mêmes que sur chacun des *imprimés annexes* composant la liasse fiscale sont exprimés en euros.

Pour la première déclaration en euros, il est nécessaire de convertir, ligne à ligne, outre les valeurs de l'ensemble des éléments du bilan, les indications afférentes à l'exercice précédent, qui sont mentionnées dans une *colonne N-1* sur les liasses fiscales, au bilan et au compte de résultat en particulier.

La même opération de conversion en euros doit être effectuée en ce qui concerne le montant des *amortissements* et des *provisions* constatés au titre d'exercices antérieurs, qui sont repris respectivement sur le tableau des amortissements et le tableau des provisions.

Bien entendu, il convient également d'exprimer en euros les dotations aux amortissements et provisions de l'exercice, ainsi que les reprises de provisions constituées avant le basculement de la comptabilité, qu'il s'agisse de provisions déductibles ou de provisions non déductibles des résultats imposables.

757. D'une manière générale, l'ensemble des éléments résultant d'*opérations* réalisées au titre d'*exerces antérieurs*, mais qui sont susceptibles d'avoir une *incidence* sur la détermination des *résultats de l'exercice* doivent être convertis en euros.

Il en est ainsi en particulier en ce qui concerne :
— les amortissements réputés différés et les déficits reportables en avant ;
— les bénéfices d'imputation des déficits reportés en arrière ;
— les moins-values à long terme imputables sur les plus-values nettes à long terme des exercices suivants, et dans certaines conditions sur les bénéfices taxables au taux de droit commun :
— les plus ou moins-values provenant de cessions d'immobilisations ou de certains titres entre des sociétés appartenant à un même groupe fiscal, neutralisées pour la détermination du résultat d'ensemble.

Les indications portées sur *l'état de suivi des plus-values* placées sous un régime de report ou de sursis d'imposition annexé à la déclaration de résultat doivent également être converties en euros. On rappelle que cet état doit notamment être souscrit à la suite de la réalisation d'opérations de fusions ou assimilées placées sous le régime de faveur prévu aux articles 210 A à 210 C du CGI, d'opérations d'échanges de titres réalisées dans le cadre d'OPE ou de fusions (CGI art. 38-7 et 38-7 bis) ou encore à la suite de la réalisation d'apports en société d'entreprises individuelles. La conversion des renseignements contenus dans cet état est nécessaire dès lors que les *réintégrations de plus-values* sur éléments amortissables ou la détermination du montant des plus-values réalisées à raison des éléments non amortissables sont exprimées en euros à compter de l'exercice de basculement de la comptabilité.

À la suite de la réalisation de ces opérations de restructuration ou d'échange de titres, les entreprises doivent également tenir à la disposition de l'administration un *registre* permettant le *suivi des plus-values* sur éléments non amortissables. Les indications chiffrées mentionnées sur ce registre concernant en particulier les valeurs comptables et fiscales des éléments placés sous le régime de report ou sursis d'imposition des plus-values, ainsi que leurs valeurs d'apport ou d'échange doivent être converties en euros.

Parmi les éléments afférents à des opérations réalisées au cours d'exercices antérieurs au basculement en euros, qui doivent être convertis en tant qu'ils sont nécessaires pour l'établissement des impositions des exercices suivants, on peut en outre citer :

— le montant des *dépenses de recherche ou de formation* utilisé pour le calcul du crédit d'impôt recherche ou formation ;

— le montant des *subventions d'équipement* placées sous le régime de l'étalement d'imposition ;

— les *plus-values* résultant de la perception d'*indemnités d'assurance ou d'expropriation* qui peuvent aussi être placées sous un régime d'imposition étalée.

758. *Exemple*

Une entreprise qui tient sa comptabilité en euros à compter du 1er janvier 1999 opte pour le dépôt de sa déclaration de résultats de l'exercice 1999 en euros.

En 1997, elle a absorbé une autre société sous le régime de faveur de l'article 210 A du CGI. À ce titre elle doit rapporter à son résultat chaque année pendant 5 ans une somme de 100 000 F correspondant aux plus-values de fusion sur biens amortissables.

En 1998, elle a subi un déficit ordinaire de 500 000 F reporté en avant.

Au titre de 1999, elle doit rapporter à son résultat fiscal une fraction de la plus-value de fusion exprimée en euros, soit :

$$\frac{100\,000}{6,55957} = 15\,244,90 \ \text{€}.$$

Par ailleurs, le déficit imputable s'élèvera à :

$$\frac{500\,000}{6,55957} = 76\,224,51 \ \text{€}.$$

Déclarations de TVA

760. Pour la première période concernée par la déclaration de TVA effectuée en euros, le montant figurant sur chaque ligne de cette déclaration est exprimé en euros (base taxable, exportations, livraisons et acquisitions intracommunautaires, TVA brute, TVA déductible, TVA nette, base des autres taxes assises sur le chiffre d'affaires et taxe correspondante...).

Lorsque l'entreprise dispose d'un *crédit reportable* au titre de la dernière déclaration déposée en francs, elle doit en convertir le montant en euros.

c. Exercices décalés

765. Les entreprises dont les exercices ne coïncident pas avec l'année civile et qui ont souhaité assurer le basculement de leur comptabilité au 1er janvier 1999 ont pu à cet effet, procéder à un arrêté intermédiaire simplifié au 31 décembre 1998 selon les modalités qui ont été précisées par l'administration (voir n° 712). Lorsque le basculement de la comptabilité intervient avant la clôture de l'exercice arrêté en 1999, la déclaration de résultats afférente à cet exercice 1998/1999 peut être libellée en euros.

Toutefois, la solution la plus simple pour les entreprises qui ouvrent leurs exercices en cours d'année consiste à basculer la comptabilité en euros à compter du *premier exercice ouvert à compter du 1er janvier 1999*.

Dans cette situation, les premières déclarations libellées en euros pour les différentes impositions seront celles afférentes aux premières périodes d'imposition couvertes par la tenue d'une comptabilité dans cette monnaie. Ainsi, la *déclaration de résultat de l'exercice 1999/2000* pourra alors être libellée en euros.

Rien ne devrait s'opposer à ce que les déclarations afférentes aux **taxes assises sur les salaires** de l'année au cours de laquelle l'entreprise a basculé sa comptabilité soient souscrites en euros, alors même que, par hypothèse, les salaires versés au début de l'année en cause ont été comptabilisés en francs. La déclaration de taxe d'apprentissage souscrite le 30 avril 2000 devrait donc pouvoir être libellée en euros bien que le basculement de la comptabilité ne soit intervenu par exemple que le 1er mars 1999.

766. *Exemple*

Soit une société dont les exercices sont ouverts le 1er juillet et clos le 30 juin, qui établit sa comptabilité en euros à compter du 1er avril 1999.

Elle peut souscrire ses différentes déclarations fiscales en euros dans les conditions suivantes.

Désignation de la déclaration	Période concernée	Date limite de dépôt
Déclaration de résultats BIC-BNC-BA (régime réel)	exercice 1998/1999	30-4-2000
Impôt sur les sociétés	exercice 1998/1999	30-9-1999
TVA : régime normal Déclaration CA 3 mensuelle	avril 1999	mai 1999
Déclaration CA 3 trimestrielle	2e trimestre 1999	juillet 1999
TVA : régime simplifié Déclaration CA 12 E	exercice 1998/1999	30-9-1999
Taxe d'apprentissage et formation professionnelle continue	année 1999	30-4-2000
Participation des employeurs à l'effort de construction [salaires (1)	année 1999 (1)	30-4-2001
Taxe sur les salaires bordereau-avis de paiement	avril 1999	mai 1999
Taxe professionnelle	exercice 1998/1999	30-4-2000
Précompte	distributions mises en paiement à compter du 1-4-1999	15-6-1999
Taxe sur les véhicules de sociétés	1-10-98/30-9-1999	30-11-1999

(1) Pour les investissements, la première déclaration en euros concerne ceux réalisés en 2000.

II. Période ouverte à compter du 1ᵉʳ janvier 2002

775. À compter du 1ᵉʳ janvier 2002, le franc perdra toute valeur de référence, et seul l'euro pourra être utilisé comme unité monétaire. Toutes les déclarations devront être libellées en euros.

En ce qui concerne les **déclarations des personnes physiques**, il est vraisemblable que les déclarations d'impôt sur le revenu n° 2042 devront être souscrites en euros dès 2002, à raison des revenus de l'année 2001. Toutefois, à la date du présent ouvrage, les pouvoirs publics n'ont pas fait connaître de décision officielle sur ce point.

En ce qui concerne les **entreprises**, deux situations peuvent se présenter :
— les entreprises ont basculé leur comptabilité en euros pendant la période transitoire et ont également opté pour la souscription de leurs déclarations dans cette monnaie : la date de souscription des premières déclarations en euros est précisée aux nᵒˢ 741 s. ;
— les entreprises ont attendu le 1ᵉʳ janvier 2002 pour assurer le basculement de leurs comptes : la date des premières déclarations dans cette monnaie diffère alors selon que l'exercice social coïncide ou non avec l'année civile.

1. Exercices coïncidant avec l'année civile

776. Pour les entreprises qui ne tiendront leur comptabilité en euros qu'à compter du 1ᵉʳ janvier 2002, les premières déclarations en euros seront celles afférentes aux périodes d'imposition commençant le 1ᵉʳ janvier 2002.

La souscription de l'ensemble des déclarations fiscales dans cette monnaie deviendra alors une obligation. Compte tenu du principe selon lequel les premières déclarations en euros sont celles qui se rapportent aux premières périodes d'imposition pour laquelle la comptabilité est établie dans cette monnaie, cette obligation entrera en vigueur pour les différentes catégories d'imposition selon les modalités récapitulées dans le tableau ci-après.

Désignation de la déclaration	Période concernée	Date limite de dépôt
Déclaration de résultats BIC-BNC-BA (régime réel)	exercice 2002	30-4-2003
Impôt sur les sociétés	exercice 2002	30-4-2003
TVA : régime normal Déclaration CA 3 mensuelle	janvier 2002	février 2002
Déclaration CA 3 trimestrielle	1er trimestre 2002	avril 2002
TVA : régime simplifié Déclaration CA 12 E	année 2002	30-4-2002
Taxes d'apprentissage et formation professionnelle continue	année 2002	30-4-2003
Participation des employeurs à l'effort de construction	année 2003	30-4-2004
Taxe sur les salaires bordereau-avis de paiement	janvier 2002	février 2002
Taxe professionnelle	exercice 2002	30-4-2003
Précompte	distributions mises en paiement à compter du 1-1-2002	15-3-2002
Taxe sur les véhicules de sociétés	1-10-2001/30-9-2002	30-11-2002

En ce qui concerne la *taxe professionnelle*, les éléments d'imposition de l'exercice 2002, déclarés pour la première fois en euros dans le cadre de la déclaration souscrite le 30-4-2003, seront utilisés pour l'établissement de l'imposition due au titre de 2004, compte tenu du décalage existant entre la période de référence et l'année d'imposition.

2. Exercices décalés

777. Les entreprises dont les exercices ne coïncident pas avec l'année civile et qui n'auront pas souhaité basculer leur comptabilité en euros à l'ouverture du premier exercice ouvert avant le 1er janvier 2002 se trouveront alors confrontées à l'alternative suivante. Elles pourront :

— soit modifier à titre transitoire les dates de clôture des exercices;
— soit procéder à un arrêté intermédiaire simplifié au 31 décembre 2001.

La solution consistant à **modifier les dates de clôture** des exercices présente des inconvénients d'ordre juridique, de présentation des comptes et également des difficultés en matière fiscale qui devraient à notre avis conduire à l'écarter dans la majorité des cas.

Dans l'hypothèse où elle entendrait arrêter un exercice le 31 décembre 2001 à la seule fin du passage à l'euro, sans pour autant modifier les dates de clôture de ses exercices en régime de croisière, justifiées par la saisonnalité ou le rythme de son activité économique, une entreprise pourrait être amenée en définitive à clôturer **deux exercices au cours d'une période de 24 mois**, l'un d'une durée inférieure à douze mois, l'autre d'une durée supérieure.

Or on sait qu'en application de l'article 37 du CGI, les entreprises qui n'établissent **pas de bilan au cours d'une année civile** sont néanmoins redevables d'une imposition à raison des résultats réalisés depuis la fin de la dernière période imposée jusqu'au 31 décembre de l'année considérée. Certes, elles sont dispensées de déposer à cet effet une liasse fiscale complète mais elles doivent néanmoins produire un état des résultats reprenant les éléments essentiels du compte de résultat et du tableau de détermination du résultat fiscal.

Les bénéfices ainsi déterminés s'imputent sur les résultats du bilan dans lequel ils sont compris. Mais la mise en œuvre de ces règles soulève une difficulté particulière lorsque le bénéfice déclaré et imposé au titre de la première période est supérieur au bénéfice d'ensemble de l'exercice ou encore lorsqu'un bénéfice ayant été déclaré et imposé au titre de la première période, l'exercice fait apparaître en définitive un résultat déficitaire. En effet, l'administration et la jurisprudence ne semblent pas admettre dans cette situation que l'imposition initiale puisse faire l'objet d'un dégrèvement. Les entreprises bénéficieraient alors d'un report déficitaire à hauteur de la fraction excédentaire du bénéfice ayant fait l'objet de cette imposition.

On notera par ailleurs que sur un plan pratique, la mise en œuvre de cette solution est de nature à soulever certaines **difficultés** dans les **relations des entreprises avec l'administration**, en particulier pour la gestion du montant des acomptes d'impôt sur les sociétés, qui doivent alors être calculés sur la base des bénéfices de l'exercice de référence rapportés à une période de douze mois.

> En tout état de cause, le décalage des dates de clôture des exercices ne peut être envisagé pour les sociétés membres d'un groupe fiscal, ni pour les exploitants agricoles soumis à un régime réel d'imposition dès lors ces entreprises sont légalement tenues d'arrêter des exercices d'une durée de douze mois.

778. Exemple

Hypothèses — Soit une société qui clôture habituellement ses exercices le 30 juin. En vue du passage à l'euro, elle envisage de clore le 31 décembre 2001 l'exercice ouvert le 1er juillet 2001. Afin de revenir aux dates habituelles d'arrêté des comptes, l'exercice suivant aurait une durée de 18 mois, et serait arrêté le 30 juin 2003.

Le résultat réalisé au cours de l'année 2002 s'élève à 500 000 € alors que le résultat d'ensemble de l'exercice est de 300 000 €.

Solutions — Les opérations réalisées au cours de l'exercice ouvert le 1er janvier 2002 seront obligatoirement comptabilisées en euros. Les déclarations fiscales afférentes à la période d'imposition ouverte à compter de cette date seront également libellées dans cette monnaie. Sur ce point, l'entreprise sera placée dans la même situation que celles dont les exercices coïncident avec l'année civile qui basculeront en euros à compter du 1er janvier 2002 (voir n° 776).

Elle devra souscrire un état des résultats réalisés en 2002, libellé en euros, et acquitter une imposition établie sur la base de ce résultat provisoire.
Le résultat de l'exercice, déterminé au 30 juin 2003, étant en définitive inférieur au résultat provisoire déclaré, aucune imposition ne sera due à ce titre. Mais en l'état actuel de sa doctrine, l'administration n'admettrait pas de prononcer un dégrèvement à raison de l'impôt correspondant à la différence entre le résultat provisoire déclaré et le résultat définitif de l'exercice.

779. Les entreprises qui écarteront à juste titre à notre avis la solution consistant à modifier les dates de clôture de leurs exercices auront la faculté de réaliser un ***arrêté comptable simplifié*** au 31 décembre 2001 dans le seul but d'assurer le basculement de la comptabilité en euros. Cet arrêté permettra la conversion en euros des postes du bilan et du compte de résultat, mais n'entraînera aucune obligation déclarative sur le plan fiscal.

La mise en œuvre de cette solution devrait permettre aux entreprises concernées de souscrire en euros les déclarations fiscales de l'exercice 2001/2002 de la même manière que les entreprises qui ont comptabilisé en euros l'ensemble de leurs opérations de l'exercice 2001/2002. Les précisions fournies ci-avant n° 741 leur sont donc applicables.

Annexe
Liste des déclarations pouvant être souscrites en euros par les professionnels au cours de la période transitoire

790.

IMPÔT	N° IMPRIMÉ	OBSERVATIONS
Déclarations de résultats et assimilés :		
● BA		
– Régime transitoire	2136	
– Réel normal	2143 et ann.	
– Réel simplifié	2139 et ann.	
● BNC		
– Déclaration contrôlée	2035 et ann.	
● BIC et IS		
– BIC - Réels (normal et simplifié)	2031 et ann. (1)	
– Sociétés civiles de moyens	2036	
– Déclaration complémentaire	2036 bis	
Report en arrière des déficits	2039	
– Suivi de la créance du report en arrière des déficits	2039 bis	
– Régime fiscal des groupes de sociétés	2058 A bis à 2058 TS	
Crédit d'impôt création d'emploi .	2063	
– IS - Réels (normal et simplifié) .	2065 et ann. (1)	
– Frais généraux	2067	
– Déclaration complémentaire	2066	
– Déclaration complémentaire	2038	
– Crédit d'impôt formation	2068	
– Crédit d'impôt en faveur de la recherche	2069 A	
– État de suivi de l'imputation du crédit d'impôt recherche	2069 bis	
– Organismes à but non lucratif ..	2070	
– Déclaration de précompte	2750	
Tableau annexe à la déclaration 2750	2751	
– Prélèvements sur les films pornographiques (2)	3701	

(1) Y compris CIF (2068), CIR (2069 A), précompte (2750).
(2) En revanche la taxe spéciale incluse dans le prix des places des salles de spectacles cinématographiques déclarée sur l'imprimé modèle 3700 ne peut être souscrite en euros.

IMPÔT	N° IMPRIMÉ	OBSERVATIONS
Taxes assises sur les salaires		
– Taxe sur les salaires	2501	
– Taxe d'apprentissage	2482	
– Participation des employeurs au développement de la formation continue	2483 et 2486	
– Participation des employeurs à l'effort de construction	2080	
Taxe sur la valeur ajoutée (TVA) :		
– Coefficient à utiliser (RSI)	3512 S	
– Réel normal (RN)	3310 CA 3 + annexe	
– Annexe à la déclaration TVA ...	3310 ter	
– Régime des acomptes provisionnels	3515	
– Régime simplifié d'opposition (RSI)	CA 12/CA 12 E	
TVA agricole (RSA)	3525 bis 3517 bis CA 12 A	
– Demande de remboursement :		
- des entreprises françaises	3518 et 3519	
- des entreprises étrangères ...	3559	
- des représentants fiscaux ponctuels	3559 bis	
– Retenue de TVA sur droits d'auteur	3310 A	
– Opérations imposables dans les DOM ou à un taux particulier ..	3310 A	
– Octroi de mer	3320 M	
Taxes spéciales sur le chiffre d'affaires et taxes annexes		
– Taxe forestière FFN	3310 A	Lorsque le montant de la taxe résulte de l'application d'un tarif à une base déterminée en poids, en superficie ou en nombre d'unités, elle doit être liquidée en francs au cadre C de l'annexe à la déclaration de TVA, avant d'être éventuellement reportée en euros au cadre B de de l'imprimé 3310 A (cf. « Cas particulier : déclarations de certaines taxes fiscales et parafiscales sur l'annexe 3310 A »).
– Taxe sur les huiles alimentaires	3310 A	
– Redevance sur l'édition des ouvrages de librairie	3310 A	
– Redevance sur l'emploi de la reprographie	3310 A	
– Taxe sur les services de communication audiovisuelle	3310 A	
– Taxe sur certaines dépenses de publicité	3310 A	
– Taxe sur les services de télévision	3310 A	
– Taxe de publicité télévisée	3310 A	
– Taxe sur les postes CB	3310 A	
– Taxe sur les transports en Corse	3310 A	
– Taxe sur les actes des huissiers de justice	3310 A	
– Taxe sur les tabacs BAPSA	3310 A	
– Contribution sur les produits sanguins labiles (Agence française du sang)	3310 A	
– Taxe due par les titulaires d'ouvrages hydroélectriques concédés	3310 A	
– Taxe due par les concessionnaires d'autoroutes	3310 A	
– Taxe sur les achats de viande ..	3310 A	

IMPÔT	N° IMPRIMÉ	OBSERVATIONS
Taxes parafiscales : – sur les produits de l'horlogerie . .	3310 A	Voir observations ci-dessus.
– forfaitaire ANDA	3310 A ou 3517 CA 12 A	
– soutien de l'expression radiopho- nique	3310 A	
– sur les produits de l'horticulture (ANDA)	3310 A 3517 CA 12 A	
Taxe professionnelle : – Déclarations :	1003 P	À compter de 1999. La première déclaration concernée par l'euro est celle déposée avant le 31 décembre 1999.
	1003 – 1003 S 1003 SR – 1003 R	À compter de l'an 2000. Les premières déclarations pour lesquelles la déclaration en euros est autorisée sont celles déposées en 2000 car elles portent sur des bilans clos en 1999.
	1465 1518 A	Ces déclarations suivent l'unité de la déclaration (1003, 1003 S ou 1003 P).
– Demandes : • d'allégement transitoire (pour les DOM uniquement)	1326 TP	À compter de 2001. La première déclaration 1326 TP concernée par l'euro est celle déposée au titre de la cotisation de l'année 2001, établie à partir de déclarations 1003/1003 S déposées en euros en 2000.
• de plafonnement VA	1327 TP 1327 STP	À compter de 1999. La première déclaration dont le détail du calcul pourra être effectué en euros est celle portant sur la valeur ajoutée produite au cours de l'exercice clos en 1999.
– Bordereau-avis de cotisation minimale sur la valeur ajoutée . .	1328 TP	La cotisation peut être réglée en euros dès 1999. Toutefois, la première déclaration dont le détail du calcul pourra être effectué en euros est celle déposée en 2000.
Fiscalité immobilière – Enregistrement et assimilé : – TVA immobilière (à l'exception des déclarations n°s 942 et 943 déposées dans les bureaux des hypothèques) (1)	941 - 942 - 943 - 944	À déposer dans le mois de l'achèvement de l'immeuble ou dans le mois qui suit la première occupation (941), dans le mois de l'acte (942, 943) ou de la cession (944).

(1) Ne concerne que les déclarations déposées par les professionnels.

IMPÔT	N° IMPRIMÉ	OBSERVATIONS
– Déclaration des personnes morales non assujetties à l'IS et soumises au droit d'apport	2742 - 2743 - 2744	À déposer : – soit dans le délai d'enregistrement de l'acte ; – soit avant le 1er avril, si le changement provient de l'option prévue à l'article 239 du CGI ; – soit dans les 3 mois de la clôture du premier exercice soumis à l'IS.
– Déclarations sur le prélèvement dû par les non-résidents (à l'exception des déclarations déposées dans les bureaux des hypothèques) ● assujettis à l'IR (1) .... ● non assujettis à l'IR	2090 2090 bis	À déposer dans le mois de l'acte lors de l'enregistrement ou dans le mois de la cession.
– Déclaration relative à la taxe forfaitaire sur les métaux précieux et objets d'art (1)	2091	À déposer dans les 30 jours de la vente ou dans le délai prévu pour la déclaration de TVA.
– Déclaration des profits immobiliers réalisés par des personnes n'ayant pas d'établissement stable en France	3005	À déposer dans les 2 mois de l'acte.
– Cessions de parts sociales non constatées par un acte (1)	2759	À déposer dans les 2 mois de la date de cession.
– Cessions de fonds de commerce ou de clientèle (1)	2672 - 2676	À déposer dans le mois de la date de cession.
– Cessions de fonds de commerce ou de clientèle (DOM) (1)	2913	À déposer dans le mois de la date de cession.
– Taxe de 3 % sur les immeubles possédés en France par des personnes morales	2746	
– Taxe sur les conventions d'assurance (et taxes assimilées)	2787	
– Déclaration des voitures particulières possédées ou utilisées par les sociétés (2)	2855	
– Déclaration sur la contribution au fonds commun des accidents du travail agricole (acompte + règlement annuel)	2770 + 2771	

(1) Ne concerne que les déclarations déposées par les professionnels.
(2) Laissé au choix du déclarant pour les déclarations déposées à compter d'octobre 1999.

IMPÔT	N° IMPRIMÉ	OBSERVATIONS
Fiscalité du patrimoine - Retenue à la source :		
– Déclaration sur la contribution au fonds commun des accidents du travail agricole (acompte + règlement annuel)	2770 + 2771	
– Déclaration des RCM soumis à prélèvement libératoire et retenues à la source (1)	2777	
– Déclaration de retenue à la source sur les revenus d'obligations et autres titres d'emprunts négociables	2753	
– Titulaires de contrats de publicité ou d'affichage	2061	
– Déclaration sur les bénéfices réalisés en France par les sociétés étrangères (retenue à la source)	2754	
Déclarations et taxes diverses :		
– Déclaration annuelle des données sociales (2)	DADS 1	
– Contribution annuelle des institutions financières (3)	2764	
– Déclarations de propriété bâtie sur les établissements industriels	6701 - 6704 IL 6650 - 6652	S'agissant des déclarations n°s 6650 et 6652, peuvent être déclarés en francs ou en euros les éléments relatifs aux montants de prêts et au prix de revient ou d'acquisition du logement.
– Déclaration à souscrire par les sociétés immobilières de copropriété visées à l'article 1655 ter du CGI	2071	
– Déclaration des sociétés immobilières non soumises à l'impôt sur les sociétés	2072	

(1) Ne concerne que les déclarations déposées par les professionnels.
(2) Uniquement pour les dépôts magnétiques dans le cadre de la procédure TDS-Normes.
(3) Premier dépôt en euros le 15/10/2000 (période 99) uniquement.

SECTION V
Paiement de l'impôt en euros

A. Principes

800. L'euro ayant pouvoir libérateur dès son introduction, le paiement des impôts en euros est possible *depuis le 1ᵉʳ janvier 1999.* Cette modalité de paiement est ouverte aussi bien aux particuliers qu'aux entreprises sans distinguer selon qu'elles tiennent ou non leur comptabilité en euros.

Bien entendu, pour les entreprises qui tiennent leur comptabilité en euros, le paiement en euros devrait logiquement être retenu dans la plupart des cas.

À partir du 1ᵉʳ janvier 2002, le paiement des impôts devra être obligatoirement effectué en euros, y compris pour les impositions afférentes à une période pour laquelle la déclaration correspondante n'est pas souscrite en euros, compte tenu des règles exposées à la section précédente.

Ainsi, une société dont l'exercice coïncide avec l'année civile et qui tient sa comptabilité en euros à compter du 1ᵉʳ janvier 2002, devra payer en euros le solde de l'impôt sur les sociétés de l'exercice 2001 dû avant le 15 avril 2002 auprès de la Comptabilité publique.

Elle devra également acquitter en euros la TVA due au titre du mois de décembre 2001 réglée à la recette des impôts en janvier 2002 ainsi que les acomptes d'impôt sur les sociétés et l'imposition forfaitaire annuelle exigibles en 2002.

On notera toutefois que tant que les moyens de paiement fiduciaires (pièces et billets en francs) seront en circulation (soit en principe jusqu'au 30 juin 2002), le paiement en francs par l'un de ces moyens devrait rester possible.

B. Impôts payables en euros au cours de la période transitoire

801. Dès la période transitoire, tous les impôts pourront être payés en euros, qu'il s'agisse du principal ou des accessoires (salaire du conservateur, pénalités...). Pour les entreprises, il s'agit notamment :
— de l'impôt sur les sociétés, du précompte mobilier et de la taxe professionnelle pour les impôts directs ;

— de la TVA, des droits relatifs aux boissons et alcools (droit de circulation, de consommation ou de fabrication) et des taxes sur les carburants pour les impôts indirects ;
— des droits sur les cessions de fonds de commerce, sur les ventes d'immeubles, sur les sociétés et des droits de timbres pour ce qui concerne les droits d'enregistrement.

> Il est également à noter que les cotisations sociales peuvent être payées en euros depuis le 1er janvier 1999. Il en est de même pour la CSG, la CRDS et les prélèvements sociaux.

> S'agissant des dirigeants d'entreprise, on soulignera également la possibilité de payer l'impôt sur le revenu et l'impôt de solidarité sur la fortune en euros depuis le 1er janvier 1999.

C. Modalités de règlement en euros pendant la période transitoire

802. Le *choix* du contribuable est effectué pour chaque impôt concerné et à chaque échéance de cet impôt.

Autrement dit, le contribuable peut, lorsque l'impôt est payé au moyen d'acomptes et d'un solde, choisir de régler l'un ou plusieurs des acomptes en francs et le solde en euros ou inversement.

803. Depuis le 1er janvier 1999, les *avis d'imposition* et de mise en recouvrement font l'objet d'un double affichage, en francs et en euros, en ce qui concerne le montant total à payer.

Ainsi les contribuables qui souhaitent payer en euros peuvent utiliser la référence en euros.

En revanche, pour les *impôts payés spontanément* par le contribuable (impôt sur les sociétés, TVA par exemple) il appartient au redevable qui souhaite payer en euros de déclarer et de calculer son impôt en euros ou de convertir en euros les droits qu'il a calculés en francs.

Les *formulaires administratifs* sont aménagés à cet effet.

> On notera ainsi que les bordereaux-avis de paiement de l'impôt sur les sociétés mis en circulation à compter de 1999 ont été aménagés et font apparaître distinctement le montant à payer en francs et en euros.

> Les déclarations de CA 3 et CA 12, sur lesquelles le contribuable procède lui-même à la liquidation de l'impôt comportent quant à elles un cadre spécifique qui concerne les situations où le paiement est effectué dans une unité monétaire différente de celle retenue pour la liquidation et permet de faire apparaître le calcul de conversion.

Enfin, s'agissant des *droits de timbre* et de la taxe différentielle sur les véhicules à moteur *(vignette),* l'administration établit des tableaux de conversion, indiquant la contrepartie en euros des tarifs qui restent votés en francs.

804. Dès lors que les billets et les pièces en euros ne sont pas disponibles pendant la période transitoire, seuls les *moyens de règlement scripturaux* peuvent être utilisés.

Il s'agit donc en particulier des *chèques, virements, cartes bancaires* et titres interbancaires de paiement. Les conditions habituelles de règlement des impôts continuent de s'appliquer pour le franc comme pour l'euro. Ainsi lorsque le paiement par virement est obligatoire au-delà d'un certain seuil (impôt sur les sociétés supérieur à 500 000 F et, en ce qui concerne la TVA, entreprises dont le chiffre d'affaires est supérieur à 10 MF puis 5 MF en 2000), ce seuil est purement et simplement converti en euros, le virement pouvant être exprimé en francs ou en euros au choix de l'entreprise.

SECTION VI
Incidences sur les contrôles fiscaux et le contentieux

A. Contrôles fiscaux

1. Monnaie utilisée par l'administration pour les contrôles

810. L'administration s'adapte au choix monétaire de l'entreprise, euros ou francs, pour procéder à ses contrôles. Ainsi, lorsque l'entreprise tient sa comptabilité en euros, l'examen porte sur les écritures comptables en euros et les appréciations portées sur ces écritures sont alors exprimées en euros ; les redressements des bases d'imposition sont notifiés en euros.

Pour les périodes vérifiées comportant à la fois des exercices pour lesquels la comptabilité est tenue en francs et des exercices pour lesquels elle est tenue en euros, le contrôle est effectué respectivement en francs et en euros.

En outre, lorsque les déclarations sont établies en euros, ce qui devrait être généralement le cas, les conséquences financières (droits et pénalités) sont indiquées en euros.

Les *mises en recouvrement* des redressements font l'objet d'un *double affichage* en francs et en euros quelle que soit la monnaie de tenue de la comptabilité et de présentation des déclarations.

2. Opérations particulières de contrôle liées au passage à l'euro

811. D'une manière générale, les contrôles fiscaux se déroulent de la même façon lorsque la comptabilité est tenue en euros que lorsqu'elle est tenue en francs. Ils consistent donc à confronter les données réelles aux données comptables puis aux données déclarées.

Il convient néanmoins d'attirer l'attention des entreprises sur le fait que lors du contrôle des exercices de la période transitoire l'administration porte une attention particulière aux *convertisseurs*.

Au cours de cette période, les entreprises ont nécessairement à convertir certains éléments d'une monnaie dans une autre. Que leur comptabilité soit tenue en francs ou en euros, elles ont des relations avec des clients ou fournisseurs qui souhaitent conserver l'autre monnaie comme moyen d'échange.

Dès lors, certaines pièces comptables doivent être converties en euros ou en francs selon l'unité monétaire retenue pour l'établissement de la comptabilité. Par conséquent, le convertisseur et sa place dans le circuit comptable ont une importance.

Selon que l'entreprise convertit chaque ligne d'une facture ou le total de celle-ci ou encore un ensemble de factures, les résultats ne sont pas parfaitement identiques.

De même, lorsque l'entreprise convertit les soldes de départ de la comptabilité du premier exercice en euros, des différences peuvent apparaître selon que la conversion porte sur le solde des comptes ou sur chaque écriture qui a encore des conséquences sur cet exercice.

L'administration souhaite donc connaître, de manière précise, les procédures utilisées, ce qui permet notamment de justifier les écarts d'arrondis figurant dans le résultat financier et fiscal de l'entreprise.

Plus particulièrement, elle ne manque pas de vérifier les éléments exprimés à l'origine en francs et qui ont été convertis pour les besoins des premières déclarations souscrites en euros. Tel est le cas notamment des déficits reportés en avant ou des bénéfices sur lesquels s'imputent les déficits reportés en arrière, ainsi que des bases amortissables ou des provisions constituées (voir n°s 756 s.).

812. D'une manière générale, l'administration peut s'assurer que les convertisseurs utilisés par les entreprises respectent les *règles de conversion* posées par le *règlement européen* n° 1103/97 du 17 juin 1997. On rappelle à cet égard que les principales contraintes posées par ces dispositions concernent :

— l'expression des taux de conversion de l'euro dans la monnaie nationale avec six chiffres significatifs ;

— l'impossibilité d'utiliser des taux de conversion inverse ou réciproque afin de convertir en euros une somme exprimée en francs ;

— l'obligation de recourir à la règle dite de triangulation ; afin de convertir une somme exprimée en francs dans une autre monnaie nationale, il importe de procéder en premier lieu à sa conversion en euros puis de convertir ce montant en euros dans l'autre monnaie.

Il semble toutefois que, dans l'hypothèse où les entreprises ne respecteraient pas ces deux dernières méthodes de calcul, mais parviendraient à un *résultat iden-*

tique, en ayant par exemple recours à des taux de conversion directs entre monnaies nationales assortis d'un nombre élevé de chiffres significatifs (voir sur ce point ci-après n°s 2701 s.), elles ne devraient encourir aucun risque fiscal.

En tout état de cause, le non-respect de ces règles de conversion ne saurait en lui-même permettre la remise en cause du caractère probant de la comptabilité.

3. Contrôles des comptabilités informatisées

815. Ainsi qu'elle l'a indiqué dans les groupes de travail Simon-Creyssel, l'administration considère qu'aucune procédure spécifique en matière de vérification des comptabilités informatisées n'est envisagée à l'occasion du passage à l'euro.

Ce sont donc les règles en vigueur qui s'appliquent tant en ce qui concerne la documentation que la conversion des données. Ces règles sont celles qui sont indiquées dans l'instruction du 24 décembre 1996 (Inst. 13 L-9-96).

Le passage à une comptabilité en euros n'entraîne pas d'obligations nouvelles en termes de *conservation de données*, y compris du fait de la mise en place de convertisseurs.

Ainsi, les fichiers permanents de référence convertis en euros n'ont pas à être conservés en francs.

En revanche, les fichiers vivants doivent être conservés en francs jusqu'à la date de changement d'unités de comptabilisation puis en euros à compter de cette date.

Tant que les règles de gestion des entreprises ne seront pas modifiées, aucune obligation supplémentaire de conservation des données ne devrait leur être imposée. Les règles de gestion des entreprises sont en effet indépendantes de la monnaie dans laquelle sont exprimées les écritures.

Cela étant, le passage à une comptabilité en euros nécessite la modification de nombreux programmes informatiques. L'entreprise doit s'assurer qu'à cette occasion des fichiers historiques auxquels l'administration exige l'accès ne disparaissent pas.

Ainsi, une entreprise qui à l'occasion du passage à l'euro modifie de façon importante son système comptable et à cette occasion un logiciel ne lui permettant pas de conserver ni de réexploiter ses fichiers historiques anciens est en infraction avec les règles de conservation des documents informatiques.

Pour pallier cette difficulté, il est nécessaire qu'elle conserve ses fichiers antérieurs au changement de système et les communique à l'administration lors d'un contrôle.

B. Le contentieux fiscal

1. Unité monétaire applicable aux réclamations et à leur instruction

820. La réclamation effectuée à l'encontre d'une imposition, qu'elle soit initiale ou qu'elle fasse suite à un redressement, doit être présentée dans la monnaie utilisée pour établir l'imposition contestée.

Par conséquent, les réclamations portant sur les impositions établies en francs sont exprimées en francs. Cette règle devrait s'appliquer y compris après 2002 lorsque les impositions contestées auront été établies en francs.

Les réclamations portant sur des impositions en euros sont exprimées en euros. Il en est ainsi des réclamations portant sur les déclarations fiscales des entreprises souscrites au cours de la période transitoire, lorsque ces déclarations ont été souscrites en euros.

La réclamation est instruite dans la monnaie dans laquelle elle est établie, c'est-à-dire, en définitive, dans la monnaie de déclaration.

2. Conséquences financières

821. Lorsque l'instruction de la réclamation se traduit par un *dégrèvement*, celui-ci est exprimé dans la monnaie dans laquelle l'imposition a été établie. Les restitutions d'impôt pourront être effectuées en euros à la demande des entreprises.

Ces règles ont vocation à avoir une portée générale et à s'appliquer notamment aux remboursements de crédits de TVA. Toutefois, à la date de parution du présent ouvrage, il apparaît que l'administration n'est pas encore en mesure de procéder à ces remboursements en euros, en raison de retards dans l'adaptation des applications informatiques concernées.

Bien entendu, *après le 1er janvier 2002*, le remboursement d'impositions interviendra uniquement en euros.

Cette règle du remboursement en euros s'appliquera également dans le cas où l'imposition initiale a été établie en francs puisque cette dernière monnaie n'aura plus cours.

CHAPITRE IV

Conséquences sociales

900. S'il est communément admis que la « sphère sociale » ne sera pas la première à être basculée sur l'euro, ce n'est cependant pas une raison pour reléguer les questions sociales au second plan de la réflexion de l'entreprise sur l'introduction de l'euro.

On verra l'importance des questions à résoudre — d'urgence pour certaines d'entre elles — en passant en revue les implications de l'euro sur les relations de l'entreprise :
— avec ses salariés ;
— avec les organismes sociaux ;
— et avec les institutions représentatives du personnel.

Les questions sociales interviennent également à un niveau plus général : en éliminant l'obstacle du change entre monnaies, l'euro renforcera encore l'impact du *coût du travail* en tant que *critère de localisation* des activités entre pays de la zone euro. Cet aspect, qui relève de la stratégie des entreprises, est examiné n°s 2510 et 2511.

SECTION I

Relations avec les salariés

905. Les conséquences de l'euro que l'entreprise doit prendre en compte dans ses relations avec ses salariés peuvent être regroupées autour des thèmes suivants :
— gestion de la paie ;
— contrats de travail et accords collectifs ;
— épargne salariale.

La question des *seuils et barèmes sociaux* est traitée aux n°s 1010 s.

Les aspects relevant de la gestion des ressources humaines, touchant essentiellement les actions d'*information et* de *formation* des salariés sont examinés dans une autre partie (n°s 2535 s.).

On remarquera aussi que le passage à l'euro fait apparaître plus facilement, dans les entreprises implantées dans plusieurs pays de la zone euro, les *différences* de niveau de rémunération ou de protection sociale *d'un pays à l'autre* (n° 1090).

A. Gestion de la paie

910. Le choix de la date de passage de la paie à l'euro nécessite dans chaque entreprise une réflexion approfondie. Cette décision, qui appartient au chef d'entreprise, est en effet tributaire des options arrêtées dans les autres domaines de la gestion de l'entreprise.

Il faut également savoir que l'euro peut avoir des conséquences, pendant la période transitoire, même pour les entreprises ayant maintenu la paie en francs.

1. Quand basculer sur l'euro ?

912. La paie devra obligatoirement être gérée en euros à partir du 1er janvier 2002. Jusqu'à cette date (période transitoire), les employeurs sont libres de passer à l'euro ou de rester en francs.

Concrètement, le passage de la paie à l'euro se traduit par l'établissement des bulletins de paie en euros et le paiement des salaires par chèque ou virement dans cette monnaie.

Ni l'un ni l'autre ne constitue, selon l'administration, une **modification des contrats de travail** requérant l'accord individuel de chaque salarié (Circ. DRT n° 12 du 17-11-98).

Il y a lieu, toutefois, de les faire précéder d'une information des salariés et d'une consultation des représentants du personnel (n° 923).

913. Pour celles qui n'ont pas encore passé la paie à l'euro, la préparation de cette opération s'inscrit dans la réflexion générale que doit mener chaque entreprise sur le rythme de son passage à l'euro. Elle doit plus spécialement prendre en considération la date à laquelle elle a choisi de basculer en euros la **comptabilité de l'entreprise**. S'il peut paraître logique d'opérer simultanément ce basculement pour la gestion de la paie, il est toutefois possible de gérer pendant tout ou partie de la période transitoire la comptabilité en euros et la paie en francs ou inversement, grâce aux convertisseurs incorporés aux logiciels de gestion de l'entreprise.

Il convient également de souligner que le basculement de la paie en euros pendant la période transitoire ne constitue pas un objectif en soi pour les entreprises. Tout au plus peut-il contribuer à un **étalement dans le temps** des conséquences du passage à l'euro.

Dernière remarque pour aider à éclairer l'entreprise dans son choix : le paiement des salaires en euros **ne contraint pas les salariés** à utiliser cette monnaie au cours de la période transitoire, grâce aux convertisseurs bancaires (voir n° 925).

2. Bulletin de paie

922. Depuis le 1er janvier 1999, il est indispensable d'**indiquer** sur chaque bulletin de paie **l'unité monétaire utilisée**, qu'elle soit l'euro ou le franc (Circ. DRT n° 12 du 17-11-98).

L'opération de basculement de la paie sur l'euro n'a fait l'objet d'aucune disposition législative ou réglementaire, mais a donné lieu à des **recommandations ministérielles** diffusées par circulaire du ministère de l'emploi et de la solidarité n° 12 du 17 novembre 1998, qui sont reprises dans les développements suivants. Les **modèles** que nous avons établis (n°s 1110 s.) tiennent compte de ces recommandations.

923. Avant le basculement, il convient :
— de consulter les **représentants du personnel** : voir n°s 1055 s. ;
— de prévoir une période de préparation des salariés en indiquant sur les bulletins de paie, au moins pendant les mois précédant immédiatement le basculement, la contre-valeur en euros (**double affichage**) du salaire brut, du net à payer et du net imposable (voir **modèle** n° 1111) et en y joignant une **annexe explicative** précisant au minimum le taux de conversion et les règles d'arrondis.

924. À **compter du basculement**, il convient d'observer les principes suivants, illustrés par le **modèle** figurant n° 1112 :
— établir un bulletin de paie en euros implique de le calculer entièrement en euros. Les composantes de la rémunération brute doivent donc être converties du franc à l'euro dans le respect des règles communautaires (n°s 260 s.) et les calculs doivent être réalisés en euros. Les règles communautaires obligent à arrondir le net à payer au centième d'euro le plus proche. Aucune règle d'arrondis n'étant en revanche imposée pour les autres montants, l'administration préconise d'effectuer les calculs en conservant le plus de décimales possible pour éviter que les opérations de calcul de la paie ne cumulent des écarts d'arrondis aboutissant à des totaux s'écartant de ceux résultant d'un calcul en francs. L'application de cette recommandation conduit à opérer tous les calculs situés en amont du net à payer en conservant cinq chiffres après la virgule si le logiciel de paie le permet ;
— continuer à indiquer en **double affichage** la contre-valeur en francs de certains montants. L'administration conseille le double affichage des principaux éléments constitutifs du salaire brut, du montant total du salaire brut, du net à payer (les salariés pouvant continuer à faire créditer en francs leur compte bancaire) et du net imposable (les déclarations fiscales de revenus devant être obligatoirement souscrites en francs jusqu'aux revenus perçus en 2001 inclusivement). Les valeurs indiquées en francs doivent résulter de la conversion directe du net à payer en euros et non de la somme de montants intermédiaires convertis.

La conversion du franc à l'euro suivie de la conversion inverse peut faire apparaître un léger écart, compte tenu de la plus grande précision du franc par rapport à l'euro. Aucune **contestation** relative à cet **écart** ne peut être accueillie pour autant que les conversions franc-euro et euro-franc ont été faites conformément aux règles d'arrondissement et de conversion communautaires indiquées n°s 260 s. (Loi n° 95-546 du 2-7-98, art. 25). Ce risque d'écart est d'ailleurs d'autant plus réduit que les calculs sont effectués en conservant un plus grand nombre de décimales : voir l'exemple chiffré donné n° 1110.

3. Monnaie de paiement des salaires

925. Le paiement en euros des salaires ne sera obligatoire qu'à partir du 1er janvier 2002. Entre le 1er janvier 1999 et cette date (période transitoire), les employeurs ont le choix d'effectuer le paiement des salaires en euros ou en francs.

Par salaires, on entend ici non seulement le salaire de base, mais aussi l'ensemble des **primes** et rémunérations, y compris les sommes dues au titre des régimes légaux de **participation financière** (primes d'intéressement, abondement au PEE, etc.), ainsi que les allocations pour **frais professionnels**.

L'option de l'employeur :
— est, au moins en théorie, indépendante de sa décision de basculer les bulletins de paie en euros ;
— est neutre pour les salariés, ceux-ci conservant pendant toute la période transitoire la possibilité de voir créditer leur compte dans la monnaie de leur choix, grâce aux convertisseurs mis en place par les réseaux bancaires

4. SMIC

927. Pour les entreprises ayant **passé la paie en euros**, il est recommandé par l'autorité ministérielle de calculer la paie des **salariés payés au SMIC** à partir de la valeur non arrondie du SMIC horaire en euros (valeur comportant cinq chiffres après la virgule : voir n° 1100), afin d'éliminer tout effet de cumul des arrondis (Circ. DRT n° 12 du 17-11-98).

La valeur réglementaire du SMIC étant, durant la période transitoire, la valeur en francs, la **vérification du respect du SMIC** s'effectue sur la valeur en francs du SMIC, à laquelle doit être comparé le montant en francs du salaire brut qui, compte tenu des recommandations sur le double affichage (n° 924), doit être précisé sur les bulletins de paie établis en euros, par conversion directe du montant en euros du salaire brut (Circ. précitée).

B. Contrats individuels et accords collectifs

930. Ni les contrats individuels de travail, ni les conventions et accords collectifs ne sont affectés par le passage à l'euro, que ce soit pendant la période transitoire ou après l'achèvement de celle-ci.

C'est la conséquence des principes généraux fixés par les règlements communautaires pour l'ensemble des instruments juridiques. Ces principes sont la continuité des contrats (n°s 200 s.) et la règle de conversion de plein droit en euros des montants exprimés en monnaie nationale à la fin de la période transitoire (n° 134).

Ainsi, les **montants** en francs des **salaires ou indemnités** qui y figurent resteront exprimés dans cette monnaie jusqu'au 31 décembre 2001, ce qui n'empêche pas l'employeur de les payer en euros, s'il le souhaite (n° 925). Après cette date, ils devront être lus comme des montants en euros, en appliquant le taux officiel de conversion franc-euro, dans le respect des règles d'arrondis fixées au plan communautaire (n°s 264 s.).

Par *exemple*, un salaire minimum de 7 275 F figurant dans un barème des salaires minimaux fixé dans le cadre d'une convention collective sera, au 1er janvier 2002, transformé de plein droit, sans intervention nécessaire des partenaires sociaux, en un salaire minimum de 7 275/6,55957 = 1 109,07 euros.

La règle sera la même pour les montants en francs pouvant figurer dans les contrats individuels de travail, qui seront convertibles de plein droit en euros à partir du 1er janvier 2002, sans qu'il soit besoin de conclure un avenant au contrat.

933. Pendant la période transitoire, les parties au *contrat individuel de travail* peuvent bien entendu décider d'un commun accord d'exprimer le salaire en euros plutôt qu'en francs (Circ. DRT n° 12 du 17-11-98). À noter que le simple fait de payer en euros le salaire contractuel libellé en francs dans le contrat individuel ne vaut pas modification du contrat et ne nécessite donc pas l'accord du salarié, que ce soit pendant la période transitoire ou à l'issue de celle-ci (Circ. DRT n° 12 du 17-11-98).

S'agissant des *conventions et accords collectifs*, les pouvoirs publics ont soumis en mars 1999 les recommandations suivantes pour la période transitoire en vue de la traduction en euros des valeurs actuellement fixées en francs :
— ces valeurs pourront rester en francs, à charge pour les entreprises utilisant déjà l'euro de les convertir dans cette monnaie ;
— les partenaires sociaux pourront aussi modifier leurs conventions et accords pour anticiper le passage à l'euro en procédant à une double valorisation soit par indication de la contre-valeur en euros des montants négociés en francs, soit en fixant directement des valeurs en euros (qui devront comporter deux décimales au plus) tout en mentionnant également leur contre-valeur en francs.

C. Épargne salariale

950. Les conséquences du passage à l'euro sur l'épargne salariale (participation, plan d'épargne d'entreprise, actionnariat des salariés) n'ont pas fait l'objet de précisions particulières. Elles doivent donc être déterminées par référence aux règles générales.

Une distinction doit être faite suivant que l'épargne salariale est investie en valeurs mobilières, ou en compte bloqué dans l'entreprise.

1. Épargne salariale investie en valeurs mobilières

952. Lorsqu'elle est investie en valeurs mobilières (actions, obligations), directement ou par l'intermédiaire de fonds communs de placement d'entreprise (FCPE), l'épargne salariale est concernée par le basculement du marché français des valeurs mobilières, qui est passé à l'euro dès le 4 janvier 1999.

Du fait de ce transfert, la valeur des actifs de l'épargne salariale est désormais exprimée en euros depuis cette date, y compris la *valorisation* des parts de FCPE, mais l'information des salariés se fait pendant la période transitoire (jusqu'au 1er janvier 2002) à la fois en euros et en francs.

Pendant cette période transitoire, l'épargne salariale à investir en valeurs mobilières peut être indifféremment **versée** en euros ou en francs. Dans ce dernier cas, les versements sont convertis en euros, puisque les actifs à l'acquisition desquels ils sont employés sont évalués ou cotés en euros.

2. Épargne salariale investie en compte bloqué

955. Ce cas concerne la participation des salariés, qui peut, pendant la période d'indisponibilité, être investie dans l'entreprise, où elle est alors inscrite dans des comptes bloqués ouverts au nom des salariés et portant intérêts.

Dans ce cas, la valeur des fonds figurant dans ces comptes est exprimée, pendant la période transitoire, soit en euros, soit en francs, selon que l'entreprise a choisi ou non de passer sa comptabilité en euros.

Bien qu'il n'y ait pas d'obligation, il est recommandé aux entreprises de prévoir, pendant cette période, une double évaluation, en euros et en francs, dans les documents d'information à remettre aux titulaires de ces comptes.

Ces comptes devront obligatoirement être tenus en euros le 1er janvier 2002 au plus tard.

SECTION II

Relations avec les organismes sociaux

970. Les questions que pose l'introduction de l'euro dans les relations de l'entreprise avec les organismes sociaux concernent :
— les déclarations sociales ;
— la monnaie de paiement des cotisations et des prestations ;
— les seuils et barèmes sociaux ;
— et les contrôles pratiqués par ces organismes.

Les déclarations et le paiement des *taxes et participations assises sur les salaires* sont abordés dans la partie fiscale de cet ouvrage : voir nos 744 et 800 s.

Dans les développements qui suivent, les organismes sociaux s'entendent, sauf indication contraire, des organismes de sécurité sociale (URSSAF, caisses maladie, caisses d'allocations familiales, etc.), des ASSEDIC et des caisses de retraite complémentaire AGIRC et ARRCO.

A. Déclarations sociales

972. Dans les développements qui suivent, les déclarations sociales s'entendent :
— des déclarations **annuelles de salaires** que les employeurs sont tenus d'adresser aux organismes sociaux : DADS, déclarations spécifiques destinées aux institutions de retraite complémentaire et bordereau de déclaration annuelle UNEDIC ;
— des documents déclaratifs **accompagnant chaque versement** de cotisations.

974. Depuis le 1er janvier 1999, l'euro peut être utilisé pour régler les cotisations et établir les déclarations qui les accompagnent (nos 977 s.), mais cela ne deviendra une obligation qu'après le 31 décembre 2001.

Les déclarations annuelles de salaires relèvent de règles particulières (n° 980).

En cas d'utilisation de l'euro, les montants des assiettes et des cotisations figurant sur ces déclarations doivent être **arrondis** à l'euro le plus proche, la fraction d'euro au moins égale à 0,5 étant comptée pour un euro et la fraction inférieure étant négligée (CSS, art. L 130-1 ; règlement UNEDIC, art. 14).

> Une assiette de cotisations égale à 100,25 € doit être arrondie à 100 €. Une assiette de cotisations égale à 100,50 € doit être arrondie à 101 €.

Déclarations périodiques

977. Les entreprises peuvent remplir leurs déclarations de cotisations en euros depuis le 1er janvier 1999, qu'il s'agisse de la déclaration unifiée de cotisations sociales (DUCS), des bordereaux récapitulatifs à retourner aux URSSAF (BRC), des déclarations périodiques à destination des institutions de retraite complémentaire, des avis de versement à l'intention des ASSEDIC ou du GARP, ou des bordereaux mensuels de versement et déclarations trimestrielles de salaires à souscrire auprès des caisses de mutualité sociale agricole.

Elles peuvent aussi continuer à établir ces déclarations en francs jusqu'à la fin de la période transitoire, c'est-à-dire jusqu'au 31 décembre 2001.

> Pour passer ses BRC en euros, l'entreprise n'a qu'à rayer, à la date de son choix, la mention « francs » figurant sur les formulaires habituels. Une fois enregistrée cette première déclaration en euros, elle recevra systématiquement par la suite des bordereaux préétablis en euros, impliquant le paiement des cotisations dans cette unité monétaire.

Attestation ASSEDIC

978. L'attestation destinée à l'ASSEDIC, à remettre aux salariés quittant l'entreprise, a été **adaptée à l'euro**. Elle comporte désormais une zone franc et une zone euro. Ainsi, en cas de basculement de la paie en euros au cours de la période de référence, l'employeur déclare dans la zone franc les salaires antérieurs au basculement et dans la zone euro les salaires postérieurs, sans avoir à opérer de conversion monétaire.

Déclarations annuelles

980. Les entreprises qui le souhaitent auront la possibilité d'établir leur DADS et leur DADS-CRC (déclaration annuelle destinée aux caisses de retraite complémentaire AGIRC et ARRCO) en euros dès l'an 2000 (pour les *salaires payés en 1999*) dès lors que celles-ci sont transmises sur *support magnétique* au centre de transfert de données sociales et à l'institution de retraite complémentaire.

Le *tableau récapitulatif* (TR) à joindre à la DADS pourra alors également être réalisé en euros. Et cela même si tous les BRC de l'année correspondante n'ont pas été formulés en euros.

Les conditions à remplir pour passer les DADS à l'euro ont été précisées par une circulaire ministérielle du 2 juin 1998 :

— toutes les DADS de l'entreprise qui opte pour l'euro doivent être *informatisées.* Cette condition doit être respectée par tous les établissements d'une même entreprise. En outre, les entreprises souhaitant réaliser leur DADS en euros pour les salaires payés en 1999 sont invitées à prendre contact avec leur centre régional de transfert de données sociales dans le courant de l'année, en principe avant le 30 juin 1999 ;

— le choix de l'euro est *irréversible* ;

— les *honoraires* doivent aussi être déclarés en euros ;

— l'entreprise tient sa paie en euros. Toutefois, si elle bascule sa paie en euros au cours d'une année, la DADS à souscrire au titre de cette année doit être établie dans une seule monnaie.

La souscription de la DADS-CRC en euros est subordonnée aux mêmes conditions.

Les bordereaux de déclaration annuelle des salaires destinés aux *ASSEDIC* pourront également être établis en euros à partir de la déclaration des salaires payés en 1999.

Contribution sociale de solidarité des sociétés

983. Les entreprises ont dû déclarer l'assiette de leur contribution 1999 (chiffre d'affaires 1998) obligatoirement en francs. Ce n'est qu'a partir de la *contribution 2000* (chiffre d'affaires 1999) que les entreprises ayant opté pour une comptabilité en euros souscriront leur déclaration en euros.

B. Monnaie de paiement des cotisations sociales

1000. Le paiement en euros des cotisations sociales (sécurité sociale, ASSEDIC, retraite complémentaire AGIRC et ARRCO, cotisations MSA, etc.) ne sera obligatoire qu'à partir du 1er janvier 2002.

Entre le 1er janvier 1999 et cette date (période transitoire), les employeurs *ont le choix* de payer leurs cotisations sociales en euros ou en francs.

L'option pour le paiement en euros devrait surtout intéresser les entreprises ayant décidé de tenir leur comptabilité en euros.

1002. Il est recommandé de payer les cotisations dans la *même monnaie* que celle utilisée dans les *déclarations* accompagnant le versement, mais l'inobservation de cette règle ne doit pas entraîner un rejet de l'opération par l'organisme.

C. Monnaie de paiement des prestations sociales

1003. Les organismes sociaux (caisses de sécurité sociale, ASSEDIC, institutions de retraite complémentaire ARRCO et AGIRC) ont décidé de continuer à calculer et à payer en francs les prestations jusqu'au 31 décembre 2001, fin de la période transitoire (sauf pour les résidents à l'étranger, pour lesquels le paiement s'effectue d'ores et déjà en euros). Néanmoins, les prestataires qui le souhaitent peuvent être payés en euros : dans ce cas, c'est en principe la banque du prestataire qui assure la conversion en euros du règlement reçu en francs.

Dans le cas particulier des retraites (de base et complémentaire), il a été précisé que, dans l'hypothèse où les banques décideraient de faire payer à leurs clients la conversion en euros, des solutions techniques seraient trouvées pour que les retraités ayant opté pour le paiement en euros ne supportent aucun coût du fait de cette option.

Les organismes sociaux pratiquent depuis le début de l'année 1999 le double affichage systématique en francs et en euros des **documents relatifs aux prestations** adressés aux bénéficiaires. Par exception, les récapitulatifs annuels indiquant les montants à porter sur la déclaration annuelle de revenus ne devraient être libellés qu'en francs pendant toute la période transitoire, en raison de la décision de l'administration fiscale de n'accepter ces déclarations qu'en francs au cours de cette période.

D. Catégories particulières

Non-salariés

1005. Les travailleurs non salariés non agricoles ou agricoles ont depuis le 1er janvier 1999 le choix entre le franc et l'euro pour le **paiement de leurs cotisations** et contributions sociales personnelles. Les avis d'échéance comportent le montant dû en francs et en euros (double affichage).

Les **déclarations de revenus** à souscrire auprès des organismes sociaux pourront être souscrites en euros à partir de la déclaration à faire en 2000 au titre des revenus de 1999.

Particuliers employeurs

1006. Depuis le premier trimestre 1999, les employeurs de personnel de maison ont la possibilité de **déclarer et payer** en euros les cotisations et contributions sociales. Pour ceux qui veulent déclarer en euros, il suffit de rayer la mention « francs » sur l'imprimé de déclaration trimestrielle. Ils recevront par la suite systématiquement un document préétabli en euros.

S'ils utilisent le **chèque emploi-service**, il leur suffit de choisir entre les deux chéquiers mis à leur disposition pour que le chèque et le volet social correspondant soient traités par le Centre national de traitement du chèque emploi-service (CNTCES) dans la bonne unité monétaire.

E. Seuils et barèmes sociaux

1010. Il a été décidé de **maintenir en francs** jusqu'au 31 décembre 2001 les seuils et barèmes sociaux figurant dans les textes législatifs et réglementaires (Circ. DSS du 2-6-98 et circ. DRT n° 12 du 17-11-98).

> Les seuils et barèmes concernés sont ceux exprimés en valeur absolue. Ils sont nombreux en matière sociale : plafond de sécurité sociale, SMIC et minimum garanti, seuil de paiement obligatoire des salaires par chèque ou virement, barème de calcul de la fraction saisissable et cessible du salaire, limite d'exonération de la contribution patronale aux titres-restaurant, etc.
>
> S'agissant **des salaires minima** de branche, voir n°s 930 et 933.

1015. Depuis le 1er janvier 1999 et jusqu'à la fin de la période transitoire, l'administration diffuse parallèlement, à titre d'information, la **contre-valeur en euros de ces seuils**, étant entendu que seuls les montants en francs ont une valeur juridique.

On trouvera en **annexe**, n° 1100 la valeur en euros de quelques barèmes sociaux caractéristiques.

F. Contrôles

1030. Les contrôles effectués auprès des entreprises par les URSSAF et les autres organismes sociaux sont opérés, pour ce qui concerne les exercices compris dans la période transitoire, sur la base des documents trouvés sur place, quelle que soit l'unité monétaire dans laquelle ils sont établis (Circ. DSS du 2-6-98).

Ces contrôles portent, le cas échéant, sur la bonne application des règles de conversion et d'arrondis.

Relations avec les représentants du personnel

1050. L'ouverture depuis le 1er janvier 1999 de la période transitoire doit conduire les entreprises à intégrer dans leur réflexion sur l'euro les aspects touchant aux institutions représentatives du personnel.

Ces aspects concernent leurs obligations en matière de consultation et d'information et les versements auxquelles elles sont tenues vis-à-vis du comité d'entreprise.

L'attention est attirée sur l'*urgence* que peut revêtir la question sous l'angle des *obligations consultatives*, puisque celles-ci doivent obligatoirement intervenir préalablement à la décision.

1. Consultation

1055. Les employeurs sont légalement tenus d'informer et de consulter le comité d'entreprise (ou, à défaut, les délégués du personnel) sur les questions intéressant l'organisation, la gestion et la marche générale de l'entreprise et, plus particulièrement :

— sur les mesures de nature à affecter le volume et la structure des effectifs, la durée du travail, les conditions d'emploi, de travail et de formation professionnelle,

— et sur les projets et décisions intéressant l'organisation du travail, la technologie, les conditions d'emploi, l'organisation du temps de travail, les qualifications et les modes de rémunération (C. trav., art. L 432-1 et L 432-3).

Chaque entreprise doit se demander si l'introduction de l'euro et, le cas échéant, les décisions qu'elle prendra pendant la période transitoire pour l'introduire dans sa gestion entrent dans le champ de cette obligation.

Il n'est pas possible de donner une réponse générale à cette question, qui doit être appréciée dans chaque cas particulier. Soulignons, pour éclairer cette appréciation, que :

— la consultation ne s'impose légalement que si les mesures envisagées sont *importantes* et ne revêtent pas un caractère ponctuel ou individuel ;

— la consultation sur la mesure envisagée est *distincte* de celle à effectuer dans le cadre de la procédure de licenciement économique pouvant en découler ;

— la consultation doit être *préalable* à la décision.

Ainsi, selon la jurisprudence, un projet formulé en termes généraux doit être soumis au comité préalablement à son adoption dès lors que son objet est suffisamment déterminé pour avoir une incidence sur la marche générale de l'entreprise, peu important que ses mesures d'application ne soient pas encore arrêtées. La consultation est trop tardive lorsqu'elle porte sur une mesure déjà arrêtée dans son principe, même si sa mise en œuvre n'est pas encore effective.

Lorsque la mesure envisagée s'inscrit dans une procédure complexe comportant des décisions échelonnées, le comité doit être consulté à l'occasion de chacune d'elles.

1060. En *cas de doute*, il est préférable de procéder à l'information et à la consultation, tant pour éviter les sanctions pénales attachées au délit d'entrave que caractérise l'omission de ces formalités, que pour contribuer à l'information du personnel, qui est un des préalables à une introduction réussie de l'euro dans l'entreprise.

1062. Dans les *entreprises à établissements multiples*, la consultation des représentants du personnel devrait être décentralisée, certaines questions relevant plutôt du comité d'établissement, d'autres devant être abordées à tous les niveaux, du comité d'établissement jusqu'au comité central d'entreprise, voire au comité de groupe pour les comptes consolidés.

1065. La consultation des représentants du personnel sur le passage à l'euro des *bulletins de paie* a fait l'objet des recommandations suivantes du ministère de l'emploi et de la solidarité : la consultation doit intervenir le plus en amont possible, notamment sur la date envisagée et les modalités concrètes de l'opération, telles qu'information et formation de salariés, grilles de transposition de certains éléments de rémunération (Circ. DRT n° 12 du 17-11-98).

1067. Chaque fois que l'introduction de l'euro dans l'entreprise fait apparaître un besoin de formation spécifique, l'euro sera également présent dans les consultations annuelles obligatoires du comité d'entreprise sur le *plan de formation*, prévues à l'article L 933-3 du Code du travail.

2. Documents d'information

1070. Les documents d'information sur l'entreprise qui doivent être périodiquement remis au comité d'entreprise ou, à défaut, aux délégués du personnel, peuvent-ils être établis en euros ?

Cette question ne se pose que si l'entreprise a décidé de basculer sa comptabilité sur l'euro avant la fin de la période transitoire. À défaut de disposition spécifique, il paraît possible de répondre par l'affirmative, en vertu du principe du « ni, ni » (ni obligation, ni interdiction d'utiliser l'euro pendant la période transitoire).

Sont concernés tous les documents à remettre aux représentants du personnel comportant des données chiffrées sur l'activité ou les résultats de l'entreprise, tels par exemple les rapports trimestriels ou annuels d'information économique, sociale ou financière prévus par la loi.

3. Ressources du comité d'entreprise

1080. Les versements que le comité d'entreprise doit recevoir de l'employeur au titre de la subvention de *fonctionnement* et, le cas échéant, du financement des *activités sociales et culturelles* peuvent être faits, au libre choix de l'employeur, en francs ou en euros pendant toute la période transitoire.

Le principe adopté au plan communautaire est en effet que, pendant cette période, les débiteurs peuvent se libérer de leur dette aussi bien en francs qu'en euros.

4. Comité d'entreprise européen

1090. Dans les entreprises employant des salariés dans plusieurs pays de la zone euro, l'euro facilite la **comparaison** entre les niveaux de rémunération et de protection sociale pratiqués d'**un pays à l'autre**. Ces entreprises peuvent donc être confrontées à des demandes d'harmonisation à la hausse. Aussi ont-elles intérêt à se préparer dès à présent à cette situation (n° 2521), qui ne manquera pas, pour les entreprises ou groupes d'entreprises concernés par la directive du 22 septembre 1994, d'être évoquée au sein du comité d'entreprise européen ou dans le cadre de la procédure d'information et de consultation des travailleurs visée par cette directive.

SECTION IV

Barèmes et modèles

A. Barèmes sociaux en euros

1100. On trouvera ci-après les contre-valeurs en euros du SMIC, du minimum garanti, du plafond de sécurité sociale et des cotisations ASSEDIC et de retraite complémentaire, tels qu'ils ont été communiqués par les administrations et organismes compétents.

Sur la valeur juridique de ces chiffres, voir n° 1015.

SMIC et minimum garanti

Circ. DRT n° 2 du 14-1-99

SMIC horaire non arrondi : 6,13150 €

SMIC horaire arrondi : 6,13 €

SMIC mensuel brut base 169 h : 1036,22 € (montant obtenu en multipliant le taux horaire non arrondi par 169 h et en arrondissant le résultat au centième d'euro le plus proche).

Minimum garanti (MG) non arrondi : 2,80354 €

Minimum garanti (MG) arrondi : 2,8 €

Ces valeurs sont applicables jusqu'au prochain relèvement du SMIC, au 1er juillet 1999.

Plafond de sécurité sociale

Circ. DSS n° 19 du 14-1-99

Le tableau ci-après donne les valeurs en euros du plafond de sécurité sociale *en 1999*.

Périodicité du paiement de la rémunération	Montant du plafond 1999
Trimestre	6 618
Mois	2 206
Quinzaine	1 103
Semaine	509
Jour	102
Heure (pour une durée de travail inférieure à 5 heures)	13

Plafond des contributions ASSEDIC

Circ. UNEDIC n° 5 du 26-1-99

Le plafond des contributions ASSEDIC est fixé *en 1999* à 8824 € par mois et à 105885 € pour l'ensemble de l'année.

Plafonds AGIRC

Le tableau ci-après indique les valeurs en euros des plafonds à utiliser *en 1999* pour le calcul des cotisations AGIRC.

Tranche de rémunération	par mois	par trimestre	pour l'ensemble de l'année
Tranche B	8 824	26 471	105 885
Tranche C	17 647	52 942	211 770

Plafonds ARRCO

Le tableau ci-après indique les valeurs en euros des plafonds à utiliser *en 1999* pour le calcul des cotisations ARRCO.

Catégories de salariés	par mois	par trimestre	pour l'ensemble de l'année
Cadres	2 206	6 618	26 471
Non-cadres	6 618	19 853	79 414

B. Modèles de bulletins de paie

1110. On trouvera ci-après deux modèles de bulletins de paie illustrant les règles et recommandations exposées n°s 922 s.

Établis par nos soins, ces modèles n'ont aucune valeur officielle. Ils doivent être considérés comme de *simples propositions* qu'il est loisible à chaque entreprise d'adapter à sa guise dans le respect des recommandations ministérielles.

Il est possible, en particulier, de ne pas conserver cinq *décimales après la virgule* pour l'établissement des bulletins de paie en euros, mais un tel choix aura pour conséquence d'augmenter un peu le risque d'écart entre le net à payer du dernier bulletin de paie en francs et celui du premier bulletin de paie en euros. Quelles que soient les options retenues par l'entreprise, il importe que celle-ci en *informe les salariés,* afin de les guider dans la lecture de leurs bulletins de paie. Cette information peut trouver sa place dans une annexe explicative jointe aux bulletins de paie.

Avant le basculement

Le bulletin de paie proposé n° 1111 se place dans l'hypothèse d'une entreprise n'ayant pas encore basculé sa paie en euros. Les données du cas sont les suivantes :
— salarié non cadre ;
— mois de janvier 1999 ;
— salaire brut pour 169 h : 12000 F ;
— taux de la cotisation accidents du travail : 2 %.

Après le basculement

Le bulletin de paie proposé n° 1112 se place dans l'hypothèse contraire d'une entreprise ayant basculé sa paie en euros. Reprenant les données de l'exemple précédent, il a été établi sur la base des *options* suivantes :
a. La rémunération du salarié a tout d'abord été convertie en euros en partant du taux horaire. Afin d'obtenir un montant en euros le plus proche possible du montant en francs français, le taux horaire obtenu n'a pas été arrondi. Dans notre exemple, les données s'établissent comme suit :
Rémunération mensuelle en francs : 12000 F pour 169 h.
Taux horaire en francs : 12000 / 169 = 71,00592 F
Taux horaire en euros : 71,00592 / 6,55957 = 10,82478 €.
Rémunération mensuelle en euros : 10,82478 x 169 = 1829,38782 €
Taux horaire des heures supplémentaires à 25 % en euros : 10,82478 x 1,25 = 13,53098 €
b. Dans la *partie supérieure* du bulletin, les calculs en euros ont été reconvertis en francs en arrondissant la somme obtenue au centime le plus proche.
Exemple : rémunération mensuelle en euros : 1829,38782 €
Conversion en francs : 1829,38782 x 6,55957 = 11999,997 F arrondis à 12000 F
Heures supplémentaires en euros : 13,53098 x 8 = 108,24784 €
Conversion en francs : 108,24784 x 6,55957 = 710,05928 F, arrondis à 710,06 F.
c. S'agissant de la *partie inférieure* du bulletin, en application des recommandations ministérielles, les montants des cotisations et contributions ont été calculés en

conservant cinq chiffres après la virgule, afin de limiter les écarts entre la dernière paie exprimée en francs et la première paie en euros. En revanche, le net à payer a, conformément à la réglementation communautaire (voir n° 264), été arrondi au centième d'euro le plus proche.

Le **net à payer** en francs a été calculé par conversion directe du montant arrondi du net à payer en euros.

Le **net imposable** en euros n'a qu'une valeur purement indicative, les déclarations de revenus des particuliers devant continuer à être souscrites en francs pendant toute la période transitoire (jusqu'à la déclaration des revenus de 2001 à souscrire en 2002).

Le **rapprochement des deux bulletins** montre que ces choix permettent de réduire à sa plus simple expression (un centime, au cas particulier) l'écart entre la contrevaleur en francs du net à payer en euros et le net à payer en francs du bulletin de paie avant basculement.

Bulletin de paie en francs
1111.

BULLETIN DE PAIE DU 01/01/99 au 31/01/99						
Entreprise Nom : Établissement :　　　　Code APE : Adresse : URSSAF de :　　　　Compte URSSAF n° :			Salarié Nom, prénom :　　　　Adresse : Emploi :　　　　Classification : N° Sécurité sociale : Convention collective applicable :			
Durée des congés payés : C. trav. art. L 223-2 à L 223-8 (1) Durée du préavis : C. trav. art. L 122-5 à L 122-7 et L 122-14-13 (1)			Unité monétaire retenue : le franc			
Salaire brut						
Salaire de base pour			169 H à 71,01			12 000,00
Heures supplémentaires à 25 %			8 H à 88,76			710,08
Primes d'ancienneté à 3 %						360,00
Salaire brut			(1 992,52 euros)			13 070,08

Charges sociales						
		Retenues salariales			Charges patronales	
Brut soumis à cotisation SS :　13 070,08 F		Base	Taux ou %	Montants	Taux ou %	Montants
Assurance maladie-veuvage		13 070,08	0,85	111,10	12,80	1 672,97
Assurance vieillesse		13 070,08	6,55	856,09	8,20	1 071,75
Assurance vieillesse sur brut		13 070,08			1,60	209,12
Allocations familiales		13 070,08			5,40	705,78
Accident du travail		13 070,08			2,00	261,40
ASSEDIC + ASF		13 070,08	3,01	393,41	5,13	670,50
Retraite compl. (régime non-cadres)		13 070,08	3,00	392,10	4,50	588,15
CSG déductible		12 416,58	5,10	633,25		
			Total	2 385,95		5 179,67
Salaire après retenues salariales déductibles					10 684,13	
CSG non déductible et CRDS (Base 12 416,58 F ; taux : 2,9 %)					360,08	
Net à payer :			(1 573,89 euros)		10 324,05	
Payé le . . . . par virement (où : par chèque n° . . . .)						
Net imposable 10 684,13 (1 628,79 euros)		Congé payé du . . . . . . au . . . . . . avec maintien du salaire			Repos compensateur	
Dans votre intérêt et pour vous aider à faire valoir vos droits, conservez ce bulletin de paie sans limitation de durée.						

(1) Mentions obligatoires si la convention collective est muette sur ces questions ou s'il n'existe aucun texte conventionnel. Pour les contrats à durée déterminée, aucune menstion relative au préavis n'a à figurer.

Bulletin de paie en euros

1112.

BULLETIN DE PAIE DU 01/01/99 au 31/01/99	
Entreprise Nom : Établissement : Code APE : Adresse : URSSAF de : Compte URSSAF n° :	Salarié Nom, prénom : Adresse : Emploi : Classification : N° Sécurité sociale : Convention collective applicable :
Durée des congés payés : C. trav. art. L 223-2 à L 223-8 (1) Durée du préavis : C. trav. art. L 122-5 à L 122-7 et L 122-14-13 (1)	Unité monétaire retenue : l'euro

Salaire brut		
Salaire de base pour . . . . 169 H à 10,82478	(12 000,00 F)	1 829,38782
Heures supplémentaires à 25 % . . . . 8 H à 13,53098	(710,06 F)	108,24784
Primes d'ancienneté à 3 %	(360,00 F)	54,88164
Salaire brut	(13 070,06 F)	1 992,51730

Charges sociales					
		Retenues salariales		Charges patronales	
Brut soumis à cotisation SS : 1 992,51730	Base	Taux ou %	Montants	Taux ou %	Montants
Assurance maladie-veuvage	1 992,51730	0,85	16,93640	12,80	254,04221
Assurance vieillesse	1 992,51730	6,55	130,50988	8,20	163,38642
Assurance vieillesse sur brut	1 992,51730			1,60	31,88028
Allocations familiales	1 992,51730			5,40	107,59593
Accident du travail	1 992,51730			2,00	39,85035
ASSEDIC + ASF	1 992,51730	3,01	59,97477	5,13	102,21614
Retraite compl. (régime non-cadres)	1 992,51730	3,00	59,77552	4,50	89,66328
CSG déductible	1 892,89144	5,10	96,53746		
		Total	363,73403		789,63461

Salaire après retenues salariales déductibles	1 628,78327
CSG non déductible et CRDS (Base 1 892,89144 ; taux : 2,9 %)	54,89385
Net à payer : . . . . (10 324,04 F)	1 573,89

Payé le . . . . par virement (où : par chèque n° . . . .)

Net imposable 1 628,78327 (10 684,12 F)	Congé payé du . . . . . . au . . . . . . avec maintien du salaire	Repos compensateur

Dans votre intérêt et pour vous aider à faire valoir vos droits, conservez ce bulletin de paie sans limitation de durée.

(1) Mentions obligatoires si la convention collective est muette sur ces questions ou s'il n'existe aucun texte conventionnel. Pour les contrats à durée déterminée, aucune menstion relative au préavis n'a à figurer.

CHAPITRE V
Autres pays

1200. Nous présentons dans ce nouveau chapitre les dispositions législatives et réglementaires adoptées pour l'introduction de la monnaie unique chez les principaux partenaires de la France au sein de la zone euro : Allemagne, Belgique, Espagne, Italie, Luxembourg, Pays-Bas et Portugal.

SECTION I
Allemagne 1 € = 1,95583 DM

A. Juridique

Moyens de paiement

1215. Depuis le 1er janvier 1999, les banques mettent à la disposition de leur clientèle des chéquiers et des formulaires pour effectuer virements et inscriptions au débit, sans mention de devises, afin de permettre aux clients de les remplir, au *choix*, en deutsche Mark ou en euros.

Conversion du capital social des sociétés

1220. Les *montants nominaux* du capital social de la GmbH et de l'AG ont été adaptés avec effet au 1er janvier 1999 : le capital social minimum d'une AG est de 50 000 euros, divisé en actions dont la valeur nominale ne peut être inférieure à un euro. Le capital social minimal d'une GmbH est de 25 000 euros, le montant minimal de l'apport de chaque associé de 100 euros et le montant de chaque part doit être divisible en fractions de 50 euros.

1221. Les *AG* dont l'enregistrement a été demandé avant le 1er janvier 1999 ne sont pas *obligées de convertir* leur capital en euros, à l'exception des AG cotées (qui doivent convertir leur capital à un montant arrondi en euros avant la fin de la période transitoire). Les AG non cotées peuvent même procéder à des augmentations de capital en deutsche Mark (à condition que l'inscription au registre ait lieu avant le 31 décembre 2001). En revanche, toute augmentation de capital après cette date ne pourra être enregistrée que si le capital social a été relibellé en euros. Les sociétés constituées depuis le 1er janvier 1999 peuvent être créées avec un capital en euros ou en deutsche Mark, mais le taux de conversion fixé le 1er janvier 1999 leur est obligatoirement applicable (et leur capital social doit donc atteindre les montants susvisés en euros). Après le 31 décembre 2001, seules les sociétés dont le capital et les actions sont libellés en euros seront inscrites au RCS.

1222. Afin de faciliter la *conversion du capital en euros* au moment le plus opportun pendant la période transitoire (conversion simple, pouvant comporter des montants non arrondis), la loi instaure une procédure exceptionnelle. Par dérogation aux règles habituelles, la conversion du capital social et des valeurs nominales des actions d'une AG peut se faire par résolution prise à la majorité simple du capital représenté ; et pour celle concernant une GmbH, à la majorité simple des voix. Il n'est pas nécessaire de publier ces modifications. Après le 31 décembre 2001, le pouvoir de décider de la conversion pourra être délégué au conseil de surveillance.

1223. Cette *conversion* posera des *problèmes de lisibilité* (problème d'arrondi) quant à la valeur du capital social et des titres. Le législateur a prévu deux solutions (*EuroEG*) : l'*ajustement du capital* ou le système des *actions sans valeur nominale*. Ce dernier système ne s'applique qu'aux AG.

1224. Par dérogations aux règles habituelles, les **AG** sont autorisées, par résolution notariée adoptée à la majorité simple si la moitié du capital social est représentée, à augmenter leur capital par incorporation des réserves sans nouvelle répartition d'actions afin que la valeur nominale de chaque action atteigne l'arrondi supérieur du chiffre résultant de la conversion au taux officiel. La réduction du capital est autorisée également, mais dans ce cas la moitié du capital social doit être représentée.

Il est aussi possible d'augmenter ou de diminuer la valeur nominale des actions d'une manière arithmétique telle que chaque actionnaire obtienne un nombre d'actions libellées en euros entiers (ce qui implique en principe une nouvelle répartition du capital en actions et nécessite donc l'accord des actionnaires selon les règles habituelles du droit des sociétés).

S'agissant des **GmbH**, la loi ne prévoit pas de règles particulières : les modifications du capital nécessitent une résolution prise à la majorité des 3/4, sous forme notariée. L'incorporation des réserves pour parvenir à arrondir les valeurs nominales est possible (mais non la méthode arithmétique), et cela selon les modalités habituelles prévues par la loi sur les sociétés.

1225. Enfin pour les **AG**, une loi du 25 mars 1998 (*Stückaktiengesetz* : BGBl 1998, Vol I, p. 590) entrée en vigueur le 1er avril 1998 autorise les *actions sans valeur nominale*. Une telle action représentera une fraction du capital, le « pair » (*Stückaktie*). La loi précise que sa valeur doit être égale ou supérieure à un euro ou à cinq deutsche Mark (l'ancienne valeur nominale minimale). La loi n'abolit pas pour autant les actions portant une valeur nominale ; elle laisse aux sociétés la *liberté d'opter* pour l'une ou l'autre formule, la coexistence des deux types d'actions étant interdite. En pratique, cela implique que les sociétés qui ne peuvent procéder à une augmentation de capital par incorporation de réserves, afin que leur capital social et les actions exprimés en euros soient des montants arrondis, peuvent convertir toutes les actions existantes en actions sans valeur nominale. La décision de l'assemblée générale optant pour des actions sans valeur nominale a pu être prise avant le 1er janvier 1999.

Conversion des obligations

1228. La loi sur l'introduction de l'euro du 9 juin 1998 réglemente la conversion en euros des *obligations d'État* négociées en bourse et la conversion d'obligations d'*autres émetteurs*, depuis le 1er janvier 1999 (déclaration unilatérale du débiteur aux créanciers, et conformément aux règles de calcul des arrondis et de conversion). Les entreprises peuvent relibeller leurs obligations en euros depuis le 1er janvier 1999, sans devoir recueillir préalablement l'accord des porteurs. La conversion ne modifie ni l'échéance de l'obligation, ni le taux ou l'échéance des intérêts.

Pour les nouvelles émissions pendant la période transitoire, l'émetteur a le choix de les émettre en euros ou en deutsche Mark.

Double affichage des prix, étiquetage

1232. Depuis le 1er janvier 1999, les fournitures de biens et de services, ainsi que la TVA, peuvent être facturées en euros et en deutsche Mark simultanément à condition que les factures indiquent clairement que le montant total de TVA *(UStAusweis)* doit être payé soit en deutsche Mark soit en euros (Circulaire du 24-3-1998, IVC3 — S7283 — 2/98).

Frais bancaires de conversion en euros

1235. Bien que la recommandation de la Commission CE n'ait pas de force de loi (voir n° 382), l'approche des banques est ne pas faire payer la conversion des comptes de deutsche Mark en euros.

B. Comptable

1240. En simplifiant, le contenu du bilan comptable et du bilan fiscal est souvent identique. En principe, ce sont les principes comptables qui prévalent pour l'établissement du bilan. Sauf indication du contraire, les solutions aux questions comptables sont à trouver dans la partie fiscale.

Traitement des coûts liés au passage à l'euro

1243. Les frais engagés pour la conversion de deutsche Mark en euros ne sont déductibles que durant l'exercice pendant lequel ils ont été engagés et à condition que ces frais ne soient pas des immobilisations selon le droit comptable commun. Le droit comptable donne aux sociétés de capitaux, sans que cela ait une incidence sur la (non-)déductibilité fiscale, la possibilité d'inscrire à l'actif les frais pour les immobilisations immatérielles qui ne sont pas acquises à titre onéreux (par exemple, les frais de la création d'un logiciel). Les frais immobilisés doivent être amortis à un taux de 25 % au minimum par an. En contrepartie, la société doit doter les bénéfices retenus à une réserve non distribuable, pour un montant égal à ces immobilisations.

Monnaie de tenue de la comptabilité

1248. Pendant la période transitoire, la comptabilité, les comptes annuels et consolidés peuvent être tenus en euros ou en deutsche Mark. Le choix de l'euro pour la comptabilité n'implique pas nécessairement le même choix pour les comptes annuels et vice versa. De même, les comptes annuels peuvent être établis en deutsche Mark et les comptes consolidés en euros (ou l'inverse). La comptabilité peut même être partiellement tenue en euros; la gestion de la paie, par exemple, peut être tenue en euros et le reste en deutsche Mark. Le choix de l'euro est irrévocable. La conversion au cours d'un exercice n'est pas autorisée par l'administration fiscale (*BMF-Schreiben* du 15-12-1998 — IV A 3 — S 1904 — 229/98 BStBl 1998 Vol I p. 1625).

C. Fiscal

1260. Les réponses sont à trouver dans la loi sur l'introduction de l'euro en Allemagne (*Gesetz zur Einführung des Euro* du 9-6-1998 (*Euro-Gesetz*) : BGBl Vol I p. 1242) et dans la circulaire du ministère des finances (*BMF-Euro-Einführungsschreiben* du 15-12-1998 « *Steuerliche Fragen im Zusammenhang mit der Einführung des Euro* » IV A 3 (alt) — S 1904 — 229/98).

Régimes des dépenses

1265. Il est interdit de créer des *provisions déductibles* pour les charges liées à l'introduction de l'euro. Fiscalement, les charges immobilisées doivent être déduites du bénéfice imposable de l'année où elles sont supportées. Néanmoins, l'introduction de l'euro peut, dans certains cas, permettre d'écourter la durée d'*amortissement* de certains biens (logiciels de conversion de devises, par exemple) (*Euro-Gesetz*).

Régime des écarts de change

1267. La décision de l'entreprise de passer à l'euro n'entraîne pas, en tant que telle, la constatation d'un gain ou d'une perte. En revanche, des *gains* ou des *pertes* pourraient résulter des *modifications du taux de change* des autres États membres participant à l'euro.

Des *pertes de change* devaient, en application du principe de prudence, déjà être constatées dans les comptes au 31 décembre 1998.

1268. Des *gains de change* ne peuvent être pris en compte que dans les exercices clos après le 31 décembre 1998. Pour éviter leur imposition, ils doivent être classés dans un compte spécial du bilan comptable, et dans une « réserve pour passage à l'euro » dans le bilan fiscal (*Euro-Gesetz*). L'imposition est alors *reportée* jusqu'à la date à laquelle le bien, la créance ou la dette sort du patrimoine d'exploitation de l'entreprise, mais au plus tard la 5ᵉ année comptable qui suit l'année de sa réalisation.

Traitement des arrondis

1270. Arrondir au cent (d'euro) inférieur ou supérieur en cas de conversion deutsche Mark/euros. Arrondir au pfennig inférieur ou supérieur en cas de conversion euros/deutsche Mark (le troisième chiffre après la virgule devant être arrondi ; à partir de 5 vers le chiffre supérieur). Les mêmes règles valent pour l'utilisation des montants forfaitaires (pourcentages) : il est accepté d'un point de vue fiscal de ne convertir que le montant final en euros et d'utiliser plus de deux décimales tant que l'on n'est pas parvenu au montant final.

D'éventuels écarts de conversion ne seront pas recouvrés.

Déclarations fiscales et paiement de l'impôt en euros

1275. Pour des périodes de référence pendant la période transitoire, il est possible d'établir les **déclarations** mensuelles, trimestrielles et annuelles de **TVA** en euros. Le choix de déclarer en euros est irréversible. (*BMF-Schreiben* du 15-12-1998).

> Il est à l'inverse possible de faire une déclaration en deutsche Mark pour une période de référence close avant le 31 décembre 2001, même si la déclaration est déposée après cette date.

Le choix de faire une déclaration de TVA en euros (par exemple la déclaration mensuelle) implique de maintenir ce choix dans les autres documents (la déclaration annuelle, l'état récapitulatif).

Pendant la période transitoire, les non-résidents peuvent choisir d'établir leurs **demandes de remboursement de TVA** en deutsche Mark ou en euros.

1276. S'agissant de l'*impôt sur les salaires* que les employeurs doivent retenir à la source et reverser à l'administration fiscale, la déclaration peut être faite (*Lohnsteuer-Anmeldung*), au choix des entreprises-employeurs, en deutsche Mark ou en euros (*BMF-Schreiben* du 15-12-1998). À cet égard, l'on notera que les barèmes à utiliser pour le calcul de la retenue sur salaire demeurent en deutsche Mark.

1277. Pour les **autres impôts**, les déclarations fiscales doivent être faites en deutsche Mark pour toutes les périodes de référence antérieures au 31 décembre 2001, même si elles sont déposées après cette date.

1278. *Exceptions* : Pour l'impôt sur le revenu (et sur les sociétés), il est possible de faire le **calcul du bénéfice industriel et commercial** (*Gewinnermittlung*) (et de transmettre les justificatifs y afférents — *Aufzeichnungen*) en euros (ou en deutsche Mark) pendant la période transitoire. Par contre, ce bénéfice doit être reporté en deutsche Mark dans la déclaration d'impôt. Le choix de l'euro pour le calcul du bénéfice est irréversible.

Incidences sur les contrôles fiscaux et le contentieux

1280. Jusqu'à la fin de la période transitoire, les **montants légaux** (seuils, exonérations) resteront en deutsche Mark.

L'*établissement de l'impôt* est effectué en deutsche Mark pour les périodes de référence closes avant le 31 décembre 2001 (même si à titre d'information, les montants finaux peuvent apparaître en euros). Il sera en euros pour les périodes qui commencent après le 31 décembre 2001. Cela n'empêche cependant pas les entreprises de **régler**, pendant la période transitoire, leurs impôts en euros par virement ou par chèque si elles le désirent.

Les écarts causés par les règles d'arrondis ne seront pas pertinents.

D. Social

Déclarations sociales et paiement des cotisations

1285. Les montants à remplir par l'employeur sur la *carte de retenue sur salaire* pour 1999 *(Lohnsteuerkarte)* le seront en deutsche Mark même si les salaires sont payés en euros. Cette carte de retenue, renouvelée chaque année en début d'année, sert de justificatif des retenues effectuées par l'employeur pour la déclaration d'impôt sur le revenu que le salarié doit établir (*BMF-Schreiben* du 17-11-1998 — IV C 5 — S 2378 2/98).

1286. Dans un *projet* de loi du 26 novembre 1998 (*Gesetz zur Öffnung der Sozial- und Steuerverwaltung für den Euro* ou *2.Euro-Einführungsgesetz*, pas encore adopté, même si la loi devait entrer en vigueur le 1-1-99), il est prévu d'une part, que les employeurs ont le droit d'opter pour l'euro, dès le 1er janvier 1999, pour la gestion de la paie et des cotisations et, d'autre part, que le calcul des cotisations sociales (y compris leur paiement et les communications d'informations) est effectué en euros.

SECTION II

Belgique   1 € = 40,3399 FB

A. Juridique

Conversion du capital social en euros

1310. Les sociétés anonymes, les sociétés en commandite par actions, les sociétés privées à responsabilité limitée et les sociétés coopératives peuvent, dans le cadre de la conversion de leur capital social en euros, entre le 1er janvier 1999 et le 31 décembre 2001, par décision de l'*assemblée générale* statuant à la majorité simple :

— exprimer leur *capital social en euros* ;

— procéder à une *augmentation de capital* par incorporation de réserves, de primes d'émission, de plus-values de réévaluation ou de bénéfices mis en réserve, à concurrence au choix, d'un maximum de 1 000 euros ou de 4 % au plus du montant du capital souscrit avant l'augmentation de capital ;

— si leur capital est représenté par des actions ou parts avec mention de la *valeur nominale*, soit adapter celle-ci à la nouvelle expression et au nouveau montant du capital social, soit supprimer la mention de la valeur nominale de leurs actions ou parts.

La *publication* de l'acte sous seing privé constatant la modification des statuts est opérée sans frais (Loi du 30-10-1998 : Moniteur belge du 10-11-1998, p. 36534 et 36535).

Marchés et instruments financiers

1320. Ont été d'office *relibellés en euros*, dès le 2 janvier 1999, les instruments financiers suivants : les obligations linéaires, les titres scindés et les certificats de trésorerie. Les autres *emprunts de l'État* en francs belges pourront être relibellés en euros ultérieurement. S'agissant des autres emprunts de l'État libellés dans une devise d'un autre État membre, ils pourront être relibellés en euros dès que cet autre État membre aura pris les mesures nécessaires pour relibeller sa dette publique en euros.

Pour ce qui est des *autres émetteurs*, ils peuvent relibeller en euros leurs obligations et leurs autres titres de créance négociables sur les marchés de capitaux ainsi que les instruments du marché monétaire, si ces titres et instruments sont libellés en francs belges ou dans la monnaie d'un État membre qui a pris des mesures pour relibeller sa dette. Si les titres et instruments concernés sont dématérialisés et soumis au droit belge, la relibellisation doit se faire à deux décimales près, l'arrondissement se faisant au cent supérieur pour les montants $\geq$ à 0,5 cent et au cent inférieur pour les montants inférieurs à 0,5 cent (Loi du 30-10-1998 : Moniteur belge du 10-11-1998, p. 36531).

> Pour tenir compte de la demande du marché, l'arrêté royal du 11 décembre 1998 (Moniteur belge du 24-12-1998, p. 41011) a décidé la relibellisation en euros des *bons du Trésor* en francs belges.

Double affichage des prix

1330. Si les prix devront toujours être exprimés en francs belges pendant la période transitoire, les entreprises peuvent pratiquer le double affichage. Dans ce cas, les deux prix doivent apparaître ensemble et être accompagnés d'un *sigle distinctif* permettant de les identifier aisément. L'indication en euros doit être exprimée avec *au moins deux décimales* après la virgule, lorsque ce prix en comprend.

En cas d'indication d'une *réduction de prix* ou de tarif s'exprimant par un montant ou un pourcentage, le vendeur peut limiter la double indication au prix final à payer par le consommateur. Il en va de même pour les prix de *produits préemballés en quantités variables*. Pour les produits vendus *en vrac*, c'est le prix à l'unité de mesure qui doit être indiqué en francs belges et en euros (Arrêté royal du 17-12-1998 : Moniteur belge du 29-12-1998, p. 41299).

Conversions pratiquées par les établissements financiers

1335. Les établissements financiers devront appliquer des principes de bonne pratique en matière de *conversion sans frais* qui comprennent (Loi du 30-10-1998 : Moniteur belge du 10-11-1998, p. 36536) :
— la conversion sans frais des paiements entrants de l'unité monétaire nationale en unité euro et vice versa durant la période transitoire ;
— la conversion sans frais des paiements sortants de l'unité monétaire nationale en unité euro et vice versa durant la période transitoire ;

— la conversion sans frais des comptes libellés dans l'unité monétaire nationale en unité euro durant et à la fin de la période transitoire;
— un même tarif de facturation pour les services libellés en unité euro et pour les services libellés en unité monétaire nationale.

B. Comptable

1340. Les comptes des sociétés, qu'elles soient ou non résidentes de Belgique, pourront être établis *en euros* pour les exercices clos depuis le 1er janvier 1999 (circulaire min. fin. n° 28/507.876 du 17-4-1998).

Les *comptes annuels individuels* (par opposition aux comptes consolidés qui pouvaient déjà être établis en euros avant le 31 décembre 1998) arrêtés au plus tôt le 1er janvier 1999 peuvent être établis en euros (recommandation CRC). Cela n'empêche pas les sociétés qui ont fait ce choix de continuer à tenir leur comptabilité en francs belges pendant la période transitoire. Cette dernière possibilité (qui implique une conversion des chiffres francs belges/euros dans la balance de vérification et dans les annexes) ne sera plus possible après le 30 juin 2002.

Les entreprises peuvent continuer à établir leurs comptes annuels en francs belges jusqu'à l'exercice comptable clos le 31 décembre 2001 (même si la date d'approbation des comptes est postérieure). Ce n'est donc que pour les exercices comptables clos après le 31 décembre 2001 que l'usage de l'euro sera de rigueur. À compter du 1er avril 2003, les comptes annuels ne pourront être déposés à la Banque nationale belge que libellés en euros (Arrêté royal du 8-12-1998 : Moniteur belge du 16-12-1998, p. 39947).

C. Fiscal

1350. Nous présentons ci-après les *principales dispositions de la loi belge* qui contient les dispositions fiscales concernant le passage à l'euro (Loi du 30-10-1998 : Moniteur belge du 10-11-1998, p. 36530 et 36531).

1351. Pendant la période transitoire de trois ans (1999-2001), les *déclarations fiscales* peuvent indifféremment être effectuées en francs belges ou en euros. Il convient de noter que le fait de produire des déclarations en euros ne *lie* le contribuable que pour les déclarations suivantes du même type (tel type de précompte, par exemple).

1352. On notera que les *entreprises* belges sont tenues de remplir leurs déclarations fiscales dans la même monnaie que celle dans laquelle elles tiennent leurs *comptes* annuels (sur les comptes individuels, voir n° 1340). La tenue de comptes en euros ne peut concerner que les exercices clos depuis le 1er janvier 1999. Les sociétés dont l'exercice comptable correspond à l'année civile pourront donc remplir leurs déclarations fiscales en euros à compter de 2000.

1353. La même règle prévaut en matière de *TVA*. Le choix de l'euro peut être fait pour les déclarations de TVA qui concernent les opérations pour lesquelles la TVA est devenue exigible après le 31 décembre 1998. Ce choix est irrévocable et concerne également les renseignements qui doivent être communiqués à l'administration fiscale.

> L'arrêté royal du 26 novembre 1998 (Moniteur belge du 1-12-1998, p. 38425 s.) précise qu'en matière de *TVA* pour l'indication, par taux, de la base d'imposition et des éléments qui la composent, tous les éléments doivent être exprimés dans la même unité monétaire, soit en francs belges, soit en euros.

1354. Les *acomptes* versés au titre de l'impôt depuis le 1er janvier 1999 peuvent également l'être en euros. Le précompte professionnel peut être déclaré et versé en euros pour les salaires payés depuis le 1er janvier 1999 (Circ. 17-4-1998).

1355. Comme les cours de change entre le franc belge et les autres monnaies de la zone euro sont fixes depuis le 1er janvier 1999, l'administration fiscale belge considère que ces *écarts de change* doivent être comptabilisés au 31 décembre 1998 ou, en tout cas, avant la fin de l'exercice comptable en cours s'il n'est pas clôturé à cette date. L'administration ne fait pas de distinction entre les sociétés qui passent à l'euro et celles qui continuent à comptabiliser en francs belges. Les bénéfices de conversion sont réalisés et imposables; les pertes de conversion sont déductibles pour cet exercice comptable (Circ. n° Ci.RH 421/494.543, 8 octobre 1997 : Bull. contr., 1997, 2418). Cette position est critiquée puisqu'elle est contraire au principe selon lequel une plus-value latente n'est pas imposable pour autant qu'elle est transférée à une réserve au passif. L'administration fiscale a toutefois indiqué que si la société omet de comptabiliser ces bénéfices de conversion, elle les imposera à titre de sous-évaluation d'actifs.

1356. Enfin, des règles d'*amortissement* spécifiques ont été prévues pour les *logiciels* qui peuvent être considérés comme des immobilisations incorporelles, soit qu'ils aient fait l'objet d'une dépréciation anormale en raison du passage à l'euro, soit qu'ils aient été acquis ou conçus spécialement à cette occasion. La règle normale en la matière prévoit des annuités fixes sur une période d'amortissement d'au moins cinq ans.

D. Social

1360. Selon l'arrêté royal du 27 novembre 1998 (Moniteur belge du 1-12-1998), depuis le 1er janvier 1999, les barèmes, primes, indemnités, avantages et autres montants de référence utilisés dans la réglementation du travail et de la sécurité sociale des travailleurs salariés sont *arrondis* après conversion en euros avec *quatre décimales* (*exception* à la règle normale de l'arrondi avec deux décimales). Il ne peut être dérogé à ce principe que pour garantir une précision supplémentaire au montant converti en ajoutant des décimales au libellé en euros. En cas de doute, le montant libellé en francs belges fait référence.

Par dérogation à la règle générale de la loi du 30 octobre 1998, les différences éventuelles supérieures à un cent d'euro résultant de la comparaison du calcul réalisé par le déclarant sur base de montants en euros avec celui effectué par l'administration sur la base de montants en francs belges ne donneront pas lieu à contestation de la part de l'administration.

1361. Selon la loi relative à l'euro du 30 octobre 1998 (Moniteur belge du 10-11-1998), toute *déclaration ou autre forme de communication* relative aux cotisations et autres prélèvements en matière de sécurité sociale des salariés peut se faire, au choix de l'intéressé, en euros ou en francs belges. Le choix de l'euro dans une déclaration est irrévocable à l'égard de la déclaration en question et des suivantes auprès du même organisme.

Depuis le 15 janvier 1999, les administrations ont mis à la disposition du public des *formulaires* adaptés pour permettre au déclarant de choisir entre le franc belge et l'euro (pour des faits et activités à partir du 1er janvier 1999). Le formulaire devra préciser la possibilité de ce choix, une table de conversion et d'arrondi, l'irréversibilité du choix, et l'équivalent en euros des abattements, exonérations, réductions et augmentations exprimés en francs belges.

1362. Les *droits des assurés* seront communiqués en francs belges et en euros pour leur montant final. En revanche, les *paiements* se feront en francs belges puisque les administrations continuent à travailler en francs belges pendant la période transitoire. Mais cela ne devrait pas poser de problèmes aux entreprises ayant basculé en euros puisque les intermédiaires financiers opéreront gratuitement les conversions.

1363. Si l'employeur bascule la *gestion de la paie* en euros pendant la phase transitoire (1999-2001), le *décompte* de la paie doit mentionner le total du salaire brut et le montant net du salaire payé en espèces en francs belges et en euros. Le *compte individuel* retraçant les prestations à la charge de chaque travailleur doit énoncer les montants du salaire et toute autre somme en francs belges et en euros. Ces deux documents doivent également mentionner le taux de conversion (Arrêté royal du 10-1-1999 : Moniteur belge du 23-11-1998).

SECTION III

Espagne   1 € = 166,386 P

1400. Les *principales dispositions* concernant le passage à l'euro figurent dans les textes suivants :

— Loi 46/1998, du 17 décembre 1998 sur l'introduction de l'euro et Loi organique 10/1998, du 17 décembre, complémentaire, promulguées sur la base du Plan national pour l'introduction de l'euro en Espagne du 19 décembre 1997 ;

— Décret royal 2812/1998 du 23 décembre 1998, sur l'adaptation de la réglementation en matière d'assurances, plans et fonds de pensions à l'introduction de l'euro ;

— Décret royal 2814/1998 du 23 décembre 1998, approuvant les normes sur les aspects comptables de l'introduction de l'euro ;

— Ordonnance ministérielle du 20 janvier 1999, approuvant les modèles de déclarations de l'IVA à présenter en euro, à utiliser par tous les redevables de la taxe tenant leur comptabilité et registres fiscaux en euros.

A. Juridique

Traitement des arrondis (*Ley* 46/1998, art. 11 ; *decreto real* 2814/1998, art. 9)

1410. L'opération d'arrondissement consiste, après une conversion à l'unité euro, à arrondir par excès ou par défaut au cent le plus proche. Si en appliquant le taux de conversion, on obtient un montant dont le dernier chiffre est exactement la moitié d'un cent ou d'une peseta, l'arrondi se fait au chiffre supérieur.

En aucun cas les arrondis pratiqués dans les **opérations intermédiaires** (dont l'objet immédat n'est pas le paiement ou la comptabilisation) ne peuvent justifier une modification du montant final à payer ou à comptabiliser.

Les **différences** qui proviennent de l'arrondi sont à porter, le cas échéant, au compte des pertes et profits de l'exercice au cours duquel elles se sont produites ; elles font partie des recettes ou des frais financiers.

Si le passage à l'euro a entraîné une **réduction de capital**, son montant s'impute à un compte de réserves indisponibles, ce qui crée une partie spécifique à l'intérieur du passif que l'on dénomme « Différences par ajustement du capital à l'euro ». Si, pendant la période transitoire, les comptes annuels sont inscrits en euros et que les livres comptables continuent d'être tenus en pesetas, les parties des comptes annuels pourront être converties globalement en respectant les règles de conversion.

Conversion du capital social (*Ley* 46/1998, art. 28)

1415. La conversion du capital social peut s'effectuer depuis le 1er janvier 1999. Elle requiert la **certification** de l'accord adopté par l'organe d'administration avec les signatures des personnes habilitées.

Si par suite de la conversion en euro, la valeur nominale de l'action ou part sociale qui en résulte atteint un montant ayant plus de deux **décimales**, l'organe d'administration peut décider d'augmenter ou de réduire le capital, afin d'arrondir au cent le plus proche les valeurs nominales des actions ou parts à la hausse ou à la baisse. Le montant du capital social qui en résulte est le total des valeurs nominales des actions.

Une fois la décision adoptée, elle doit faire l'objet d'un acte authentique et être inscrite au Registre du commerce mais il n'est pas nécessaire qu'elle soit publiée dans des journaux ou au BOE. La **décision** doit être exécutée au plus tard le 31 décembre 2001.

L'*augmentation* s'effectue par incorporation des réserves disponibles. La *réduction* s'effectue par la création d'une réserve indisponible. L'*arrondissement* par réduction de la valeur nominale ne peut se réaliser quand le montant du capital social en résultant est inférieur au capital minimum légal ; dans ce cas, l'arrondi se fait à la hausse.

En cas de réduction de capital, les créanciers dont les créances sont déjà correctement garanties ne jouissent pas du droit d'opposition.

Les **auditeurs des comptes** n'ont pas l'obligation de vérifier le bilan servant de base à l'opération d'augmentation de capital par incorporation de réserves.

L'opération d'arrondissement ne donne lieu à aucun frais de notaire, droits d'enregistrement, impôts ou taxes.

Ce régime d'adoption des délibérations d'augmentation ou de réduction de capital ne s'applique pas aux **sociétés nouvelles** constituées entre le 1er janvier 1999 et le 31 décembre 2001, ou à celles qui, dans ce délai, ont augmenté ou réduit leur chiffre d'affaire sans l'avoir préalablement converti.

Titres à revenus fixes (Ley 46/1998, art. 17)

1420. Depuis le 1er janvier 1999, on peut **relibeller** les émissions de titres à revenus fixes autres que les titres de la dette publique (obligations, etc.) libellés en pesetas et émises avant cette date.

La relibellisation est soumise à la **condition** que le marché sur lequel se négocie l'émission ait adopté l'euro comme unité de compte pour la négociation des titres. Elle s'effectue en appliquant le taux de conversion à chaque titre individuellement et en arrondissant le montant en résultant. Le montant de l'émission, exprimé en unité monétaire euro, se calcule en additionnant tous les titres ainsi relibellés.

La relibellisation de l'émission peut se réaliser depuis le 1er janvier 1999 par simple **décision** de l'émetteur, sans que l'accord du syndicat des obligataires ne soit nécessaire, sauf si le contrat exclut expressément cette possibilité.

Pour son **enregistrement** dans les registres comptables, il suffit de présenter la certification, avec les signatures des personnes habilitées, de la décision adoptée par l'organe d'administration de l'émetteur.

Officiers ministériels (Ley 46/1998, art. 31)

1425. Depuis le 1er janvier 1999, les **notaires** et les agents de change doivent indiquer dans les actes qu'ils administrent et qui sont libellés en pesetas, le montant équivalent en euros.

Les conservateurs des **registres de la propriété et du commerce** doivent indiquer dans tous les documents qu'ils inscrivent dans leurs registres et qui contiennent une référence en pesetas, le montant correspondant en euros.

S'il se présente à l'enregistrement un document qui contient une **discordance** entre euros et pesetas, il convient de suspendre l'inscription jusqu'à ce qu'elle soit supprimée.

Double affichage des prix (Ley 46/1998, art. 35)

1430. Les administrations publiques peuvent mettre en place un régime de protection des droits des **consommateurs** et des **usagers** applicables pendant la période de transition. La réglementation peut exiger que le double affichage des prix indique également l'unité servant de base pour le calcul de la conversion et de l'arrondi.

Frais bancaires de conversion en euros (*Ley* 46/1998, art. 9, 14 et 15)

1432. La substitution de l'euro à la peseta, ainsi que les opérations qu'elle entraîne, est *gratuite* pour les consommateurs. Est réputé nul de plein droit tout pacte, clause ou accord qui contreviendrait à ce principe.

Tout montant libellé en euros ou en pesetas, payable à l'intérieur du territoire national en créditant le compte du créancier, peut être payé par le débiteur tant en euros qu'en pesetas. Le créancier est crédité dans la monnaie libellée dans son compte.

Les *conversions* que réalisent les banques sont *gratuites*, comme le sont les conversions que doivent faire les entreprises de services d'investissement pour exécuter les ordres de leurs clients.

Les *commissions et frais* pour services financiers en euros doivent être égaux à ceux applicables aux mêmes services en pesetas.

B. Comptable

1440. Les normes sur les aspects comptables du passage à l'euro sont *obligatoires pour* toutes les sociétés (quelle que soit leur forme juridique), les établissements sans but lucratif et les redevables devant présenter leurs comptes sous forme consolidée. Elles ne le sont *pas pour* les établissements financiers car ils relèvent de dispositions spécifiques.

Présentation des comptes annuels (*Ley* 46/1998, art.27 ; *decreto real* 2814/1998, art.1 et 2)

1441. Les comptes annuels, individuels et consolidés, correspondant aux exercices dont la date de clôture se produit pendant la *période transitoire* (1999-2001), peuvent être présentés, au *choix*, en pesetas ou en euros. L'option est *irrévocable* sauf cas exceptionnels (comme les opérations de fusion ou de scission dans lesquelles interviennent des sociétés n'ayant pas opté pour l'euro).

Les *comptes annuels présentés en euros* doivent dans tous les cas inclure les montants de l'exercice précédent présentés en euros ; en outre, dans l'annexe, à la rubrique « bases de présentation des comptes annuels », il faut inclure une explication sur l'adaptation des montants des exercices précédents, ainsi que sur la méthode de passage à l'euro.

Les comptes annuels, individuels et consolidés, correspondant à des exercices dont la date de *clôture* se produit *après le 31 décembre 2001* doivent être présentés exclusivement en euros. À partir du 1er janvier 2002, il est recommandé de présenter les comptes annuels en euros, même s'ils peuvent correspondre à des exercices fermés pendant la période transitoire. De même, il est recommandé que les comptes consolidés d'un groupe soient présentés dans la même unité de compte que les comptes annuels de la société dominante.

Traitement des coûts liés au passage à l'euro (*decreto real* 2814/1998, art. 7)

1443. En règle générale, les frais générés par le passage à l'euro s'imputent dans le compte des pertes et profits de l'exercice pendant lesquels ils sont engagés. On peut doter une **provision pour risques et frais**, dès lors qu'à la date de clôture de l'exercice, les frais sont clairement spécifiés quant à leur nature, même si on n'en connaît pas le montant exact ou la date de leur engagement.

Les opérations d'amélioration ou de rénovation d'une immobilisation doivent être comptabilisées comme une augmentation de la valeur de l'immobilisation.

Si la *vie utile* d'un bien se voit affectée par le passage à l'euro, il faut modifier les taux d'amortissement de l'exercice et des suivants.

Les investissements et frais générés par le passage à l'euro seront traités selon leur nature mais ils devront être considérés comme des **frais extraordinaires** dans le compte des pertes et profits s'ils sont d'un montant significatif.

C. Fiscal

Principes

1450. Le basculement à l'euro est basé sur les principes suivants :

— principe de l'exigibilité : les **modèles de déclaration en euros** ne sont applicables qu'aux impôts exigibles à compter du 1er janvier 1999. À partir du 1er janvier 2002, les déclarations devront se faire en euros, même si, pendant la période d'imposition de l'exercice 2001, les redevables ont fait des opérations en pesetas. Les déclarations hors délai ou complémentaires, présentées pendant la période transitoire (1999-2001) mais afférentes à des faits imposables antérieurs à 1999, devront utiliser les modèles en pesetas ;

— *option irrévocable* : « l'option euro » est définitive pour chaque impôt ;

— condition relative à la **comptabilité** : pour payer en euros l'impôt sur les sociétés, l'IVA et le DAU, la comptabilité doit être tenue en euros ;

— *déclaration consolidée* des groupes de sociétés : les déclarations de toutes les sociétés doivent être libellées dans la même monnaie. L'option exercée dans la déclaration du groupe redevable implique l'obligation d'utiliser la même monnaie pour les déclarations individuelles des sociétés membres ;

— l'option euro comprend **toutes les déclarations** correspondant à l'année civile ou à la période d'imposition (mensuelles, trimestrielles et annuelles). Il faut également utiliser la même unité de compte dans le paiement des retenues à la source et des paiements anticipés et dans le paiement annuel de l'IS ;

— pour les contribuables qui souhaitent passer à l'euro, il leur suffit de présenter la **première déclaration** en euros ;

— à partir du **1er janvier 2002**, la peseta ne pourra plus s'utiliser comme unité de compte, même si elle reste un moyen de paiement pendant une période de six mois maximum ; de ce fait, tous les modèles de déclaration devront s'exprimer en euros, y compris ceux afférents à des faits imposables produits pendant l'année 2001.

Livres comptables et registres fiscaux en euros (*Ley* 46/1998, art. 27 ; *decreto real* 2814/1998, art. 3)

1452. Depuis le 1er janvier 1999, les entreprises ont la possibilité de décider librement dans quelle monnaie, euro ou peseta, passer leurs écritures comptables dans leurs livres. Ce *choix* a des conséquences sur la gestion des impôts, puisque les actes réalisés à partir de 1999 peuvent être comptabilisés en euros ou en pesetas, mais jamais dans les deux dénominations.

Paiement des impôts en euros

1454. Le paiement des impôts est accepté en euros à compter du 1er janvier 1999 par virement bancaire en faveur du Trésor public ou par d'autres moyens comme le chèque ou la carte de crédit, ainsi que par compensation.

Quand le libellé du moyen de paiement n'est pas le même que celui de la déclaration, la conversion est réalisée en utilisant le taux fixe et les règles d'arrondi.

Les comptes de recouvrement de l'impôt ouverts dans les institutions habilitées à recouvrer l'impôt (banques et caisses d'épargne...) restent libellés en pesetas.

Les déclarations en euros comprendront une case où sera consignée la *contre-valeur en pesetas* du montant payé en euros.

Impôts susceptibles d'être payés en euros à partir de 1999

1455. Les principaux modèles de déclaration des impôts adaptés à l'euro pour l'exercice 1999 sont l'*IS*, l'*IVA*, le *DAU*, les *déclarations d'opérations avec les tiers*, les *droits d'accises* et autres impôts spéciaux, les *déclarations INTRASTAT*.

> Pendant la période transitoire, le modèle de déclaration de l'IRPF n'est pas adapté à l'euro.

Seules peuvent être présentées en euros les déclarations correspondant à des *périodes d'imposition* commençant à partir du 1er janvier 1999. Pour les sociétés dont la période d'imposition coïncide avec l'année civile, la première déclaration en euros sera celle correspondant à la période 1er janvier-31 décembre 1999 qui sera présentée entre le 1er et le 25 juillet 2000.

Les *paiements fractionnés* réalisés pendant 1999 qui correspondent à des périodes d'imposition commençant en 1998 doivent être présentés en pesetas.

Impôts susceptibles d'être payés en euros à partir de 2000

1456. Les modèles de déclaration qui seront présentés en euros en l'an 2000 ont trait aux *non-résidents* (personnes physiques et sociétés sans établissement stable en Espagne), aux *retenues à la source*, aux *déclarations annuelles*, à l'*impôt sur les primes d'assurance*.

Sanctions (*Ley* 46/1998, art. 5)

1460. Pendant la période transitoire, les références aux normes relatives aux sanctions portant sur des sommes exprimées en pesetas sont réputées transposables aux sommes exprimées en euros et à celles concernant l'unité de compte écu (au taux de conversion d'un écu pour un euro).

D. Social

Cotisations sociales (*Ley* 46/1998, art. 34)

1470. Le moment, la procédure et les conditions requises pour utiliser l'euro dans les relations avec la sécurité sociale, y compris le paiement des cotisations sociales en euros, seront fixés par voie réglementaire.

Fonds de pensions (*Ley* 46/1998, art. 20 ; *decreto real* 2812/1998, art.1 à 4)

1475. Pendant la période transitoire (1999-2001), les compagnies d'*assurances*, les *mutuelles de prévoyance sociale*, et les organismes gérant les fonds de pensions qui auront adopté l'euro devront soumettre aux commissions de contrôle l'information exigée par la législation en vigueur en matière d'euros.

Le ministre de l'économie et des finances peut décider dans quelles hypothèses et sous quelles conditions l'*information* à fournir aux participants et bénéficiaires des plans de pensions devra être donnée tant en euros qu'en pesetas.

SECTION IV

Italie
1 € = 1936,27 LIT

A. Juridique

Conversion du capital social en euros

1520. Depuis le 1er janvier 1999, les sociétés par actions, les sociétés à responsabilité limitée, les sociétés en commandite par actions et les coopératives peuvent procéder à la conversion en euros de leurs actions, de leurs parts et de leur capital.

Le capital social converti ne peut être inférieur à :
— 100 000 euros pour les sociétés par actions ;
— 10 000 euros pour les sociétés à responsabilité limitée.

Les dispositions relatives aux actions s'appliquent aux parts de sociétés à responsabilité limitée et de coopératives, dans la mesure où elles sont compatibles.

La conversion du capital peut être *décidée* par les organes administratifs de la société sans qu'il soit besoin de recourir à la forme notariée : il n'est pas nécessaire de convoquer pour ce faire une assemblée extraordinaire ou spéciale, les actionnaires devant être informés de l'opération lors de la première assemblée suivante. Le procès-verbal de la décision de conversion doit cependant être déposé et enregistré au registre des sociétés.

Les sociétés dont les actions ont une valeur nominale supérieure à deux cents lires peuvent les convertir en euros en appliquant le taux de conversion et d'arrondi au cent le plus proche.

1525. Le capital social exprimé en lires doit être converti en euros en appliquant le taux de conversion à la valeur nominale des actions et en arrondissant le résultat obtenu au cent d'euro. Lorsqu'il en résulte une *augmentation du capital* et l'augmentation correspondante de la valeur nominale des actions, il doit être procédé à cette augmentation à partir des réserves, y compris de la réserve légale, si nécessaire, et des fonds spéciaux inscrits au bilan. Si, au contraire, l'opération d'arrondissement entraîne une *réduction du capital*, cette dernière s'opère par dotation de la réserve légale (Circulaire min. fin. n° 291/E du 23-12-1998).

B. Comptable

Présentation des comptes en euros

1530. L'adoption de l'euro dans la présentation des comptes se fera sur une base volontaire pendant la période transitoire (1er janvier 1999-31 décembre 2001) et elle sera bien évidemment obligatoire à compter du 1er janvier 2002. L'adoption de l'euro pendant la période transitoire aura les *conséquences* suivantes (Décret-loi n° 213/98, art. 16) :

— les documents comptables destinés à être publiés (comptes annuels, comptes consolidés, autres déclarations et rapports publiés sur une base annuelle ou autre, qu'ils soient périodiques ou exceptionnels) et qui font référence à une date comprise entre le 1er janvier 1999 et le 31 décembre 2001 peuvent en toute hypothèse être établis et rendus publics en euros, à la condition que l'euro ait été adopté comme « monnaie comptable » ;

— à compter de la date du premier document comptable destiné à être publié pour lequel l'euro a été choisi, tous les documents comptables qui font référence à cette date ou à des dates ultérieures doivent être présentés en euros, à moins que des circonstances particulières explicitées dans les documents ci-dessus ne le justifient ;

— les données comparatives, exprimées à l'origine en lires et qui doivent figurer dans des documents présentés en euros, doivent impérativement être converties en euros.

1531. La Consob (équivalent italien de la COB française) a recommandé aux entreprises italiennes *cotées* de présenter leurs bilans à compter du 31 décembre 1998 à la fois en lires et en euros sur la base du taux de conversion publié le 1er janvier 1999, soit 1936,27 lires pour 1 euro (Communication de la Consob n° 98083971 du 26-10-1998).

La Consob précise en outre que pour les bilans établis après le 1er janvier 1999 des éléments devront être fournis sur les différences de change et sur les coûts de passage à l'euro. En outre, lorsque les entreprises décideront de présenter leurs comptes annuels ou intermédiaires en lires, elles devront en toute hypothèse fournir leurs schémas comptables en euros.

De plus, les bilans des sociétés cotées à compter du 1er janvier 1999 devront contenir des **informations spécifiques** dans l'annexe (*nota integrativa*) et dans les commentaires qui accompagnent les bilans semestriels :
— différences nettes des éléments financiers du passif et de l'actif, avec, éventuellement maintien de la valeur historique et indication des conséquences de l'application de la conversion en euros des éléments en cause,
— montants des différences de change concernant le compte de résultat et les actifs de l'entreprise,
— montants des coûts liés au passage à l'euro enregistrés à la fois dans le compte de résultat et dans les actifs.

C. Fiscal

Déclarations fiscales

1548. Les déclarations relatives aux impôts sur le revenu, à la TVA et à l'IRAP peuvent être présentées **en euros** pour les périodes d'imposition ouvertes à compter du 1er janvier 1999 ou clôturées pendant cette même année. En toute hypothèse, la rédaction de la déclaration en euros n'entraîne pas obligation de faire enregistrer à des fins fiscales les opérations effectuées pour les mêmes montants. Les déclarations relatives à l'année fiscale 1998 doivent être, quant à elles, obligatoirement présentées en lires.

S'agissant plus particulièrement des **déclarations TVA**, conformément au principe retenu, elles peuvent être indifféremment présentées en lires ou en euros. Cependant, dans l'hypothèse où le contribuable choisit de présenter une déclaration périodique (mensuelle ou trimestrielle) ou sa déclaration annuelle en euros, il devra se tenir à ce **choix** par la suite et remplir ses déclarations suivantes en euros. Pour la déclaration annuelle, c'est la même monnaie que celle adoptée pour les déclarations périodiques de la période en cause qui doit être retenue et c'est l'euro pour le cas où les premières l'auraient été en lires et les suivantes en euros. Au cas où, par la suite, le contribuable serait tenu de présenter une **déclaration annuelle unifiée**, qui comprend la déclaration de revenus et la déclaration annuelle de TVA, toutes les données qui doivent y être reportées doivent l'être dans la même unité monétaire (lires ou euros) mais le choix qui découle de la présentation en euros des déclarations périodiques et qui doit être repris dans la déclaration annuelle unifiée n'affecte pas pour autant la validité des déclarations périodiques qui ont été effectuées en lires.

Paiement de l'impôt

1555. Les contribuables ont entière *liberté* pour procéder au règlement des impôts à leur charge en lires ou en euros. Bien évidemment, le choix du paiement en euros pendant la période transitoire ne peut être fait que lorsque les intéressés utilisent un moyen de paiement autre qu'en espèces (Circulaire du ministère des finances sur l'euro n° 291/E du 23-12-1998).

SECTION V

Luxembourg
1 € = 40,3399 FL

A. Juridique

Conversion du capital social en euros

1610. Entre le 1ᵉʳ janvier 1999 et le 31 décembre 2001, les SA, SCA, coopératives et SARL peuvent convertir en euros leur capital social, leur capital autorisé et tous autres montants figurant dans leurs statuts et exprimés dans l'une des devises des États membres de l'Union européenne (Loi du 10-12-1998 : Mémorial A/105 du 17-12-1998).

La *décision* sous seing privé est prise par l'assemblée générale (ou les associés dans les SARL de moins de 25 associés). Pour aboutir à un chiffre rond, elle peut également procéder à une *augmentation de capital* à condition, bien entendu, qu'il existe des réserves, des primes d'émission ou des plus-values de réévaluation ou de bénéfices reportés (selon la direction des contributions directes, le transfert de ces dernières sur les positions respectives exprimées en euros est une opération fiscalement neutre : LIR n° 54 bis/1 du 26-8-1998). Le *montant* de l'augmentation de capital est limité à 1 000 euros ou à 4 % du capital souscrit avant l'opération.

Les décisions sont prises à la majorité simple des actionnaires ou des associés présents ou représentés, ce qui permet de mettre l'opération à l'ordre du jour de l'*assemblée générale annuelle*. Pour les SA et SCA qui ne désirent pas attendre cette échéance, l'assemblée *extraordinaire* ayant pour seul objet la conversion du capital en euros peut être convoquée par publication de l'avis dans un seul quotidien luxembourgeois, au moins huit jours avant l'assemblée. Les décisions sont *publiées* au Mémorial.

L'assemblée générale ou les associés peuvent autoriser le conseil d'administration ou le gérant à prendre ces décisions (*procédure du capital autorisé*).

Pour les sociétés dont le capital est exprimé en *écus*, toute référence à l'écu est remplacée par une référence à l'euro au taux d'un euro pour un écu. La seule démarche à faire est de procéder à un toilettage des statuts, toilettage qui ne constitue pas une modification des statuts et dont la publicité est assurée par le simple dépôt au Registre du commerce et des sociétés.

Une *part de SARL* ne doit plus avoir une valeur de 1 000 francs luxembourgeois ou de multiples de 1 000 francs luxembourgeois mais de « 1 000 francs luxembourgeois au moins ». Cette reformulation permet que la SARL ait, à l'instar de la SA, un capital exprimé dans une devise autre que le francs luxembourgeois (euro ou autre devise), du moment que la contre-valeur en francs luxembourgeois du capital exprimé en une devise étrangère correspond au capital minimum légal et que la contre-valeur des parts en francs luxembourgeois soit égale ou supérieure à 1 000 francs luxembourgeois.

Les *différences résultant de l'application des règles d'arrondi* n'ont pas d'influence sur le caractère libératoire du paiement ou l'exactitude de l'inscription en compte dont la créance originelle fait l'objet.

B. Comptable

Provision pour frais liés à l'introduction de l'euro

1620. L'administration des contributions directes a réglementé la constitution par les entreprises d'une provision pour frais liés à l'introduction de la monnaie unique (circulaire du directeur des contributions LIR 46/1 du 11-3-1997). Pouvant être constituée sans délai, elle constitue un avantage fiscal appréciable en terme de trésorerie.

> Pour les *banques*, l'IML a fourni des précisions sur la même provision dans une circulaire IML 97/134 du 17-3-1997.

Les frais engendrés par le marketing, l'information de la clientèle, l'adaptation du matériel informatique existant, le développement de logiciels, la formation du personnel et la nécessité de faire un double traitement des données pendant la période de transition vers le basculement définitif dans l'euro constituent des *charges et dépenses d'exploitation à caractère exceptionnel* et répondent bien aux critères qui président à la constitution d'une provision, tant au regard des règles comptables que des règles fiscales.

Le *montant* de la provision doit correspondre aux frais présumés directement causés par le passage à la monnaie unique. Ils doivent être nettement précisés et faire l'objet d'une programmation détaillée des travaux à entreprendre, assortie d'une estimation précise des coûts. Les dépenses liées à des investissements nouveaux amortissables sont exclues.

Les frais présumés occasionnés jusqu'au basculement vers l'euro peuvent être étalés linéairement par le biais de dotations adéquates à un *compte « Provision pour frais de basculement vers l'euro »* à effectuer à charge des exercices précédant l'exercice du changement définitif de la devise.

C. Fiscal

1630. Pendant la période transitoire (1999-2001), les administrations publiques accepteront les *paiements* et les *déclarations* en euros.

Pour l'administration des *contributions directes*, le choix du contribuable d'établir en euros sa déclaration d'impôt au-delà de l'année d'imposition 1998 sera un choix irréversible. Pour l'administration de l'enregistrement et des domaines, l'assujetti à la *TVA* recevra un bordereau de conversion lui permettant, le cas échéant, d'informer l'administration de son intention de remplir les déclarations de   TVA   en euros, avec effet au 1er janvier de l'année d'imposition (ou à partir de la date de son immatriculation s'il commence son activité).

D. Social

1640. Pendant la période transitoire (1999-2001), les administrations publiques accepteront les *paiements* et les *déclarations* en euros.

Les factures de cotisations émises par le Centre commun de la *sécurité sociale* seront libellées en FL et le montant le plus significatif en FL et en euros. Le paiement des cotisations pourra se faire en FL ou en euros.

SECTION VI

Pays-Bas 1 € = 2,20371 FL

A. Juridique

Moyens de paiement

1710. Les virements en euros sont possibles, de comptes en euros vers des comptes en florins et vice versa. La conversion est un service qui doit être fourni gratuitement par les banques. L'utilisation de l'euro par carte bancaire est également possible.

Conversion du capital social des sociétés

1715. Le ministère de la justice a annoncé la présentation prochaine d'un projet de loi. D'ores et déjà il a fait connaître sa position quant aux conséquences de l'introduction de l'euro pour le capital des sociétés de capitaux (lettre à la 2e chambre du Parlement 7-12-1998, n° 25107, n° 29). Pour la simple *adaptation des statuts* à la conversion en euros (et à condition de respecter le cadre légal), les sociétés sont dispensées d'obtenir la déclaration de non-objection de la part du ministre de la justice. Le cadre légal consiste à convertir la valeur nominale de chaque action, de l'arrondir au cent d'euro le plus proche ; la somme de ces valeur constituant alors le capital social émis (méthode du *bottom-up*).

Les montants figurant dans les différents *textes législatifs* et réglementaires seront convertis pendant cette période en euros ; ces conversions s'effectueront le plus possible en arrondissant aux montants inférieurs.

Double affichage des prix, étiquetage

1720. Le double affichage n'est pas obligatoire, notamment en raison du coût que cela impliquerait pour le commerce du détail. Les Pays-Bas sembleraient sur ce point être en retard par rapport à d'autres pays européens. Toutefois, de plus en plus de voix s'élèvent pour considérer le double affichage comme très souhaitable.

Continuité des contrats

1725. Dans des *contrats existants* libellés en florins, le paiement doit en principe se faire en florins, sauf accord entre les parties. Le créancier a le droit de mentionner le prix en euros et en florins sur la facture.

Pour des *nouveaux contrats*, les parties doivent se mettre d'accord sur le libellé en florins ou en euros. Les contrats qui seraient encore en florins à la fin de la période transitoire seront de droit convertis en euros à cette date.

Dans les contrats comportant des taux d'intérêt, les références à l'AIBOR (*Amsterdam Interbank Offered Rate*) seront d'office remplacées par des références à l'EURIBOR.

Les *factures* peuvent être établies en florins ou en euros.

Frais bancaires de conversion en euros

1730. Les banques néerlandaises ont fait savoir qu'elles se conformeront à la recommandation émise par la Commission européenne de ne pas facturer à leurs clients les opérations de conversion en euros (ou d'euros en devises).

B. Comptable

Traitement des coûts liés au passage à l'euro

1740. Les coûts afférents au passage à l'euro sont en principe déductibles au cours de l'année pendant laquelle ils sont supportés. Toutefois, s'il s'agit d'un investissement, ces coûts doivent être immobilisés et amortis. Des frais payables d'avance sont déductibles au cours de l'année à laquelle ils sont attribuables. L'introduction de l'euro peut, dans certains cas, permettre d'*écourter la durée* d'amortissement de certains biens.

Traitement des différences de conversion

1741. Des *résultats de change* négatifs sont immédiatement pris en compte dans le compte de résultat. Des résultats positifs sont soit pris en compte immédiatement soit étalés sur la durée de vie de l'élément d'actif ou de passif auquel ils ont trait. Des règles spéciales s'appliquent aux instruments financiers. Voir aussi n° 1753.

Monnaie de tenue de la comptabilité

1742. Selon une lettre du ministre de la justice (voir n° 1715), les entreprises peuvent, durant la période transitoire de trois ans (1999-2001), tenir leur comptabilité, au *choix*, en euros ou en florins. Selon certains auteurs, un tel choix serait irréversible. Le premiers comptes annuels qui peuvent être publiés en euros sont ceux qui ont trait à l'année 1999. Les derniers comptes annuels à pouvoir être publiés en florins sont ceux de l'année comptable qui sera clôturée le 31 décembre 2001.

Selon la loi monétaire (*Muntwet*) modifiée, l'euro et le florin ont valeur d'unité de compte depuis le 1er janvier 1999.

C. Fiscal

1750. Les informations qui suivent sont tirées de la loi du 17 décembre 1998 sur l'introduction de l'euro en matière fiscale (*Wet overgang belastingheffing in euro's*: Stb. 29-12-1998 n° 723) et d'une note au Parlement dans laquelle le ministère des finances décrit les aspects fiscaux de l'introduction de l'euro (Note du ministère des Finances du 28-1-1998 : DB98/217M; 2e Chambre du Parlement, 2-10-1997, 25000 IXA et B).

Régimes des dépenses

1751. Il n'est pas possible de créer une provision déductible pour les *charges liées à l'introduction de l'euro*. Elles sont à déduire du bénéfice imposable de l'année où ces charges sont supportées. Toutefois, s'il s'agit d'un investissement sur plusieurs années, ces coûts doivent être immobilisés et amortis. Des frais payables d'avance sont déductibles au cours de l'année à laquelle ils sont attribuables. L'introduction de l'euro peut, dans certains cas, permettre d'*écourter la durée* d'amortissement de certains biens (registre de caisse, logiciels, par exemple) (Note du ministère du 28-1-1998).

Le secrétaire d'État aux finances a indiqué ne pas accepter la constitution de *provisions* (déductibles) pour les frais afférents au passage à l'euro, nonobstant un récent arrêt de la Cour suprême néerlandaise qui avait été interprété par la doctrine comme ouvrant la porte à de telles provisions (*Hoge Raad* du 26-8-1998, n° 33417 — arrêt « brique », *Bakstenenarrest* — BEEI 1/99 info 64).

S'agissant des *PME*, le secrétaire d'État aux finances a annoncé vouloir libérer 60 millions de florins pour compenser les coûts leur incombant du fait du passage à l'euro. Dans l'état actuel des négociations avec les milieux concernés, cette compensation prendrait la forme d'une augmentation de 3 % de la *déduction pour investissement* et d'une augmentation de 200 florins de la *déduction pour les entrepreneurs individuels* (pour les années 1999 à 2001).

Régime des écarts de change

1753. À la date de la conversion en euros, la valeur en florins de tout actif et passif doit être convertie en euros. Cela peut donner lieu à des bénéfices (ou des pertes) de change. Toutefois, l'imposition de ces *résultats de change* sur des créances et dettes à long terme libellées dans une devise des autres États membres devant être convertie en euros, elle peut être *reportée* jusqu'à la date à laquelle cette créance ou dette est vendue, remboursée, recouvrée, abandonnée ou convertie.

S'agissant d'*établissements stables* de sociétés néerlandaises, la conversion des actifs/passifs de la société néerlandaise de florins en euros, d'une part, et de la valeur de bilan de l'établissement stable de la devise locale en euros, d'autre part, peuvent ne pas être identiques. Cette différence ne constitue pas un bénéfice ou une perte, mais a toutefois une incidence, par le jeu des amortissements, sur le calcul du bénéfice exonéré de la société néerlandaise. Si l'établissement stable détient dans son patrimoine des créances et dettes en florins, leur conversion en euros peut donner lieu à des résultats de change, qui, eux, font partie du bénéfice exonéré de source étrangère de la société néerlandaise (Note du ministère du 28-1-1998).

Traitement des arrondis

1755. La loi prévoit d'arrondir avec le *même nombre de décimales* que dans le montant d'origine. Il est souhaitable d'appliquer les règles d'arrondis pour les déclarations d'impôt. La conversion pose toutefois un grand problème pour la retenue à la source de l'impôt sur les salaires (*loonbelasting*) ; la loi autorise le Gouvernement à décider que les *montants en florins* qui sont le résultat d'un certaine formule mathématique peuvent être convertis en euros en appliquant la formule susvisée directement à des montants en euros.

Dans les déclarations, les montants peuvent être arrondis de la façon la plus favorable au contribuable à l'euro près. Le montant imposable à l'impôt sur les sociétés peut être arrondi à un multiple de 10 euros.

Conséquences de la conversion des actions et obligations

1758. Selon une note du ministre de justice (voir n° 1715), lorsque la conversion du capital en euros est effectuée par une augmentation de capital cela donne lieu à imposition :
— si l'augmentation est effectuée par nouvel apport des actionnaires ou par des fonds en provenance d'une réserve qui avait été constituée par affectation du capital social (réserve non imposable — *share premium* — réserve d'agios) cela donne lieu à la perception de droits d'apport (1 %) (à moins que ces droits aient déjà été payés sur la réserve par le passé) ;
— si l'augmentation est effectuée par l'affectation de fonds en provenance d'une réserve qui avait été constituée par dotation de bénéfices imposables (réserve imposable), cela est considérée comme une distribution de dividendes, soumise à retenue à la source et, si le bénéficiaire est une personne physique, à l'impôt sur le revenu. Les droits d'apport sont dus également ;
— si l'augmentation s'est faite par la constitution d'une réserve négative pour la conversion en euros (*negatieve euro-reserve*, c'est-à-dire une réserve qui sera compensée par les bénéfices futurs), cela a les mêmes conséquences que sous le second tiret.

La possibilité d'exonérer la conversion du capital en euros des droits d'apport (ou d'en réduire l'impact fiscal) est actuellement à l'étude, mais pas encore acceptée par le secrétaire d'État aux finances.

Déclarations fiscales et paiement de l'impôt

1760. Pendant la *période transitoire*, le contribuable peut choisir d'établir ses déclarations d'impôt en florins ou en euros (hormis la possibilité, depuis le 1er janvier 1997, d'opter pour la devise fonctionnelle). Ce choix s'applique à toutes déclarations d'impôts ou de taxes en relation avec des périodes de référence postérieures au 31 décembre 1998 ou en relation avec des événements taxables (TVA) ayant lieu après ce jour-là.

Pour les périodes de référence ou les événements taxables *postérieurs au 31 décembre 2001*, les déclarations seront obligatoirement en euros.

À l'inverse, il est impossible de faire des déclarations en euros pour des périodes de référence ou des événements taxables *antérieurs au 1er janvier 1999* (note du ministère du 28-1-1998).

Il existe une seule exception : la déclaration de l'*impôt sur la fortune* est liée à la déclaration d'impôt sur le revenu de l'année précédente, et par conséquent pour 1999 la déclaration de l'impôt sur la fortune sera donc obligatoirement en florins, alors que celle de l'an 2000 pourra être établie en florins ou en euros.

Le traitement des déclarations et l'établissement des avis d'imposition pour les périodes de référence closes après le 1er janvier 1999 seront faits dans la monnaie choisie pour la déclaration, après le 1er janvier 2002 obligatoirement en euros (même si la déclaration était en florins). S'agissant du paiement des impôts relatifs à des périodes de références durant la période de transition, à partir du 1er janvier 2002, la monnaie de paiement sera en principe l'euro.

Factures TVA

1765. Depuis le 1er janvier 1999, il est possible, au choix de l'entreprise, d'établir des factures exclusivement en florins, exclusivement en euros, ou dans les deux monnaies, en mentionnant les montants en florins dans une colonne et en euros dans une autre (Note du ministère des finances du 10-6-1998, n° VB 98/1245).

D. Social

Déclarations sociales et paiement des cotisations

1770. L'administration néerlandaise de la sécurité sociale exige que les déclarations et paiements soient faits en florins pendant la période transitoire.

SECTION VII

Portugal

1 € = 200,482 ESC

A. Juridique

Conversion du capital social des sociétés

1810. Les *décisions* en matière d'euro sont prises sous seing privé et à la majorité simple des associés :
— décision de convertir le capital social en euros ;
— décision de convertir les actions de SA par la méthode standard. S'il en résulte une augmentation de capital, elle se fait par incorporation de réserves ou par transfert de la réserve en capital soumise au régime de la réserve légale. S'il en résulte une diminution de capital, l'autorisation judiciaire n'est pas requise ;
— la conversion des obligations ne nécessite pas une délibération de l'assemblée des obligataires.

Les entreprises sont dispensées de publier leurs décisions au Journal officiel *(Diário da República)*, sauf en cas de réduction de capital supérieure à celle qui résulterait de la conversion des actions en euros par la méthode standard, en cas de modification du nombre d'actions ou en cas d'augmentation de capital par apport en espèces ou en nature.

1811. Le principe selon lequel le montant du capital social doit toujours être exprimé « dans une monnaie ayant cours légal au Portugal » a conduit à un toilettage de la *loi sur les sociétés* pour indiquer les montants en euros et non plus en escudos *(Decreto-lei* n° 343/1998 du 6-11-1998) :

LDA. Le montant minimal du capital social d'une société à responsabilité limitée par quotas est fixé à 5 000 euros. La valeur nominale de chaque part sociale est au minimum de 100 euros, chaque part étant divisible par fraction de 50 euros.

La réserve légale ne peut jamais être inférieure à 2 500 euros.

Un commissaire aux comptes doit être nommé dès que deux des trois conditions suivantes sont remplies au cours de deux années consécutives : total du bilan excédant 1 500 000 euros ; chiffre d'affaires excédant 3 000 000 euros et personnel dépassant 50 personnes.

EURL (*estabelecimento individual de responsabilidade limitada*). Le capital minimum ne peut être inférieur à 5 000 euros.

SA et SCA Le montant minimum du capital social est fixé à 50 000 euros. Les sociétés dont le capital social est inférieur ou égal à 200 000 euros peuvent n'avoir qu'un seul administrateur. La responsabilité de chaque administrateur doit être cautionnée dans les formes prévues par la loi pour un montant déterminé dans les statuts mais de 5 000 euros au minimum.

Conversion des titres

1815. Le même texte réglemente les opérations sur valeurs mobilières exprimées en monnaie ayant ou non cours légal.

Il pose aussi les règles de conversion en euro de l'unité monétaire ou de la valeur nominale des valeurs mobilières : conversion *à l'unité* ou conversion *par portefeuille*. La conversion par la méthode standard d'obligations ou d'autres valeurs mobilières représentatives de créances s'effectuera à partir de la position du créancier par application du taux de conversion à la valeur de son portefeuille, avec arrondissement au centime. Ce montant constituera la nouvelle valeur nominale minimum de ces valeurs mobilières.

La conversion des actions d'une même société doit se faire selon une seule méthode. Elle est irréversible.

La *décision* doit être :
— communiquée à la Commission du marché des valeurs mobilières et, s'il s'agit de bons de caisse, d'obligations hypothécaires ou de titres à court terme, à la Banque du Portugal ;
— publiée au Bulletin des cotations de la bourse dans laquelle les titres sont négociés ;
— et annoncée dans un journal à grande diffusion dans un délai préalable de 30 jours. L'annonce doit expliciter l'identification des valeurs mobilières concernées, la forme de la décision et son fondement légal, le taux de conversion, la méthode de conversion et la nouvelle valeur nominale, la date prévue pour demander l'inscription de la conversion au registre du commerce.

B. Comptable

Traitement des différences de conversion

1830. Quand un montant exprimé en escudos est converti en euros et doit ensuite être payé en escudos, les différences entre la première et la seconde conversion sont sans influence et le montant résultant de la seconde conversion prévaut, dès lors qu'ont été respectées les règles de conversion et d'arrondi (*Decreto-lei* n° 138/98 : *Diário da república* I A n° 113/98 du 16-5-1998).

Traitement des différences d'arrondis

1831. Pour le paiement de montants exprimés en cents, on peut arrondir à l'unité d'escudo la plus proche. L'arrondi doit se faire par excès quand le montant est égal ou supérieur à 50 escudos et par défaut dans les autres cas. La règle vaut pour la liquidation des impôts et taxes à la charge des contribuables soumis au régime de la comptabilité publique (*Decreto-lei* n° 138/98 : *Diário da república* I A n° 113/98 du 16-5-1998).

Monnaie de tenue de la comptabilité

1832. Les sociétés soumises à l'obligation de tenir une comptabilité organisée sont libres de la tenir en escudos ou en euros jusqu'au 31 décembre 2001 mais leur décision de tenir la comptabilité en euros est irréversible.

Elles peuvent présenter en euros leurs déclarations fiscales, leurs plans de réintégrations, d'amortissement, de provisions, de plus-values et moins-values selon des modalités à définir par le ministère des finances (*Decreto-lei* n° 138/98 : *Diário da república* I A n° 113/98 du 16-5-1998).

C. Fiscal

Déclarations fiscales et paiement de l'impôt en euros

1840. Les *déclarations* fiscales pour les périodes d'imposition afférentes aux exercices 1999 et suivants qui pourront être remises en euros sont les suivantes (*Despacho* n° 63938 : *Diário da república* du 18-4-1998) :

— IVA : déclarations périodiques et annuelle + annexe récapitulative des opérations intraCE (DEB) ;
— IRS (déclarations 10 et 2 (annexe C) ;
— IRC (déclaration 22) ;
— en matière **douanière**, la DAU et la déclaration d'importation de véhicule servant à la liquidation de la taxe automobile (*Despacho* n° 11 035/98 : *Diário da república* du 30-6-1998).

L'option pour la remise des déclarations en euros est irréversible et concerne toutes les déclarations mentionnées. Elle sera enregistrée dans la base de données lors de la remise de la première déclaration en euros. De nouveaux imprimés de déclarations fiscales et douanières seront émis.

Quel que soit le mode de présentation des déclarations fiscales, les impôts et taxes pourront être payés en euros, dès lors que le **paiement** intervient au travers du système bancaire ou d'institutions habilitées par le Trésor à adhérer au système.

Pour l'IVA, les redevables qui remettront des déclarations en euros pourront continuer d'effectuer le paiement de la taxe par chèque.

Incidences sur les contrôles fiscaux et le contentieux

1843. Les déclarations « officieuses » et « correctives » résultant de contrôles fiscaux (*oriuntadas a acçœs de fiscalizaçao*) continueront à être effectuées exclusivement en escudos. Toutes les procédures de liquidation et de recouvrement continueront à être effectuées exclusivement en escudos, y compris les remboursements et les notifications à payer. Les demandes de liquidation à adresser aux contribuables seront émises en escudos, le montant final étant exprimé dans les deux monnaies (*Despacho* n° 63938 : *Diário da república* du 18-4-1998).

Annexes

Les chiffres renvoient aux paragraphes

1900. Loi n° 98-546 du 2 juillet 1998 portant diverses dispositions d'ordre économique et financier
(JO n° 152 du 3 Juillet 1998 page 10127)

TITRE II : DISPOSITIONS RELATIVES À L'ADAPTATION DE LA LÉGISLATION FRANÇAISE ET À LA MODERNISATION DES ACTIVITÉS FINANCIÈRES EN VUE DE LA TROISIÈME PHASE DE L'UNION ÉCONOMIQUE ET MONÉTAIRE

SECTION 1
DISPOSITIONS COMPTABLES

Article 16. I. — Par dérogation aux dispositions de l'article 16 du code de commerce, les documents comptables peuvent être établis en unité euro. Ce choix est irrévocable.

II. — Les différences d'arrondis de conversion résultant de l'application des règles d'arrondissement propres à l'introduction de l'euro sont inscrites en résultat pour leur montant net.

SECTION 2
DISPOSITIONS RELATIVES À LA CONVERSION DU CAPITAL SOCIAL DES SOCIÉTÉS PAR ACTIONS, DES SOCIÉTÉS À RESPONSABILITÉ LIMITÉE ET DES SOCIÉTÉS COOPÉRATIVES

Article 17. I. — 1° À l'article 268 de la loi n° 66-537 du 24 juillet 1966 sur les sociétés commerciales, le mot : « est » est remplacé par les mots : « peut-être ».

2° Le même article est complété par une phrase ainsi rédigée :

« Cette option s'applique alors à toutes les émissions d'actions. »

3° Le 1° de l'article 434 de la même loi est abrogé.

II. — Lorsque, en raison de la conversion du capital social en unité euro, l'assemblée d'une société à responsabilité limitée décide d'une augmentation de capital par incorporation de réserves ou de bénéfices, cette assemblée peut, dans la limite d'un plafond qu'elle fixe, déléguer aux gérants les pouvoirs nécessaires à l'effet de procéder à cette augmentation dans un délai de vingt-six mois, en une ou plusieurs fois, d'en constater la réalisation et de procéder à la modification corrélative des statuts.

III. — Les sociétés par actions et les sociétés à responsabilité limitée qui convertissent en unité euro leur capital social ou les actions ou parts qui le composent en arrondissant ces montants au centième d'euro ou à l'euro près, procèdent aux réductions de capital éventuellement nécessaires sur décision de l'assemblée générale compétente pour modifier les statuts.

Cette assemblée peut déléguer au conseil d'administration, au directoire ou aux gérants, selon le cas, les pouvoirs nécessaires à l'effet de procéder à cette réduction de capital dans un délai de vingt-six mois, d'en constater la réalisation et de procéder à la modification corrélative des statuts.

Les procédures prévues au troisième alinéa de l'article 63 et à l'article 216 de la loi n° 66-537 du 24 juillet 1996 précitée ne sont applicables ni en cas de réduction du capital consécutive à sa conversion globale à l'euro près, ni en cas de conversion des actions ou parts qui le composent lorsque le montant de la réduction de capital est affecté à un compte de réserve indisponible.

IV. — Nonobstant toutes dispositions législatives contraires, les coopératives régies par la loi n° 47-1775 du 10 septembre 1947 portant statut de la coopération sont autorisées, pour la conversion de leur capital social en unité euro, à procéder à une augmentation de capital par incorporation de réserves, dans la limite du montant nécessaire à l'arrondissement de la valeur nominale des parts sociales au centième d'euro supérieur ou à l'euro supérieur.

SECTION 3

DISPOSITIONS RELATIVES AUX DETTES PUBLIQUES ET PRIVÉES

Article 18. I. — Le ministre chargé de l'économie peut, par arrêtés, convertir en titres au nominal d'un euro les obligations du Trésor et en unité euro les bons du Trésor en francs ou en écus.

II. — Les personnes morales publiques et privées autres que l'État peuvent, à compter de la date du premier arrêté mentionné au I, convertir en unité euro les titres de créance mentionnés au 2° de l'article 1er de la loi n° 96-597 du 2 juillet 1996 de modernisation des activités financières émis en francs ou en écus et soumis au droit français.

Dès la conversion en unité euro d'une partie de la dette publique d'un État participant à la monnaie unique, ces personnes peuvent également convertir en unité euro les titres de créance mentionnés au 2° de l'article 1er de la loi n° 96-597 du 2 juillet 1996 précitée émis dans la devise de cet État et soumis au droit français.

Ces conversions peuvent être faites sans réunion des porteurs des titres de créance mentionnés ci-dessus ni, le cas échéant, de la masse prévue à l'article 293 de la loi n° 66-537 du 24 juillet 1966 précitée. Pour les personnes morales de droit privé, elles peuvent être décidées par le conseil d'administration, le directoire ou l'organe dirigeant. Elles doivent faire l'objet d'une publication dans des conditions et selon des modalités fixées par décret.

Lorsque l'émission est constituée de titres de même valeur nominale unitaire transmissibles exclusivement par inscription en compte et relevant du seul 2° de l'article 1er de la loi n° 96-597 du 2 juillet 1996 précitée, ces titres sont convertis en titres au nominal d'un euro.

III. — Les conversions mentionnées au I et à la dernière phrase du II sont faites, pour chaque émission, par le teneur de compte habilité, compte par compte. Lorsque la conversion n'aboutit pas à un montant entier en euros, il est procédé à un versement en espèces correspondant au montant rompu, sans que le porteur puisse faire valoir de droit autre que celui de la perception de ce versement. Les modalités de conversion d'une émission, de fixation du montant du versement en espèces et, pour les titres à taux variable, de calcul des intérêts sont

fixées par décret, ainsi que les règles particulières aux titres démembrés.

IV. — Sous réserve des dispositions du 5 de l'article 94 A du code général des impôts et de l'article 238 septies A du même code, les versements en espèces mentionnés au III sont reçus en franchise d'impôt sur le revenu.

Article 19. I. — Le 3 de l'article 79 de l'ordonnance n° 58-1374 du 30 décembre 1958 portant loi de finances pour 1959 est complété par un alinéa ainsi rédigé :

« Par dérogation aux dispositions ci-dessus et selon des modalités fixées par décret, peuvent être indexés sur le niveau général des prix les titres de créance et les instruments financiers à terme mentionnés au 2° et au 4° de l'article 1er de la loi n° 96-597 du 2 juillet 1996 de modernisation des activités financières. »

II. — Les *a* et *c* du IV de l'article 125 A du code général des impôts sont complétés par une phrase ainsi rédigée :

« Cette condition n'est cependant pas exigée lorsque l'indexation est autorisée en vertu des dispositions de l'article 79 de l'ordonnance n° 58-1374 du 30 décembre 1958 portant loi de finances pour 1959. »

SECTION 4

UTILISATION DE L'EURO PAR LES MARCHÉS FINANCIERS

Article 20. I. — Pour l'application du présent article :

— l'expression : « instrument financier » désigne un instrument financier mentionné à l'article 1er de la loi n° 96-597 du 2 juillet 1996 précitée ;

— la contre-valeur en unité euro d'une valeur en unité franc est exprimée à la cinquième décimale inférieure si la sixième décimale est comprise entre zéro et quatre inclus et à la cinquième décimale supérieure si la sixième décimale est comprise entre cinq et neuf inclus.

II. — Un instrument financier qui est admis aux négociations sur un marché géré par une entreprise de marché peut être coté par cette entreprise en unité euro ou en pourcentage de la contre-valeur en unité euro de son montant nominal en unité franc.

III. — Un instrument financier qui n'est pas admis aux négociations sur un marché géré par une entreprise de marché peut être valorisé dans les comptes où il est inscrit à la contre-valeur en unité euro de sa valorisation en unité franc.

IV. — Les opérations sur instruments financiers peuvent être faites en utilisant la contre-valeur en unité euro de la valorisation en unité franc de leurs éléments. Un décret précise ces opérations et leurs modalités de réalisation.

Article 21. Une entreprise de marché peut prévoir que le règlement des transactions sur un marché qu'elle gère est effectué en unité euro.

Une chambre de compensation peut prévoir que le règlement des opérations auxquelles elle participe sur des transactions effectuées sur les marchés où sont négociés ou cédés, à titre habituel et selon des règles de place, des instruments financiers visés à l'article 1er de la loi n° 96-597 du 2 juillet 1996 précitée est effectué en unité euro.

Les règlements, la convention-cadre ou la convention type régissant un système mentionné à l'article 93-1 de la loi n° 84-46 du 24 janvier 1984 relative à l'activité et au contrôle des établissements de crédit peuvent prévoir que les paiements par l'intermédiaire de ce système sont effectués en unité euro.

Aucune contestation fondée sur le seul fait que les opérations réalisées dans le cadre de ces marchés, chambres de compensation ou systèmes sont exécutées en unité euro ne peut être accueillie.

Article 22. I. — L'article 93-1 de la loi n° 84-46 du 24 janvier 1984 précitée est remplacé par deux articles ainsi rédigés :

« Art. 93-1. — Nonobstant toute disposition législative contraire, les paiements et les livraisons d'instruments financiers effectués dans le cadre de systèmes de règlements interbancaires ou dans le cadre de systèmes de règlement et de livraison d'instruments financiers, jusqu'à l'expiration du jour où est rendu un jugement d'ouverture de redressement ou de liquidation judiciaires à l'encontre d'un établissement participant, directement ou indirectement, à un tel système, ne peuvent être annulés, même au motif qu'est intervenu ce jugement.

« Ces dispositions sont également applicables aux instructions de paiement ainsi qu'aux instructions de livraison d'instruments financiers, dès lors qu'elles ont acquis un caractère irrévocable dans l'un des sys-

tèmes mentionnés à l'alinéa précédent. Le moment et les modalités selon lesquels une instruction est considérée comme irrévocable dans un système sont définis par les règles de fonctionnement de ce système.

« Un système de règlements interbancaires ou de règlement et de livraison d'instruments financiers s'entend, au sens du présent article, d'une procédure nationale ou internationale organisant les relations entre deux parties au moins, ayant la qualité d'établissement de crédit, d'institution ou d'entreprise visées à l'article 8, d'entreprise d'investissement ou d'adhérent à une chambre de compensation régis par la loi n° 96-597 du 2 juillet 1996 de modernisation des activités financières ou d'établissement non résident ayant un statut comparable, permettant l'exécution à titre habituel, par compensation ou non, de paiements ainsi que, pour ce qui concerne les systèmes de règlement et de livraison d'instruments financiers, la livraison de titres entre lesdits participants. Cette procédure doit soit avoir été instituée par une autorité publique, soit être régie par une convention-cadre respectant les principes généraux d'une convention-cadre de place ou par une convention type. Pour ce qui concerne les systèmes de règlement et de livraison d'instruments financiers, cette procédure doit en outre avoir été approuvée par le Conseil des marchés financiers.

« Art. 93-2. — Les règlements, la convention-cadre ou la convention type régissant tout système de règlements interbancaires ou tout système de règlement et de livraison d'instruments financiers mentionnés à l'article 93-1 peuvent, lorsqu'ils organisent les relations entre plus de deux parties, exiger des établissements participant, directement ou indirectement, auxdits systèmes, outre des comptes d'instruments financiers visés à l'article 29 de la loi n° 83-1 du 3 janvier 1983 sur le développement des investissements et la protection de l'épargne, des remises de valeurs, titres, effets, créances ou sommes d'argent ou la constitution de sûretés sur lesdites valeurs, titres, effets, créances ou sommes d'argent pour satisfaire aux obligations de paiement découlant de la participation à un tel système. Les remises susvisées sont effectuées en pleine propriété, à titre de garantie, et sont opposables aux tiers sans formalités.

« Les règlements, la convention-cadre ou la convention type visés à l'alinéa précédent précisent les modalités de constitution, d'affectation, de réalisation ou d'utilisation des comptes d'instruments financiers visés à l'article 29 de la loi n° 83-1 du 3 janvier 1983 précitée, ou des remises, lesquelles sont opposables aux créanciers saisissants.

« Les dispositions de la loi n° 84-148 du 1er mars 1984 relative à la prévention et au règlement amiable des difficultés des entreprises, de la loi n° 85-98 du 25 janvier 1985 relative au redressement et à la liquidation judiciaires des entreprises ou celles régissant toutes procédures judiciaires ou amiables ouvertes hors de France, équivalentes à celles prévues par ces lois, ne font pas obstacle à l'application du présent article. »

II. — Le II bis de l'article 38 bis du code général des impôts est ainsi rédigé :

« II bis. — Les dispositions du chapitre V de la loi n° 87-416 du 17 juin 1987 sur l'épargne s'appliquent sous les mêmes conditions aux remises en pleine propriété, à titre de garantie, de valeurs, titres ou effets prévues au quatrième alinéa de l'article 52 de la loi n° 96-597 du 2 juillet 1996 de modernisation des activités financières effectuées dans le cadre d'opérations à terme d'instruments financiers réalisées de gré à gré, aux remises de titres prévues au c de l'article 31 de la loi n° 87-416 du 17 juin 1987 précitée, ainsi qu'aux remises prévues à l'article 93-2 de la loi n° 84-46 du 24 janvier 1984 relative à l'activité et au contrôle des établissements de crédit. »

III. — La loi n° 96-597 du 2 juillet 1996 précitée est ainsi modifiée :

1° Au 2° de l'article 32, les mots : « et les conditions d'habilitation, à cet effet, des établissements mentionnés au II de l'article 94 de la loi de finances pour 1982 (n° 81-1160 du 30 décembre 1981) » sont supprimés ;

2° L'article 32 est complété par un 14°, un 15° et un 16° ainsi rédigés :

« 14° Les conditions d'exercice des activités de conservation et d'administration d'instruments financiers par les personnes morales qui effectuent des opérations par appel public à l'épargne et les intermédiaires habilités à ce titre par le conseil des marchés financiers ;

« 15° Les conditions d'habilitation, par le conseil des marchés financiers, des dépositaires centraux ainsi que les conditions dans lesquelles le conseil approuve leurs règles de fonctionnement ;

« 16° Les principes généraux d'organisation et de fonctionnement des systèmes de règlement et de livraison d'instruments financiers et les conditions dans lesquelles le Conseil des marchés financiers approuve les règles de fonctionnement de ces systèmes, sans préjudice des compétences conférées à la Banque de France par l'article 4 de la loi n° 93-980 du 4 août 1993 relative au statut de la Banque de France et à l'activité et au contrôle des établissements de crédit. »

3° Il est inséré, après l'article 69, un article 69-1 ainsi rédigé :

« Art. 69-1. — Les activités de conservation ou d'administration d'instruments financiers ainsi que celle de dépositaire central sont soumises aux dispositions des articles 67 à 69. »

Article 23. I. — L'article 47 bis de la loi n° 83-1 du 3 janvier 1983 sur le développement des investissements et la protection de l'épargne est ainsi modifié :

1° Au premier alinéa, les mots : « de titres » sont remplacés par les mots : « d'instruments financiers mentionnés aux 1°, 2° et 3° de l'article 1er de la loi n° 96-597 du 2 juillet 1996 de modernisation des activités financières », et le mot : « titres » par les mots : « instruments financiers » ;

2° Au deuxième alinéa, les mots : « de titres » sont supprimés et le mot : « titres » est remplacé par les mots : « instruments financiers » ;

3° L'article est complété par deux alinéas ainsi rédigés :

« En cas d'opération réalisée hors d'un marché réglementé et portant sur des instruments financiers inscrits en compte chez un intermédiaire habilité participant à un système de règlement et de livraison d'instruments financiers mentionné à l'article 93-1 de la loi n° 84-46 du 24 janvier 1984 relative à l'activité et au contrôle des établissements de crédit, le transfert de propriété résulte du dénouement irrévocable de l'opération tel que les règles de fonctionnement du système de règlement et de livraison mentionné ci-dessus l'ont fixé.

« Le client acquiert la propriété des instruments financiers s'il en a réglé le prix. Tant que le client n'a pas réglé le prix, l'intermédiaire qui a reçu lesdits instruments financiers en est le propriétaire. »

II. — L'article 47 ter de la loi n° 83-1 du 3 janvier 1983 précitée est ainsi modifié :

1° Les mots : « de titres » sont remplacés par les mots : « d'instruments financiers mentionnés aux 1°, 2° et 3° de l'article 1er de la loi n° 96-597 du 2 juillet 1996 précitée » ; 2° Le mot : « titres » est remplacé par les mots : « instruments financiers ».

SECTION 5
CONTINUITÉ DES RELATIONS CONTRACTUELLES

Article 24. La modification, du fait de l'introduction de l'euro, de la composition ou de la définition d'un taux variable ou d'un indice auquel il est fait référence dans une convention est sans effet sur l'application de cette convention.

Lorsque ce taux variable ou cet indice disparaît du fait de l'introduction de l'euro, le ministre chargé de l'économie peut désigner, par arrêté, le taux variable ou l'indice qui s'y substitue.

Toutefois, les parties à la convention peuvent déroger, d'un commun accord, à l'application du taux ou de l'indice ainsi désigné.

Article 25. Lorsque le montant d'une créance ou d'une dette donne lieu à une conversion de l'unité franc à l'unité euro, puis de l'unité euro à l'unité franc, faite conformément aux règles de conversion et d'arrondissement prévues par les articles 4 et 5 du règlement n° 97/1103/CE du Conseil du 17 juin 1997 fixant certaines dispositions relatives à l'introduction de l'euro, aucune contestation relative à l'écart pouvant résulter de cette double conversion ne peut être accueillie.

SECTION 6
DISPOSITIONS FISCALES

Article 26. Les bases des impositions de toute nature sont arrondies au franc ou à l'euro le plus proche. La fraction de franc ou d'euro égale à 0,50 est comptée pour 1.

Cette règle d'arrondissement s'applique également au résultat de la liquidation desdites impositions.

Toute disposition contraire est abrogée.

Article 27. Les déclarations fiscales dont la liste est fixée par décret peuvent être souscrites en unité euro.

L'option pour les déclarations en unité euro est subordonnée à la tenue des documents comptables dans cette même unité euro. Elle est irrévocable.

Article 28. Le 4 de l'article 38 du code général des impôts est complété par un alinéa ainsi rédigé :

« Pour l'exercice clos le 31 décembre 1998 ou la période d'imposition arrêtée à la même date, les écarts de conversion afférents aux devises, créances, dettes et titres mentionnés aux deux alinéas précédents et libellés en écus ou en unités monétaires des Etats participant à la monnaie unique, sont déterminés en fonction des taux de conversion définis à l'article 1er du règlement n° 97/1103/CE du Conseil, du 17 juin 1997, fixant certaines dispositions relatives à l'introduction de l'euro. »

Article 29. I. — Dans l'article L. 130-1 du code de la sécurité sociale, après le mot : « franc » sont insérés les mots : « ou à l'euro ».

II. — Le même article est complété par une phrase ainsi rédigée :

« La fraction de franc ou d'euro égale à 0,50 est comptée pour 1. »

SECTION 7
DISPOSITIONS RELATIVES À L'ÉPARGNE ET À L'INVESTISSEMENT

Article 30. I. — L'article 6 de l'ordonnance n° 67-833 du 28 septembre 1967 instituant une Commission des opérations de bourse est ainsi rédigé :

« Art. 6. — I. — L'appel public à l'épargne est constitué par :

« - l'admission d'un instrument financier mentionné à l'article 1er de la loi n° 96-597 du 2 juillet 1996 de modernisation des activités financières aux négociations sur un marché réglementé ;

« - ou par l'émission ou la cession d'instruments financiers dans le public en ayant recours soit à la publicité, soit au démarchage, soit à des établissements de crédit ou à des prestataires de services d'investissement.

« Toutefois, l'émission ou la cession d'instruments financiers auprès d'investisseurs qualifiés ou dans un cercle restreint d'investisseurs ne constitue pas une opération par appel public à l'épargne, sous réserve que ces investisseurs agissent pour compte propre.

« II. — Un investisseur qualifié est une personne morale disposant des compétences et des moyens nécessaires pour appréhender les risques inhérents aux opérations sur instruments financiers. La liste des catégories auxquelles doivent appartenir les investisseurs qualifiés est définie par décret. Les organismes de placement collectif en valeurs mobilières sont réputés agir en qualité d'investisseurs qualifiés.

« Un cercle restreint d'investisseurs est composé de personnes, autres que les investisseurs qualifiés, liées aux dirigeants de l'émetteur par des relations personnelles, à caractère professionnel ou familial. Sont réputés constituer de tels cercles ceux composés d'un nombre de personnes inférieur à un seuil fixé par décret.

« III. — Sans préjudice des autres dispositions qui leur sont applicables, les personnes qui se livrent à une opération par appel public à l'épargne doivent, au préalable, publier et tenir à la disposition de toute personne intéressée un document destiné à l'information du public, portant sur le contenu et les modalités de cette opération, ainsi que sur l'organisation, la situation financière et l'évolution de l'activité de l'émetteur, dans des conditions prévues par un règlement de la Commission des opérations de bourse.

« Le règlement mentionné au premier alinéa du présent paragraphe fixe également les conditions dans lesquelles l'émetteur dont les titres ont été émis ou cédés dans le cadre d'une opération par appel public à l'épargne procède à l'information du public.

« Ce règlement précise, par ailleurs, les modalités et les conditions dans lesquelles une personne morale peut cesser de faire appel public à l'épargne.

« IV. — Outre l'État, sont dispensés de l'établissement du document prévu au premier alinéa du III ci-dessus les autres États membres de l'Organisation de coopération et de développement économiques ainsi que les organismes internationaux à caractère public dont la France fait partie. »

II. — À l'article 7 de l'ordonnance n° 67-833 du 28 septembre 1967 précitée, les mots : « la société » sont remplacés par les mots : « l'émetteur ».

III. — L'article 7-1 de l'ordonnance n° 67-833 du 28 septembre 1967 précitée est abrogé.

IV. — L'article 72 de la loi n° 66-537 du 24 juillet 1966 précitée est abrogé.

V. — L'article 274 de la loi n° 66-537 du 24 juillet 1966 précitée est complété par un alinéa ainsi rédigé :

« Toute cession effectuée en violation d'une clause d'agrément figurant dans les statuts est nulle. »

Article 31. La société de gestion d'un fonds commun de placement ou d'un fonds commun de créances dont le règlement prévoit que sa comptabilité est tenue dans une unité monétaire d'un État participant à la monnaie unique peut modifier seule ce règlement pour permettre que les documents comptables soient établis en unité euro.

Article 32. Après l'article 23 de la loi n° 88-1201 du 23 décembre 1988 relative aux organismes de placement collectif en valeurs mobilières et portant création des fonds communs de créances, il est inséré un chapitre V bis ainsi rédigé :

« CHAPITRE V BIS

« ORGANISMES DE PLACEMENT COLLECTIF EN VALEURS MOBILIÈRES À COMPARTIMENTS

« *Art. 23-1.* - I. — Un organisme de placement collectif en valeurs mobilières peut comporter deux ou plusieurs compartiments si ses statuts ou son règlement le prévoient. Chaque compartiment donne lieu à l'émission d'une catégorie d'actions ou de parts représentative des actifs de l'organisme de placement collectif en valeurs mobilières qui lui sont attribués.

« Lorsque des compartiments sont constitués au sein d'un fonds commun de placement à risques, d'un fonds commun de placement dans l'innovation, d'un fonds commun d'intervention sur les marchés à terme ou d'un organisme de placement collectif bénéficiant d'une procédure allégée, ils sont tous soumis individuellement aux dispositions de la présente loi qui régissent ce fonds ou cet organisme.

« La Commission des opérations de bourse définit les conditions dans lesquelles la constitution de chaque compartiment est soumise à son agrément, ainsi que les conditions dans lesquelles est déterminée, en fonction de la valeur nette des actifs attribués au compartiment correspondant, la valeur liquidative de chaque catégorie d'actions ou de parts.

« II. — Chaque compartiment fait l'objet, au sein de la comptabilité de l'organisme de placement collectif en valeurs mobilières, d'une comptabilité distincte qui peut être tenue en toute unité monétaire dans les conditions fixées par le décret prévu à l'article 32.

« III. — Par dérogation aux dispositions de l'article 25, un compartiment peut être régi par les dispositions relatives aux organismes de placement collectif en valeurs mobilières nourriciers prévues au chapitre V quater.

« IV. — La Commission des opérations de bourse agrée, dans des conditions qu'elle définit, la transformation, la fusion, la scission et la liquidation des compartiments. »

Article 33. Il est inséré, après le cinquième alinéa (3°) du I de l'article 12 de la loi n° 93-1444 du 31 décembre 1993 portant diverses dispositions relatives à la Banque de France, à l'assurance, au crédit et aux marchés financiers, un 3° bis ainsi rédigé :

« 3° bis. Les parts de fonds communs de créances qui n'ont pas fait l'objet d'une admission aux négociations sur un marché réglementé. »

Article 34. I. — Au premier alinéa de l'article 34 de la loi n° 88-1201 du 23 décembre 1988 précitée, les mots : « détenues par des établissements de crédit, la Caisse des dépôts et consignations ou les entreprises d'assurance » sont supprimés.

II. — La dernière phrase du troisième alinéa du même article est ainsi rédigée :

« Le fonds peut emprunter dans des conditions fixées par décret. »

III. — Le huitième alinéa du même article est supprimé.

IV. — La dernière phrase du dernier alinéa de l'article 36 de la même loi est supprimée.

Article 35. Après l'article 23 de la loi n° 88-1201 du 23 décembre 1988 précitée, il est inséré un chapitre V ter ainsi rédigé :

« CHAPITRE V TER

« ORGANISMES DE PLACEMENT COLLECTIF EN VALEURS MOBILIÈRES BÉNÉFICIANT D'UNE PROCÉDURE ALLÉGÉE

« *Art. 23-2.* - I. — La souscription et l'acquisition des parts ou actions d'un organisme de placement collectif en valeurs mobilières bénéficiant d'une procédure allégée sont réservées aux investisseurs mentionnés au II de l'article 6 de l'ordonnance n° 67-833 du 28 septembre 1967 instituant une Commission des opérations de bourse lorsque le montant initialement investi est inférieur à un seuil fixé par un règlement de la Commission des opérations de bourse. Le dépositaire ou la personne désignée à cet effet par le règlement ou les statuts de l'organisme s'assure, selon le cas, que le souscripteur ou l'acquéreur est un investisseur mentionné au II de l'article 6 de l'ordonnance n° 67-833 du 28 septembre 1967 précitée, ou qu'il a investi initialement un montant conforme au seuil fixé par le règlement de la Commission des opérations de bourse. Il s'assure également que le souscripteur ou l'acquéreur a effectivement déclaré avoir été informé que cet organisme était régi par les dispositions du présent chapitre.« II. — La constitution, la transformation, la fusion, la scission ou la liquidation d'un organisme de placement collectif en valeurs mobilières défini au I n'est pas soumise à l'agrément de la Commission des opérations de bourse mais doit lui être déclarée, dans des conditions définies par un règlement de la commission, dans le mois qui suit sa réalisation. Ce règlement fixe également les conditions de souscription, de cession et de rachat des parts ou des actions émises par un tel organisme.

« III. — Un organisme de placement collectif en valeurs mobilières défini au I peut, dans des conditions et limites fixées par décret en Conseil d'Etat, déroger à l'article 25 et prévoir, dans ses statuts ou son règlement, la possibilité de procéder à des opérations d'achat ou de vente à terme sur d'autres marchés que ceux mentionnés à l'article 28. »

Article 36. Après l'article 23 de la loi n° 88-1201 du 23 décembre 1988 précitée, il est inséré un chapitre V quater ainsi rédigé :

« CHAPITRE V QUATER

« ORGANISMES DE PLACEMENT COLLECTIF EN VALEURS MOBILIÈRES MAÎTRES ET NOURRICIERS

« *Art. 23-3.* - I. — Les statuts ou le règlement d'un organisme de placement collectif en valeurs mobilières dit nourricier peuvent prévoir, dans des conditions fixées par un règlement de la Commission des opérations de bourse, que son actif est investi en totalité en actions ou parts d'un seul organisme de placement collectif en valeurs mobilières, dit maître, et, à titre accessoire, en liquidités.

« II. — L'organisme de placement collectif en valeurs mobilières maître est :

« - soit un organisme de placement collectif de droit commun régi par les chapitres Ier, II, V bis, VI et IX ;

« - soit un fonds commun de placement à risques, un fonds commun de placement dans l'innovation ou un fonds commun d'intervention sur les marchés à terme ; les organismes de placement collectif nourriciers sont alors soumis aux règles de détention, de commercialisation, de publicité et de démarchage applicables au fonds maître ;

« - soit un organisme de placement collectif bénéficiant d'une procédure allégée régi par le chapitre V ter ; la souscription ou l'acquisition d'actions ou de parts des organismes de placement collectif nourriciers sont réservées aux investisseurs mentionnés au II de l'article 6 de l'ordonnance n° 67-833 du 28 septembre 1967 précitée lorsque le montant initialement investi est inférieur au montant mentionné au II de l'article 23-2 ;

« - soit un organisme de placement collectif soumis à la législation d'un État bénéficiant de la procédure de reconnaissance mutuelle des agréments définie par la directive 85/611 du Conseil, du 20 décembre 1985, sous réserve que cette législation comporte des dispositions qui permettent :

« a) La constitution et la commercialisation d'organismes de placement collectif en valeurs mobilières nourriciers dont l'actif est composé de parts ou actions d'un organisme de placement collectif en valeurs mobilières constitué sur le territoire de la République française ;

« b) Les échanges d'informations mentionnés au III du présent article ;

« c) La conclusion avec l'autorité de contrôle compétente pour la surveillance des organismes de placement collectif en valeurs mobilières d'une convention d'échange d'informations et d'assistance.

« Un règlement de la Commission des opérations de bourse précise les conditions d'application du présent II.

« III. — Les dépositaires et les commissaires aux comptes des organismes de placement collectif nourriciers et de l'organisme de placement collectif maître échangent les informations rendues nécessaires par l'accomplissement de leurs missions respectives. »

Article 37. I. — Les articles 38, 38 bis A, 38 bis B et 38 bis C du code général des impôts sont ainsi modifiés :

A. — Dans la première phrase du deuxième alinéa du 4 de l'article 38, après les mots : « des établissements de crédit », sont insérés

les mots : « ou des entreprises d'investissement » et, dans la troisième phrase, après les mots : « Toutefois, lorsque les établissements », sont insérés les mots : « ou les entreprises ».

B. — Au premier alinéa de l'article 38 bis A, après les mots : « au contrôle des établissements de crédit », sont insérés les mots : « et les entreprises d'investissement mentionnées à l'article 7 de la loi n° 96-597 du 2 juillet 1996 de modernisation des activités financières ».

C. — Dans le premier alinéa du I de l'article 38 bis B, après les mots : « des établissements de crédit », sont insérés les mots : « ou des entreprises d'investissement ».

D. — L'article 38 bis C est ainsi modifié :

1° Dans la première phrase du premier alinéa, après les mots : « les établissements de crédit », sont insérés les mots : « ou les entreprises d'investissement » ;

2° Les deuxième et troisième phrases du troisième alinéa sont ainsi rédigées :

« Le taux d'intérêt est pour chaque marché égal à la moyenne des cotations retenues, selon les cas, par les établissements de crédit et les entreprises d'investissement visés à l'article 38 bis A ou les établissements ou entreprises comparables établis à l'étranger, qui exercent leur activité d'une manière significative sur le marché concerné. La commission instituée par l'article 37 de la loi n° 84-46 du 24 janvier 1984 relative à l'activité et au contrôle des établissements de crédit publie chaque année pour chaque marché la liste des établissements et entreprises dont les cotations doivent être retenues pour le calcul du taux d'intérêt du marché. »

II. — Les dispositions du I sont applicables aux exercices ouverts à compter du 1er janvier 1998.

Article 38. Le second alinéa du 1° du II de l'article 42 de la loi n° 96-597 du 2 juillet 1996 précitée est remplacé par deux alinéas ainsi rédigés :

« L'accord exprès de l'émetteur de l'instrument financier est requis.

« Lorsque l'instrument financier comporte un élément sous-jacent, l'émetteur de celui-ci dispose d'un droit d'opposition dans les cas et selon les modalités prévus par le règlement général du Conseil des marchés financiers. Toutefois, ce droit d'opposition n'existe pas lorsque l'élément sous-jacent est une devise, un titre de dette publique, un contrat financier à terme ou un indice. »

Article 39. Après le sixième alinéa (b) du 1° de l'article 209-0 A du code général des impôts, il est inséré un alinéa ainsi rédigé :

« Les entreprises régies par le code des assurances qui détiennent, à la clôture du premier exercice d'application du présent article, des titres d'organismes de placement collectif en valeurs mobilières investis principalement en actions sans atteindre le seuil de 90 % sont dispensées de constater l'écart mentionné au deuxième alinéa si le gestionnaire de l'organisme prend l'engagement de respecter ce seuil au plus tard le 30 septembre 1998. L'entreprise joint une copie de l'engagement à la déclaration de résultat de l'exercice. Si cet engagement n'est pas respecté, l'écart non imposé est rattaché au résultat imposable de l'exercice au cours duquel il aurait dû être imposé en application du deuxième alinéa ; l'entreprise produit alors au service des impôts compétent une déclaration rectificative avant le 1er décembre 1998. »

Article 40. I. — Dans tous les textes législatifs et réglementaires en vigueur, les mots : « conseil de discipline des organismes de placement collectif en valeurs mobilières » sont remplacés par les mots : « conseil de discipline de la gestion financière ».

II. — La loi n° 88-1201 du 23 décembre 1988 précitée est ainsi modifiée :

1° Dans l'article 33-1 :

a) Les mots : « Sans préjudice des compétences de la Commission des opérations de bourse, » sont insérés au début de l'article ;

b) Les mots : « et au service d'investissement mentionné au d de l'article 4 de la loi n° 96-597 du 2 juillet 1996 de modernisation des activités financières » sont insérés après les mots : « Toute infraction aux lois et règlements applicables aux organismes de placement collectif en valeurs mobilières » ;

c) Les mots : « des actionnaires ou des porteurs de parts » sont remplacés par les mots : « des actionnaires, des porteurs de parts ou des mandants » ;

2° Dans l'article 33-2 :

a) Le cinquième alinéa est remplacé par trois alinéas ainsi rédigés :

« - un membre nommé par arrêté du ministre chargé de l'économie sur proposition du Conseil des marchés financiers ;

« — deux membres nommés par arrêté du ministre chargé de l'économie après consultation, respectivement, de l'organisme représentatif des établissements de crédit et des entreprises d'investissement et d'une association représentant les sociétés d'assurance désignée par arrêté du ministre chargé de l'économie ;

« — un représentant des salariés des prestataires de services d'investissement agréés pour fournir le service d'investissement mentionné au d de l'article 4 de la loi n° 96-597 du 2 juillet 1996 précitée nommé par arrêté du ministre chargé de l'économie après consultation des organisations syndicales représentatives ; » ;

b) Après le huitième alinéa, il est inséré un alinéa rédigé :

« Le remplacement d'un membre dont le mandat est interrompu est effectué pour la durée du mandat restant à courir. »

III. — Au début du II de l'article 71 de la loi n° 96-597 du 2 juillet 1996 précitée, sont insérés les mots : « Sans préjudice des compétences du conseil de discipline de la gestion financière, ».

IV. — Les mandats des membres du conseil de discipline des organismes de placement collectif en valeurs mobilières en cours à l'entrée en vigueur de la présente loi prennent fin à la première réunion du conseil qui suit les nominations effectuées en conformité avec l'article 33-2 de la loi n° 88-1201 du 23 décembre 1988 précitée tel que modifié par la présente loi.

Article 41. I. — La loi n° 66-537 du 24 juillet 1966 précitée est ainsi modifiée :

1° La première phrase du second alinéa de l'article 215 est ainsi rédigée :

« Un rapport établi par les commissaires aux comptes sur l'opération envisagée est communiqué aux actionnaires de la société dans un délai fixé par décret. » ;

2° L'article 217 est ainsi modifié :

— au premier alinéa, les mots : « Sont interdits la souscription et l'achat » sont remplacés par les mots : « I. — Est interdite la souscription » ;

— le deuxième alinéa est supprimé ;

— au troisième et au dernier alinéas, les mots : « ou acquises » sont supprimés ;

— l'article est complété par un II ainsi rédigé :

« II. — L'achat par une société de ses propres actions est autorisé dans les conditions et selon les modalités prévues aux articles 217-1A à 217-10.

« Les achats d'actions par une personne agissant pour le compte de la société sont interdits sauf s'il s'agit d'un prestataire de services d'investissement ou d'un membre d'un marché réglementé intervenant dans les conditions du I de l'article 43 de la loi n° 96-597 du 2 juillet 1996 de modernisation des activités financières. » ;

3° Il est inséré, après l'article 217, un article 217-1 A ainsi rédigé :

« Art. 217-1 A. — L'assemblée générale qui a décidé une réduction de capital non motivée par des pertes peut autoriser le conseil d'administration ou le directoire, selon le cas, à acheter un nombre déterminé d'actions pour les annuler. » ;

4° A l'article 217-1, les mots : « Par dérogation aux dispositions du premier alinéa de l'article 217, » sont supprimés ;

5° L'article 217-2 est ainsi rédigé :

« Art. 217-2. — L'assemblée générale d'une société dont les actions sont admises aux négociations sur un marché réglementé peut autoriser le conseil d'administration ou le directoire, selon le cas, à acheter un nombre d'actions représentant jusqu'à 10 % du capital de la société. L'assemblée générale définit les finalités et les modalités de l'opération, ainsi que son plafond. Cette autorisation ne peut être donnée pour une durée supérieure à dix-huit mois. Le comité d'entreprise est informé de la résolution adoptée par l'assemblée générale.

« L'acquisition, la cession ou le transfert de ces actions peuvent être effectués par tous moyens. Ces actions peuvent être annulées dans la limite de 10 % du capital de la société par périodes de vingt-quatre mois. La société informe chaque mois le Conseil des marchés financiers des achats, cessions, transferts et annulations ainsi réalisés. Le Conseil des marchés financiers porte cette information à la connaissance du public.

« Les sociétés qui font participer leurs salariés aux fruits de l'expansion de l'entreprise par l'attribution de leurs propres actions ainsi que celles qui entendent consentir des options d'achat d'actions à des salariés peuvent utiliser à cette fin tout ou partie des actions ainsi acquises dans les conditions prévues ci-dessus. Elles peuvent également leur proposer d'acquérir leurs propres actions dans les conditions prévues par le deuxième alinéa de l'article 208-18 et par les articles L. 443-1 et suivants du code du travail.

« En cas d'annulation des actions achetées, la réduction de capital est autorisée ou décidée par l'assemblée générale extraordinaire qui peut déléguer au conseil d'administration ou au directoire, selon le cas, tous pouvoirs pour la réaliser. Un rapport spécial établi par les commissaires aux comptes sur l'opération envisagée est communiqué aux actionnaires de la société dans un délai fixé par décret. » ;

6° A l'article 217-3, les mots : « et sont privées de droits de vote » sont ajoutés à la fin du quatrième alinéa ;

7° Au premier alinéa de l'article 194-4 et au cinquième alinéa de l'article 195, les mots : « ou de le réduire par voie de remboursement » sont supprimés ;

8° A la première phrase du premier alinéa de l'article 206, les mots : « ou de le réduire par voie de remboursement » sont supprimés ;

9° Au 5° et au 6° de l'article 450, les mots : « ou réduit le capital par voie de remboursement » sont supprimés ;

10° Le 2° de l'article 454 est abrogé.

II. — 1° Le 6° de l'article 112 du code général des impôts est complété par une phrase ainsi rédigée :

« Le régime des plus-values prévu, selon le cas, aux articles 39 duodecies, 92 B ou 160 est alors applicable. » ;

2° Les dispositions de l'article 160 ter du code général des impôts sont abrogées.

SECTION 8
DISPOSITIONS RELATIVES À MAYOTTE ET SAINT-PIERRE-ET-MIQUELON

Article 42. I. — Les signes monétaires ayant cours légal et pouvoir libératoire dans la métropole ont cours légal et pouvoir libératoire à Mayotte.

A compter d'une date qui sera fixée par décret, la mise en circulation des signes monétaires métropolitains dans la collectivité de Mayotte, qui avait été confiée à l'Institut d'émission d'outre-mer par les lois n° 77-574 du 7 juin 1977 et n° 91-716 du 26 juillet 1991 portant diverses dispositions d'ordre économique et financier, est retirée à cet établissement.

À compter de cette même date, la mise en circulation des signes monétaires métropolitains dans la collectivité de Mayotte est assurée par l'Institut d'émission des départements d'outre-mer créé par l'ordonnance n° 59-74 du 7 janvier 1959 portant réforme du régime de l'émission dans les départements de la Guadeloupe, la Guyane, la Martinique et la Réunion dans les mêmes conditions que celles applicables à la mise en circulation des signes monétaires métropolitains dans les départements d'outre-mer et à Saint-Pierre-et-Miquelon.

Les conditions dans lesquelles s'opérera ce transfert ainsi que les modalités selon lesquelles l'Institut d'émission d'outre-mer mettra à la disposition de l'Institut d'émission des départements d'outre-mer les réserves de billets, les services ou les installations utilisés par lui pour l'émission monétaire sont fixées, avant la date mentionnée ci-dessus, par décret pris après avis des collèges des censeurs des deux établissements intéressés.

II. — Le premier alinéa du II de l'article 21 de la loi n° 72-650 du 11 juillet 1972 portant diverses dispositions d'ordre économique et financier est ainsi rédigé :

« Les signes monétaires ayant cours légal et pouvoir libératoire dans la métropole ont cours légal et pouvoir libératoire à Saint-Pierre-et-Miquelon. »

III. — Les deuxième et troisième alinéas du II de l'article 12 de la loi n° 77-574 du 7 juin 1977 précitée ainsi que l'article 42 de la loi n° 91-716 du 26 juillet 1991 précitée sont abrogés à compter de la date mentionnée au I du présent article.

Article 43. L'article 55 de la loi n° 96-609 du 5 juillet 1996 portant dispositions diverses relatives à l'outre-mer est complété par un alinéa ainsi rédigé :

« Avant le 1er janvier 1999, le Gouvernement présente au Parlement un rapport dans lequel sont étudiées les conditions de garantie des prêts en faveur du logement locatif dans la collectivité territoriale de Mayotte. »

SECTION 9
AUTRES DISPOSITIONS

Article 44. I. — L'article 27 de la loi n° 96-597 du 2 juillet 1996 précitée est ainsi modifié :

1° Au douzième alinéa, le mot : « assiste » est remplacé par les mots : « peut assister » ;

2° Il est inséré, après le quatorzième alinéa, un alinéa ainsi rédigé :

« En cas d'urgence constatée par son président, le conseil peut, sauf en matière disciplinaire, statuer par voie de consultation écrites. » ;

3° La première phrase de l'avant-dernier alinéa est complétée par les mots : « , ainsi que les modalités de déroulement des consultations écrites ».

II. — Après l'article 27 de la loi n° 96-597 du 2 juillet 1996 précitée, il est inséré un article 27-1 ainsi rédigé :

« Art. 27-1. — Le conseil peut, dans des conditions et limites fixées par son règlement général, déléguer au président ou à son représentant, membre du conseil, le pouvoir de prendre, à l'égard des organismes soumis à son contrôle et sous réserve de l'information préalable du commissaire du Gouvernement, des décisions de portée individuelle, sauf en matière disciplinaire. »

Article 45. Dans la première phrase du premier alinéa du I de l'article 67 de la loi n° 96-597 du 2 juillet 1996 précitée, après le mot : « veille », sont insérés les mots : « , par des contrôles sur pièces et sur place, ».

Article 46. Le dernier alinéa de l'article 1er de la loi n° 96-597 du 2 juillet 1996 précitée est ainsi rédigé :

« Les instruments financiers ne peuvent être émis que par l'État, une personne morale, un fonds commun de placement ou un fonds commun de créances. »

Article 47. Il est inséré, dans la loi n° 66-537 du 24 juillet 1966 précitée, deux articles 283-1-1 et 283-1-2 ainsi rédigés :

« Art. 283-1-1. — Afin d'assurer l'égalité des porteurs de certificats d'investissement ou de certificats de droit de vote et la transparence du marché, le règlement général du Conseil des marchés financiers détermine :

« 1° Les conditions applicables aux procédures d'offre publique et de demande de retrait portant sur des certificats d'investissement ou des certificats de droit de vote admis aux négociations sur un marché réglementé ou qui ont cessé d'être négociés sur un marché réglementé, lorsque le ou les actionnaires majoritaires de la société émettrice de ces certificats détiennent seuls ou de concert au sens des dispositions de l'article 356-1-3 de la présente loi une fraction déterminée du capital et des droits de vote ;

« 2° Les conditions dans lesquelles, à l'issue d'une procédure d'offre publique ou de demande de retrait, les certificats d'investisse-

231

ment ou les certificats de droit de vote non présentés par leurs porteurs, dès lors qu'ils ne représentent pas plus de 5 % du capital ou des droits de vote, sont transférés aux actionnaires majoritaires à leur demande, et les détenteurs indemnisés ; l'évaluation des titres, faite selon les méthodes objectives pratiquées en cas de cession d'actifs, tient compte, selon une pondération appropriée à chaque cas, de la valeur des actifs, des bénéfices réalisés, de la valeur boursière, de l'existence de filiales et des perspectives d'activité. L'indemnisation est égale, par titre, au résultat de l'évaluation précitée ou, s'il est plus élevé, au prix proposé lors de l'offre ou de la demande de retrait. Le montant de l'indemnisation revenant aux détenteurs non identifiés est consigné.

« Art. 283-1-2. — L'assemblée générale extraordinaire d'une société dont les actions sont admises aux négociations sur un marché réglementé et dont les certificats d'investissement existants représentent au plus 1 % du capital social peut décider, sur le rapport du conseil d'administration, de procéder à la reconstitution des certificats existants en actions, et à celle des certificats existants assortis d'avantages particuliers en actions conférant à leurs titulaires les mêmes avantages.

« L'assemblée générale extraordinaire prévue à l'alinéa précédent statue dans les conditions prévues pour l'approbation des avantages particuliers par l'article 193, après qu'une assemblée des titulaires de certificats de droits de vote, convoquée et statuant selon les règles des assemblées spéciales d'actionnaires, a approuvé le projet à une majorité de 95 % des titulaires présents ou représentés. La cession s'opère alors à la société, par dérogation au sixième alinéa de l'article 283-1, au prix fixé par l'assemblée générale extraordinaire mentionnée à l'alinéa précédent.

« Le prix mentionné à l'alinéa précédent est déterminé selon les modalités énoncées au 2° de l'article 283-1-1.

« Le montant de l'indemnisation revenant aux détenteurs non identifiés est consigné.

« La reconstitution s'opère par la cession aux porteurs de certificats d'investissement, à titre gratuit, des certificats de droits de vote correspondants.

« À cet effet, la société peut demander l'identification des porteurs de certificats, même en l'absence de disposition statutaire

expresse, selon les modalités prévues par l'article 263-1. »

Article 48. La loi n° 66-537 du 24 juillet 1966 précitée est ainsi modifiée :

1° L'article 356-1 est complété par un alinéa ainsi rédigé :

« La personne tenue à l'information prévue au premier alinéa est tenue de déclarer, à l'occasion des franchissements de seuil du dixième ou du cinquième du capital ou des droits de vote, les objectifs qu'elle a l'intention de poursuivre au cours des douze mois à venir. Cette déclaration précise si l'acquéreur agit seul ou de concert, s'il envisage d'arrêter ses achats ou de les poursuivre, d'acquérir ou non le contrôle de la société, de demander sa nomination ou celle d'une ou plusieurs personnes comme administrateur, membre du directoire ou du conseil de surveillance. Elle est adressée à la société dont les actions ont été acquises, au Conseil des marchés financiers, qui la publie, et à la Commission des opérations de bourse dans un délai de quinze jours à compter du franchissement de seuil. En cas de changement d'intention, lequel ne peut être motivé que par des modifications importantes dans l'environnement, la situation ou l'actionnariat des personnes concernées, une nouvelle déclaration doit être établie. » ;

2° Dans le premier alinéa de l'article 356-1, les mots : « ou des droits de vote » sont insérés après le mot : « capital » ;

3° Dans le cinquième alinéa de l'article 356-1, les mots : « ou des droits de vote » sont insérés, à deux reprises, après le mot : « capital » ;

4° Le premier et le deuxième alinéa de l'article 356-1-1 sont supprimés ;

5° Après le deuxième alinéa de l'article 356-4, il est inséré un alinéa ainsi rédigé :

« L'actionnaire qui n'aurait pas procédé à la déclaration prévue au septième alinéa de l'article 356-1 est privé des droits de vote attachés aux titres excédant la fraction du dixième ou du cinquième mentionnée au même alinéa pour toute assemblée d'actionnaires qui se tiendrait jusqu'à l'expiration d'un délai de deux ans suivant la date de régularisation de la notification. » ;

6° Le troisième alinéa de l'article 356-4 est complété par les mots : « ou qui n'aurait pas respecté le contenu de la déclaration prévue au septième alinéa de l'article 356-1 pendant la période de douze mois suivant sa publication par le Conseil des marchés financiers ».

SECTION 10

ENTRÉE EN VIGUEUR

Article 49. I. — Les dispositions des articles 16, 20, 21, 24, 25, 26, 27 et 29 entrent en vigueur le 1er janvier 1999.

II. — Les modifications du capital social mentionnées aux II et III de l'article 17 ne peuvent prendre effet qu'à compter du 1er janvier 1999.

III. — Les arrêtés mentionnés au premier alinéa de l'article 18 ne peuvent prendre effet qu'à compter du 1er janvier 1999.

IV. — Les modifications des règlements des fonds communs de placement mentionnées à l'article 31 ne peuvent prendre effet qu'à compter du 1er janvier 1999.

V. — La date mentionnée aux I et III de l'article 42 ne peut être postérieure au 1er janvier 1999.

1901. Règlement 1103/97 du Conseil du 17 juin 1997

fixant certaines dispositions relatives à l'introduction de l'euro

(JOCE 1997 L 162)

LE CONSEIL DE L'UNION EUROPÉENNE,

vu le traité instituant la Communauté européenne, et notamment son article 235,

vu la proposition de la Commission (1),

vu l'avis du Parlement européen (2),

vu l'avis de l'Institut monétaire européen (3),

(1) considérant que, lors de sa réunion à Madrid, les 15 et 16 décembre 1995, le Conseil européen a confirmé que la troisième phase de l'Union économique et monétaire commencera le 1er janvier 1999, conformément à l'article 109 J paragraphe 4 du traité ; que les États membres qui adopteront l'euro en tant que monnaie unique conformément au traité seront désignés, aux fins du présent règlement, sous les termes « États membres participants » ;

(2) considérant que, lors de la réunion du Conseil européen à Madrid, il a été décidé que le terme « écu » employé dans le traité pour désigner l'unité monétaire européenne est un terme générique ; que les gouvernements des quinze États membres sont convenus que cette décision constitue l'interprétation agréée et définitive des dispositions pertinentes du traité ; que le nom de la monnaie européenne sera « euro » ; que l'euro, qui sera la monnaie des États membres participants, sera divisé en cent subdivisions appelées « cent » ; que le Conseil européen a, en outre, estimé que le nom de la monnaie unique devait être le même dans toutes les langues officielles de l'Union européenne, en tenant compte de l'existence des différents alphabets ;

(3) considérant qu'un règlement concernant l'introduction de l'euro sera adopté par le Conseil sur la base de l'article 109 L paragraphe 4 troisième phrase du traité dès que seront connus les États membres participants

afin de définir le cadre juridique de l'euro ; que le Conseil, statuant le jour de l'entrée en vigueur de la troisième phrase, conformément à l'article 109 L paragraphe 4 première phrase du traité, arrêtera les taux de conversion irrévocablement fixés ;

(4) considérant qu'il est nécessaire, dans le fonctionnement du marché commun et pour le passage à la monnaie unique, d'établir la sécurité juridique pour les citoyens et les entreprises dans tous les États membres, en ce qui concerne certaines dispositions relatives à l'introduction de l'euro, bien avant l'entrée dans la troisième phase ; que l'établissement précoce de la sécurité juridique permettra aux citoyens et aux entreprises de se préparer dans de bonnes conditions ;

(5) considérant que l'article 109 L paragraphe 4 troisième phrase du traité, qui autorise le Conseil, statuant à l'unanimité des États membres participants, à prendre les autres mesures nécessaires à l'introduction rapide de la monnaie unique, ne peut servir de base juridique qu'à partir du moment où, en vertu de l'article 109 J paragraphe 4 du traité, il aura été confirmé quels sont les États membres qui remplissent les conditions nécessaires pour l'adoption d'une monnaie unique ; qu'il est, par conséquent, nécessaire d'avoir recours à l'article 235 comme base juridique pour les dispositions pour lesquelles il est urgent d'établir la sécurité juridique ; que, par conséquent, le présent règlement et le règlement précité concernant l'introduction de l'euro définiront ensemble le cadre juridique de l'euro, dont les principes ont été énoncés par le Conseil européen de Madrid ; que l'introduction de l'euro intéresse les opérations quotidiennes de l'ensemble de la population dans les États membres participants ; qu'il y a lieu d'étudier d'autres mesures que celles qui sont prévues par le présent règlement et par

(1) JOCE 1996 C 369, p. 8
(2) JOCE 1996 C 380, p. 49.
(3) Avis rendu le 29 novembre 1996.

celui qui sera adopté sur la base de l'article 109 L paragraphe 4 troisième phrase, afin d'assurer un passage équilibré à la monnaie unique, notamment pour les consommateurs ;

(6) considérant que l'écu, au sens de l'article 109 G du traité et tel que défini par le règlement (CE) n° 3320/94 du Conseil, du 22 décembre 1994, concernant la codification de la législation communautaire existante sur la définition de l'écu après l'entrée en vigueur du traité sur l'Union européenne(1) cessera d'être défini comme un panier de monnaies le 1er janvier 1999 et que l'euro sera une monnaie à part entière ; que la décision du Conseil relative à l'adoption des taux de conversion n'aura pas en soi pour effet de modifier la valeur externe de l'écu ; que cela signifie qu'un écu, dans sa composition d'un panier de monnaies, deviendra un euro ; que le règlement (CE) n° 3320/94 devient dès lors sans objet et doit être abrogé ; que, en ce qui concerne les références à l'écu figurant dans des instruments juridiques, les parties sont présumées être convenues de se référer à l'écu au sens de l'article 109 G du traité et tel que défini par le règlement précité ; que cette présomption doit pouvoir être écartée en prenant en considération la volonté des parties ;

(7) considérant que, selon un principe général du droit, la continuité des contrats et autres instruments juridiques n'est pas affectée par l'introduction d'une nouvelle monnaie ; que le principe de liberté contractuelle doit être respecté ; que le principe de continuité doit être compatible avec toute convention entre les parties en ce qui concerne l'introduction de l'euro ; que, en vue de renforcer la sécurité et la clarté du droit, il convient de confirmer explicitement que le principe de la continuité des contrats et autres instruments juridiques s'applique entre les anciennes monnaies nationales et l'euro et entre l'écu au sens de l'article 109 G du traité et tel que défini par le règlement (CE) n° 3320/94 et l'euro ; que cela signifie en particulier que, pour les instruments à taux d'intérêt fixe, l'introduction de l'euro ne modifie pas le taux d'intérêt nominal payable par le débiteur ; que les dispositions relatives à la continuité ne peuvent atteindre leur objectif, qui est de fournir la sécurité juridique et la transparence pour les agents économiques, en particulier les consommateurs, qu'à condition d'entrer en vigueur le plus rapidement possible ;

(8) considérant que l'introduction de l'euro constitue une modification de la loi monétaire de chacun des États membres participants ; que la reconnaissance de la loi monétaire d'un État est un principe universellement reconnu ; que la confirmation explicite du principe de continuité doit entraîner la reconnaissance de la continuité des contrats et autres instruments juridiques dans l'ordre juridique des pays tiers ;

(9) considérant que le terme « contrat » utilisé dans la définition des instruments juridiques englobe tous les types de contrats, indépendamment de la manière dont ils ont été conclus ;

(10) considérant que le Conseil, lorsqu'il statue conformément à l'article 109 L paragraphe 4 première phrase du traité, arrête les taux de conversion de l'euro en termes d'un euro exprimé dans chacune des monnaies nationales des États membres participants ; que ces taux de conversion doivent être utilisés pour toute conversion entre l'euro et les unités monétaires nationales ou entre les unités monétaires nationales ; que, pour toute conversion entre des unités monétaires nationales, un algorithme fixe doit définir le résultat ; que l'utilisation de taux inverses pour la conversion conduirait à arrondir les taux et pourrait entraîner des imprécisions significatives, notamment lorsque la conversion porte sur des montants élevés ;

(11) considérant que l'introduction de l'euro requiert d'arrondir les sommes d'argent ; qu'il est nécessaire que les règles pour arrondir les sommes d'argent soient connues rapidement dans le fonctionnement du marché commun et afin de permettre une bonne préparation de l'union économique et monétaire et d'assurer une transition harmonieuse ; que lesdites règles ne portent pas atteinte aux pratiques, conventions ou dispositions nationales relatives aux arrondis qui assurent un degré plus élevé de précision pour les calculs intermédiaires ;

(12) considérant que, pour assurer un degré élevé de précision pour les opérations de conversion, les taux de conversion sont définis avec six chiffres significatifs ; qu'un taux de conversion comportant six chiffres signi-

_____
(1) JOCE 1994 L 350, p. 27.

ficatifs signifie qu'il est composé de six chiffres en comptant par la gauche à partir du premier chiffre qui n'est pas un zéro,

A ARRÊTÉ LE PRÉSENT RÈGLEMENT :

Article premier. Aux fins du présent règlement, on entend par :

— « instruments juridiques » : les dispositions législatives et réglementaires, actes administratifs, décisions de justice, contrats, actes juridiques unilatéraux, instruments de paiement autres que les billets et les pièces, et autres instruments ayant des effets juridiques,

— « États membres participants » : les États membres qui adoptent la monnaie unique conformément au traité,

— « taux de conversion » : les taux de conversion irrévocablement fixés arrêtés par le Conseil conformément à l'article 109 L paragraphe 4 première phrase du traité,

— « unités monétaires nationales » : les unités monétaires des États membres participants, telles qu'elles sont définies le jour précédant l'entrée en vigueur de la troisième phase de l'union économique et monétaire,

— « unité euro » : l'unité de la monnaie unique telle que définie par le règlement concernant l'introduction de l'euro qui entrera en vigueur le jour de l'entrée en vigueur de la troisième phase de l'union économique et monétaire.

Article 2. 1. Toute référence à l'écu, au sens de l'article 109 G du traité et tel que défini par le règlement (CE) n° 3320/94, figurant dans un instrument juridique est remplacée par une référence à l'euro au taux d'un euro pour un écu. Toute référence à l'écu figurant dans un instrument juridique sans une telle définition est présumée constituer une référence à l'écu au sens de l'article 109 G du traité et tel que défini par le règlement (CE) n° 3320/94, cette présomption pouvant être écartée en prenant en considération la volonté des parties.

2. Le règlement (CE) n° 3320/94 est abrogé.

3. Le présent article s'applique à compter du 1er janvier 1999, conformément à la décision prise au titre de l'article 109 J paragraphe 4 du traité.

Article 3. L'introduction de l'euro n'a pas pour effet de modifier les termes d'un ins-

trument juridique ou de libérer ou de dispenser de son exécution, et elle ne donne pas à une partie le droit de modifier un tel instrument ou d'y mettre fin unilatéralement. La présente disposition s'applique sans préjudice de ce dont les parties sont convenues.

Article 4. 1. Les taux de conversion qui sont arrêtés sont exprimés pour la contrevaleur d'un euro dans chacune des monnaies nationales des États membres participants. Ils comportent six chiffres significatifs.

2. Les taux de conversion ne peuvent pas être en arrondis ou tronqués lors des conversions.

3. Les taux de conversion sont utilisés pour les conversions entre l'unité euro et les unités monétaires nationales et vice versa. Il est interdit d'utiliser des taux inverses calculés à partir des taux de conversion.

4. Toute somme d'argent à convertir d'une unité monétaire nationale dans une autre doit d'abord être convertie dans un montant exprimé dans l'unité euro ; ce montant ne pouvant être arrondi à moins de trois décimales est ensuite converti dans l'autre unité monétaire nationale. Aucune autre méthode de calcul ne peut être utilisée, sauf si elle produit les mêmes résultats.

Article 5. Les sommes d'argent à payer ou à comptabiliser, lorsqu'il y a lieu de les arrondir après conversion dans l'unité euro conformément à l'article 4, sont arrondies au cent supérieur ou inférieur le plus proche. Les sommes d'argent à payer ou à comptabiliser qui sont converties dans une unité monétaire nationale sont arrondies à la subdivision supérieure ou inférieure la plus proche ou, à défaut de subdivision, à l'unité la plus proche ou, selon les lois ou pratiques nationales, à un multiple ou à une fraction de la subdivision ou de l'unité monétaire nationale. Si l'application du taux de conversion donne un résultat qui se situe exactement au milieu, la somme est arrondie au chiffre supérieur.

Article 6. Le présent règlement entre en vigueur le jour suivant celui de sa publication au *Journal officiel des Communautés européennes.*

Le présent règlement est obligatoire dans tous ses éléments et directement applicable dans tout État membre.

Fait à Luxembourg, le 17 juin 1997.

Par le Conseil

Le président

A. JORRITSMA-LEBBINK

1902. Règlement 974/98 du Conseil du 3 mai 1998

concernant l'introduction de l'euro

(JOCE 1998 L 139)

LE CONSEIL DE L'UNION EURO-PÉENNE,

vu le traité instituant la Communauté européenne, et notamment son article 109 L paragraphe 4 troisième phrase,

vu la proposition de la Commission (1),

vu l'avis de l'Institut monétaire européen (2),

vu l'avis du Parlement européen (3),

(1) considérant que le présent règlement définit des dispositions de droit monétaire des États membres qui ont adopté l'euro ; que le règlement (CE) n° 1103/97 du Conseil, du 17 juin 1997, fixant certaines dispositions relatives à l'introduction de l'euro (4), a déjà établi des dispositions relatives à la continuité des contrats, au remplacement des références à l'écu dans les instruments juridiques par des références à l'euro et aux règles pour arrondir les sommes d'argent ; que l'introduction de l'euro intéresse les opérations quotidiennes de l'ensemble de la population des États membres participants ; qu'il y a lieu d'étudier d'autres mesures que celles qui sont prévues dans le présent règlement et dans le règlement (CE) n° 1103/97, afin d'assurer un passage équilibré à la monnaie unique, notamment pour les consommateurs ;

(2) considérant que, lors de la réunion du Conseil européen qui a eu lieu à Madrid les 15 et 16 décembre 1995, il a été décidé que le terme « écu » employé dans le traité pour désigner l'unité monétaire européenne est un terme générique ; que les gouvernements des quinze États membres sont convenus que cette décision constitue l'interprétation agréée et définitive des dispositions pertinentes du traité ; que le nom de la monnaie européenne sera « euro » ; que l'euro, qui sera la monnaie des États membres participants, sera divisé en cent subdivisions appe-

lées « cent » ; que la définition du nom « cent » n'empêche pas l'utilisation de variantes de cette appellation dans la vie courante dans les États membres ; que le Conseil européen a, en outre, estimé que le nom de la monnaie unique devait être le même dans toutes les langues officielles de l'Union européenne, en tenant compte de l'existence des différents alphabets ;

(3) considérant que le Conseil, statuant conformément à l'article 109 L paragraphe 4 troisième phrase du traité, prend les mesures nécessaires à l'introduction rapide de l'euro autres que l'arrêté des taux de conversion ;

(4) considérant que, lorsque, conformément à l'article 109 K paragraphe 2 du traité, un État membre devient un État membre participant, le Conseil, en vertu de l'article 109 L paragraphe 5 du traité, arrête les autres mesures nécessaires à l'introduction rapide de l'euro en tant que monnaie unique dans l'État membre concerné ;

(5) considérant que, conformément à l'article 109 L paragraphe 4 du traité, le Conseil, le jour de l'entrée en vigueur de la troisième phase, arrête les taux de conversion auxquels les monnaies des États membres participants sont irrévocablement fixées et le taux irrévocablement fixé auquel l'euro remplace ces monnaies ;

(6) considérant que les dispositions législatives doivent être interprétées compte tenu de l'absence de risque de change entre l'unité euro et les unités monétaires nationales ou entre ces dernières ;

(7) considérant que le terme « contrat » utilisé dans la définition des instruments juridiques englobe tous les types de contrats, indépendamment de la manière dont ils ont été conclus ;

(8) considérant que, en vue de préparer un passage harmonieux à l'euro, il est néces-

(1) JOCE 1996 C 369, p. 10.
(2) JOCE 1997 C 205, p. 18.
(3) JOCE 1996 C 380, p. 50.
(4) JOCE 1997 L 162, p. 1.

saire de prévoir une période transitoire entre le moment où l'euro remplace les monnaies des États membres participants et celui où les billets et les pièces en euros sont introduits ; que, pendant cette période, les unités monétaires nationales sont définies comme des subdivisions de l'euro ; qu'une équivalence juridique est ainsi établie entre l'unité euro et les unités monétaires nationales ;

(9) considérant que, conformément à l'article 109 G du traité et au règlement (CE) n° 1103/97, l'euro remplace l'écu, à compter du 1er janvier 1999, en tant qu'unité de compte des institutions des Communautés européennes ; que l'euro est aussi l'unité de compte de la Banque centrale européenne (BCE) et des banques centrales des États membres participants ; que, conformément aux conclusions du Conseil européen de Madrid, le système européen de banques centrales (SEBC) effectue en euros les opérations relevant de la politique monétaire ; que cela n'empêche pas les banques centrales nationales, pendant la période transitoire, de tenir des comptes dans leurs unités monétaires nationales respectives, en particulier pour leur personnel et les administrations publiques ;

(10) considérant que chaque État membre participant peut autoriser l'usage général de l'unité euro sur son territoire pendant la période transitoire ;

(11) considérant que, pendant la période transitoire, les contrats, les lois nationales et les autres instruments juridiques peuvent valablement être établis dans l'unité euro ou dans l'unité monétaire nationale ; que, pendant cette période, aucune disposition du présent règlement ne porte atteinte à la validité de quelque référence que ce soit à une unité monétaire nationale figurant dans un instrument juridique quelconque ;

(12) considérant que, sauf convention contraire, les agents économiques sont tenus de respecter le libellé d'un instrument juridique dans l'exécution de tous les actes à effectuer en vertu dudit instrument ;

(13) considérant que l'unité euro et les unités monétaires nationales sont des unités de la même monnaie ; qu'il faut garantir que les paiements effectués à l'intérieur d'un État membre participant par le crédit d'un compte puissent se faire soit dans l'unité euro soit dans l'unité monétaire nationale ; que les dispositions relatives aux paiements effectués par le crédit d'un compte doivent

aussi s'appliquer aux paiements transfrontaliers libellés dans l'unité euro ou dans l'unité monétaire nationale du compte du créancier ; qu'il est nécessaire d'assurer le fonctionnement harmonieux des systèmes de paiement en arrêtant des dispositions relatives aux paiements effectués sur des comptes au moyen d'instruments de paiement utilisés dans ces systèmes ; que les dispositions relatives aux paiements effectués par le crédit d'un compte ne doivent pas avoir pour effet d'obliger les intermédiaires financiers à offrir d'autres services ou instruments de paiement libellés dans une unité particulière quelconque de l'euro ; que les dispositions relatives aux paiements effectués par le crédit d'un compte n'empêchent pas les intermédiaires financiers de coordonner l'introduction de services de paiement libellés dans l'unité euro, qui reposent sur une infrastructure technique commune pendant la période transitoire ;

(14) considérant que, conformément aux conclusions du Conseil européen de Madrid, la nouvelle dette publique négociable est émise dans l'unité euro à partir du 1er janvier 1999 par les États membres participants ; qu'il est souhaitable de permettre aux émetteurs des dettes de relibeller dans l'unité euro l'encours de leurs dettes ; que les dispositions en la matière devraient être telles qu'elles puissent également s'appliquer dans des cas relevant de la juridiction de pays tiers ; que les émetteurs devraient avoir la possibilité de relibeller l'encours de leurs dettes si celles-ci sont libellées dans l'unité monétaire nationale d'un État membre qui a relibellé tout ou partie de l'encours des dettes de ses administrations publiques ; que les dispositions en question ne traitent pas de l'introduction de mesures supplémentaires visant à changer les conditions dont sont assorties les dettes en cours, dans le sens d'une modification, notamment, du montant nominal de l'encours, ces questions relevant de la législation nationale applicable ; qu'il est souhaitable de permettre aux États membres de prendre les mesures appropriées pour modifier l'unité de compte des procédures opératoires des marchés organisés ;

(15) considérant qu'il peut aussi être nécessaire de prendre d'autres mesures au niveau communautaire pour clarifier l'incidence de l'introduction de l'euro sur l'application des dispositions du droit communautaire en vigueur, notamment en ce qui concerne le net-

ting ou la compensation ou les techniques ayant des effets similaires ;

(16) considérant que l'utilisation de l'unité euro ne peut être rendue obligatoire que sur la base de la législation communautaire ; que les États membres participants peuvent autoriser l'utilisation de l'euro dans les opérations avec le secteur public ; que, conformément au scénario de référence adopté par le Conseil européen réuni à Madrid, la législation communautaire fixant le calendrier pour l'utilisation généralisée de l'unité euro pourrait laisser une certaine marge de liberté aux États membres ;

(17) considérant que, conformément à l'article 105 A du traité, le Conseil peut adopter des mesures pour harmoniser les valeurs unitaires et les spécifications techniques de toutes les pièces ;

(18) considérant que les billets et les pièces doivent faire l'objet d'une protection adéquate contre la contrefaçon ;

(19) considérant que les billets et les pièces libellés dans les unités monétaires nationales perdent leur cours légal au plus tard six mois après l'expiration de la période transitoire ; que les restrictions aux paiements au moyen de billets et de pièces, définies par les États membres en considération de motifs d'intérêt public, ne sont pas incompatibles avec le cours légal des billets et pièces libellés en euros, pour autant que d'autres moyens légaux soient disponibles pour le règlement des créances de sommes d'argent ;

(20) considérant que, à l'expiration de la période transitoire, les références contenues dans les instruments juridiques existant à la fin de ladite période doivent être lues comme des références à l'unité euro, en appliquant les taux de conversion respectifs ; qu'il n'est dès lors pas nécessaire à cet effet de relibeller matériellement les instruments juridiques existants ; que les règles relatives à l'arrondissage des sommes d'argent arrêtées par le règlement (CE) n° 1103/97 s'appliquent également aux conversions qui doivent être opérées au moment où prend fin la période transitoire ou par la suite ; que, pour des raisons de clarté, il peut être souhaitable de procéder matériellement au relibellé dès qu'il conviendra ;

(21) considérant que le paragraphe 2 du protocole n° 11 sur certaines dispositions relatives au Royaume-Uni de Grande-Bretagne et d'Irlande du Nord précise que le paragraphe 5 dudit protocole, entre autres, est applicable si le Royaume-Uni notifie au Conseil qu'il n'a pas l'intention de passer à la troisième phase ; que le Royaume-Uni a notifié le 16 octobre 1996 au Conseil qu'il n'a pas l'intention de passer à la troisième phase ; que le paragraphe 5 précise que, entre autres, l'article 109 L paragraphe 4 du traité ne s'applique pas au Royaume-Uni ;

(22) considérant que le Danemark, se fondant sur le paragraphe 1 du protocole n° 12 sur certaines dispositions relatives au Danemark, a notifié, dans le cadre de la décision d'Édimbourg du 12 décembre 1992, qu'il ne participera pas à la troisième phase ; que, par conséquent, conformément au paragraphe 2 dudit protocole, tous les articles et toutes les dispositions du traité et des statuts du SEBC faisant référence à une dérogation sont applicables au Danemark ;

(23) considérant que, conformément à l'article 109 L paragraphe 4 du traité, la monnaie unique ne sera introduite que dans les États membres ne faisant pas l'objet d'une dérogation ;

(24) considérant que le présent règlement est par conséquent applicable en vertu de l'article 189 du traité, sous réserve des dispositions des protocoles n° 11 et n° 12 et de l'article 109 K paragraphe 1,

A ARRÊTÉ LE PRÉSENT RÈGLEMENT :

PARTIE I
DÉFINITIONS

Article premier. Aux fins du présent règlement, on entend par :

— « États membres participants » : Belgique, Allemagne, Espagne, France, Irlande, Italie, Luxembourg, Pays-Bas, Autriche, Portugal et Finlande,

— « instruments juridiques » : les dispositions législatives et réglementaires, actes administratifs, décisions de justice, contrats, actes juridiques unilatéraux, instruments de paiement autres que les billets et les pièces, et autres instruments ayant des effets juridiques,

— « taux de conversion » : le taux de conversion irrévocablement fixé arrêté par le Conseil pour la monnaie de chaque État membre participant, conformément à l'article 109 L paragraphe 4 première phrase du traité,

— « unité euro » : l'unité monétaire visée à l'article 2 deuxième phrase,

— « unités monétaires nationales » : les unités monétaires des États membres partici-

pants, telles qu'elles sont définies le jour précédant l'entrée en vigueur de la troisième phase de l'union économique et monétaire,
— « période transitoire » : la période commençant le 1er janvier 1999 et prenant fin le 31 décembre 2001,
— « relibeller » : modifier l'unité dans laquelle le montant de l'encours des dettes est exprimé, l'unité monétaire nationale étant remplacée par l'unité euro, telle que définie à l'article 2, cette opération n'entraînant aucune autre modification des conditions dont sont assorties les créances, lesquelles relèvent de la législation nationale.

PARTIE II
REMPLACEMENT DES MONNAIES DES ÉTATS MEMBRES PARTICIPANTS PAR L'EURO

Article 2. À compter du 1er janvier 1999, la monnaie des États membres participants est l'euro. L'unité monétaire est un euro. Un euro est divisé en cent cents.

Article 3. L'euro remplace la monnaie de chaque État membre participant au taux de conversion.

Article 4. L'euro est l'unité de compte de la Banque centrale européenne (BCE) et des banques centrales des États membres participants.

PARTIE III
DISPOSITIONS TRANSITOIRES

Article 5. Les articles 6, 7, 8 et 9 s'appliquent durant la période transitoire.

Articles 6. 1. L'euro est aussi divisé en unités monétaires nationales en appliquant les taux de conversion. Les subdivisions des unités monétaires nationales sont maintenues. Sous réserve des dispositions du présent règlement, le droit monétaire des États membres participants continue de s'appliquer.
2. Lorsqu'un instrument juridique comporte une référence à une unité monétaire nationale, cette référence est aussi valable que s'il s'agissait d'une référence à l'unité euro, en appliquant les taux de conversion.

Article 7. Le remplacement de la monnaie de chaque État membre participant par l'euro n'a pas en soi pour effet de modifier le libellé des instruments juridiques existant à la date du remplacement.

Article 8. 1. Les actes à exécuter en vertu d'instruments juridiques prévoyant l'utilisation d'une unité monétaire nationale ou libellés dans une unité monétaire nationale sont exécutés dans ladite unité monétaire nationale. Les actes à exécuter en vertu d'instruments prévoyant l'utilisation de l'unité euro ou libellés dans l'unité euro sont exécutés dans cette unité.
2. Les parties peuvent déroger par convention aux dispositions du paragraphe 1.
3. Nonobstant les dispositions du paragraphe 1, toute somme libellée dans l'unité euro ou dans l'unité monétaire nationale d'un État membre participant donné, et à régler dans cet État membre par le crédit d'un compte du créancier, peut être payée par le débiteur dans l'unité euro ou dans l'unité monétaire nationale de l'État membre concerné. La somme est portée au crédit du compte du créancier dans l'unité monétaire dans laquelle ce compte est libellé, toute conversion étant opérée aux taux de conversion.
4. Nonobstant les dispositions du paragraphe 1, chaque État membre participant peut prendre les mesures nécessaires pour :
— relibeller en unité euro l'encours des dettes émises par les administrations publiques de cet État membre, telles que définies dans le système européen de comptes intégrés, libellées dans son unité monétaire nationale et émises selon sa législation nationale. Si un État membre a pris une telle mesure, les émetteurs peuvent relibeller en unité euro les dettes libellées dans l'unité monétaire nationale de cet État membre à moins que les conditions du contrat excluent expressément cette possibilité ; la présente disposition s'applique aux titres émis par les administrations publiques des États membres ainsi qu'aux obligations et autres titres de créances, négociables sur le marché des capitaux et aux instruments du marché monétaire, émis par d'autres débiteurs,
— permettre :
a) aux marchés où s'effectuent régulièrement le négoce, la compensation ou le règlement de l'un des instruments énumérés à la partie B de l'annexe de la directive 93/22/CEE du Conseil, du 10 mai 1993, concernant les services d'investissement dans le domaine des valeurs mobilières(1) et des matières premières

(1) JOCE 1993 L 141, p. 27. Directive modifiée par la directive 95/26/CE du Parlement européen et du Conseil (JOCE 1995 L 168, p. 7).

et

b) aux systèmes où s'effectuent régulièrement l'échange, la compensation et le règlement des paiements,

de modifier l'unité de compte de leurs procédures opératoires, l'unité monétaire nationale étant remplacée par l'unité euro.

5. Les États membres participants ne peuvent adopter des dispositions imposant l'utilisation de l'unité euro autres que celles qui sont prévues au paragraphe 4 que conformément à un calendrier fixé par la législation communautaire.

6. Les dispositions juridiques nationales des États membres participants qui autorisent ou imposent le netting ou la compensation ou des techniques ayant des effets similaires s'appliquent aux obligations de sommes d'argent, quelle que soit l'unité monétaire dans laquelle elles sont libellées, pour autant que celle-ci soit l'unité euro ou une unité monétaire nationale, toute conversion étant effectuée aux taux de conversion.

Article 9. Les billets et les pièces libellés dans une unité monétaire nationale conservent, dans leurs limites territoriales, le cours légal qu'ils avaient le jour précédant l'entrée en vigueur du présent règlement.

PARTIE IV
PIÈCES ET BILLETS LIBELLÉS EN EUROS

Article 10. À partir du 1er janvier 2002, la BCE et les banques centrales des États membres participants mettent en circulation les billets libellés en euros. Sans préjudice des dispositions de l'article 15, ces billets libellés en euro sont les seuls à avoir cours légal dans tous ces États membres.

Article 11. À partir du 1er janvier 2002, les États membres participants émettent des pièces libellées en euros ou en cents et conformes aux valeurs unitaires et aux spécifications techniques que peut adopter le Conseil conformément à l'article 105 A paragraphe 2 seconde phrase du traité. Sans préjudice des dispositions de l'article 15, ces pièces sont les seules à avoir cours légal dans tous ces États membres. À l'exception de l'autorité émettrice et des personnes spécifiquement désignées par la législation nationale de l'État membre émetteur, nul n'est tenu d'accepter plus de cinquante pièces lors d'un seul paiement.

Article 12. Les États membres participants assurent les sanctions adéquates contre la contrefaçon et la falsification des billets et des pièces libellés en euros.

PARTIE V
DISPOSITIONS FINALES

Article 13. Les articles 14, 15 et 16 s'appliquent à compter de la fin de la période transitoire.

Article 14. Les références aux unités monétaires nationales qui figurent dans des instruments juridiques existant à la fin de la période transitoire doivent être lues comme des références à l'unité euro en appliquant les taux de conversion respectifs. Les règles relatives à l'arrondissage des sommes d'argent arrêtées par le règlement (CE) n° 1103/97 s'appliquent.

Article 15. 1. Les billets et les pièces libellés dans une unité monétaire nationale au sens de l'article 6 paragraphe 1 cessent d'avoir cours légal dans leurs limites territoriales au plus tard six mois après l'expiration de la période transitoire ; ce délai peut être abrégé par le législateur national.

2. Chaque État membre participant peut, pendant six mois au plus après l'expiration de la période transitoire, fixer des règles pour l'utilisation des billets et des pièces libellés dans son unité monétaire nationale au sens de l'article 6 paragraphe 1 et prendre toute mesure nécessaire pour faciliter leur retrait.

Article 16. Conformément aux lois ou aux pratiques des États membres participants, les émetteurs de billets et de pièces continuent d'accepter, en échange d'euros, les pièces et les billets qu'ils ont émis antérieurement, au taux de conversion.

PARTIE VI
ENTRÉE EN VIGUEUR

Article 17. Le présent règlement entre en vigueur le 1er janvier 1999.

Le présent règlement est obligatoire dans tous ses éléments et directement applicable dans tout État membre, conformément aux dispositions du traité et sous réserve des dispositions des protocoles n° 11 et n° 12 et de l'article 109 K paragraphe 1 du traité.

Fait à Bruxelles, le 3 mai 1998

Par le Conseil

Le président

G. BROWN

1903. Instruction du 28 août 1997

4-E-5-97
Régime fiscal des dépenses liées au passage à l'euro

A. — RAPPEL. CONDITION ET CALENDRIER DU PASSAGE À L'EURO

1. Conformément au Traité, l'Union économique et monétaire doit être réalisée en trois phases.

La première phase qui s'est terminée le 31 décembre 1993 a donné lieu, en particulier, à la levée des restrictions aux mouvements de capitaux entre les États membres.

La deuxième phase a débuté le 1er janvier 1994 et doit se terminer au plus tard le 1er janvier 1999. Enfin la troisième phase commencera à cette dernière date.

2. La capacité des États à accéder à cette troisième phase suppose un degré de convergence économique élevé et durable qui sera apprécié par le Conseil ECOFIN et le Conseil européen sur la base des éléments relatifs à chaque État membre en matière d'inflation, de finances publiques, de change et de taux d'intérêt à long terme.

3. Le passage à la monnaie unique sera précédé d'une période intérimaire et comportera une période transitoire.

La période intérimaire commencera avec la définition, dès que possible en 1998, sur la base des données de l'année 1997, de la liste des États membres qui accéderont à la troisième phase de l'Union; elle s'achèvera le 1er janvier 1999.

La période transitoire débutera le 1er janvier 1999 et se terminera au plus tard le 1er janvier 2002. Cette étape se caractérisera, en particulier, par la fixation irrévocable des parités entre les monnaies des pays participants et par rapport à l'euro. Chaque monnaie nationale devient alors une subdivision de l'euro.

Durant cette période, au cours de laquelle les opérations interbancaires seront effectuées en euro, les entreprises auront le choix de tenir leur comptabilité en euro ou en franc, après modification de l'article 16 du Code de commerce.

4. La dernière étape débutera avec l'introduction des pièces et billets en euro, au plus tard le 1er janvier 2002 et se terminera au maximum six mois après, avec le retrait total des pièces et des billets en unité monétaire nationale.

B. — TYPES DE CHARGES LIÉES AU PASSAGE À L'EURO

5. Les différentes dépenses susceptibles d'être exposées par les entreprises du fait du passage à l'euro sont, notamment, les suivantes :

• Modifications de logiciels informatiques

Il sera nécessaire de créer de nouvelles applications ou de modifier des chaînes existantes notamment pour gérer la période transitoire de 1999 à 2002;

• Formalités juridiques

Cela concerne la modification de contrats en cours ou la modification des statuts (conversion des seuils et du capital, et la publicité afférente à ces modifications);

• Restructuration d'activité (réduction du service de change des banques par exemple);

• Adaptation des terminaux de paiement tels que distributeurs de billets, caisses enregistreuses, distributeurs automatiques, etc.;

• Formation des personnels;

• Dépenses de communication à destination des clients, etc.

C. — L'AVIS DU CONSEIL NATIONAL DE LA COMPTABILITÉ

6. Le Conseil national de la comptabilité, réuni dans sa formation de comité d'urgence, a rendu le 24 janvier 1997 un avis relatif au traitement comptable des coûts liés au passage à la monnaie unique (cf. annexe I).

7. L'avis distingue les coûts à inscrire en immobilisation et ceux à inscrire en charges.

8. Parmi ces derniers, les dépenses sont comptabilisées soit en charges à répartir, soit provisionnées, soit en charges d'exploitation ou exceptionnelles.

9. Les coûts en cause pourront être regardés comme des charges à répartir sur plusieurs exercices s'il est établi qu'au cours de ces exercices des produits spécifiques pourront leur être directement rattachés.

10. Les dépenses futures déjà décidées et destinées à adapter l'entreprise à l'euro devront être provisionnées si elles remplissent simultanément les conditions suivantes :

• elles sont clairement identifiables ;

• leur montant et le moment où elles interviendront ne peuvent pas être définitivement fixés mais peuvent être prévus avec une précision suffisante ;

• elles ne correspondent pas à l'affectation de moyens existants et normalement utilisés à l'exploitation courante de l'entreprise ;

• elles ne peuvent être rattachées à l'exploitation courante et auront pour seul effet d'adapter l'entreprise aux conséquences directes du passage à l'euro.

11. Lorsqu'elles ne peuvent pas être provisionnées et ne constituent ni des charges à répartir, ni des immobilisations, les dépenses concernées sont comptabilisées directement dans des comptes de charges de l'exercice au cours duquel elles auront été engagées.

D. — MODALITÉS DE PRISE EN COMPTE DANS LE RÉSULTAT FISCAL DES DÉPENSES DE PASSAGE À L'EURO

I. — Les dépenses constituent des immobilisations

1. Cas général

12. Les dépenses qui ont pour résultat l'entrée d'un nouvel élément dans l'actif immobilisé de l'entreprise ne constituent pas des charges immédiatement déductibles mais ouvrent, le cas échéant, le droit de pratiquer des amortissements. Il en est de même des dépenses qui entraînent une augmentation de la valeur pour laquelle un élément figure au bilan ou qui ont pour effet de prolonger notablement la durée probable d'utilisation de cet élément.

13. Les dépenses nécessitées par le passage à l'euro, afférentes à des éléments d'actif existants et conditionnant la continuité de l'exploitation de ces derniers doivent donc être immobilisées (cf. toutefois n°s 15 et 16). Ces immobilisations font, le cas échéant, l'objet d'un amortissement sur leur durée probable d'utilisation.

En effet, sans ces dépenses certains éléments de l'actif ne peuvent plus être utilisés. Il en est ainsi des aménagements des distributeurs automatiques.

14. Bien entendu, lorsque les aménagements sont intégrés dans un matériel neuf, ceux-ci sont compris dans le prix de revient amortissable de ce matériel.

2. Cas particulier des logiciels

15. Il est rappelé qu'en application du II de l'article 236 du code général des impôts, les logiciels acquis par l'entreprise en vue d'être utilisés pour les besoins de son exploitation pendant plusieurs exercices peuvent faire l'objet d'un amortissement exceptionnel sur une période de douze mois (DB 4 D 2472). Les entreprises conservent la possibilité d'amortir ces logiciels sur leur durée probable d'utilisation.

16. En application du dernier alinéa du I de l'article 236 du code déjà cité, les entreprises ont le choix de déduire immédiatement les dépenses de conception de logiciel qu'elles exposent ou de les immobiliser (cf. DB 4 C 4525 n° 14) ; dans ce dernier cas, les dépenses en cause doivent figurer sur le tableau des immobilisations et être amorties selon un plan d'amortissement linéaire, dans un délai maximal de cinq ans ou, pour des projets particuliers, sur une période plus longue qui n'excède pas la durée d'utilisation des actifs.

Ce choix est effectué pour chacun des logiciels ; il constitue une décision de gestion opposable à l'entreprise.

17. Ces règles sont applicables aux logiciels acquis ou créés par l'entreprise à l'occasion du passage à l'euro.

II. — Les dépenses sont comptabilisées en charges à répartir

18. Les dépenses exposées pour le passage à l'euro qui sont comptabilisées en charges à répartir doivent être déduites pour la détermination du résultat fiscal de l'exercice au cours duquel elles ont été engagées.

19. Compte tenu de la nature particulière de l'événement, il est cependant admis que les dépenses concernées soient déduites dans les mêmes conditions que les frais d'établissement (cf. BOI 4 G-6-84 du 17 décembre 1984). Cette tolérance est soumise à la condition que les dépenses résultent exclusivement de la préparation du passage à l'euro.

20. Si elles ne sont pas exposées exclusivement pour ce passage, seule la part des dépenses engagées du fait de cet événement pourra bénéficier de cette tolérance.

III. — Conditions de déduction des provisions pour charges de passage à l'euro

21. Pour être admises en déduction, les provisions doivent être dûment comptabilisées dans le compte de résultat, conformément aux dispositions de l'article 39-1.5° du code général des impôts et répondre aux quatre conditions de fond suivantes :

• la provision doit être destinée à faire face à une perte ou à une charge déductible pour l'assiette de l'impôt ;

• la perte ou la charge doit être nettement précisée ;

• la perte ou la charge doit être probable ;

• la probabilité de la perte ou de la charge doit résulter d'événements en cours à sa clôture.

22. Dès lors que la liste des États qui entreront dans la troisième phase n'est pas encore arrêtée, aucun événement, de nature juridique n'est intervenu avant la clôture de l'exercice 1996 qui autoriserait la déduction de la charge.

23. Compte tenu de l'engagement politique de la France à participer, dès l'origine, à cette troisième phase, il est admis que les charges soient considérées comme suffisamment probables au regard des provisions dotées, pour la détermination des résultats des exercices clos à compter du 31 décembre 1995, sous réserve que les dépenses en cause soient exclusivement celles afférentes au passage à l'euro(1) et qu'elles respectent les conditions générales de déduction des provisions ainsi que les conditions mentionnées au n° 10.

1. La provision doit être destinée à faire face à une charge déductible pour l'assiette de l'impôt qui n'entraîne pas un accroissement de l'actif de l'entreprise.

24. Ce principe conduit à refuser le provisionnement des dépenses qui constituent des immobilisations (cf. n°s 12 à 17). Il est à noter que les dépenses de conception de logiciels sont dans leur principe des immobilisations même si elles peuvent être immédiatement déduites en application du I de l'article 236 du code déjà cité. Dès lors, elles ne peuvent faire l'objet de provision. Il en est de même des dépenses de modification des applications informatiques existantes.

Ne peuvent également faire l'objet de provision des manques à gagner ou des diminutions de recettes. Ainsi ne pourrait être admise en déduction du résultat imposable, une provision ayant pour objet de couvrir les pertes futures des recettes du service de change.

2. La charge doit être probable et nettement précisée.

25. Pour admettre la déduction d'une provision, il est nécessaire que la charge soit probable et non seulement éventuelle.

La déduction est donc subordonnée à l'existence de charges probables et à une décision prise par l'entreprise, au cours de l'exercice au titre duquel la provision est déduite, d'engager de telles charges.

26. Par ailleurs, la charge doit être nettement précisée ; cette condition suppose que la charge soit évaluée de façon précise et non de manière globale ou forfaitaire, par exemple, par référence à l'importance d'un poste comptable.

Ainsi, pourrait être admise la dotation d'une provision en vue de faire face à des dépenses de formation à la condition que le besoin soit précisément défini tant en ce qui concerne les personnels bénéficiaires que le contenu et la nature de la formation envisagée qui doit être spécifiquement liée à l'euro. En outre, le montant de la dépense doit être évalué sur la base de devis d'organismes de formation ou de formations équivalentes déjà organisées par de tels organismes et non en fonction de la masse salariale de l'entreprise ou de son budget de formation habituel.

Il en irait de même des coûts de restructuration du service de change, notamment des coûts de déménagement ou de reconversion des effectifs si la décision d'y procéder a fait l'objet d'un engagement ferme et irrévocable.

3. Les provisions ne doivent pas couvrir des charges normales de l'entreprise.

27. Le caractère probable et non certain des dépenses susceptibles de faire l'objet d'une

---

(1) Les autres dépenses sont soumises aux règles de droit commun.

provision s'oppose à ce que soient déduites par ce moyen des charges futures qui seront exposées dans le cadre de l'exploitation courante de l'entreprise.

Il en est ainsi de toutes les charges correspondant à des dépenses se rattachant à l'exploitation normale de l'entreprise notamment l'affectation de moyens existants, même si elles sont la conséquence du passage à l'euro.

28. À cet égard, il est précisé que, ne pourront faire l'objet de provisions, les travaux qui seront exécutés pour le passage à l'euro par le personnel de l'entreprise existant à la clôture de l'exercice au cours duquel la provision a été comptabilisée.

Relèvent notamment de cette catégorie les dépenses suivantes :

• études internes et réunions liées au passage à l'euro ;

• mise au point de logiciels par le service informatique de l'entreprise.

29. En revanche, peuvent être admises les provisions pour charges de personnel, autres que celles de retraite, s'agissant d'embauches à titre temporaire et spécifique pour exercer des missions précisément définies telles que celles indiquées au n° 28 pour adapter l'entreprise au passage à l'euro.

Stratégie, organisation, systèmes d'information, migration

Cette partie a été réalisée par le

Centre d'Expertise Euro de PricewaterhouseCoopers

sous la direction de François LANQUETOT, *associé, responsable Europe* avec le concours des spécialistes euro :

— de l'activité **Conseil en Management** de *PricewaterhouseCoopers* : Romuald Ducasse, Philippe Gervais, Thierry Pasturel, Alain Pireyre, Philippe Rozental, Éric de la Simone, Nicolas Ullmo, Jérôme Windsor

— de l'activité **Audit** de *PricewaterhouseCoopers* : Christian Perrier, associé responsable euro, Michel André, Dominique Chesneau, Pascale Durand, Patricia Egard

— de l'activité **Conseil aux PME** de *PricewaterhouseCoopers* : Michel Ternisien, Francis Kieffer, associés.

Introduction

L'euro est bien là

2000. L'arrivée de l'euro s'est déroulée de façon tout à fait conforme aux décisions ou aux prévisions :
— l'annonce des parités bilatérales en mai 1998 a permis la convergence progressive des taux de change des devises « in », en parallèle les taux d'intérêt ont convergé tout au long de 1998 ;
— la valeur de l'euro a été fixée le 31 décembre 1998 (1 euro = 6,55957 francs) à un niveau par rapport au dollar légèrement supérieur aux anticipations ;
— le big bang de la place financière s'est déroulé sans incident et peut être considéré comme un réussite exceptionnelle.

L'intensification des actions de communication institutionnelle au deuxième semestre 1998 et le battage médiatique autour du fameux week-end du 31 décembre 1998 — 4 janvier 1999 ont développé dans l'esprit du public, sinon des entreprises, une forme d'euphorie et d'euro-optimisme. Dans le concert d'autosatisfaction, même les euro-sceptiques semblaient s'être tus.

2001. De fait, la naissance de l'euro était réussie et tout laissait prévoir une montée en puissance très rapide de l'euro :
— la volonté politique de la zone euro et de l'Europe de jouer un rôle croissant dans le concert des nations ;
— l'annonce par les entreprises d'un niveau de préparation avancé : une enquête réalisée par PricewaterhouseCoopers montrait ainsi que 70 % des grandes entreprises seraient prêtes à fonctionner en euro dès 1999 ; le niveau de préparation des PME était par contre beaucoup plus préoccupant, quoiqu'en net progrès sur les derniers mois — la France rejoignant le peloton de tête en terme de sensibilisation et de préparation ;
— un volontarisme des consommateurs. Ainsi les Français étaient-ils de plus en plus confiants (selon le baromètre SOFRES effectué tous les six mois pour le gouvernement). Un sondage réalisé pour le journal LSA créditait même une large proportion de consommateurs de la volonté de régler leurs achats en euros (par chèque et par carte) dès janvier 1999.

Préparation des entreprises au passage à l'euro : enquêtes de l'OEC, de l'AFTE et de la CCIP

2002. L'Association Française des Trésoriers d'Entreprise (AFTE) a publié les résultats de sa cinquième enquête réalisée auprès de ses adhérents (de tailles diverses) sur l'état d'avancement du projet euro dans les entreprises. Parallèlement, des enquêtes auprès des PME ont été réalisées par l'Ordre des experts-comptables (OEC) qui a exploité les questionnaires remplis par les dirigeants de PME dans le cadre de la charte de préparation à l'euro (SIC n° 170, février 1999, p. 14) et par la Chambre de Commerce et d'Industrie de Paris (CCIP) (Les Notes bleues de Bercy, supplément au n° 153 du 16 au 28 février 1999).

Il ressort notamment de ces enquêtes les informations suivantes :

Les résultats de ces enquêtes sont contrastés. L'OEC dresse le constat le plus préoccupant ; en effet, selon l'OEC, les questionnaires explcités font apparaître une nette insuffisance de préparation des PME au passage à l'euro.

a. Groupe de travail :

— le groupe de travail euro (créé dans 95 % des entreprises) a été élargi à d'autres fonctions que la fonction financière dans 97 % des cas ;

Ainsi, la fonction stratégie est désormais impliquée dans 39 % des groupes de travail et, dans un peu plus de trois entreprises sur quatre, la direction générale est associée au groupe de travail.

Toutefois, l'OEC relève qu'en ce qui concerne les PME, la mise en œuvre de la réflexion et du plan stratégiques de passage à l'euro ne constituent pas encore des préoccupations immédiates pour les dirigeants.

— 85 % des groupes de travail ont pris des décisions et se sont fixé un calendrier pour leurs travaux.

En ce qui concerne les PME, les résultats de l'enquête menée par la CCIP montrent que l'état d'avancement est légèrement moindre puisque six PME sur dix ont défini les modalités pratiques de leur passage à l'euro.

b. Trésorerie — La majorité des entreprises pense effectuer les opérations de change, financements et placements en euros dès 1999.

En revanche, seules 30 % envisagent de basculer leurs comptes bancaires en euros dès 1999.

L'OEC souligne que moins d'un tiers des PME interrogées ont mené une véritable réflexion sur l'impact de l'euro sur leur gestion financière.

c. Comptabilité — Huit entreprises sur dix ont décidé de la date de bascule de leur comptabilité (tenue et publication) et du reporting.

Les dates fixées par les entreprises sont relativement étalées dans le temps. Toutefois, il est intéressant de noter que 40 % des entreprises envisagent de basculer leur comptabilité en 2001 et 31 % pensent publier leurs comptes consolidés en euros dès 1999.

En ce qui concerne les PME, selon l'enquête de la CCIP, 26 % d'entre elles comptent basculer leur comptabilité dès 1999 mais 37 % n'ont toujours pas arrêté leur décision. Les questionnaires exploités par l'OEC confirment que les PME sont en retard, car seule une entreprise sur deux a réfléchi à la date de bascule de sa comptabilité et seul un tiers des entreprises disent s'être préoccupées de l'adaptation de leur reporting interne à l'euro.

d. Relations clients/fournisseurs — Deux entreprises sur trois pensent pouvoir tenir leur comptabilité clients-fournisseurs en euros dès 1999. En revanche seules 31 % d'entre elles disposeront d'un tarif de base en euros à cette date.

En outre, quatre entreprises sur dix (six sur dix pour les PME) n'ont pas encore d'idée précise sur l'information qu'elles diffuseront à leurs clients et fournisseurs sur le passage à l'euro. Selon l'OEC, très peu de dirigeants de PME avaient commencé fin 1998 à examiner l'impact du passage à l'euro sur la politique commerciale et la fonction achat/logistique de leur entreprise.

e. Autres domaines :

— peu d'entreprises ont opté pour une bascule rapide des déclarations sociales et des bulletins de paie en euros ;

Moins de 20 % d'entre elles ont prévu de basculer en 1999 ou 2000 et la plupart ont soit décidé du passage en fin de période, soit réservé leur décision.

— de nombreuses entreprises n'ont pas encore pris de décision concernant la conversion du capital; cependant, 22 % des entreprises procéderont à la conversion de leur capital social en 1999;

> L'enquête de la CCIP relève que 65 % des PME interrogées hésitent encore sur la méthode à employer pour convertir leur capital, chiffre confirmé par l'OEC.

— concernant la sensibilisation des salariés, 78 % envisagent des actions en 1999 et 2000 mais 19 % des entreprises n'ont encore rien décidé;

> L'OEC relève que l'établissement d'un plan détaillé de formation n'a été fait que par 13 à 16 % des PME.

— concernant les systèmes d'information, les tests avec les fournisseurs de logiciels sont prévus dans la grande majorité des cas au cours du 1er semestre 1999 et la plupart des entreprises (six sur dix) estiment que les concepteurs de logiciels seront prêts dès 1999.

> Selon l'OEC, ce domaine est celui pour lequel la préparation des PME à l'euro paraît la plus avancée.

Utilisation effective de l'euro : un bilan décevant

2003. À l'heure où ces lignes sont écrites (mars 1999), il est encore trop tôt pour procéder à un bilan. Tout au plus peut-on dégager quelques lignes de force.

a. Le *basculement* à l'euro *des marchés financiers* est généralement considéré comme un succès. Parmi les zones d'ombre :
— les difficultés des systèmes de règlement internationaux, pour lesquels des efforts significatifs de fiabilisation, d'harmonisation et d'optimisation devront être faits;
— l'opacité des conditions commerciales qui a conduit à une polémique sur les commissions d'opération / de change et qui trouble la confiance des clients des établissements financiers.

b. L'utilisation de l'euro comme devise de transaction reste encore très limitée. En février, selon les statistiques de l'AFB :
— seuls 300 000 comptes en euros avaient été ouverts;
— environ 8 000 chèques par jour sont émis en euros, soit une proportion dans un ordre de grandeur de un pour mille (5 milliards de chèques émis par an);
— les statistiques de virement en euros par carte de crédit n'étaient pas disponibles.

En janvier, seulement 0,02 % des entreprises ont réglé en euros leurs cotisations sociales. Il est vrai qu'il s'agit surtout de grandes entreprises; la proportion en montant devrait être plus significative.

c. Du côté des consommateurs, c'est aussi la déception : les achats en euros effectués en janvier/février 1999 en grande distribution sont « trop faibles pour que cela soit la peine d'en parler » (Promodès), de l'ordre de 0,1 % du chiffre d'affaires (Carrefour) et pouvant atteindre 0,3 % du chiffre d'affaires (Auchan).

Des motifs d'espérance

2004. Ce bilan peut être jugé décevant. Il convient cependant de ne pas être trop sévère.

a. Les entreprises ne peuvent pas du jour au lendemain changer tous leurs processus opérationnels. On ne peut attendre des consommateurs qu'ils basculent en masse à l'euro alors que leur salaire et les pièces et billets sont encore en francs.

b. Les chiffres, certes encore faibles, semblent s'améliorer. Ainsi, la chaîne de grande distribution Leclerc constate une progression nette des achats en euros, comme cela est démontré par le tableau ci-dessous.

	Carte de crédit	Chèque
Janvier 1999	5 000	2 000
Février 1999	8 500	6 600

c. Les proportions de paiement en euros les plus élevées sont le fait d'acteurs économiques ayant fait preuve d'un fort dynamisme : ainsi un magasin a-t-il atteint mi-février une proportion de 1 % du chiffre d'affaires en euros, après plusieurs mois d'actions : information des consommateurs et en milieu scolaire, animations, distributions de gadgets (convertisseurs et calculettes), double affichage, etc.

Un premier retour d'expérience

2010. Depuis maintenant plus quatre ans, le Centre d'expertise euro de PricewaterhouseCoopers en France, comme en Europe, aide les entreprises à comprendre les impacts de l'euro sur leur fonctionnement et à définir, puis mettre en place, une stratégie de migration. De cette expérience, nous avons rapidement tiré *trois leçons*.

2011. L'euro n'est pas simplement une devise de plus et n'est pas un simple problème de conversion qui relèverait de la compétence du trésorier ou du comptable. Il nécessite de *revoir toutes les procédures et tous les systèmes* qui manipulent des montants et qui permettent de payer, d'encaisser, d'évaluer et de comptabiliser... Une multitude d'ajustements techniques doit donc être effectuée. Une des difficultés majeures de l'introduction de l'euro réside dans le nombre de ces ajustements (toutes les fonctions de l'entreprise sont touchées) et de ces imbrications (une décision sur un domaine se répercute sur les autres). L'accumulation d'ajustements élémentaires conduit à une charge de travail et un coût élevés, leur imbrication ajoute une dimension de complexité et de risque.

2012. Mais les véritables enjeux ne se réduisent pas à l'addition, fût-elle large et coûteuse, de problèmes informatiques et de changements de procédures. L'arrivée de l'euro n'est que la « facette devise » d'un événement autrement plus important : l'Union économique et monétaire (UEM), qui constitue une étape essentielle dans la construction du grand marché unique. C'est dans cette perspective qu'il faut orienter sa réflexion et son action : le marché unique et la transparence du change, donc des prix, bouleversent la donne stratégique ; l'élargissement du marché se traduit par un accroissement de la concurrence. Les frontières s'abolissent, il faut en profiter pour repenser sa stratégie avec une segmentation moins nationale et plus internationale. Derrière la contrainte des problèmes techniques, bien réels, le véritable enjeu est là : l'*opportunité d'un repositionnement stratégique*.

2013. Cette *prise de conscience n'est pas évidente*. Est-ce dû à la réticence naturelle au changement, ou à une inertie justifiée par les nombreuses incertitudes qui ont longtemps entouré l'arrivée de l'euro? Toujours est-il que nous avons souvent constaté une grande difficulté pour les entreprises à basculer d'un état de connaissance (du cadre réglementaire, du planning prévu...) à un stade de sensibilisation (compréhension de l'impact de l'euro sur le fonctionnement à court ou long terme de l'entreprise) et de prise de décision.

De plus, le projet de migration à l'euro requiert une bonne coordination entre des fonctions diverses, qui n'ont que rarement l'occasion de travailler ensemble. Une des difficultés de l'euro est la nécessité d'animer des groupes de travail pluridisciplinaires et transversaux, capacité qui est encore rare dans nombre d'entreprises. Ceci peut expliquer la difficulté et le délai de montée en puissance des équipes euro.

2020. C'est pourquoi il nous a semblé important de compléter l'analyse des textes réglementaires et leur interprétation par l'exposé de *problématiques issues de notre expérience*, de façon à replacer l'euro dans son contexte le plus large (stratégique, technique et opérationnel).

Cette seconde partie n'a pas la prétention d'apporter de solutions. Il n'existe pas d'ailleurs de cahier des charges standard pour passer à l'euro : il appartient à chaque entreprise de forger sa *stratégie propre* et de mettre en œuvre les *actions adaptées* à ses caractéristiques propres.

Cette partie vise donc, sans prétendre à l'exhaustivité, à :
— proposer un éclairage d'ensemble et soulever des questions pour stimuler la réflexion ;
— proposer une démarche pratique qui aide les entreprises à lancer et à cadrer leur stratégie de passage à l'euro.

2021. *Plan —* Cette partie est composée de plusieurs chapitres couvrant les préoccupations des différents acteurs d'une entreprise du secteur industriel, commercial ou des services (à l'exception des services financiers) : direction générale, direction marketing et commerciale, direction industrielle, direction financière, direction des ressources humaines, direction informatique et organisation, responsable du projet euro.

Ces chapitres ont été conçus pour pouvoir être lus indépendamment les uns des autres, ce qui a pu conduire à certaines redites.

Plus précisément, cette partie se compose de dix chapitres et une annexe :

1. Le chapitre 1 illustre les *enjeux de l'euro.* Il présente les caractéristiques clés de l'euro et de l'Union économique et monétaire, et propose un modèle d'analyse stratégique. À titre d'illustration est présenté ensuite, de façon synthétique, l'impact de l'euro dans différents secteurs :
— biens de grande consommation ;
— grande distribution ;
— pharmacie ;
— énergie.

2. Le chapitre 2 propose une réflexion sur la *stratégie commerciale et marketing.* Il vise à démontrer que l'euro, si l'on s'y prépare bien, peut constituer une opportunité de croissance, notamment par des actions sur différents leviers comme :
— les enjeux de la transparence des prix ;
— la politique tarifaire et la gestion des canaux de distribution ;

— l'ajustement de l'offre produit/service;
— l'organisation et les outils des équipes marketing et commerciales.

3. Le chapitre 3 aborde les éléments de **politique industrielle** influencés par l'euro, et notamment :
— les relations clients-fournisseurs et la politique d'achats;
— l'impact sur l'outil industriel et les systèmes de gestion de la production.

4. Le chapitre 4 évoque rapidement la **dimension financière** au travers des :
— évolutions des modes de paiement;
— enjeux liés à la politique d'investissement et de financement.

5. Le chapitre 5 illustre les **conséquences organisationnelles et sociales** du passage à l'euro :
— l'euro comme révélateur et accélérateur du changement; la convergence entre la construction de l'UEM et d'autres évolutions structurelles;
— l'impact sur la localisation des structures;
— les nouvelles organisations à mettre en place pour faire face à un environnement plus international que national;
— la dimension sociale : négociation salariale, formation et accompagnement du changement.

6. Le chapitre 6 démontre que les logiciels multidevises ne sont pas euro-compatibles et détaille les **impacts de l'euro sur les systèmes d'information** au travers de :
— la coexistence entre l'euro et les devises nationales pendant la période transitoire (1999-2002);
— le basculement des systèmes d'information dans une nouvelle devise de référence.

7. Le chapitre 7 donne les éléments pour construire la **stratégie de passage des systèmes d'information** :
— la logique et la synchronisation du basculement;
— les règles et contraintes de conversion;
— le cas des périphériques informatiques;
— l'offre de logiciels multidevises;
— un plan d'action type.

8. Le chapitre 8 se concentre sur les **aspects comptables** et en particulier :
— les modalités de basculement à l'euro de la comptabilité;
— les contraintes d'archivage.

9. Le chapitre 9 propose une analyse des facteurs de sensibilité à l'euro et de la façon de les prendre en compte soit pour en tirer des opportunités, soit pour en **réduire le risque**. Sont ainsi détaillés :
— l'environnement de contrôle requis;
— l'évaluation des risques;
— les activités de contrôle proprement dit;
— l'information et la communication;
— les éléments de pilotage.

10. Le chapitre 10 propose une **démarche de projet euro** avec, notamment :
— la contrainte des dates;
— la méthode à suivre et les différentes étapes du projet;

— les facteurs clés de succès ;
— l'organisation de l'équipe projet euro.

11. Enfin, un *questionnaire d'autoévaluation* est proposé en annexe. Il permet d'appréhender en première approche :
— dans quelle mesure une entreprise peut être influencée par l'euro ;
— son niveau effectif de préparation (gestion du projet, vision stratégique, vision opérationnelle, systèmes d'information).

CHAPITRE I

Enjeux stratégiques

2100. L'euro n'est que la facette devise de l'Union économique et monétaire, qui constitue une étape clé dans la construction du grand marché unique : les frontières sont abolies, il faut en profiter pour repenser sa stratégie avec une segmentation moins nationale et plus internationale. Le basculement à l'euro a un coût très élevé (en fonction des secteurs, de l'ordre de grandeur de un pour cent du chiffre d'affaires) ; sous peine de perte significative de compétitivité, les entreprises doivent donc équilibrer ces coûts par des économies ou des avantages stratégiques.

Comment trouver de tels *avantages stratégiques* ? Il faut revenir aux motivations de la création de l'Union économique et monétaire : la monnaie unique vise essentiellement, d'un point de vue macro-économique, à promouvoir un espace de stabilité (des prix), de réduction des coûts de financement et de transaction, de croissance des investissements et de la consommation. Autant d'avantages dont chaque entreprise, au niveau micro-économique, doit chercher à tirer le meilleur parti.

L'analyse des enjeux stratégiques de l'euro pourrait nécessiter un ouvrage entier à elle seule dans la mesure où elle devrait être menée individuellement pour chaque secteur d'activité. Nous avons pris le parti ici d'*illustrer de façon partielle et sur la base de modèles simples* comment il est possible d'appréhender le positionnement stratégique d'une entreprise et comment ce positionnement est affecté par les chocs externes que constituent l'euro et l'UEM (section I). A titre d'illustration, nous proposons dans la section II des exemples d'impacts stratégiques dans différents secteurs d'activités. Nous évoquons enfin dans la section III comment la dimension stratégique de l'euro/UEM peut s'inscrire dans une perspective à plus long terme.

SECTION I

Un modèle d'analyse stratégique

2102. Plusieurs modèles d'analyse stratégique ont été élaborés pour caractériser le secteur dans lequel opèrent les entreprises (« where to compete ») et leur façon de se distinguer de leurs concurrents (« How to compete »). Le plus synthétique et le plus célèbre reste le modèle des cinq forces de Michael Porter : chaque entreprise est soumise à des pressions de la part :

— de ses clients ;
— de ses concurrents (actuels et potentiels) ;
— de ses fournisseurs ;
— et enfin au risque de substitution de ses produits et services par d'autres produits et services.

Cependant, ces modèles ne permettent pas de bien prendre en compte des changements dans les conditions de base qui déterminent le jeu concurrentiel au sein d'un secteur d'activité. Or la mise en place de l'Union économique et monétaire, et notamment de la monnaie unique, l'euro, constitue un bouleversement des conditions de base de nombreux secteurs d'activité.

De nombreux économistes spécialisés en économie industrielle ont peu à peu développé des **grilles d'analyse sectorielle** plus complètes et qui permettent notamment de comprendre quels peuvent être les impacts sur un secteur et sur les stratégies des entreprises d'un changement tel que la création et le développement de l'euro.

Ces différentes grilles ont été intégrées dans un modèle, le **modèle SCP** (**S**tructure — **C**onduite — **P**erformance). Ce modèle part des conditions de bases qui déterminent l'environnement général d'un secteur tels que les technologies utilisées, les cadres réglementaires et les caractéristiques sociales et comportementales.

Le « **volet structure** » permet ensuite d'analyser les caractéristiques structurelles d'un secteur, c'est-à-dire la composition de l'offre (niveau de concentration, structure de coût, économie d'échelle,...) les caractéristiques de la demande (degré de différenciation des produits, segmentation,...) et les rapports de forces avec les fournisseurs, les clients et les produits ou services substituables.

Le « **volet conduite** » complète la compréhension du secteur par une analyse du jeu des acteurs, de leur comportement concurrentiel. Il porte sur la politique de prix et de marketing, les stratégies de développement et d'investissement, les intégrations éventuelles en aval dans la distribution ou en amont, et de l'efficacité de l'organisation de la production.

Le « **volet performance** » permet de mesurer les effets des stratégies des entreprises qui se concurrencent dans un secteur, sur les performances financières des entreprises et leur dispersion, mais aussi sur les améliorations des produits fabriqués ou des services rendus, ou sur les impacts sociaux (création d'emploi, par exemple) ou sur l'environnement.

À l'aide de cette analyse statique, le modèle peut être **utilisé en dynamique** en analysant l'**impact d'un choc sur le secteur** (la naissance de l'euro en est un considérable) et comment il modifie les structures d'un marché, quelles stratégies peuvent adopter les principaux concurrents, et quels peuvent être les impacts possibles sur la performance du secteur. De nombreux effets rétroactifs peuvent aussi être analysés, par exemple une stratégie de croissance externe (fusion des principaux acteurs) conduit à une concentration de l'offre du secteur qui devient une caractéristique structurelle importante.

Le schéma ci-dessous présente la version dynamique du modèle SCP.

Schéma simplifié du modèle dynamique SCP

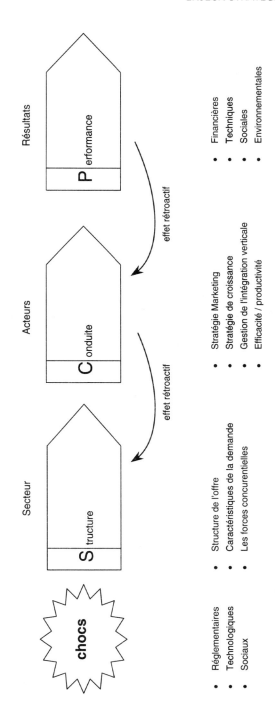

chocs

- Réglementaires
- Technologiques
- Sociaux

Structure

- Structure de l'offre
- Caractéristiques de la demande
- Les forces concurentielles

Secteur

effet rétroactif

Conduite

- Stratégie Marketing
- Stratégie de croissance
- Gestion de l'intégration verticale
- Efficacité / productivité

Acteurs

effet rétroactif

Performance

- Financières
- Techniques
- Sociales
- Environnementales

Résultats

2105. Ayant ainsi décrit le positionnement stratégique d'une entreprise dans son secteur, il convient :
— d'examiner, pour chacun des composants du modèle, dans quelle mesure il est affecté par l'euro et par l'Union économique et monétaire ;
— puis, dans une vision globale du modèle, de reconnaître les interactions et effets de feedback d'un composant sur l'autre ;
— et enfin, d'ajuster le nouveau positionnement stratégique choisi pour maximiser les avantages concurrentiels visés.

Des *check-lists de questions* adaptées au modèle stratégique retenu permettent de s'interroger sur l'impact stratégique de l'euro. Nous en présentons ici trois, qui s'appuient sur les caractéristiques fondamentales :
— du pacte de stabilité et de croissance ;
— du marché unique ;
— de l'adoption d'une monnaie unique.

Pacte de stabilité et de croissance

2106. Le pacte de stabilité et de croissance vise à faire converger les économies de la zone euro, dans une logique de cercle vertueux comme illustré par le tableau ci-dessous :

Caractéristiques du Pacte de Stabilité et de Croissance

Critères de convergence	Effet	Domaine d'impact
Inflation	Stabilité des prix (national)	Consommation Investissement
Taux de change	Stabilité des prix (international)	Réduction d'incertitude Croissance de la concurrence internationale
Taux d'intérêt	Baisse des coûts de financement	Croissance de la rentabilité Croissance des investissements Croissance de la consommation
	Attractivité de l'épargne en actions (baisse du rendement des obligations)	Croissance de l'investissement
Déficit Public	Baisse des prélèvements obligatoires	Croissance de la rentabilité Croissance de la consommation Croissance de la concurrence
Dette Publique	Afflux de capitaux (baisse des émissions d'obligations) ·	Croissance de l'investissement Croissance de la consommation

Marché unique

2107. La construction du marché unique tend à supprimer les barrières liées aux frontières nationales. Pour beaucoup d'entreprises, le marché « domestique » devient celui de la zone euro au lieu du seul marché national. Le tableau ci-dessous illustre des effets possibles de l'Union économique et monétaire et à quoi ces effets peuvent s'appliquer.

Union économique et monétaire

Effet	Domaine d'impact
Harmonisation	Style de vie/profil de consommation Produits Modèles industriels (Supply Chain, canaux de distribution)
Internationalisation	Personnel Compétences et comportements
Mobilité accrue	Consommateurs Produits et Services Intermédiaires et concurrents Employés

Cette première réflexion devra être affinée. Il est en effet prévisible que la zone euro n'évoluera pas d'une collection de marchés domestiques vers un marché unique et uniforme, mais plutôt vers une segmentation de marchés régionaux, articulés sur des bassins d'emploi/de consommation autour des grandes métropoles, ou vers une segmentation catégorielle (par profil de consommation).

Adoption d'une monnaie unique

2108. Le passage des devises nationales à la monnaie unique conduit à déplacer les référentiels de valeur, comme illustré ci-dessous.

Passage à la monnaie unique

Caractéristiques	Effets	Domaines d'impact
Changes fixes	Réduction d'incertitude	Décision d'investissement Zone d'approvisionnement Zone de chalandise
	Transparence	Prix d'achat Prix de revient Prix de transfert Salaires
Conversion	Accordéon	« Écrasement » des prix Perception des écarts de prix Positionnement prix-gamme « Écrasement » des salaires
	Arrondi	Prix de revient / de vente Alignement sur prix psychologique

SECTION II

Impact de l'euro sur les secteurs et les consommateurs finaux

2110. *Tous les secteurs d'activité* ayant directement ou indirectement à vendre leurs produits ou leurs services aux consommateurs finaux sont confrontés, avec l'euro, à des changements majeurs dans des domaines clés de leur organisation commerciale ou dans leur politique de marketing.

En effet, un « choc » tel que l'euro ne modifie pas directement les structures d'un secteur, mais surtout le « volet conduite » des acteurs, en ouvrant considérablement le jeu concurrentiel, en forçant à des choix stratégiques précis.

Si tous les secteurs sont concernés, ils ne sont **pas confrontés aux mêmes défis.** Pour le secteur de la distribution, alimentaire comme non alimentaire, ce sont la fixation des prix et le comportement des consommateurs face au nouveau référentiel de paiement qui seront déterminants, pour celui des biens de consommation ou de l'industrie agro-alimentaire, ce sera la politique marketing, la gestion des marques ou la politique de prix. D'autres secteurs très intégrés comme l'automobile devront développer des logiques de basculements synchronisés et adopter une politique tarifaire homogène sur l'ensemble de la zone euro. Enfin, dans d'autres secteurs, l'euro ne sera qu'un élément non primordial dans la mutation des secteurs, celle-ci ayant pour origine des facteurs plus fondamentaux comme, par exemple un mouvement de déréglementation (cas des télécommunications ou de la distribution d'électricité).

Nous développons dans les paragraphes suivants les principaux enjeux stratégiques communs aux secteurs servant les consommateurs finaux.

1. Enjeux stratégiques communs

Attitude des consommateurs

2112. Les *sondages* de 1998 avaient montré que les Français étaient « europhiles ». Globalement la proportion d'Européens favorables à la monnaie unique a progressé de 17 % en deux ans. Les Français, avec 74 % de favorables en novembre 1998 (+ 6 % par rapport à mai 1998), mais 16 % d'opposants, se situent dans une honnête moyenne, loin derrière les Italiens, les Luxembourgeois, Hollandais et Irlandais, mais mieux que les Allemands, les Autrichiens ou les Portugais (selon « l'eurobaromètre » de la Commission européenne).

Si l'on avait espéré un démarrage rapide des *règlements en euro* (un sondage LSA/ IFOP de juin 1998 avait annoncé que 31 % des Français utiliseraient chèques et cartes de crédit en euro dès janvier 1999, et que 26 % commenceraient à les utiliser au bout de quelques semaines ou quelques mois), il n'en a rien été.

Malgré des actions de communication très lourdes des distributeurs français et un double affichage franc/euro quasi systématique, *les Français restent désorientés* selon des sondages LSA/IFOP de mars, septembre et décembre 1998 :
— 55 % ignorent encore la valeur de l'euro ;
— 36 % pensent que les distributeurs profiteront du changement d'étiquette pour augmenter les prix ;
— 21 % disent que la venue de l'euro les incitera à regarder plus attentivement les étiquettes et à réduire leur consommation.

Les spécialistes prédisent donc une *baisse de la consommation* de l'ordre de 4 à 5 % en 2002, ce qui serait évidemment catastrophique pour le secteur de la distribution.

Dans leur intérêt, les distributeurs doivent donc jouer un *rôle pédagogique* pour favoriser le basculement à l'euro des consommateurs. La partie est encore loin d'être gagnée !

Marketing

2113. L'arrivée de l'euro nécessite de revoir fondamentalement la stratégie produit et la stratégie prix, pour *préserver les marges* :
— les conversions de prix doivent se faire en respectant les *règles* (taux, arrondis) ;
— les perceptions consommateurs vont être altérées (perte de référentiel valeur) ; les consommateurs n'auront plus guère que les marques comme *repères* dans les premiers mois de 2002 ;
— la *comparaison des prix* sera possible de façon transparente ;
— les « *seuils psychologiques* » disparaissent quand les prix sont exprimés en euros. Les sondages montrent que les consommateurs se disent sensibles aux seuils psychologiques pour les petits montants. Les linéaires montrent que les distributeurs se calent sur des prix psychologiques y compris pour des articles de valeur élevée ;
— avec l'*effet accordéon*, les gammes de prix vont paraître écrasées, ce qui risque de mettre en position délicate les marques intermédiaires (marques distributeur, marques nationales faiblement « marketées ») ;
— les surcoûts pour risque de change disparaissent pour les produits importés de la zone euro. La *localisation des achats* peut se déplacer. En tout état de cause, les distributeurs accroîtront leur pression de négociation auprès des fournisseurs, surtout en cas d'écart tarifaire d'un pays à l'autre.

Arrondis et prix psychologiques

2114. Un exemple illustre bien comment les mécanismes d'arrondi et de prix psychologique peuvent influer sur la marge d'un distributeur.

Imaginons un distributeur vendant un article au prix de 9,95 FF avec une marge de 10 %. Le prix exprimé en euros est de 1,5168677 que les règles officielles nous imposent d'arrondir à 1,52 €, soit un gain de 0,2 % en prix ou de l'ordre de 2 % en marge. Par contre, le prix de 1,52 € risque de perdre l'effet psychologique du prix précédent. Le distributeur sera incité à fixer le prix :
— soit à 1,49 €, mais il perd alors 1,8 % en prix de vente, soit 20 % de marge. Il peut par contre escompter augmenter les volumes vendus ;
— soit à 1,59 €, supposé être le seuil psychologique immédiatement supérieur ; il gagne alors 4,8 % en prix de vente soit sans doute près de 50 % en marge. Le

risque est évidemment une diminution des ventes (élasticité demande/prix) mais surtout des pertes de part de marché si les concurrents choisissent l'arrondi inférieur.

Non seulement les seuils psychologiques vont se déplacer (par exemple de 9,90 FF vers 0,99 € — soit 6,50 FF) mais encore le nombre de seuils psychologiques peut également varier : entre 0,99 et 1,99 €, combien placer de seuils ? Un seul intermédiaire à 1,49 ou plusieurs intermédiaires à 1,19, 1,29,... ? L'euro et le dollar américain ayant des valeurs proches et les niveaux de vie européens et américains étant comparables, l'observation du marché nord américain peut être riche d'enseignements.

Équilibre financier

2115. L'équilibre financier de nombreux secteurs de certains distributeurs pourrait être mis à rude épreuve dans les mois ou les années à venir :
— les *coûts* de passage à l'euro sont *très élevés* (entre 1 et 2 % du chiffre d'affaires). Ne pouvant augmenter leur prix (concurrence, attitude des consommateurs, réaction réglementaire,...) et leurs marges étant déjà très tendues, les distributeurs escomptent *reporter une part des coûts de basculement sur leurs fournisseurs* et plus généralement sur l'aval de leur filière, mais le pourront-ils ?
— la marge elle-même risque fort d'être affectée par les *mécanismes d'arrondis et de prix psychologiques* (voir ci-dessus) ;
— les spécialistes craignent une *baisse de la consommation* à l'occasion de l'introduction des pièces et billets en euro et de la disparition des francs (voir ci-dessus) ;
— enfin le *crédit fournisseur* n'est plus la vache à lait qu'il a été, la baisse des taux d'intérêt réduisant les gains en trésorerie liés aux délais de paiement fournisseurs toujours plus longs que les délais d'encaissement.

Transparence des prix

2116. Toutes les entreprises implantées dans la zone euro partagent maintenant un « *langage commun* » avec l'euro. Les politiques de tarification et les structures de coût deviennent maintenant comparables sur les onze pays de la zone, et sans risques de fluctuation de change. Plusieurs études montrent qu'il existe de grandes variations de prix d'un pays à l'autre (pouvant couramment atteindre 40 %) pour des biens de consommation.

La transparence des prix va souligner ces différences et les « imperfections du marché » de façon beaucoup plus criante qu'avant. Les spécialistes attendent une érosion progressive des différentiels de prix pour converger sinon vers un prix unique en Europe, au moins dans un « *corridor* » *de prix* où les différences seraient :
— justifiées par des différences sur des éléments exogènes (TVA, coûts de transport, coûts de main d'œuvre) ;
— suffisamment faibles pour empêcher la mise en place de mécanismes d'import parallèle.

Convergence des prix

2117. La convergence des prix d'un différentiel de 30 à 40 % à un corridor de 5 à 10 % ne peut évidemment se négocier en une année, et doit être construite *par étapes*. Cette convergence nécessaire avait été anticipée avant même la mise en place officielle de l'euro et ses premiers effets ont déjà pu se faire sentir, comme l'illustre le *cas de l'automobile* : le diagramme ci-dessous indique l'évolution d'écarts de prix de mai à novembre 1998 pour 8 modèles (source : Eurofacts, analyse sur 74 modèles).

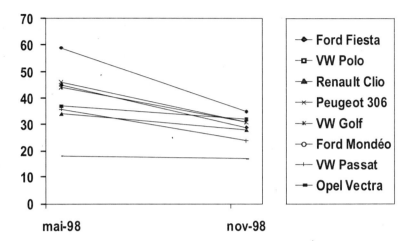

Maintien des différences de prix

2118. Dans certains cas, les différentiels de prix subsisteront car ils sont dus à des *facteurs exogènes* (différents taux de TVA, par exemple). Dans d'autres cas, ils traduisent en fait des *différences intrinsèques des produits* vendus.

Ainsi sous une même marque, un produit peut avoir des caractéristiques assez *variables d'un pays à l'autre*. Ces différences sont soit visibles (exemple : niveau d'équipement et options dans l'automobile), soit cachées (par exemple la barre glacée Magnum est commercialisée en Allemagne avec une formule nettement plus riche en cacao, donc plus coûteuse, que dans autres pays). Enfin, le niveau de service (assistance, garantie,...) accompagnant le produit peut également varier.

La convergence des prix s'effectuant au mieux vers la moyenne, et au pire vers le bas de la fourchette, les fabricants peuvent donc être incités à *accentuer cette différenciation produit, pour justifier des différences de prix* et préserver de la baisse les pays à prix élevé. Encore faut-il vérifier que l'avantage prix préservé n'est pas contrebalancé par des surcoûts logistiques (pertes d'économies d'échelle).

Transparence des tarifs

2119. L'effet de transparence ne concerne pas seulement les prix de vente, mais *tous les éléments de la tarification* :

— négociation (promotions,...) ;
— remise pour paiement comptant ;
— remise pour condition logistique ;
— remise sur volume (RFA) ;
— têtes de gondoles, animations ;
— mobiliers et PLV ;
— coupons ;
— etc.

La transparence, alliée à l'effet de concentration de la distribution ou de développement des centrales d'achat, peut raviver la créativité et l'agressivité des rounds de négociation annuels entre producteurs et distributeurs.

Fidélité des consommateurs

2120. Comme on l'a vu, les consommateurs sont plutôt désorientés actuellement et le double affichage ne les a pas aidé. En période d'instabilité et avec la perte du référentiel prix, la **marque** peut constituer un **repère de stabilité** auquel les consommateurs pourraient se raccrocher.

Des investissements significatifs seront nécessaires pour préserver ce capital marque et en tirer profit :

a) des **marques nouvelles** pourraient apparaître. En effet, la concentration du secteur de la distribution, la création et le renforcement de centrales d'achat internationales, la transparence des prix peuvent conduire les distributeurs à revoir leurs décisions de sourcing et à présenter sur le marché des marques étrangères avec un positionnement prix attractif.

b) la **fidélité** des consommateurs à une marque est **relativement faible**. Selon un sondage LSA/IFOP d'août 1998 :

— 25 % des consommateurs se disent fidèles aux marques et en changeront difficilement ;

— 34 % des consommateurs ont des « marques habituelles » mais pourraient essayer une marque étrangère ayant un prix compétitif ;

— 41 % des consommateurs se déclarent « non attachés à des marques » et essaieront très volontiers des marques nouvelles.

Ces éléments montrent que les marques ne constitueront une valeur refuge qu'à la condition d'être activement marketées et soutenues.

2. Impacts spécifiques sur la grande distribution

2125. La grande distribution est sans nul doute après la banque **l'un des secteurs les plus touchés par l'arrivée de l'euro**, au moins pour deux raisons :
— son lien direct avec le consommateur final ;
— son profil d'activité (grand nombre de transactions de faible montant, à marge moyenne ou faible) la rendant sensible aux évolutions de prix, aux arrondis,...

Le « choc » de l'euro va avoir un impact, non seulement sur le nouveau jeu concurrentiel (volet conduite) sur les éléments que nous venons d'examiner mais aussi sur la concentration du secteur (volet structure).

Concentration du secteur

2126. La distribution est déjà un secteur relativement concentré et l'euro ne peut qu'accélérer ce mouvement et faciliter l'entrée en Europe de grands concurrents. Les rapprochements récents (Intermarché et SPAR ; Promodès et GB Inno ; Metro AG, Allkauf et Kriegbaum) en sont un bon exemple. Sur la plupart des marchés européens, les cinq premiers distributeurs (alimentaires) représentent 75 % des ventes.

Cet effet de concentration, conjointement avec la création de centrales d'achat internationales comme EMD (Markant en Allemagne, Leclerc en France, Nisa en

Angleterre : 97 milliards d'euros), AMS (Edeka en Allemagne, Casino en France, Safeway en Angleterre : 70 milliards d'euros), Eurogroup (Rewe en Allemagne, Coop en Suisse : 42 milliards d'euros) donnent à la distribution une puissance encore accrue dans la **négociation avec les fournisseurs**.

L'efficacité de ces concentrations sera renforcée par la mise en place de centres de services partagés (informatique, trésorerie, finances, comptabilité) que facilitent l'arrivée de la monnaie unique et l'harmonisation des procédures/relations commerciales.

Introduction des pièces et billets

2127. L'introduction des pièces et billets en euros en janvier 2002 pourrait n'être considérée que comme un problème opérationnel ou logistique. Nous l'évoquons dans ce chapitre, néanmoins, compte tenu des orientations fixées en France : la période de double circulation des espèces sera réduite à quelques semaines, le Gouvernement français attendant de la distribution qu'elle joue un rôle de « **piège à francs** » pour collecter le maximum de pièces et billets en francs et écouler à la place des pièces et billets en euros. Ainsi les distributeurs seront incités à **accepter les paiements en francs**, mais devraient **rendre la monnaie systématiquement en euros**.

Le traitement de **doubles flux** francs et euros pose des problèmes de logistique (convoyage, stockage, constitution des fonds de caisse, comptage,...). Qui assumera ces **coûts logistiques** ainsi que les coûts de financement de cette **trésorerie additionnelle** (on estime à 400 millions d'euros les besoins en fonds de caisse supplémentaires en euros en Europe) ? Comment se prémunir contre les **risques** de fraude, de faux, de hold up décuplés par cette trésorerie alléchante ?

L'introduction des pièces et billets intervient de plus **au pire moment** que puisse craindre un distributeur : après les périodes de suractivité des fêtes, au moment des inventaires, et juste avant les ré-étiquetages pour les soldes ! il n'y aura guère de temps pour se préparer, il faudra donc s'y prendre à l'avance.

Enfin la **productivité des caissiers** risque de diminuer. Ahold (chaîne de distribution hollandaise) estime que la complexité du rendu de monnaie rallongera le passage en caisse de 15 secondes. L'estimation d'Auchan est, elle, de 30 secondes (et encore, à supposer que le client ne conteste pas). Pour un distributeur dont le chiffre d'affaires se mesure en dizaines de milliards de francs, donc en centaines de millions de passages en caisse, cela correspond :

— à des centaines d'emplois ;
— et/ou à des files d'attentes plus longues aux caisses (ce qui occasionne des pertes de vente, au-delà du mécontentement de la clientèle).

Il convient de noter que cette perte de productivité n'est pas temporaire, mais peut être récurrente : le nombre de pièces et billets en euros, étant nettement plus élevé que pour d'autres devises (comme le franc belge), complique durablement les tâches de rendu de monnaie.

3. Enjeux dans l'industrie pharmaceutique

2130. L'industrie pharmaceutique est un bon exemple d'un secteur où l'euro va modifier de façon spécifique le comportement des entreprises, mais ce choc s'ajoute à d'autres bouleversements fondamentaux dans le financement des systèmes de santé ou dans des technologies de recherche et développement.

a. Introduction de l'euro : appréhendée par la majorité des grands groupes

Une volonté ferme de bénéficier de l'opportunité offerte pour favoriser la rationalisation des processus et pour identifier des avantages concurrentiels...

2131. Conscients des enjeux, les décideurs du secteur ont souhaité bénéficier d'équipes solides et rattachées *au plus haut niveau* (couramment une Direction Europe plutôt que le rattachement à une structure pays), notamment vis-à-vis des aspects de technologie de l'information, de réglementation, de comptabilité, de finance et de re-engineering.

Ces équipes ont *anticipé* l'avènement de la monnaie unique et, pour certaines, ont débuté leurs travaux dès 1996. La priorité est de profiter de cette opportunité pour mettre à niveau les systèmes, réétudier des stratégies de distribution, de relation clients/fournisseurs,...

... mais une synthèse de transition majoritairement lente.

2132. Les entreprises du secteur semblent cependant adopter un rythme de passage à la monnaie unique plus lent que dans d'autres industries.

Si tous les laboratoires ont mis en place une structure de projet dédiée, peu ont basculé dès le 1er janvier 1999, et les premiers mois de cette année montrent une incidence de passage à l'euro faible.

La communication avec les clients et les fournisseurs est cependant une préoccupation de premier plan. Le souci de demeurer parmi les « premiers de la classe » en termes de service et d'image institutionnelle est généralement fort.

b. L'industrie pharmaceutique face à l'évolution des systèmes de santé

Instabilité et réformes transforment l'univers de la santé

2135. En plus de l'euro, les industries pharmaceutiques européennes sont confrontées à un profond bouleversement des systèmes de santé. Ce mouvement, initié aux États-Unis, se déploie actuellement fortement en Europe et notamment en France. Il a eu pour conséquence un vaste mouvement de repositionnement stratégique des entreprises pharmaceutiques, se traduisant par une concurrence accrue, des intégrations verticales et horizontales.

En effet, aux États-Unis, la pression des pouvoirs politiques sur les coûts de la Santé qui sont parmi les plus élevés du monde (en % du PIB) a, depuis la fin des années 80, déstabilisé le marché local du médicament et des soins. Cette prise de conscience du coût croissant de la Santé a notamment favorisé l'émergence d'« Health Maintenance Organizations », entreprises privées spécialisées dans la prestation et la gestion des soins. Plus attentives aux dépenses, ces structures sont à l'origine de réflexions de type « maîtrise des coûts / qualité des soins » où l'évaluation de la prise en charge des patients, des traitements est primordiale tant au niveau médical qu'économique. Ce même phénomène a bouleversé le marché européen où, depuis plus de dix ans, de nombreux gouvernements privilégiaient une approche macro-économique basée principalement sur la maîtrise des coûts.

En France, le contexte est marqué par des changements successifs dans les orientations politiques en matière de Santé et par la difficulté des principaux acteurs à réaliser des réformes de fond (création de réseaux de soins coordonnés, revalorisation du rôle du médecin généraliste, reversement d'honoraires en cas de dépassement de l'enveloppe budgétaire, dossier SESAM-VITALE, projets d'Assurance Maladie Privés, Contrats Maladie Universel...).

Cependant, les réformes engagées en Europe, et en France en particulier, devraient se poursuivre et permettre en particulier une meilleure maîtrise de la qualité et des coûts à l'hôpital, tout en préservant la qualité des soins.

Des opportunités de développement très ouvertes

2137. Dans un premier temps déstabilisée, l'industrie pharmaceutique a su négocier, avec plus ou moins de célérité, la plupart des défis qui s'offraient à elle et la majorité des analystes du secteur anticipe des *perspectives de croissance* qui demeurent nettement favorables :

— les grands laboratoires réussissent à préserver une rentabilité forte, profitant des économies d'échelle générées par les rapprochements (fusions ou acquisitions), et des ré-organisations internes ;

— les nouvelles technologies de biologie cellulaire et moléculaire, notamment la pharmacogénomique, permettent une analyse quantitative et qualitative plus rapide et plus sélective des molécules en essais in vitro, une réduction des temps de développement — et de mise sur le marché — accroissant d'autant la capacité du laboratoire à générer des médicaments innovants source de « hauts profits » (« Blockbusters ») ;

— les approches marketing traditionnelles évoluent vers une communication patient directe, et visent des délais de pénétration de marché en deçà du temps jusque là admis ;

— les activités non « cœur de métier » sont sous-traitées : de la gestion des services informatiques à une partie des essais cliniques (« Contract Research Associations »).

c. Impacts de l'euro sur l'industrie pharmaceutique

2138. Le secteur pharmaceutique possède, vis-à-vis des autres secteurs industriels, des spécificités qui lui sont propres, en particulier au niveau de la recherche et du développement, de certains processus de production, de l'encadrement réglementaire (affaires réglementaires), et de l'approche commerciale engagée vis-à-vis des médecins prescripteurs.

Production et affaires réglementaires : l'affichage du prix

2139. Au niveau des opérations industrielles, le passage de la monnaie nationale à l'euro, via parfois l'obligation du double affichage de ces deux devises sur le conditionnement secondaire, pose un problème lié à la fois à l'évolution de la législation et à la tactique de planification :

— les départements des affaires réglementaires de chaque pays doivent s'assurer de fournir les dates clés officielles (lorsqu'elles sont arrêtées) aux unités de production pour adapter les plannings de conversion du packaging ;

— les unités de production doivent intégrer ce calendrier officiel, propre à chaque pays, et prendre en compte également les contraintes classiques liées à l'entreprise elle-même : nécessité de conserver un état de stock optimal, livraison de produits nouvellement packagés à certaines filiales étrangères, etc. L'enjeu est de continuer à livrer le bon produit au bon moment aux clients, grossistes-répartiteurs, dépositaires, hôpitaux, groupements d'achats privés, ou filiales.

Cet exercice est d'autant plus ardu que certains produits sont vignétés, d'autres ont l'indication de prix directement sur le conditionnement secondaire, et que les prix peuvent être libellés, selon les pays, en clair et / ou en codé (codes barres).

Il apparaît donc nécessaire dans ce cas d'*anticiper ces changements* en :
— identifiant et en anticipant toute mesure législative ou réglementaire liée à la conversion des prix : quelles directives ? quand seront-elles applicables ?
— référençant tout produit comportant une indication de prix, puis en préparant les sites à la conversion (planning, modification de l'outillage, formations,...).

Une *méthodologie adaptée* pourrait se décliner suivant les étapes :

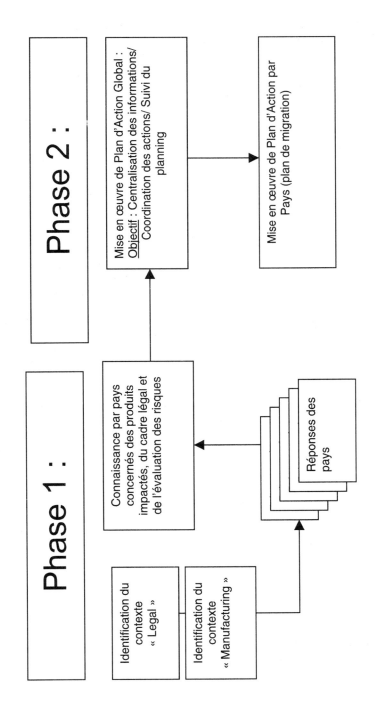

Logistique interne et externe : l'exemple type de l'opportunité de centralisation des fonctions

2140. Les problématiques de logistique, aussi bien internes qu'externes, sont classiques dans le cadre de projets euros. Les enjeux sont liés à des aspects comptable, financier, et bien sûr informatique.

Cependant, les analyses de processus mènent souvent à des réflexions plus larges.

Au niveau des laboratoires pharmaceutiques en particulier, la rationalisation des centres de distributions (« more Global ») est dans l'« air du temps » et pousse à centraliser de plus en plus les moyens logistiques. L'amélioration des infrastructures, le développement d'une offre multiservices de prestataires logistiques internationaux, l'harmonisation des procédures et modes opératoires, la suppression de la barrière du change se conjuguent pour renforcer et accélérer cette tendance de fond. Cette volonté de centralisation peut devenir, en marge du projet euro, un axe de réorganisation à part entière.

Définition de la politique de prix : un enjeu stratégique

2141. Dans un contexte ambigu de *contrôle commercial* imposé au niveau national par chaque autorité de Santé des pays de l'Union économique et monétaire, et de *concurrence* à l'échelon international entre les laboratoires, la fixation des prix des médicaments apparaît comme une équation extrêmement difficile à résoudre.

Les autorités de tutelle imposent les prix des *produits remboursés*, prix qui varient parfois d'un facteur six entre les pays du sud et les pays du nord de l'Europe.

Les médicaments innovants, encore sous licence, commercialisés par exemple au Danemark ou en Allemagne sont alors férocement concurrencés par des *imports parallèles*, ce qui engendre un manque à gagner significatif pour les laboratoires, estimé en 1998 à plus de 620 millions d'écus !

Également sous les feux de l'actualité française, les copies (ou *génériques*) de produits dont la licence est tombée dans le domaine public attaquent les marchés réservés habituellement aux « vaches à lait » des grands laboratoires. Une des parades a été l'alignement des prix publics sur les génériques. Si celle-ci est couronnée de succès dans un premier temps, il semble évident que les fabricants de génériques passeront de nouveau à l'attaque.

Ces réflexions engagées autour des problématiques de définition et d'ajustement du prix des médicaments doivent intégrer la nouvelle donne générée par l'Union économique et monétaire, tant au niveau macro que micro économique : quels sont les nouveaux contextes législatifs et réglementaires de chaque pays ? Y a-t-il des opportunités commerciales pour les laboratoires ? Sur quels leviers commerciaux agir ? Doit-on définir un prix unique européen, ou au contraire adopter une politique de corridors de prix ? L'intégration horizontale est-elle rentable (cf. sociétés de génériques) ? Doit-on réévaluer le positionnement de produits en fonction de leur nature (éthique vs. OTC), de leur cycle de vie (innovant vs. mature) et des circuits de distribution ? Quel est l'impact des arrondis de conversion liés au passage à l'euro ? Comment repositionner les produits à des prix psychologiques ?...

Marketing et ventes : des systèmes d'informations hétérogènes

2142. Au sein des directions marketing et ventes, la volonté de cibler au mieux le consommateur, ici le médecin, a favorisé la mise en place de systèmes d'infor-

mations souvent **spécifiques au pays** et, par conséquent, très hétérogènes d'une filiale à l'autre. Par exemple :
— les outils utilisés par la visite médicale (Electronic Territory Management Systems) en sont un exemple frappant : l'un de nos clients, malgré sa volonté de limiter les logiciels d'aide à la vente à un fournisseur unique pour le groupe, a été contraint d'accepter quatre systèmes différents pour sa zone Europe ;
— les informations à caractère financier doivent être évaluées individuellement d'un pays à l'autre, en tenant compte de la capacité des fournisseurs de données (IMS, Cegedim...) à fournir données et historiques en euros et/ou dans la devise du pays.

La conséquence majeure au niveau de projets euro est de multiplier les travaux d'analyse à effectuer dans ce domaine, ce qui rend la conversion beaucoup plus longue et coûteuse.

Le projet euro est donc également ici une opportunité supplémentaire de centraliser une partie des fonctions marketing — ventes et d'effectuer un reporting au niveau européen (suivi des ventes et comparaisons inter-pays à profil de population cible identique).

SECTION III

Perspectives à plus long terme

2145. L'analyse stratégique est incomplète si elle ne prend en compte que l'euro et l'UEM. Il convient donc de cadrer sa réflexion en gardant à l'esprit les autres facteurs de changement et en visant un horizon à moyen et long terme.

Autres facteurs de changement

2146. Des mouvements de fond marquent l'évolution de l'économie mondiale comme :
— la **globalisation** de l'économie ;
— les mouvements de **concentration** par secteurs, comme en témoignent les récentes annonces de fusions-acquisitions dans les secteurs du pétrole, de la pharmacie, de l'assurance, de la banque, de l'aéronautique et de la défense, de l'automobile,... ;
— la **convergence entre secteurs d'activité auparavant disjoints** (télécommunications et informatique, télécommunications et médias, distribution et services — notamment financiers,...) ;
— l'explosion de l'**ère informationnelle,** de l'**entreprise virtuelle,** du **commerce électronique,**... ;

Parfois, il sera difficile de démontrer un impact stratégique direct de l'euro ou de l'UEM. Par contre, l'euro agira souvent comme un « catalyseur » qui déclenche un mouvement de transformation et qui l'accélère. Ainsi par exemple, la conjonction de l'euro et du phénomène Internet déclenche l'éclosion de toute une série d'intermédiaires de portée internationale faisant de l'Europe leur champ de bataille et du commerce électronique leur instrument de conquête des marchés de services (tourisme), de loisir (culture, média, musique, livres) voire professionnels (micro informatique,...).

Tendances à moyen et long terme

2147. L'espace européen, au-delà de ces évolutions mondiales, sera marqué par d'autres tendances, parmi lesquelles nous pouvons citer :

— l'*extension de la zone euro*, probablement avec le Royaume-Uni, la Suède, le Danemark puis la Grèce entre 2002 et 2005, ce qui accroîtrait d'un tiers son produit intérieur brut ;

— l'*extension de l'Union européenne* : il est vraisemblable que des pays comme la République tchèque, la Hongrie, la Pologne, la Slovénie, l'Estonie,... auront rejoint l'Union à l'horizon 2005. A l'horizon 2010, on peut escompter que la majorité des pays de l'Europe Centrale et de l'Europe de l'Est aura rejoint l'Union européenne. Cela aura pour résultat d'accroître la population de l'Union d'un bon tiers, mais avec des niveaux de vie et des profils de consommation radicalement différents ;

— ces extensions pousseront à des *réformes structurelles des institutions européennes et des politiques publiques*, conduisant soit à une logique de zone de libre échange sans réelle cohésion politique, soit à des logiques d'« Europe à deux vitesses », soit à des noyaux régionaux fortement intégrés d'un point de vue économique et politique, incluant une harmonisation des politiques sociales et fiscales ;

— l'évolution démographique, marquée par un fort *vieillissement de la population* et par la dégradation du ratio actifs / retraités ;

— ce vieillissement aura à son tour divers effets sur la consommation (développement du marché des « seniors »), pèsera sur le marché du travail et nécessitera des réformes structurelles des régimes de protection sociale et de retraite ;

— la prise de conscience accrue de l'*environnement et de l'écologie* pouvant déplacer de façon significative des contraintes réglementaires et des profils de consommation ;

— etc.

2148. *La nécessité de construire des scénarios* — Ces évolutions et ces tendances sont réelles, mais il est difficile de prédire leur intensité et la vitesse à laquelle elles peuvent se matérialiser. De plus, elles interagissent l'une sur l'autre. Il importe de comprendre ces interactions et de préparer des scénarios qui correspondent à plusieurs visions possibles de l'Europe et du Monde à moyen et long terme.

Il est alors possible de vérifier la pertinence d'un positionnement stratégique au regard de tel ou tel scénario semblant le plus probable, mais aussi de comprendre la sensibilité du positionnement stratégique (c'est-à-dire dans quelle mesure il est dégradé ou doit être reconstruit) au passage d'un scénario à l'autre.

2150. Les points clés à retenir concernant ce chapitre sur les enjeux stratégiques de l'euro sont les suivants :

⇒ L'euro n'est pas seulement une devise nouvelle nécessitant d'ajuster des processus opérationnels et des systèmes informatiques. Il porte en germe un chamboulement considérable de l'*environnement concurrentiel* en Europe.

⇒ Les entreprises doivent comprendre précisément leur *positionnement stratégique* actuel et mesurer l'effet de l'euro et de l'Union économique et monétaire sur la dynamique d'un secteur d'activité ou sur la pertinence d'une stratégie d'entreprise. Cet effet sera éminemment variable d'un secteur à l'autre.

⇒ Il n'est pas toujours possible de démontrer un effet stratégique direct de l'euro. Par contre, de nombreux exemples démontrent que l'euro ou l'Union économique et monétaire jouent un *effet de catalyseur* et renforcent des forces en action dans le jeu stratégique, *pouvant ainsi accélérer une évolution ou une tendance de fond.*

⇒ Une réflexion stratégique d'introduction de l'euro s'appuyant sur des modèles robustes et basé sur l'évaluation de scénarios à long terme permet de *tirer parti des interactions et de développer le maximum d'opportunités et de sources de compétitivité.*

⇒ Cette réflexion dépasse clairement le cadre du projet de passage à l'euro. Mais l'euro n'est pas une fin en soi, ce n'est qu'une *étape dans la construction européenne* commencée il y a plus de cinquante ans, et dont l'aboutissement n'est pas pour demain. Une stratégie de basculement à l'euro supportée par une vision européenne voire mondiale à long terme est un tremplin pour accroître ses avantages concurrentiels dans l'environnement qui sera le notre demain : la nouvelle Europe.

CHAPITRE II

Stratégie marketing et commerciale

SECTION I

Introduction

A. Les enjeux commerciaux et marketing liés à l'euro sont souvent négligés

2200. L'évaluation par les entreprises des conséquences du passage à l'euro se limite trop souvent aux seuls impacts financiers. Il en résulte que les responsables de projets euro dans les grandes entreprises sont souvent des cadres de la direction financière.

Le second type d'impact considéré se rapporte à la capacité des systèmes d'information à gérer l'ensemble des transactions financières, adaptations clairement identifiables et mesurables et dont le coût est souvent élevé.

> Ainsi, un grand distributeur européen estime à 1,4 % de son chiffre d'affaires le remplacement de ses terminaux dans ses points de vente en Europe, la modification des logiciels coûtant à elle seule 80 millions de francs.

Cependant, les entreprises qui ont d'ores et déjà identifié les impacts de l'euro sur leur stratégie et leur organisation commerciale et marketing comme une dimension à part entière de leur migration ont franchi une étape décisive dans l'appréhension des problématiques liées à l'euro. Elles seront plus à même d'identifier rapidement les opportunités de croissance favorisées par l'euro.

B. L'euro a des conséquences à la fois sur la stratégie et sur l'organisation commerciale et marketing de l'entreprise

2203. L'euro agit surtout comme un puissant amplificateur des grandes tendances de marché auxquelles sont confrontées les entreprises en influençant fortement leur stratégie marketing et commerciale dans des domaines aussi variés que :
— l'internationalisation des marchés ;
— l'augmentation de la pression sur les prix, favorisée par l'arrivée de « nouveaux entrants » ;
— l'élargissement des offres de produits et services ;
— la transparence accrue des prix au niveau européen ;
— l'évolution des canaux de distribution vers la désintermédiation (importateurs directs, commerce électronique...) ;
— la centralisation des structures commerciales et marketing au niveau européen.

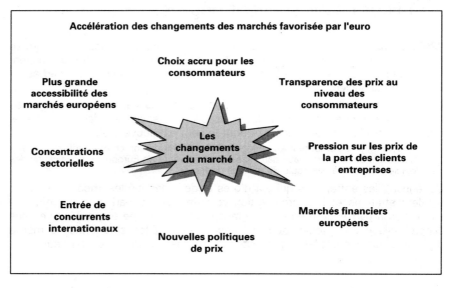

2204. Les conséquences du passage à l'euro sur la stratégie et l'organisation commerciale et marketing peuvent être identifiées à chaque étape de la « chaîne de création de valeur » des entreprises industrielles ou de distribution.

Les problématiques qui nous apparaissent majeures, ainsi que des exemples précis, seront développés ultérieurement dans ce chapitre.

Ces conséquences seront analysées selon trois *leviers stratégiques* de l'entreprise :
— clients et marchés ;
— produits et services ;
— canaux de distribution ;
et seront décrites au travers des quatre *leviers opérationnels* de l'entreprise :
— structures et infrastructures ;
— processus de gestion ;
— ressources humaines ;
— systèmes d'information.

2205. Les deux illustrations ci-dessous présentent, pour chacun des grands processus commerciaux des entreprises industrielles et de distribution (activités marketing, développement de produits et services, ventes, service client), quels sont les *impacts probables de l'euro*, tant sur les dimensions stratégiques qu'opérationnelles de ces entreprises.

Ces exemples, loin d'être exhaustifs, donnent un premier aperçu de la diversité de ces impacts.

L'importance de ces impacts variera bien sûr en fonction des caractéristiques de ces entreprises, le niveau d'impact étant fonction de variables telles que la taille de l'entreprise, son degré d'ouverture internationale, la structure de son organisation ou encore la préparation de son personnel à l'euro.

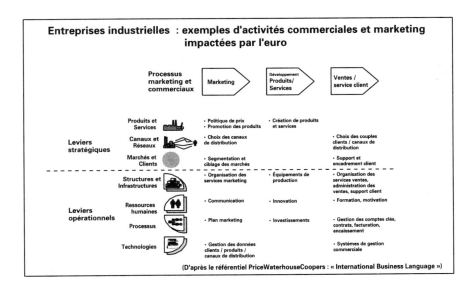

Entreprises industrielles : exemples d'activités commerciales et marketing impactées par l'euro

(D'après le référentiel PriceWaterhouseCoopers : « International Business Language »)

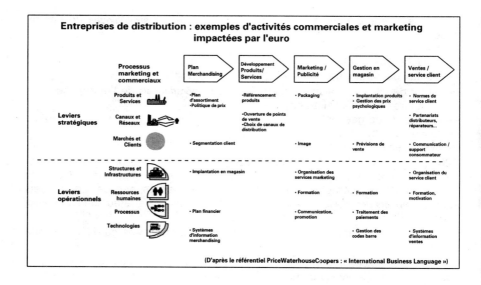

Entreprises de distribution : exemples d'activités commerciales et marketing impactées par l'euro

(D'après le référentiel PriceWaterhouseCoopers : « International Business Language »)

C. Le prix : impact clé sur les leviers stratégiques de l'entreprise

2208. L'impact de l'euro sur les stratégies marketing et commerciale est visible au travers d'une variable fondamentale : le prix.

Les changements de prix vont en effet influencer les trois leviers stratégiques des entreprises selon les axes suivants :

1. Clients et marchés

2209. En contribuant à créer un marché de 370 millions de consommateurs finaux et en facilitant l'accès à de nouveaux marchés « entreprises », l'euro représentera de fait une opportunité réelle de croissance pour les entreprises, mais aussi une source d'exigences supplémentaires des consommateurs. De plus, les entreprises auront un rôle majeur à jouer dans la « formation » de leurs clients à la nouvelle conversion dans le cadre des transactions monétaires en euro. Elles peuvent le faire notamment par le biais d'une communication tarifaire adaptée.

Une fois la période d'adaptation à l'euro échue, il résultera très probablement de l'ouverture des marchés et de la compétition accrue une forte pression sur les prix qui obligera les fournisseurs à adapter leur politique de prix en gérant les disparités (notamment entre pays) afin de préserver leur marge commerciale.

2. Canaux de distribution

2210. Tout d'abord, l'euro accentue la *concurrence* entre les canaux de distribution (accentuant par là même la problématique de cohérence tarifaire entre canaux) et les tendances aux « importations parallèles ». Une deuxième grande tendance est le renforcement du *contrôle* par les industriels des canaux de distribution au niveau de leurs pratiques tarifaires. Ce souci de contrôle pourra également inciter les industriels à développer la vente directe à leurs clients grâce aux nouvelles technologies du commerce électronique, tout en satisfaisant leurs attentes individuelles.

3. Produits et services

2211. Les changements de prix induits par la conversion des monnaies nationales en euros, ainsi que la globalisation accrue des marchés, auront une influence certaine sur la création de nouveaux produits et services, sur la modification de produits, de gammes de produits et services existants, ainsi que sur les actions de promotion associées.

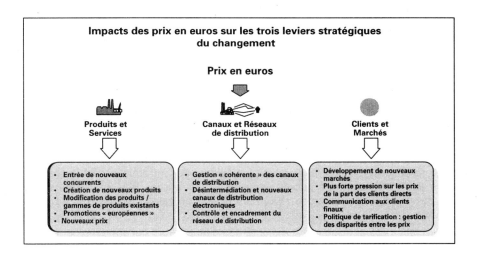

Impacts des prix en euros sur les trois leviers stratégiques du changement

Prix en euros

Produits et Services	Canaux et Réseaux de distribution	Clients et Marchés
• Entrée de nouveaux concurrents • Création de nouveaux produits • Modification des produits / gammes de produits existants • Promotions « européennes » • Nouveaux prix	• Gestion « cohérente » des canaux de distribution • Désintermédiation et nouveaux canaux de distribution électroniques • Contrôle et encadrement du réseau de distribution	• Développement de nouveaux marchés • Plus forte pression sur les prix de la part des clients directs • Communication aux clients finaux • Politique de tarification : gestion des disparités entre les prix

2212. L'euro peut donc avoir des impacts conséquents sur la politique commerciale des entreprises et il convient de les examiner de façon approfondie sous les angles de :

— la *stratégie à mener* notamment au regard des questions liées à la réduction des disparités de prix, à l'élargissement de l'offre de produits et au renforcement de la concurrence entre les différents canaux de distribution (section II) ;

— l'*organisation à retenir* eu égard notamment aux questions de centralisation des structures commerciales, de modification des systèmes d'information ou de formation du personnel qu'il conviendra d'envisager (section III).

SECTION II

Conséquences et enjeux du passage à l'euro sur la stratégie commerciale et marketing

A. Une tendance générale à la réduction des disparités de prix

1. Une nouvelle communication tarifaire à gérer

2215. Le passage à l'euro va influencer une donnée fondamentale pour les clients des entreprises, que ce soient les distributeurs ou les clients finaux (autres entreprises, particuliers) : l'expression du prix.

Ces changements interviendront plus tôt pour les clients distributeurs et entreprises que pour les particuliers. En effet, depuis le 1er janvier 1999, la facturation en euros est possible (voire exigée de fait par certains acheteurs de l'industrie), alors que l'introduction de la monnaie fiduciaire en euros n'est prévue que pour le 1er janvier 2002.

2216. C'est en premier lieu dans les *points de vente* que les consommateurs peuvent découvrir l'euro : le signe le plus évident de l'introduction est le changement de l'expression des prix de vente annoncés sur les PLV (publicités sur le lieu de vente), l'étiquetage au rayon, les tickets de caisse, les relevés de carte bancaire...

Cet impact a été anticipé par la majorité des distributeurs qui ont développé dans leurs points de vente des actions de sensibilisation de leur personnel et de leurs clients à l'euro, telles que le double affichage des prix. Des actions ponctuelles de mise en circulation de pièces de monnaie « euro » factices ont également été effectuées.

La distribution a un rôle « pédagogique » non négligeable à jouer auprès du consommateur : il s'agit d'anticiper ses questions et de lui permettre d'effectuer ses paiements dans la nouvelle monnaie en lui apportant un support sous forme d'un affichage clair en rayon, de « convertisseurs », calculettes et brochures informatives, par exemple.

Anticiper les questions et difficultés de paiement des clients confrontés à l'utilisation de la nouvelle monnaie avec un personnel formé est donc un facteur clé de

réussite du passage à l'euro pour les distributeurs et même une donnée stratégique majeure de maintien de la fidélité du client, comme nous l'avons montré au
chapitre I.

2217. Avant même la communication des prix, une première problématique à
gérer par les industriels et les distributeurs sera la *détermination du « nouveau prix »*
à communiquer, en fonction de l'effet psychologique escompté, ce qui posera le
problème de la « gestion des arrondis » lors de la conversion des prix en euros.

Un exemple peut être développé ici pour illustrer cette problématique au niveau
de la distribution d'essence : actuellement le différentiel de prix d'un litre
d'essence « super sans plomb » peut s'élever à 50 centimes entre la station
appartenant à une chaîne pétrolière et une grande surface (par exemple, 6,52 FF
contre 6,02 FF). Une fois ces prix convertis en euros, le différentiel ne sera plus
psychologiquement significatif : 0,07 €, pour des prix variant de 0,92 € à 0,99 €.

Cependant, étant donné les volumes en jeu, la gestion des arrondis, si elle peut
avoir un impact psychologique et stimuler la vente, aura à coup sûr un impact
important sur le chiffre d'affaires à la baisse ou à la hausse : dans notre exemple,
baisser le prix au litre d'un cent d'euro équivaudrait à une perte de chiffre
d'affaires de l'ordre de 300 millions de francs par an pour la chaîne de distribution
d'essence.

2. Harmonisation des prix de vente aux consommateurs finaux

a. L'euro mettra en lumière les disparités de prix existant entre les pays

2220. Les disparités des prix de vente aux consommateurs finaux peuvent être
actuellement fortes d'un pays européen à l'autre, en particulier pour de nombreuses familles de produits dont les caractéristiques et les niveaux de concurrence diffèrent selon les pays.

De nombreux exemples sont fournis par le *secteur automobile* où les prix de vente
dans le pays d'origine sont souvent supérieurs aux prix de vente dans les pays
d'exportation.

Dans l'exemple suivant, les variations de prix sont de 41 % entre le pays d'origine
de la voiture et le pays européen où ce prix est le plus bas. Ces différences structurelles ont parfois été amplifiées par des variations conjoncturelles de taux de
change (Italie, Espagne). Depuis, les prix ont fortement évolué (voir § 2117).

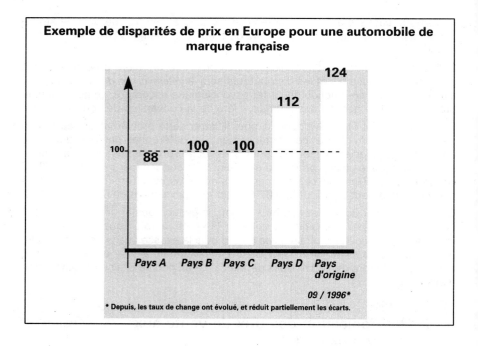

Exemple de disparités de prix en Europe pour une automobile de marque française

* Depuis, les taux de change ont évolué, et réduit partiellement les écarts.

b. Vers une réduction des écarts de prix de vente

2222. Ces différences de prix seront certainement atténuées sous la *pression des consommateurs* (qui compareront plus facilement les prix lors de leurs voyages en Europe), de leurs associations représentatives (qui pourront plus facilement comparer les prix de produits similaires) et des médias. Cette pression est déjà une réalité bien connue des importateurs ou intermédiaires, qui réalisent leurs marges en jouant sur le différentiel de prix entre pays.

L'harmonisation des prix de vente aux consommateurs est dès à présent une nécessité dans les *régions frontalières* où, les points de vente ayant une zone de chalandise transfrontalière, le consommateur aura tout le loisir de pouvoir comparer les prix.

Dans ces régions, l'euro devrait stimuler la concurrence entre distributeurs et accentuer les migrations d'achats des populations frontalières désireuses de tirer parti des avantages tarifaires de certains produits.

Si la transparence des prix induite par l'euro est de nature à entraîner une pression à la réduction des écarts de prix de vente, il subsiste cependant des raisons objectives pour expliquer une différence de prix au niveau des consommateurs.

c. L'euro n'entraînera qu'une atténuation partielle des différences de prix des produits et services

2224. En effet, certaines variables clés qui déterminent le prix consommateur d'un produit, spécifiques à chaque pays, ne sont pas affectées par l'euro et justifient toujours des prix de vente différents au niveau du consommateur.

Ces *cinq variables clés* sont :

— la législation fiscale (les taxes payées par les consommateurs et les distributeurs varient selon les pays) ;

— les tendances locales de consommation ;

— l'intensité de la concurrence ;

— la nature de l'offre de produits et services ;

— les marges et les coûts de distribution. En ce qui concerne cette dernière variable, seuls les cours de change seront directement impactés par l'euro.

2225. Ces variables, et plus particulièrement la troisième, placent cependant les entreprises dans une situation qui devient plus difficile à gérer à l'égard des *autorités de régulation du marché* (Conseil de la concurrence, DG IV de la Commission européenne).

En effet, d'une part, les pratiques tarifaires discriminatoires sont interdites sauf dans le cas où elles pourraient être objectivement justifiées (articles 85 et 86 du traité de Rome) et, d'autre part, l'intensité de la concurrence locale ne peut être retenue comme élément justificatif d'une discrimination tarifaire, puisque cela reviendrait à faire prévaloir le maintien des cloisonnements nationaux sur le marché unique européen.

Il y aura donc là un dilemme que les entreprises vont devoir gérer.

2226. L'exemple du *marché automobile* aux États-Unis démontre que, malgré une monnaie commune, le dollar, des différences de prix subsistent entre les différents États du pays.

Si les prix « départ usine » sont identiques pour l'ensemble des réseaux de concessionnaires, les prix aux points de vente sont différents, car établis en fonction de variables « locales » telles que les réglementations propres à chaque État (la réglementation liée à la lutte contre la pollution en Californie a par exemple une incidence forte sur l'équipement des voitures), les taxes locales, les coûts de transport, ainsi que les stratégies de prix différentes des réseaux de concessionnaires, liées à la concurrence locale.

d. Les produits et les services seront différemment impactés par la réduction des écarts de prix

2230. Si l'existence de ces variables non influencées par l'euro aura pour conséquence le maintien de prix différents au niveau européen, l'ampleur de la réduction des écarts de prix sera elle-même fortement conditionnée par les caractéristiques intrinsèques des produits et services, ainsi que par leur environnement de marché.

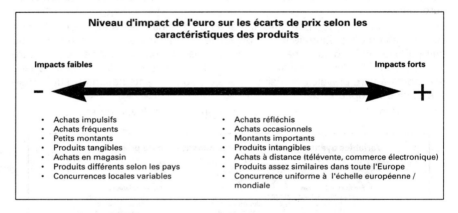

Niveau d'impact de l'euro sur les écarts de prix selon les caractéristiques des produits

Impacts faibles — / Impacts forts +

- Achats impulsifs
- Achats fréquents
- Petits montants
- Produits tangibles
- Achats en magasin
- Produits différents selon les pays
- Concurrences locales variables

- Achats réfléchis
- Achats occasionnels
- Montants importants
- Produits intangibles
- Achats à distance (télévente, commerce électronique)
- Produits assez similaires dans toute l'Europe
- Concurrence uniforme à l'échelle européenne / mondiale

2231. Les *écarts* de prix actuels devraient **persister** pour des produits de consommation courante (achats d'impulsion, fréquents, de faible montant, en point de vente physique tels shampooings, yaourts...) différents selon les pays, ou des biens d'équipement tels que les meubles ou les voitures, soumis à des concurrences locales variables et dont les caractéristiques sont fortement conditionnées par les habitudes d'achat et « goûts » locaux.

En revanche, l'euro devrait entraîner une **harmonisation** plus rapide des prix de produits de haute technologie (assez similaires dans toute l'Europe et soumis à une concurrence relativement uniforme à l'échelle européenne ou mondiale) tels que les micro-ordinateurs ou les logiciels.

3. Réduction des disparités tarifaires dans les relations entre entreprises

a. Des disparités tarifaires qui génèreront de fortes pressions

2234. En mettant en lumière les disparités de prix existant selon les pays et les canaux de distribution, l'euro devrait inciter les entreprises à gérer de manière cohérente leurs prix de vente à l'échelle européenne, et ce d'autant plus que leurs clients, distributeurs ou entreprises seront eux-mêmes de dimension internationale.

2235. Un exemple significatif à cet égard est celui de l'*industrie pharmaceutique* : les disparités de prix au niveau des médicaments « éthiques » (vendus sur ordonnance) sont traditionnellement importantes d'un pays à l'autre.

Alors que la vente au consommateur est très réglementée et les prix et marges strictement administrés, le commerce réalisé par le grossiste (répartiteur) et par le détaillant (pharmacie) est libre sur une base européenne.

La forte disparité des prix qui résulte des différences de marges pratiquées, ainsi que des taxes sur la valeur ajoutée, encourage les *importations parallèles* : un exemple de cette pratique et de ses incidences a été fourni par un grand fabricant allemand de produits pharmaceutiques. En effet, la filiale britannique de ce laboratoire a vu son chiffre d'affaires chuter de 50 % en quelques années. Cette situation s'expliquait par les différences de prix pratiquées sur les marchés britannique et espagnol, où les prix étaient beaucoup plus bas, incitant les grossistes britanniques à se fournir en Espagne pour réaliser des marges plus importantes.

Afin de réduire ces « importations parallèles » préjudiciables à ses marges, l'industriel a demandé à ses filiales de limiter le volume de leurs ventes aux répartiteurs français et espagnols. Cette pratique a été considérée comme anticoncurrentielle par la Commission européenne. Sur la base de l'article 85 du traité, qui interdit les ententes anticoncurrentielles, ce fabricant s'est vu infliger par la Commission européenne en janvier 1996 une amende de trois millions d'écus pour avoir fait obstacle au commerce dans la Communauté européenne. Ainsi, même dans un domaine dit réglementé, la pression des importations parallèles sur les prix se révèle extrêmement forte.

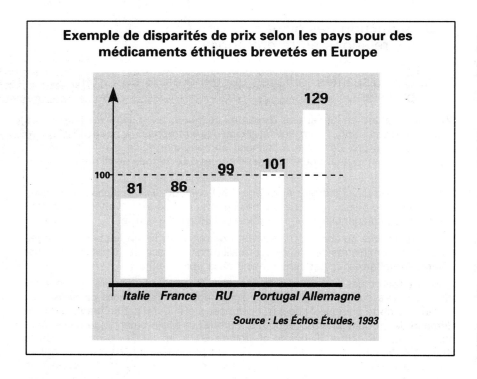

Exemple de disparités de prix selon les pays pour des médicaments éthiques brevetés en Europe

Source : Les Échos Études, 1993

b. La transparence des prix induite par l'euro va intensifier la tendance aux achats « européens »

Consolidation des achats au niveau européen

2238. D'une manière générale, la transparence des prix accélérera les tendances actuelles à la concentration des achats des entreprises sur une base européenne, afin qu'elles négocient des tarifs sur des volumes plus importants. Cette négociation se fera souvent à partir de l'endroit (pays ou région) où la *transaction* sera la *plus avantageuse* pour elles, c'est-à-dire là où les prix de leurs fournisseurs sont les plus bas. Si ce phénomène n'est pas contrôlé par les fournisseurs, ils assisteront de fait à un déport des volumes de leurs clients vers les lieux d'achat les plus attrayants.

Un seul lieu de négociation ou d'achat, mais des livraisons dans le monde entier

2239. La négociation, du fait de l'euro, pourra donc plus facilement être effectuée sur une base unique en Europe (voire dans le monde pour certains gros distributeurs internationaux). Le lieu d'achat, juridiquement parlant, pourra lui aussi être unique. En revanche, les lieux de livraison seront, eux, multiples, plus proches des marchés locaux et des consommateurs finaux.

Cette tendance sera surtout sensible dans les relations entre des fabricants et des distributeurs de dimension multinationale (par exemple relations entre les

industriels de produits d'hygiène/beauté et les grandes chaînes de distribution).
Mais c'est également vrai entre deux industriels.

Cette pratique aura une incidence forte sur la détermination de la structure du
prix notamment (des coûts logistiques et salariaux et des niveaux de services différents selon les pays), sur le choix des juridictions compétentes en cas de litige,
ou encore sur la nécessité de retracer le lieu d'origine ou de vente d'un produit ou
service.

Un seul « prix européen » en euros pour les grands comptes : comment éviter le prix le plus bas ?

2240. L'évolution des clients entreprises ou distributeurs vers la négociation
d'un seul « prix européen » aura très certainement un *impact* potentiel négatif sur
les marges, impact que les fournisseurs vont devoir anticiper.

> Dans l'industrie des meubles de bureau par exemple, une entreprise a estimé qu'un
> hypothétique ajustement vers le bas des prix des grands comptes sur une base euro-
> péenne équivaudrait à environ 4 % de sa marge d'exploitation.
>
> Une filiale locale d'un grand groupe fournissant des appareils de climatisation a pour sa
> part estimé que l'ajustement des prix sur une base européenne transformerait sa
> marge actuelle positive de 3,5 % en une marge négative de 7 %.
>
> Ces deux exemples montrent bien l'enjeu très fort lié à cette problématique d'ajuste-
> ment des prix en Europe, en particulier pour les grands comptes.

Pour faire face à l'accélération des « achats européens » instaurée par les distributeurs, les fournisseurs devront :
— avoir une bonne visibilité sur les achats de leurs clients (en termes de volume,
prix, conditions de vente), ce qui suppose des systèmes d'information intégrés ;
— réorganiser la fonction ventes sur une base européenne pour ces comptes
clés.

c. L'établissement d'un « prix unique européen » n'est cependant pas inéluctable et les disparités tarifaires peuvent être gérées par les entreprises

2242. Bien que les pressions des acheteurs pour un prix unique européen soient
fortement prévisibles, l'idée d'un « prix unique européen » reste partiellement
théorique. On a vu précédemment qu'il y avait au niveau des consommateurs
des raisons objectives pour justifier des écarts de prix entre pays, qui sont également valables entre entreprises (prix de revient différents, garanties et services
après-vente différents, taxes différentes...).

Ces entreprises devront, encore plus qu'actuellement, parfaitement connaître et
maîtriser la structure de leurs coûts pour pouvoir être à même de réagir face à la
pression de leurs clients. Deux grands types de solutions pourront être envisagés
pour les négociations commerciales :

Solution 1. — Séparation du prix du produit et des coûts additionnels variables selon les pays : développement des prix « FOB »

2243. Alors que les tarifs sont généralement établis sur la base de « prix nets »,
comprenant l'ensemble des coûts additionnels liés au produit, les entreprises

auront intérêt à négocier un prix « net départ usine » et à développer les livraisons FOB (Free on Board). Cette solution permet de séparer les coûts du produit lui-même des coûts « annexes » liés à la livraison du produit, tels que les taxes ou les coûts logistiques (transport, préparation des produits...). La négociation peut alors réellement porter sur les coûts que l'entreprise maîtrise et non sur les coûts qui ne relèvent pas de son métier de base. Cette solution a cependant l'inconvénient de rendre les prix pratiqués plus transparents, empêchant ainsi certaines entreprises de réaliser des marges sur des prestations annexes (logistiques notamment).

Cette stratégie a été adoptée par la filiale de vente par correspondance d'un grand distributeur européen : afin d'anticiper les inévitables comparaisons de prix résultant du passage à l'euro, cette entreprise communique désormais sur un « prix unique sortie d'usine », à l'exclusion des coûts de transport et des taxes locales, ainsi que des différents niveaux de services liés au produit (transport, garanties...).

Solution 2. — Négociations sur les marges ou les taux de remises

2244. Un autre moyen d'éviter des négociations tarifaires conflictuelles avec les grands comptes européens est d'établir ces négociations sur la base des marges et remises faites aux distributeurs plutôt que sur les prix nets. Le niveau des prix nets resterait de ce fait différent selon les pays, mais les marges consenties aux comptes clés devraient progressivement converger.

De grandes entreprises opérant à l'échelle mondiale (industriels de l'automobile, de l'agro-alimentaire, du jouet, des meubles de bureau...) montrent qu'il est possible de négocier sur des bases européennes voire mondiales avec les chaînes de distribution, tout en conservant des prix de vente différents selon les pays. Ces négociations portent effectivement sur le taux de marge global des distributeurs internationaux et non sur les prix nets.

2245. Cependant, ces nouvelles politiques de prix (prix « FOB », harmonisation des marges, « corridors » de prix par exemple) ne vont que progressivement être mises en place, jusqu'à l'échéance de 2002. Des demandes de clients, tentés d'exploiter les écarts de prix transfrontaliers existants actuellement, sont donc à prévoir. Dans l'attente de cette réflexion sur le fond de la politique tarifaire, une communication, sans doute plus réactive (en réponse à des clients) que proactive (diffusée à tous), doit être préparée.

Cette communication peut être fonction :
— d'une part, des écarts de prix réels (prix nets de toutes remises avant ou arrières) entre pays, pour un produit, ou groupe de produits donné ;
— d'autre part, de la capacité de l'entreprise à les justifier. En effet, ces écarts peuvent provenir soit de différences objectives de coûts entre pays (par exemple coût du travail, taxes, prix de l'immobilier, coût des matières premières, etc...), soit de différences de marges, liées à la politique commerciale de l'entreprise.

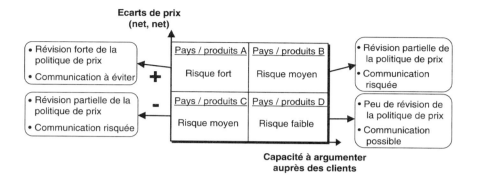

Dans l'attente des ajustements pouvant résulter de cette analyse des risques, l'entreprise aura intérêt à orienter son discours sur les produits pour lesquels les écarts de prix sont les plus faibles et pour lesquels ils s'expliquent largement par des écarts de coûts. Les disparités tarifaires entre pays peuvent ainsi, dans certains cas, être gérées à court terme par une communication appropriée.

B. Accélération des tendances actuelles : une gestion cohérente des rôles des canaux de distribution

1. Les industriels devront gérer la concurrence accrue des canaux de distribution

2250. Avec la facilité accrue de circulation des produits et services et la diminution du risque de change des importateurs, l'euro va accroître la concurrence entre les canaux de distribution des entreprises ainsi que les importations parallèles. Cette évolution accentuera les problèmes de **cohérence tarifaire** auxquels sont déjà confrontés les industriels.

L'exemple du **secteur automobile** est ainsi particulièrement explicite : les grossistes achètent et vendent en quantités des voitures à des prix inférieurs à ceux des concessions, ce mouvement étant d'autant plus fort que les constructeurs pratiquent des politiques tarifaires différenciées en fonction des pays. Ainsi, un des premiers concurrents de Renault est Renault lui-même, au travers de ses filiales étrangères et de ses différents canaux de distribution.

Cette problématique est également caractéristique de certains équipementiers automobiles (pneumatiques, pièces détachées...) qui doivent gérer plusieurs canaux de distribution concurrents : concessions automobiles, agents ou négociants spécialisés par exemple. En effet, un agent a le choix de se fournir soit chez son concessionnaire, soit chez un négociant. Ces derniers ont souvent la taille et l'organisation nécessaires pour

291

acheter à l'étranger dans de meilleures conditions au même fabricant, proposant ainsi aux agents les mêmes produits à meilleur prix que les concessionnaires. Ceux-ci se retournent alors vers les équipementiers pour réclamer ces baisses de tarifs, accroissant la pression sur les prix par un phénomène de concurrence interne. Ces conflits entre canaux de distribution vont se développer avec l'arrivée de l'euro et gêner encore plus les fabricants dans leur gestion des canaux de distribution.

De tels exemples soulignent l'urgence pour les industriels d'une gestion plus cohérente de leur distribution afin d'éviter une érosion rapide de leur propre marge.

2251. Face à cette problématique, les industriels disposent de plusieurs possibilités :

2252. *Spécialisation des produits par canal de distribution* — Chaque canal de distribution propose alors une gamme de produits qui lui est propre. Cette solution de distribution sélective sera de plus en plus difficile à mettre en œuvre pour des canaux de » distribution dont l'entreprise n'est pas propriétaire, tant pour des raisons juridiques (« nécessité de respecter les conditions de validité posées par les droits de la concurrence nationaux — ordonnance de 1986 pour la France — et communautaire — articles 85 et 86 du traité de Rome »), que commerciales (difficulté de gérer une politique sélective avec de grands clients distributeurs).

2253. *Différenciation des produits entre pays* — La vente de produits différents selon les pays réduit de fait le risque de voir le même produit revendu moins cher dans un pays donné à cause d'importations parallèles. Cependant, cette solution semble difficile à appliquer économiquement, car elle réduit les possibilités d'économies d'échelle. En revanche, elle peut être pertinente pour des produits assez locaux par nature (certains produits alimentaires ou culturels par exemple), ou lorsqu'elle ne remet pas en question les principes d'économie d'échelle (avec des adaptations mineures par exemple).

2254. *Harmonisation des politiques tarifaires entre les canaux de distribution selon des variables objectives (volumes, délai ou lieu de livraison...)* — Si cette solution semble une des plus pertinentes à moyen terme, elle réduit sensiblement les possibilités de marges supérieures pour les fabricants dans certains pays. En effet, elle n'élimine pas totalement les possibilités d'importations parallèles dues à des achats en quantité par des gros clients. Les conflits devront alors se traiter au cas par cas.

2. Le renforcement du contrôle des canaux de distribution par les industriels

2257. Pour un grand nombre d'entreprises industrielles, l'euro peut représenter une occasion de renforcer les liens existant avec le réseau de distribution, et d'améliorer ainsi leur part de marché au sein du réseau de distribution. Cette opportunité est surtout réelle pour les réseaux disposant de peu d'outils ou de ressources pour gérer l'euro (points de ventes indépendants, artisans, commerçants...).

Par exemple, la mise à disposition ou la vente d'un logiciel de passage à l'euro peut représenter pour un éditeur de livres, une occasion de valoriser sa présence et son apport auprès de petits libraires, peu au fait des modalités du passage à l'euro.

Les mouvements de concentration des industriels représenteront par ailleurs une opportunité pour eux d'exercer une pression accrue sur leurs intermédiaires et distributeurs pour gérer les trop fortes disparités de prix entre pays.

Pour les distributeurs eux-mêmes, ou pour les industriels disposant de leur propre réseau de distribution (notamment à l'international par l'intermédiaire de filiales), l'euro peut représenter une occasion de renforcer leur contrôle sur leurs points de vente ou sur leur filiales.

> Par exemple, un grand distributeur de journaux et magazines, gérant un réseau de distribution européen de 20 000 grossistes et détaillants, sera confronté à un risque fort de perte de chiffre d'affaires et de marge si ses points de vente ne gèrent pas correctement la transition de leurs activités vers l'euro. Ces risques sont anticipés avec le développement de programmes de formation adaptés aux détaillants, un meilleur contrôle des ventes et des prix pratiqués pour les consommateurs finaux, et l'harmonisation des politiques de distribution dans les zones frontalières (par un travail spécifique avec les filiales de distribution installées dans ces zones). Cette politique de suivi des points de vente peut aller de pair avec un renforcement du contrôle exercé sur eux, ou avec une normalisation de certaines procédures.

3. Développement de la vente directe aux clients via le commerce électronique

2260. L'émergence du commerce électronique en tant que canal de distribution à part entière est une opportunité de vente directe que les industriels devraient être incités à développer avec le passage à l'euro : il est possible de proposer à l'ensemble des consommateurs et entreprises européens des produits dans une monnaie qui sera la leur, sans avoir à convertir les prix comme cela se fait actuellement. L'euro rend de fait plus transparents et faciles les *paiements sur Internet* pour les consommateurs européens.

L'usage de ce canal, s'il présente des opportunités très fortes de vente de nouveaux produits aux clients existants ou de conquête de nouveaux clients pour les produits existants, impose la proposition d'un *prix* de base du produit *unique* (hors livraison), puisque le site Web sera accessible à l'ensemble des clients européens.

Cependant, l'utilisation de ce canal n'est pas contradictoire avec le maintien de prix différenciés car ce canal de vente interactif est un vecteur privilégié de personnalisation de l'offre, d'une part, de l'offre produit (le client commande son produit en fonction de ses critères de choix propres) et d'autre part, d'offres de services liés au produit (garantie, délai de livraison, traçabilité des colis durant leur acheminement...). Il est en outre possible, comme certains le font déjà, de créer une première page qui sert de filtre au site en demandant au client de préciser son pays d'origine et en l'orientant en conséquence, laissant ainsi une possibilité de différenciation des prix.

C. Des changements importants dans l'offre de produits et services sont à prévoir

1. Adaptation des produits existants ou évolution des marges ?

a. Renforcement des tendances actuelles vers un marketing « européen » des produits

2265. L'euro, à l'échelle de l'Europe, va renforcer une tendance lourde à la globalisation des marchés avec la conception et la vente des produits sur une base européenne, conséquence ou cause de l'uniformisation des goûts des consommateurs européens.

Ceci n'est pas un fait nouveau : les **marques**, les campagnes de **publicité** se développent à une échelle européenne, voire mondiale : Gillette, Danone, Nestlé en sont des exemples connus.

L'euro permettra sans doute à des marques ou à des entreprises plus petites, nationales, voire locales, de se développer plus facilement à l'international, puisque, avec des adaptations mineures (packaging par exemple), il devrait être possible de rentabiliser les produits sur une base plus large.

b. Influence de l'évolution des prix psychologiques sur les caractéristiques des produits

2266. Une conséquence très visible de l'euro pour les consommateurs est l'évolution des prix de vente et leur incidence sur les prix psychologiques.

Un pack de huit yaourts vaut aujourd'hui 16,95 FF ou 2,58 €. Le prix en euros est de fait beaucoup moins attrayant, moins « parlant » que le prix en francs.

Si le fabricant ou le distributeur souhaite effectivement retrouver un prix « psychologique » attrayant en euros, deux choix s'offrent à lui : faire évoluer le prix consommateur du produit au détriment ou en faveur de la marge ou faire évoluer le produit lui-même.

Évolution des prix de vente

2267. Le premier choix sera de faire évoluer uniquement le prix. L'alternative sera de vendre le même pack de huit yaourts 2,5 € ou 2,6 €. Dans un cas, 8 cents d'euros ont été perdus, dans l'autre cas, 2 cents d'euro ont été gagnés.

Cette augmentation ou diminution du prix de vente des produits se répercutera directement sur la marge du distributeur et, par contrecoup, du fabricant.

Compte tenu des volumes vendus, cette différence pourra être très significative avec des effets inflationnistes, fabricants et distributeurs préférant bien sûr augmenter plutôt que baisser leur marge. Cependant, le jeu de la concurrence, tant entre fabricants qu'entre distributeurs, ne permettra sans doute pas de telles dérives.

Modification des caractéristiques des produits en fonction du prix psychologique cible

2268. Un deuxième choix pour l'entreprise pourra être de modifier le produit lui-même. Les ingrédients de ces huit yaourts pourront être modifiés pour atteindre par exemple le prix cible de 2,5 € et maintenir le niveau de marge du fabricant. Ou alors, l'entreprise pourra modifier le conditionnement de ces yaourts sans en modifier la recette de base ou le packaging (quatre yaourts au lieu de cinq par pack). En effet, en gardant le même prix au pot, un pack de six yaourts vaudra 1,99 €, prix beaucoup plus attrayant commercialement.

L'euro pourra donc avoir des conséquences sur la nature même des produits, conduisant les entreprises à revoir leurs lignes de production, leurs achats de matières premières ainsi que les composants de ces produits.

Si les biens de grande consommation sont concernés directement par l'évolution des prix psychologiques, les biens intermédiaires le seront également par contrecoup. Il s'agira par exemple de respecter un prix limite ou nouveau cahier des charges, pour un certain composant, de façon à atteindre au final un prix consommateur prédéfini.

2. L'euro, catalyseur de la créativité marketing

a. Remise en cause des politiques marketing

2270. L'euro est plus généralement une occasion pour les entreprises de rationaliser leur portefeuille de produits et services.

Il peut également remettre en cause le positionnement, voire l'existence, de certains produits peu rentables, dont l'adaptation serait plus coûteuse que l'abandon. Le phénomène d'atténuation de la perception des différences de prix dans les premiers temps du basculement à l'euro pourra remettre en question les positionnements de produits proches, ou renforcer le besoin de différenciation.

> Dans le domaine de la distribution de produits pétroliers, par exemple, seuls quelques centimes sur le prix du litre d'essence différencient actuellement les enseignes (Total, Shell, Esso, etc.). Cette **différence**, rapportée en euros, deviendra probablement **insignifiante**, voire nulle dans certains cas, obligeant ces enseignes à renforcer d'autres sources de différenciation.

b. Création de nouveaux produits et services

2271. En bouleversant les référentiels de prix, l'euro a contribué à stimuler la créativité lors de la conception et du lancement de nouveaux produits. De nombreux produits « euro » ont d'ailleurs déjà vu le jour : calculettes, SICAV en euros par exemple.

L'euro rendra également nécessaire la création de toute une série de services destinés à faciliter l'achat et la compréhension des consommateurs : renseignements prix, aide aux consommateurs, double affichage, etc.

Plus profondément, l'euro aura une influence certaine sur les actions promotionnelles, tant au niveau des conditionnements des produits mis en avant que de l'échelle géographique des promotions : par exemple, il est à prévoir que les traditionnelles « foires à 10 francs », en se transformant en « foires à 1 ou 2 euros » pourront être développées à l'échelle européenne et conduiront à la création de nouveaux produits ou conditionnements pour les grandes surfaces de distribution.

SECTION III

Conséquences et enjeux opérationnels dans les domaines commerciaux et marketing

1. Des impacts d'ampleur et de nature variable selon les entreprises

2275. Au regard des quatre dimensions organisationnelles clés de ces entreprises, les caractéristiques principales permettant d'évaluer l'ampleur et la nature de ces impacts sont les suivantes :

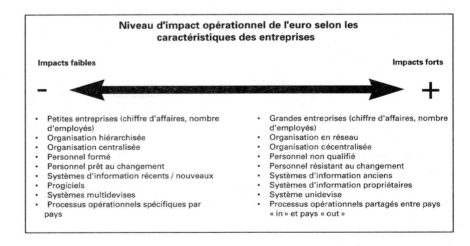

Niveau d'impact opérationnel de l'euro selon les caractéristiques des entreprises	
Impacts faibles	**Impacts forts**
• Petites entreprises (chiffre d'affaires, nombre d'employés)	• Grandes entreprises (chiffre d'affaires, nombre d'employés)
• Organisation hiérarchisée	• Organisation en réseau
• Organisation centralisée	• Organisation décentralisée
• Personnel formé	• Personnel non qualifié
• Personnel prêt au changement	• Personnel résistant au changement
• Systèmes d'information récents / nouveaux	• Systèmes d'information anciens
• Progiciels	• Systèmes d'information propriétaires
• Systèmes multidevises	• Système unidevise
• Processus opérationnels spécifiques par pays	• Processus opérationnels partagés entre pays « in » et pays « out »

2. La centralisation des structures commerciales et marketing sur une base européenne

2277. Les évolutions vers des négociations « européennes » ont déjà entraîné chez les industriels une adaptation des structures commerciales de « front-office » (directement en contact avec les clients) et de « back-office » (administratifs) à la gestion de comptes clés européens, et ont permis de renforcer la nécessité d'une vision européenne de leur activité.

Ces adaptations se traduisent entre autres par la création de structures marketing, commerciales, de service à la clientèle, ou encore de « centres d'appel » (administration des ventes, service client) centralisés au niveau européen ou, dans certains cas, de façon plus restreinte, au niveau de pays présentant une certaine homogénéité culturelle (France/Belgique ou Allemagne/Autriche par exemple). Le choix du *pays d'implantation* de ces nouvelles organisations se fait, plus encore qu'aujourd'hui, sur la base de critères fiscaux, sociaux, ou d'attractivité économique générale d'un pays ou d'une région.

Parallèlement à la réorganisation des services de gestion des clients, la nécessité de gérer des prix « nets départ usine » cohérents entre pays et compétitifs pourra conduire à une centralisation accrue des structures de production et de logistique des fournisseurs.

3. Des systèmes d'information permettant une gestion des activités commerciales et marketing au niveau européen

2279. Le développement de structures de marketing et de vente européennes induit ou accéléré par l'euro entraînera la mise en place de systèmes capables de collecter et de gérer sur une base européenne des informations sur les clients, les concurrents, les canaux de distribution, les produits et les prix. Cette base pourra être exploitée aussi bien par les structures centralisées que par les supports marketing et vente locaux.

En ce qui concerne les processus opérationnels de gestion de la relation avec les clients « business », les entreprises ont mis en place des systèmes capables de gérer dès maintenant et jusqu'en juin 2002, la cœxistence des monnaies locales et de l'euro, l'élaboration des tarifs et catalogues de vente, les réponses aux appels d'offres, les conditions générales de vente, la spécification de la monnaie de paiement lors du passage d'une commande, la gestion de la facturation (réconciliation des paiements et des factures, gestion des effets à recevoir...).

4. La formation à l'euro et la centralisation des services : deux impacts majeurs sur le personnel

Une formation nécessaire du personnel en contact avec la clientèle pour conserver efficacité et niveau de service client

2281. Pour les grandes chaînes de distribution, la formation du personnel en contact avec le client, en particulier la familiarisation avec les nouveaux équipements de caisses, la manipulation d'une nouvelle devise est un facteur clé du succès du passage à l'euro de l'entreprise, d'autant plus que cette période de transition vers l'euro s'accompagnera, au niveau de ces personnels, d'un *surcroît* *de travail* lié à la gestion de la double monnaie et d'un surcroît de temps passé avec le client qui aura besoin d'aide et d'information.

Chez les distributeurs en contact avec le client final, un effort important de formation est d'ores et déjà entrepris au niveau de l'ensemble du personnel en contact avec la clientèle, du directeur de magasin aux caissières.

> Une grande chaîne d'hypermarchés a d'ores et déjà calculé que la gestion de deux monnaies ferait passer le temps moyen d'encaissement des espèces d'une minute à une minute et demie.

2282. Mais plus encore que cet effet direct sur des besoins en formation, l'euro créera lors de sa mise en place effective (pièces et billets, en 2002), une remise en cause de la *hiérarchie des compétences* du personnel. De nombreux automatismes de connaissance des prix, de rendu de la monnaie par exemple sont aujourd'hui mieux maîtrisés par les caissières les plus anciennes, fortes de leur expérience. Leur légitimité professionnelle pourrait être remise en cause avec un changement de monnaie : elles devront « désapprendre » leurs automatismes acquis grâce à leur expérience, pour en apprendre de nouveaux, et ce, dans un délai très court (quelques semaines). Inversement, les caissières les plus jeunes seront sans doutes les plus compétentes, n'ayant pas de réflexes à perdre, et apprenant plus facilement et rapidement un nouveau fonctionnement en euros. Cette inversion des compétences du jour au lendemain posera sans doute quelques problèmes de gestion du personnel.

2283. Les adaptations nécessaires des services commerciaux et marketing aux évolutions de l'environnement des marchés auront un impact fortement structurant sur l'*organisation des personnels* des départements marketing, vente et service à la clientèle.

La réorganisation des services marketing et commerciaux pour gérer des comptes clés européens, la création de services clients centralisés, l'émergence de nouveaux canaux de distribution tels que le commerce électronique engendreront des redéploiements de personnel qui pourront entraîner une rationalisation des effectifs, la recherche de nouvelles compétences fonctionnelles, linguistiques et technologiques.

5. Une modification de certains processus marketing et commerciaux

2285. L'ensemble des processus marketing et vente sont impactés par l'euro, tant pour les industriels que pour les distributeurs.

Entreprises industrielles : processus marketing et commerciaux

Distributeurs : processus marketing et commerciaux

Ces impacts peuvent être identifiés à partir d'une décomposition standard des processus, comme le montre le schéma ci-dessus. Voici quelques exemples :

2286. *Exemples d'impacts de l'euro sur les processus marketing et commerciaux*

Marketing
— Adaptation des supports de vente ;
— validation à l'avance de la prise en compte de l'euro dans la conception des actions marketing (publicité, promotion...) ;
— passage à un plan marketing en euros ;
— revue de la segmentation prix existante et adaptation à l'euro.

Développement des produits
— Prise en compte de l'euro dans le processus de budgétisation et de développement des nouveaux produits (calcul des prix de revient, achats de matières premières, définition de prix cibles...) ;
— processus de revue opérationnelle des produits existants (changements concrets et inévitables à apporter).

Vente
— Adaptation des processus de tarification, de suivi de propositions, de signature de contrats en euros... ;
— adaptation des processus de facturation et d'encaissement ;
— adaptation des processus de crédit client, de suivi des encours et des litiges ;
— adaptation des conditions générales de vente ;
— adaptation des processus spécifiques de gestion des comptes clés en fonction de leurs attentes.

Service clients
— Mise à disposition et actualisation permanente des informations euro auprès du service clients ;
— adaptation des processus de gestion des réclamations liées à l'euro (mesure et traitement) ;
— adaptation du processus de mise en œuvre des garanties ou après-vente (plafonds, coûts...).

2287. Une telle liste doit naturellement être complétée et personnalisée en fonction de chaque entreprise, industrielle ou distributrice. Celles-ci devront reprendre la décomposition de leurs processus (à l'aide par exemple d'une chaîne de valeur élémentaire comme celle figurant ci-dessus) et analyser étape par étape, les impacts possibles.

De nombreuses adaptations de processus concernent les systèmes d'information. En effet, ceux-ci occupant une place croissante dans les entreprises, l'adaptation de nombre de processus comme la facturation, l'encaissement ou encore le budget commercial et marketing passe par des modifications de systèmes d'information. Les problématiques qui leur sont liées ainsi que la démarche possible à adopter sont décrites dans le chapitre consacré aux systèmes d'information (n°s 2700 s.).

Par ailleurs, au-delà des adaptations techniques indispensables, ces changements de processus feront sans doute partie des changements les plus directement ressentis par l'ensemble du personnel, autour desquels il sera nécessaire de communiquer et d'informer.

2288. Les points essentiels à retenir concernant la stratégie commerciale et marketing sont les suivants :

⇒ Les impacts inévitables de l'euro dans les domaines commerciaux et marketing représentent des changements considérables à mettre en œuvre. Leur recensement doit faire l'objet d'une démarche structurée de la part de l'entreprise, qui doit s'astreindre à *passer en revue l'ensemble de son activité marketing et commerciale : ses clients, ses produits et ses canaux de distribution.*

⇒ *Une première analyse rapide de l'importance de ces enjeux* peut être faite à partir des problématiques décrites dans ce chapitre. Cette première analyse a déjà été conduite par la plupart des entreprises, dans la perspective de 1999, et a conduit à des adaptations essentiellement techniques (factures, encaissement, systèmes d'information,...).

⇒ *Cette première analyse doit être néanmoins poursuivie en détail,* pour aboutir à une réelle préparation des entreprises dans la perspective de 2002. Cette échéance est en effet porteuse d'enjeux forts, en particulier concernant la politique de prix et de ses conséquences commerciales, industrielles et organisationnelles.

⇒ Au-delà d'une démarche réactive et contrainte dans l'adaptation à l'euro, l'intérêt des entreprises est de *s'y préparer rapidement en interne pour pouvoir mieux en tirer partie en externe, et surtout auprès de leurs clients.* La qualité de la préparation interne se reflétera auprès des clients, dont certains sont déjà prêts à exploiter l'euro lors de leurs négociations d'achats.

⇒ *L'euro est certes une contrainte nouvelle, mais aussi une opportunité de croissance, de développement de l'image de marque ou d'économies* dans bien des cas, indépendamment de la taille des entreprises : nous l'avons illustré au travers de plusieurs exemples de nouveaux produits ou services, d'ouverture de nouveaux marchés notamment. La capacité d'une entreprise à l'exploiter dépendra peut-être autant du marché dans lequel elle évolue que de sa volonté réelle d'en tirer profit.

CHAPITRE III

Stratégie industrielle

2300. Depuis le 1er janvier 1999, l'euro est au cœur de la vie de l'entreprise : bien plus que les aspects internes de comptabilité ou de finance, il redéfinit le positionnement de l'entreprise vis-à-vis de l'ensemble de ses partenaires. Certes, les entreprises n'ont d'après les textes « ni obligation, ni interdiction » d'utiliser l'euro dans leurs transactions. Il s'agit là que d'un principe qui pourrait être rapidement réduit à néant par les choix des grandes entreprises d'adopter rapidement la monnaie unique, imposant ainsi en pratique l'utilisation de l'euro dans les transactions. Il convient donc d'anticiper et d'envisager ce que deviendront les relations entre les entreprises dans le cadre de la monnaie unique (section 1).

Les décisions des entreprises quant à l'utilisation de l'euro ne sont toutefois pas uniquement définies par ce qu'ont décidé les autres, mais sont aussi les conséquences des effets de l'euro sur leur activité, c'est-à-dire sur leurs outils de gestion et de production (section 2) et sur les nouvelles opportunités et ouvertures qui leur sont offertes, notamment en terme de politique d'achats (section 3).

SECTION I

Relations entre entreprises

2301. Un des grands avantages de l'euro est qu'il va, à terme, simplifier les relations entre les entreprises grâce à l'utilisation d'une même monnaie dans la zone euro. Cependant, en attendant l'échéance du « tout euro » en 2002, les entreprises vivent une période de trois ans durant laquelle anciennes monnaies nationales et monnaie unique doivent cohabiter. La règle du « ni, ni » (« ni obligation, ni interdiction »), destinée à apporter de la souplesse et à permettre aux entreprises de gérer la migration à leur rythme, s'avère complexe à appliquer dans la pratique.

En effet, cette période de « liberté » est source de **confusion** et de **décalages** : les entreprises autrefois habituées à communiquer entre elles dans une monnaie définie vont devoir passer par plusieurs phases durant lesquelles leur monnaie de référence peut différer. Cela génère des risques de discontinuité dans la chaîne de facturation.

En conséquence, une bonne connaissance de son environnement est essentielle dans la définition d'une stratégie de migration vers l'euro. Cependant, si cette idée semble évidente à première vue, elle s'avère compliquée à mettre en œuvre, dans la mesure où il est difficile de bien connaître les choix retenus par ses principaux clients, fournisseurs et concurrents.

La clé de la réussite est donc d'être flexible et d'adopter des solutions permettant de répondre rapidement à l'évolution du marché. Dans chaque secteur, en effet, les leaders feront connaître leur approche de l'euro et entraîneront toutes les entreprises qui dépendent d'eux. Le coût d'adaptation peut être élevé pour certaines de ces entreprises, mais l'enjeu est de taille : celles d'entre elles qui auront su se montrer flexibles et réactives ont des chances d'en tirer un avantage concurrentiel non négligeable.

A. Problème du ni, ni pendant la période transitoire

2302. Un des *principes* fondamentaux adoptés lors du Conseil européen de Madrid, en juin 1996, est celui du « ni obligation, ni interdiction ». Cette règle permet de donner un cadre juridique aux relations entre entreprises pendant la période transitoire. En théorie, chaque entreprise est libre de définir son propre plan de migration, en fonction de ses contraintes internes. Cela implique notamment que nul ne peut la contraindre à accepter des factures ou des paiements en euros avant le 1er janvier 2002.

En *pratique*, cependant, les entreprises ne peuvent ignorer les contraintes liées à leur environnement. Le choix d'un scénario de migration ne peut se faire sans tenir compte de la position des différents acteurs internes et externes comme le montre le schéma suivant :

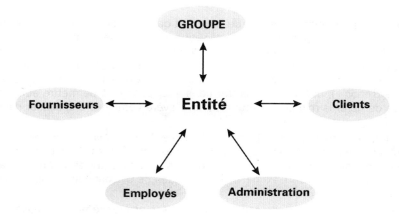

— Dans quelle devise vais-je remonter ma liasse de reporting ?
— Certains employés vont-ils demander à être payés en euros ?
— Mes fournisseurs peuvent-ils m'imposer une devise de règlement ?
— Mes clients vont-ils m'imposer une facturation ou un encaissement en euros ?
— Etc.

2303. Le principal obstacle auquel sont confrontées les entreprises est le *manque de vision externe* : quelle est la position de mes clients ? Comment va réagir la concurrence ? Les projets euro étant menés simultanément, il est difficile de connaître le scénario de migration des principaux partenaires avant qu'eux-mêmes aient mené à bien leur propre analyse.

Par ailleurs, certains groupes préfèrent ne pas dévoiler trop tôt leur attitude vis-à-vis de l'euro afin de conserver un avantage concurrentiel. À l'inverse, d'autres pratiquent l'effet d'annonce avant même d'avoir figé une politique définitive. Or la connaissance des positions respectives, notamment en ce qui concerne les clients, est fondamentale et doit servir de base à la détermination d'une stratégie euro.

Ce manque de visibilité complique la préparation des entreprises face à l'arrivée de la monnaie unique. Il les contraint à baser leur stratégie de passage à l'euro sur des *hypothèses*, à élaborer différents scénarios et à adopter des solutions couvrant le plus de cas possibles. Ainsi, par prudence, certaines entreprises ont déployé des moyens importants afin d'être prêtes le 1er janvier 1999 quitte à être en avance par rapport à leur marché.

Mais le risque principal est que, par manque de visibilité, les dirigeants ne prennent pas conscience à temps de l'imminence et des impacts de l'euro, ce qui retarderait leur préparation et risquerait de les mettre dans une situation de retardataire sur un marché majoritairement pro-actif vis-à-vis de l'euro.

2304. En termes d'opérations, le déphasage entre les calendriers de migration des différents partenaires est synonyme de complexité, de traitements manuels, de solutions « jetables » et donc de surcoûts. On ne parle plus de « l'avant » et « l'après » euro, simple substitution d'une monnaie de référence par une autre. La réalité risque d'être beaucoup plus complexe. Les *phases successives* sont les suivantes :
— l'avant euro avec basculement de partenaires en euros,
— la migration (changement de la devise de référence),
— l'après-euro avec gestion de partenaires en francs,
— le « tout euro » avec pièces et billets en francs et en euros,
— le « tout euro ».

Chaque phase nécessite des travaux de préparation, la mise en place de systèmes temporaires (convertisseurs) ou définitifs, des tests approfondis, des procédures de contrôle additionnelles et toute l'information interne/externe correspondante.

2305. Les entreprises les plus affectées lors de la transition vers l'euro seront celles qui sont équipées de *systèmes monodevise* et qui ne sont donc pas en mesure d'adopter la solution consistant à traiter l'euro ou le franc comme une devise supplémentaire. En revanche, toutes les entreprises seront confrontées à une problématique de *discontinuité dans la chaîne de facturation* : commande d'achat, facture fournisseur, paiement au fournisseur, contrat de vente, catalogue de prix, réception de commande, livraison, facturation client, encaissement, lettrage, retour, avoir, statistiques... Autant d'événements susceptibles d'être exprimés en francs, en euros, ou dans les deux monnaies. Les entreprises vont devoir jongler avec deux devises de référence : le franc (« F », dans le schéma ci-après) et l'euro (« E »). Les conséquences sont multiples : augmentation des traitements manuels, écarts d'arrondi, erreurs et confusions mais surtout perte de cohérence (voir schéma).

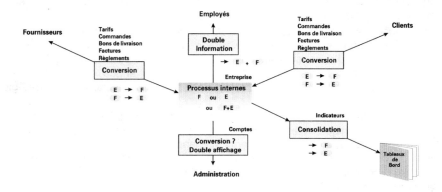

2306. *Exemples de pertes de cohérence :*
— achats en francs et ventes en euros ;
— comptabilité analytique en francs et gestion des ventes en euros ;
— comptabilité générale en francs et reporting en euros ;
— catalogues de prix en francs et statistiques de ventes en euros ;
— etc.

Les discontinuités ne posent pas de problèmes majeurs (dans la mesure où la conversion s'effectue par une décision — relativement — simple). En revanche, elles risquent de compliquer les travaux — pointage, lettrage, rapprochement, contrôle — et constituent autant de sources d'erreur.

2307. Si les entreprises peuvent difficilement échapper à la problématique de discontinuité, elles peuvent néanmoins agir pour limiter au maximum les impacts. Il est nécessaire pour cela de mener une analyse détaillée des contraintes internes et externes et de définir des axes de solution cohérents avec cet environnement.

2308. *Exemples d'actions permettant de limiter les contraintes liées au « ni, ni » :*
— interrogation des clients et fournisseurs et programmation d'une date de basculement concertée ;
— mise en place d'un outil informatique flexible ;
— double affichage francs/euros : contrats, factures, bulletins de salaire, etc. ;
— communication et formation.

B. Les grands groupes imposeront-ils l'euro dès 1999?

2310. Avant même l'échéance de 1999 et de plus en plus depuis, les grands groupes ont rendu publique leur position. La plupart d'entre eux se disent prêts à travailler en francs comme en euros dès 1999 et à respecter la fameuse règle du « ni, ni ». En y regardant de plus près, d'importantes différences de ton peuvent être relevées d'un groupe à l'autre. Les messages varient entre la **liberté totale** — euros et francs sont acceptés sans distinction durant la phase transitoire — et l'**incitation forte** à basculer rapidement.

Certains groupes ont ainsi annoncé qu'ils souhaitent parvenir rapidement à une généralisation des transactions en euros. Sans parler d'obligation, il est parfois précisé que l'entreprise se tournera en priorité vers les fournisseurs les plus **flexibles** et les plus efficients. Le message est clair : dans certains secteurs — automobile, produits pharmaceutiques... — une telle contrainte est synonyme d'adaptation impérative pour les fournisseurs et les sous-traitants.

On assiste donc, dans certains secteurs, à un **effet « cascade »**. Un groupe dont la stratégie est de basculer rapidement vers l'euro entraîne avec lui grand nombre de fournisseurs, ces derniers entraînant eux-mêmes leurs partenaires, et ainsi de suite. Les entreprises pour lesquelles la pression est la plus forte sont les **PME** qui vont devoir rattraper un niveau de préparation généralement faible afin de prendre en compte de courts délais d'adaptation imposés par leurs principaux donneurs d'ordre. L'arrivée de l'euro représente donc un enjeu de taille pour ces entreprises car celles s'étant montrées les plus réactives ont des chances d'en tirer un avantage concurrentiel non négligeable.

C. Qui doit supporter le coût du basculement?

2315. Parmi les coûts de passage à l'euro, il convient de distinguer ceux liés à l'adaptation de la chaîne de facturation (période transitoire) et ceux liés au basculement général des applications (Jour E).

En ce qui concerne le basculement général, il est probable que chaque entreprise supportera la charge liée à sa propre migration. À l'inverse, la répartition des coûts liés à l'adaptation de la chaîne de facturation risque d'être plus complexe.

2316. Les orientations du groupe de travail Simon/Creyssel visent à clarifier la répartition des coûts entre client et fournisseur : « les contraintes et/ou le coût résultant du passage à l'euro de la chaîne d'achats ou de facturation doivent être **à la charge de l'entreprise qui en prend l'initiative** ». La philosophie de cette recommandation se place dans le prolongement de la règle du « ni, ni » qui dispose qu'aucune entreprise ne peut imposer l'euro à une autre (voir n^{os}152 s.). En conséquence, les investissements d'une entreprise liés à l'euro ne doivent pas pénaliser ses partenaires.

Cette orientation peut sembler théorique et inapplicable. Dans la pratique, en effet, une entreprise peut difficilement refacturer explicitement ses propres coûts de passage à l'euro à ses clients ou à ses fournisseurs. En revanche, est probable que, dans certains cas, des coûts seront répercutés implicitement sur des partenaires, en fonction des **rapports de force** commerciaux.

> À titre d'exemple, les annonces faites par la grande distribution laissent entendre que les coûts liés au double affichage des prix, à l'adaptation des étiquettes, à la sensibilisation des consommateurs pourraient être répercutés sur les fournisseurs.

Une application à la lettre de cette recommandation aurait un effet sur l'économie française, car elle pousserait les entreprises dans une attitude attentiste (attendre que leurs partenaires prennent l'initiative du basculement à l'euro pour ne pas en supporter le coût?), ce qui in fine ne pourrait que mettre en danger le basculement de l'ensemble des acteurs économiques.

2317. À l'inverse, dans certains cas exceptionnels, des clients pourraient choisir d'**aider** leurs principaux **fournisseurs** à passer à l'euro, soit financièrement, soit sous forme d'assistance technique. Cette attitude peut résulter de la recherche d'économies d'échelle, du souci d'intégration sectorielle, ou du souhait de renforcer des partenariats clients-fournisseurs, voire des alliances stratégiques De telles actions se sont vues dans le passé, dans le domaine de la recherche et du développement notamment. Toutefois, même si l'intérêt global du secteur était en jeu, ce genre d'attitude ne devrait pas se rencontrer fréquemment avec le passage à l'euro.

2318. En termes d'action à mener, la **formation des commerciaux et des acheteurs** apparaît comme un point clé. Il s'agit en particulier de leur fournir un argumentaire solide et de les préparer à de rudes négociations sur le sujet de l'euro.

D. Le cas des relations intragroupe

2320. La plupart des grands groupes européens, notamment lorsqu'ils sont cotés, ont commencé à utiliser l'euro pour leur **communication financière** dès janvier 1999. Il n'en demeure pas moins que derrière la façade de l'euro peuvent se cacher des situations plus ou moins homogènes. Dans le cas de maisons mères laissant une forte autonomie de gestion à leurs filiales on peut voir coexister les devises nationales et l'euro au sein d'un même groupe durant toute la période transitoire.

Cependant, il peut être décidé d'adopter l'euro, dès 1999, comme devise unique pour les **transactions intragroupe**. Une telle décision a pour avantage de simplifier les procédures de réconciliation et d'élimination lors de la consolidation. En outre, elle peut permettre d'accélérer le développement d'une « culture euro » au sein d'un groupe.

2321. *Exemple d'organisation possible (période transitoire)*

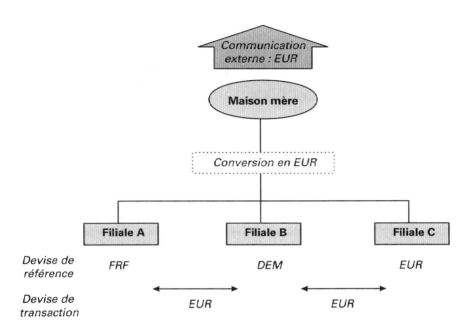

2322. La contrepartie principale de la généralisation de l'euro dans les transactions intragroupe est la *transparence*. En effet, dans un contexte où les administrations fiscales européennes tendent à se coordonner, l'euro facilite considérablement le contrôle des *prix de transfert* entre filiales. Il leur permet notamment d'avoir recours plus facilement à des méthodes de benchmarking pour vérifier la cohérence des prix de cession internes (comparaison avec d'autres pays ou avec d'autres entreprises du même secteur).

Par ailleurs, le change, parfois utilisé comme argument pour justifier les prix de transfert entre pays, ne peut plus être invoqué. Les argumentaires doivent donc être revus avec attention. Mais il est peu probable que toutes les différences pourront être justifiées. Dans ce cas, il est urgent pour les entreprises d'harmoniser les prix de transfert au niveau européen afin d'anticiper de tels contrôles et de réduire l'exposition à de lourdes sanctions.

SECTION II

Politique industrielle

A. Outil de production

2330. L'outil de production n'est pas directement affecté par l'arrivée de l'euro dans la mesure où le processus de production est normalement indépendant de la monnaie dans laquelle les produits sont vendus. En revanche, le passage à l'euro a des impacts non négligeables sur la politique marketing et donc, indirectement, sur les **gammes de produits**.

En premier lieu, les entreprises qui profitent de l'euro pour accéder à un marché plus large seront confrontées à une demande différente de la demande domestique. La définition des produits doit **prendre en compte les différences locales** en termes d'habitudes de consommation, de normes ou de standards de qualité. Les chaînes de production doivent donc être adaptées de façon à répondre à l'ensemble de la demande européenne, soit par des produits standardisés (identiques pour tout le marché européen), soit par des produits « customisés » (spécifiques à chaque zone géographique), en fonction de la stratégie marketing adoptée.

D'autre part, pour des raisons liées au marketing, les **produits** ou leur **conditionnement** peuvent être **modifiés** afin de retrouver des prix psychologiques lors du basculement en euros. Selon la stratégie adoptée, les adaptations portent sur la qualité du produit, sa quantité, ou sur les services associés.

En outre, le fait d'augmenter la quantité de produit permet d'augmenter le prix à l'unité et donc de limiter l'**impact de l'arrondi sur la marge** (un arrondi de 3 centimes — écart minimal de conversion vers le bas — est d'autant plus pénalisant que le prix unitaire est bas).

Dans ces différents cas, les gammes de produits doivent être modifiées.

Enfin, le **conditionnement** des produits doit parfois être modifié pour des raisons d'affichage : prix, code barre, langue, etc.

B. Outils de gestion

2333. Les systèmes de gestion de production ne gèrent, dans la majorité des cas, que des quantités. Dans la plupart des cas, l'introduction de l'euro ne doit donc **pas** nécessiter de **refonte des systèmes**.

En revanche, les *chaînes de comptabilité industrielle et de comptabilité analytique* gèrent des données valorisées. Cependant, la valorisation est le plus souvent basée sur des données extraites de la comptabilité, donc déjà converties dans la devise de référence (voir schéma).

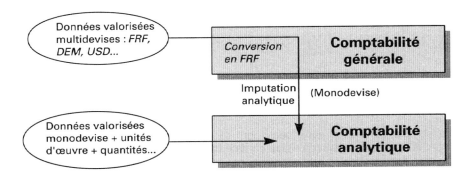

Enfin, lors du basculement définitif du franc vers l'euro, les prix de revient vont être divisés par 6,55957. Dans le cas de prix unitaires faibles (inférieurs à un franc), une gestion à deux décimales peut se révéler inappropriée.

Exemple :

Prix unitaire = 0,45 franc par pièce.

Après conversion (1 € = 6,55957 FF), le prix de revient unitaire devient 0,07 € par pièce.

Le nombre de chiffres significatifs est alors insuffisant pour analyser correctement l'évolution du coût.

À titre d'illustration, si ce prix de revient unitaire augmente de 8 % ou de 21 %, le résultat sera le même : 0,08 € par pièce.

Deux solutions permettent de résoudre ce problème :

— augmenter le nombre de décimales gérées par le système ;

— calculer des prix unitaires par lots (par exemple de dix, cent ou mille pièces).

La problématique de *gestion multidevise* durant la phase transitoire est sans doute moins forte pour la comptabilité analytique que pour la comptabilité générale. Bien entendu, les données issues de la comptabilité analytique (valorisation, analyses, etc.) sont monodevise. Il convient donc de s'assurer de la compatibilité de ces données avec les besoins en gestion de l'entreprise.

De plus la comparaison et le rapprochement des montants issus de la comptabilité analytique et des autres systèmes de gestion peuvent devenir problématiques si les devises de référence des systèmes ne sont pas identiques.

Le problème principal pour les chaînes de gestion est certainement la *conversion des bases de données* et la *reconstitution des historiques* (exemple : recalcul de la valorisation des stocks en euros). Ces problèmes sont abordés plus en détail dans le chapitre 6, n°s 2600 s.

SECTION III

Politique d'achats

A. Une offre plus large sur un marché plus large

2340. La disparition du risque de change au sein de la zone euro fait reculer les barrières nationales et permet aux entreprises d'accéder à un marché européen unifié. Là où certains acheteurs hésitaient à s'aventurer pour cause de coût et de complexité de transaction, il est désormais possible de s'approvisionner, sur l'ensemble de la zone euro, quasiment dans les mêmes conditions que sur le marché domestique. Ultime étape en date de la construction européenne, l'introduction de la monnaie unique a donc pour conséquence d'accroître considérablement les *sources d'approvisionnement* des entreprises. Ceci est particulièrement vrai dans les zones frontalières.

2341. Cependant, beaucoup d'entreprises se considèrent déjà comme européennes dans la mesure où elles font régulièrement appel à des fournisseurs de différents pays d'Europe pour autant que ceux-ci répondent aux exigences de qualité, de prix et de pérennité. Le critère de la devise de règlement semble arriver relativement loin dans le processus de sélection d'un fournisseur. L'introduction de l'euro est donc considérée plus comme un facteur de *simplification opérationnelle* que comme une révolution dans la politique d'approvisionnement.

2342. C'est en revanche le cas pour les *entreprises de taille plus faible* qui tendent parfois à restreindre leurs approvisionnements au marché national. Pour elles, la possibilité d'acheter dans plusieurs pays sans risque et dans leur propre monnaie représente un réel changement. Et cette évolution est d'autant plus forte du fait du développement récent du commerce électronique. Sur simple interrogation, il est aujourd'hui possible d'accéder instantanément aux différentes offres européennes et dans certains cas aux catalogues de prix. L'arrivée de l'euro doit donc conduire bon nombre d'entreprises à reconsidérer leur politique d'approvisionnement.

B. Une harmonisation vers un « prix européen » ?

2343. Les mécanismes de conversion et la fluctuation des monnaies européennes entre elles rendaient la comparaison et la mémorisation des prix relativement complexe. La première conséquence de l'introduction de l'euro est donc sans doute la transparence tarifaire. Depuis 1999, il est possible à chacun de *comparer les prix* d'un même produit dans les différents pays de la zone euro sans effet de variation de change, donc sans incertitude. Or, dans certains secteurs comme l'automobile, les prix varient déjà sensiblement d'un pays à l'autre.

La conséquence logique de la transparence tarifaire est une tendance à l'harmonisation des prix. En effet, le marché unique entraîne une forte pression sur les fournisseurs pour qu'ils proposent une *offre unique ou* tout au moins *harmonisée*. Comment expliquer au directeur des achats d'un grand groupe que l'on vend à deux de ses filiales le même produit, à prestation égale, à des prix sensiblement différents ? Le rempart des frontières devient trop fragile pour pouvoir maintenir des niveaux de prix trop éloignés selon les zones géographiques. Néanmoins, tout comme subsistent des différences de prix à l'intérieur d'un pays, des écarts demeureront entre les différents pays de la zone euro, en raison de réglementations fiscales et sociales différentes, mais aussi pour des raisons logistiques, de taille de marchés, etc. Simplement ces différences de prix devront être justifiées en regard de motifs réels et non plus seulement en fonction de la capacité d'acceptation d'un prix donné à l'intérieur d'un territoire particulier. On assiste donc progressivement à un *décloisonnement des marchés* et à une convergence des prix autour d'un « prix européen ». Cette harmonisation se fera à terme vers le bas ou vers le haut selon les pays, selon les secteurs, et selon le jeu concurrentiel (offre/demande).

2344. Certaines entreprises adoptent dès à présent une attitude offensive face à cette menace. Afin d'*anticiper* sereinement la convergence des prix et d'éviter le développement des importations parallèles, plusieurs groupes ont déjà annoncé qu'ils se dirigeaient progressivement vers un catalogue de prix unique pour la zone euro ou tout au moins vers un « rail tarifaire » (c'est-à-dire conservant des écarts de prix d'un pays à l'autre, mais trop faible pour justifier la mise en place de circuits d'importation parallèles). Bien évidemment, un tel processus s'accompagne de diminutions de marge dans les zones où les prix de vente sont les plus hauts. Les gains attendus en retour, outre les augmentations de marge dans les pays où les prix de vente sont les plus bas, se matérialisent sous forme d'économies d'échelle — marketing unique — et d'amélioration d'image — cohérence de l'offre. L'harmonisation des prix se fait sur la base du montant hors taxe, de sorte que les disparités locales en terme de fiscalité ne pénalisent pas les produits. Cette harmonisation est en route chez certains constructeurs automobiles afin de gommer une partie de la différence des prix, sans pour autant arriver, loin de là, à un prix unique européen.

2345. Vu du *côté de l'acheteur*, on passe d'une vision locale à une vision européenne des approvisionnements. Le pouvoir de comparaison, et donc de négociation, est considérablement élargi. À condition toutefois de mettre en face de ce nouveau marché des structures élargies permettant une appréhension globale de l'offre et la consolidation des volumes achetés dans chaque pays, ce qui peut nécessiter de découpler les fonctions d'achat (centralisables) et les fonctions d'approvisionnement (à conserver locales). Il ne s'agit pas de déconnecter les achats des besoins locaux mais de mettre en place un service européen dont le rôle est de coordonner les politiques d'achat nationales et de faire poids face aux fournisseurs multinationaux.

Il est à noter que la convergence des prix n'est pas toujours bénéfique à l'acheteur. Dans certains secteurs comme l'électronique, les prix de vente sont constamment en baisse. Les entreprises cherchent évidemment à s'approvisionner au plus bas prix pour maintenir les marges. Dans le passé récent, le jeu des fluctuations monétaires a permis à certains de s'approvisionner dans les pays où la monnaie était la moins chère. Avec l'euro et la fixation de parités irrévocables, les opportunités de jouer sur les fluctuations deviennent beaucoup plus rares et, en tous cas, en dehors de la zone euro. Cela pourrait conduire à delocaliser des volumes significatifs d'activité, notamment vers les pays de l'Est dont les coûts salariaux sont par ailleurs très bas. Pour en profiter à plein, il sera toutefois nécessaire de développer des outils d'optimisation de la chaîne d'approvisionnement et de logistique.

C. Un marché pas encore vraiment unique

2346. L'introduction de l'euro est une étape fondamentale vers l'harmonisation de l'offre en Europe. Cependant, comme nous l'avons noté dans le chapitre 1 (n°s 2100 s.), certaines barrières risquent de subsister encore longtemps et donc de freiner la tendance vers une offre unique pour toute la zone euro. Les **barrières** les plus importantes à souligner sont :
— les **différences culturelles ou commerciales** comme la disparité des réseaux de distribution, des types de conditionnement, des moyens et modalités de paiement, des pratiques commerciales (des remises arrière,...), sans mésestimer le « nationalisme » des consommateurs ;
— les **réglementations** mises en place par les États, et qui concourent, volontairement ou non, au cloisonnement des marchés nationaux ;
— les **barrières mises en place par les entreprises elles-mêmes**. Un exemple courant est la multiplication des gammes de produits et des options d'un pays à l'autre. L'objectif est, dans certains cas, de répondre aux disparités locales en terme de demande, mais aussi parfois de rendre la comparaison et les importations parallèles plus difficiles.

D. L'utilisation de l'euro dans les achats permet de trouver un meilleur équilibre financier

2350. Du point de vue financier, la fluctuation des cours de change peut avoir un impact significatif sur la formation du résultat. Dans plusieurs secteurs, les ventes sont réalisées en devises locales alors que les achats se font en dollars.

Un tel déséquilibre rend les entreprises très vulnérables à toute hausse du dollar. Leur situation financière est donc beaucoup plus sensible que celle de leurs concurrents américains.

Ce mécanisme est également valable sur le continent européen : la fluctuation des cours joue un rôle non négligeable dans la rentabilité des entreprises qui importent. Dans de nombreux groupes européens, la structure industrielle traduit un souci d'équilibre financier et de protection contre les fluctuations de change :
— du bilan (financement dans la devise du pays où sont situés les investissements) ;
— du compte de résultat (achats dans le pays où sont faites les ventes).

Or, depuis janvier 1999, les achats auparavant réalisés en devises européennes se font désormais en euros (ou subdivisions de l'euro). La recherche d'équilibres financiers n'est donc plus d'actualité au sein de la zone euro, ce qui peut conduire à des décisions de relocalisation d'activités.

2351. Restent les achats et ventes *avec les pays « out »* (c'est-à-dire les pays n'appartenant pas à la zone euro). Dans le passé, en fonction de leur pouvoir de négociation, les entreprises ont réussi ou non à imposer leur devise nationale dans les contrats. Ces devises devraient normalement être remplacées par l'euro. Cependant, l'attitude des pays « out » reste incertaine. Quel sera leur degré de confiance dans la nouvelle monnaie ? Ne risquent-ils pas, dans un premier temps de refuser l'euro pour une monnaie jugée plus stable ou plus forte comme le dollar ? Dans ce cas, les entreprises européennes concernées se trouveraient dans une situation de déséquilibre financier là même où elles connaissaient la stabilité avant l'introduction de l'euro.

Il est donc essentiel que les acheteurs et les vendeurs se préparent à la négociation et développent un argumentaire solide destiné à rassurer les partenaires les plus « frileux » vis-à-vis de l'euro.

> Toutefois, certaines avancées récentes permettent d'être relativement optimiste. Le secteur de l'*aéronautique*, par exemple, semble se diriger dans une voie favorable aux entreprises européennes. Dans ce secteur historiquement lié à la devise américaine, plusieurs commandes d'avions viennent d'être passées en euros. L'avantage est certain pour les compagnies aériennes dont l'essentiel du chiffre d'affaires est réalisé en Europe, ainsi que pour les constructeurs européens dont les coûts de production sont en majeure partie en devises locales. D'autres secteurs semblent devoir rester majoritairement ancrés sur le dollar, comme le pétrole (du moins tant que les pays producteurs conserveront le dollar comme monnaie de réserve).

Ainsi, l'arrivée de l'euro apporte non seulement une stabilité en interne mais aussi une inertie permettant d'entrevoir un recul de l'influence du dollar sur notre continent.

SECTION IV

Impacts de l'euro sur la communication interentreprises

L'euro facilite la communication entre les entreprises

2353. Malgré une rationalisation et une meilleure intégration des flux physiques entre client et fournisseur, des progrès restent encore à faire dans le domaine de la circulation d'informations commerciales.

L'arrivée de l'euro fait tomber un obstacle de taille sur le chemin de la communication. Elle favorise en particulier le développement d'un outil important dans le domaine des approvisionnements : l'*échange de données informatisées* (EDI). L'EDI permet l'échange, par télétransmission, de données structurées et standardisées entre les applications d'achat et de production du client et le système commercial du fournisseur. En d'autres termes, les commandes sont passées automatiquement, en fonction des besoins, tout en éliminant délais, coûts administratifs et erreurs.

Le principe de base d'un tel outil est la normalisation de données telles que le code article, les quantités, ou le montant. L'introduction de l'euro permet d'harmoniser la dimension « prix/montant » et donc de favoriser les échanges électroniques entre entreprises sur toute la zone euro. Néanmoins d'autres échanges butent sur des différences de standards techniques entre les différents pays (protocoles,...)

Les *entreprises déjà équipées* de systèmes EDI devront quant à elles faire particulièrement attention à la planification de leur passage à l'euro. En effet, l'EDI est connecté à l'extérieur. Ce qui signifie que l'on ne peut basculer ses systèmes sans qu'il y ait de conséquences sur ceux du partenaire. Il est donc nécessaire de prévoir une structure de coordination dans certains secteurs afin de résoudre les contraintes de basculement : big bang lorsque tout le monde est prêt (solution adoptée par la place bancaire) ou basculements successifs en cascade (solution qui semble se dessiner dans le secteur automobile).

Autre exemple de communication entre les entreprises, le *code barre*. Son usage est extrêmement répandu en Europe ; cependant, tous les pays ou tous les secteurs n'en font pas le même usage. Le code sert, la plupart du temps, à renseigner le code article. Le prix, quant à lui, est renseigné dans une base de donnée indépendante. Ce qui signifie que le prix peut être modifié indépendamment du code barre. Toutefois, dans un secteur comme la presse, le code barre contient le prix du produit mais pas la devise. Ainsi, en cas de migration non coordonnée entre éditeur et distributeur, un même montant peut être interprété comme du franc par le premier et comme de l'euro par le second.

2355. En conclusion, les point essentiels à retenir concernant l'impact de l'euro sur la stratégie industrielle sont les suivants :

⇒ Dans la pratique, *la règle du « ni, ni » n'empêche pas certains grands groupes d'imposer à leurs partenaires leurs propres stratégies de migration.* Il est donc essentiel, surtout pour les PME, de bien connaître les contraintes et opportunités externes avant de définir une stratégie de basculement.

⇒ *L'impact de l'euro sur la politique industrielle* est généralement **indirect mais peut dans certains cas être considérable** en cas d'évolution de la gamme de produits ou de relocalisation de la production.

⇒ *L'euro ne devrait pas bouleverser la politique d'achats des entreprises,* notamment pour celles qui ont déjà diversifié leurs sources d'approvisionnement à l'échelle européenne. Néanmoins des arbitrages fixes pourront être inclus dans le cas de faibles différences de coûts unitaires où les composantes du coût (PU mais aussi conditions de transport, logistique,...) pourront être évaluées de façon sûre sans risque de remise en cause par des fluctuations monétaires. En revanche, les entreprises pour lesquelles le risque de change ou la complexité représentait une barrière vont désormais accéder à une offre plus large en passant d'une logique domestique à une logique européenne.

⇒ L'élargissement de l'offre permettra une meilleure transparence tarifaire et pourrait donc, en théorie, conduire à une convergence des prix dans la zone euro. En pratique, d'autres barrières seront certainement maintenues entre les pays et *les entreprises essaieront de maintenir un cloisonnement entre les différents marchés domestiques.*

⇒ *D'un point de vue opérationnel, les relations entre entreprises européennes seront facilitées par l'arrivée de l'euro.* Les *échanges de données* pourront en effet se faire dans une monnaie unique, au travers de réseaux unifiés entre les pays participants.

⇒ En termes d'actions à mener, il est recommandé *d'étudier les opportunités* (nouvelles sources d'approvisionnement, centralisation des achats, moyens de paiement, EDI...) et les *contraintes* (basculement rapide du secteur à l'euro...) liées à l'arrivée de l'euro et de les intégrer à la stratégie de migration.

CHAPITRE IV

Trésorerie, financement et investissement dans le cadre du passage à l'euro

2400. Le 1ᵉʳ janvier 1999, les Européens se sont dotés d'une monnaie unique : l'euro. L'arrivée d'une nouvelle devise est un élément important de bouleversement des modes de paiement pour tous les acteurs du marché (section 1). Mais ce bouleversement n'apparaît pas que comme une contrainte, tant les opportunités qu'il offre sont nombreuses. Les trésoriers d'entreprise doivent donc dès que possible prendre conscience de ces enjeux et tenter de profiter des nouvelles offres qui leur sont proposées pour optimiser leur politique de financement et d'investissement (section II).

SECTION I

Évolution des modes de paiement

1. Des particularités fortes suivant les pays

2401. Les comportements dans l'utilisation des différents moyens de paiement (chèques, virements...) diffèrent très largement d'un pays européen à un autre. Schématiquement, on peut distinguer 3 groupes :

— Les **pays germaniques**, qui ont une très forte utilisation de la monnaie fiduciaire (les pièces et billets), n'utilisent pas ou plus le chèque, et ont une utilisation importante des virements et prélèvements. La tendance dans ces pays est à l'élimination totale des chèques et à une croissance forte des paiements par carte.

— La **France** et le **Royaume-Uni**, qui ont une utilisation très faible de la monnaie fiduciaire, et utilisent de manière intensive tous les types de paiements scripturaux (chèque, carte, virement, prélèvement). Le chèque compte encore pour près de la moitié de ces paiements scripturaux même si sa part relative décroît.

— Les **pays du Sud** (Italie, Espagne, Portugal) partent d'une situation de type germanique et tendent à marche forcée vers un profil franco-anglais.

2402. Moyens de paiement utilisés par pays

Moyens de paiement utilisés par pays

Pays	% monnaie fiduciaire	% monnaie scripturale	Monnaie scripturale (répartition en %)			
			Chèques	Virements	prélèvements	Cartes (inc retraits)
USA	36,3	63,7	74,7	2,4	1,3	21,6
Canada	37,8	62,2	41,0	8,1	6,2	44,8
France	14,3	85,7	43,6	15,7	11,8	18,3
Royaume-Uni	4,5	95,5	33,1	19,9	18,1	28,9
Italie	16,1	83,9	29,7	43,1	7,4	8,2
Belgique	27,5	72,5	9,4	59,5	9,7	21,4
Allemagne	26,9	73,1	6,4	49,2	40,2	4,2
Pays-Bas	19,7	80,3	3,2	51,3	25,1	20,4
Suisse	17,3	72,7	1,6	74,4	3,3	20,7
Suède	9,9	90,1		78,5	6,7	14,8

% élevé de chèques, forte utilisation des paiements scripturaux

% élevé de virements mais faible utilisation en nombre absolu

2403. **« Monnaie unique » ne veut pas dire « acceptation généralisée des moyens de paiement en Europe »**. L'arrivée de l'euro ne permet ni une acceptation plus large, ni un coût plus faible des chèques français dans les autres pays de la zone euro ; en effet, un chèque français en euros utilisé en Allemagne génère toujours des frais de l'ordre de 100 à 200 FF.

De même, il existe dans certains pays (Allemagne, Benelux, Espagne, Italie...) des porte-monnaie électroniques. Plusieurs projets sont en cours en France à ce sujet. Ces systèmes sont techniquement incompatibles, tant au niveau de la carte à puces que au niveau du lecteur commerçants. L'arrivée de l'euro ne changera rien à ces limites, sauf à ce qu'un projet de convergence des normes soit lancé.

2404. De plus, les modalités de **traitement des paiements électroniques** en Europe ressemblent très fortement à une « tour de Babel ». Il est difficile de faire coexister les systèmes de pays comme la France, qui utilise un système centralisé (le SIT) au coût unitaire très réduit (3 centimes par paiement en coût brut pour la banque), avec l'Allemagne, qui utilise le système classique de la banque de correspondants, ou la Hollande qui gère deux systèmes différents qui ne communiquent pas totalement (banques privées et système postal, ce dernier détenant 50 % de parts de marché chez les particuliers).

Un projet avait été envisagé au milieu des années 90 afin de tester l'interconnexion de ces systèmes et a depuis été abandonné. Il en résulte que, au moins dans un premier temps, il n'est pas possible d'utiliser les systèmes de paiements nationaux pour faire des virements ou des prélèvements internationaux.

2405. Enfin, on note que, pour les *prélèvements*, le droit du consommateur peut varier considérablement d'un pays à l'autre. En particulier, certains pays considèrent le prélèvement comme irrévocable, tandis que d'autres acceptent une annulation de paiement jusqu'à vingt jours après le paiement. La mise en place de prélèvements internationaux nécessitera donc au préalable un travail important d'harmonisation juridique.

2406. Finalement, les particularismes nationaux vont conduire à ne pas modifier fondamentalement, à court terme, les modes de paiement existants. Cependant, il faut maintenant pouvoir effectuer en euros les opérations que l'on savait effectuer en francs. Par ailleurs, de nouveaux moyens de paiement sont mis en place, essentiellement pour gérer des paiements transfrontaliers. Ces évolutions sont à la fois un risque et une opportunité. Nous les abordons ci-après.

2. Dangers liés aux chèques en euros

2410. Les modes de paiements matérialisés utilisés en France se limitent essentiellement aux chèques. Il existe d'autres systèmes de paiements tels que le TIP qui commencent par une phase papier, mais ils sont ensuite compensés comme un paiement électronique.

a. Système actuel de compensation des chèques

2412. Le système actuel est basé sur une compensation des chèques via une centaine de chambres de compensation en France, et 7 chambres régionales d'échange d'images chèques (CREIC). Les chambres normales traitent l'essentiel du volume, et les CREIC traitent environ 7 % du volume. Ce système est organisé par la Banque de France qui gère directement l'ensemble de ces chambres (hormis celle de Paris qui est gérée par un consortium de banques privées). Ce système reste *national* après l'introduction de l'euro : aucun accord de partenariat entre banques centrales n'est connu à ce jour. Un tel accord serait de toute façon difficile à obtenir des pays nordiques et germaniques, sachant que la stratégie des banques y est de réduire par tous les moyens la part du chèque dans les moyens de paiements.

Le traitement du chèque est basé sur diverses *normes techniques* décrivant les chèques (lignes CMC7 en bas de chaque chèque, taille des chèques...). Une nouvelle norme a été définie pour les chèques en euro afin de faciliter une lecture automatique des chèques et de permettre à moindre coût un passage à la technologie des images chèques (stockage des chèques émis sous la forme d'images électroniques, ce qui facilite la gestion des transferts entre banque des formules papier, et simplifie la récupération d'un chèque en cas de réclamation). Toutes ces normes sont exclusivement *françaises*. La norme pour les chèques en euros n'a pas été étudié hors de France.

Dans un même ordre d'idée, la France a la particularité de ne pas *faire payer les chèques*. Une commission (commission Jolivet avec les principales banques françaises) a été créée pour étudier les modalités d'abandon de cette réglementation, mais on n'attend pas d'évolution significative avant le début 2000.

b. Paiements transfrontaliers

2414. Depuis janvier 1999, les entreprises comme les particuliers peuvent disposer de carnets de chèques en euros. Les chèques en francs continueront à exister en parallèle.

Il est donc possible, depuis cette date, d'effectuer des paiements en euros par chèque. Cependant, l'utilisation de chéquiers en euros dans l'ensemble de la zone euro n'est pas synonyme d'uniformisation : les chèques, même en euros, restent *nationaux*.

En d'autres termes, les frais bancaires facturés pour toute utilisation d'un chéquier dans un autre pays continueront à s'appliquer, même au sein de la zone euro.

> *Exemple* — un consommateur allemand règle en France avec son chéquier un produit coûtant 20 €. Après encaissement, le commerçant est crédité de 20 € et se voit imputer des frais bancaires pour environ 15 €. Le commerçant a donc in fine reçu uniquement 5 €. Dans certains cas, l'émetteur du chèque se voit aussi imputer des frais.

Dans le cas de règlements concernant des petits montants, les frais bancaires liés aux chèques sont prohibitifs en comparaison du prix du produit et de la marge du vendeur.

Que faire alors lorsqu'un client étranger présentera un chèque en euros ?

2415. Il semble difficile de refuser un paiement en euros. Cependant, il est accepté de limiter les chèques à une certaine zone de compensation : il est courant de ne pas accepter les chèques sur les DOM/TOM même en FRF. D'un point de vue pratique, il convient de mettre au point un *discours clair* vis-à-vis des clients. Il faudra former les commerciaux afin qu'ils soient en mesure d'expliquer aux clients les risques de paiement (pas de garantie de règlement des petits chèques, pas de fichier des chèques volés...) et le niveau de commissions liés à l'utilisation de chèques en euros hors de leur pays d'origine.

c. Logistique

2416. D'un point de vue opérationnel, les entreprises qui gèrent des volumes importants de factures fournisseurs ont généralement recours à des paiements automatiques — lettres chèques, billets à ordre, etc. — pour les règlements en francs. Les paiements en devises sont rarement générés de manière automatique.

Le développement des transactions en euros va conduire les entreprises à revoir leur processus de *règlement des fournisseurs*. En effet, le nombre de règlements en francs diminuant, le nombre de règlements en euros augmentant, on risque d'assister à une augmentation progressive des traitements manuels et autres tâches à faible valeur ajoutée pour les entreprises n'ayant pas adapté leur processus et systèmes d'encaissement.

Par ailleurs, il convient de s'assurer que les *imprimantes* sont capables de s'adapter aux nouvelles règles européennes en matière de signalétique des chèques (emplacement du montant).

On retrouve des contraintes similaires dans les entreprises qui utilisent des *imprimantes* pour remplir automatiquement les chèques de leurs clients (comme dans la grande distribution, par exemple). De nouveau, la conformité du matériel aux nouvelles normes devra être étudiée.

Par ailleurs, il n'existe, dans un premier temps, qu'une seule *chambre de compensation pour les chèques en euros* (elle se trouve à Paris). Les banques ont donc dû mettre en place des procédures de tri et de transport différentes pour compenser les chèques en euros et en francs. Cela occasionne des coûts (de manipulation et de transport) et des délais additionnels. Les banques reporteront-elles ces coûts sur leurs clients (facturation des services, changement des dates de valeur) ?

Le cas échéant, les entreprises recevant un volume élevé de chèques en euros pourraient être amenées à assurer elles-mêmes la collecte, le tri et le transport à Paris des chèques en euros, pour pouvoir en effectuer la remise en banque dans des conditions optimales.

On comprend sans doute mieux la nécessité à la fois d'anticiper l'évolution de ces modes de paiement et de communiquer fortement, à l'intérieur comme à l'extérieur de l'entreprise, pour expliquer ces changements concrets. Car ces bouleversements ne se limitent pas simplement aux chèques mais s'étendent également aux autres modes de paiement tels que les paiements électroniques.

3. Une évolution des paiements électroniques

2420. Le terme paiement électronique couvre, en France, les virements, les lettres de change relevé, les avis de prélèvement et le télépaiement. L'objectif est ici de préciser, pour chaque système de paiement :
— le périmètre géographique ;
— la ou les devises utilisées ;
— le coût moyen de transaction.

Grâce à ces éléments, le trésorier devrait être mieux à même de *négocier avec son banquier* les prix des transferts financiers pour son entreprise.

a. Système existant avant le 1er janvier 1999

2421. Le système de paiements électroniques en place avant l'arrivée de l'euro est le suivant (schéma simplifié) :

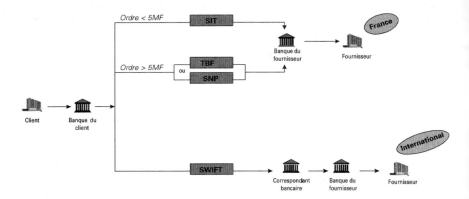

Légende :
- **SIT** (Système interbancaire de télécompensation). Système français de paiements électroniques. Il se limite exclusivement aux transactions nationales et n'est utilisé, en général, que pour des montants inférieurs à 5 MF (*cf. note 1*). Le SIT est de loin le plus gros et le moins coûteux des systèmes de paiements électroniques dans le monde.
- **TBF** (Transferts Banque de France) : système ouvert à toutes les banques françaises. Il se limite exclusivement aux transactions nationales de gros montants (*cf. note 1*). Particularités : TBF est un système brut : imputation en temps réel et nécessité pour la banque émettrice de disposer d'une provision suffisante sur le compte BDF afin de ne jamais être en découvert sur la journée.
- **PNS, ex-SNP** (Paris Net Settlement, jusqu'à récemment nommé Système net protégé) : système réservé à une douzaine de grosses banques françaises et aux banques plus petites présentées par ces dernières. Il se limite exclusivement aux transactions nationales de gros montants (cf. note 1). Particularités : PNS est un système net : compensation fin de journée, besoin en trésorerie réduit pour la banque mais obligation de partager le risque en cas de défaillance d'une banque durant la journée.
- **SWIFT** : système utilisé dans le monde entier pour les paiements électroniques internationaux. SWIFT possède un quasi-monopole mondial pour les paiements transfrontaliers. Le mode de messages est peu automatisé, ce qui entraîne des niveaux d'erreur et de coût élevés.

Note 1 :
- Le terme « gros montant » comprend non seulement les opérations financières mais également les opérations commerciales de plus de 5 MF.
- Le système SIT peut véhiculer des gros montants, mais il est recommandé d'utiliser plutôt TBF ou SNP qui sont mieux sécurisés.

b. Nouveaux systèmes depuis le 1er janvier 1999

2422. De plus, depuis le 1er janvier 1999, 3 nouveaux systèmes de paiements ont été créés :

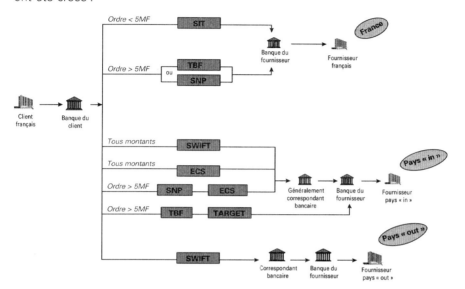

Légende :
- **TARGET** (TransEuropean Automated Real-time Gross Settlement Express Transfer System) : système mis en place par la Banque centrale européenne pour relier les systèmes nationaux bruts (TBF en France) de paiement de gros montants (RTGS). À l'origine, TARGET ne devait connecter que ls RTGS des pays participants, mais en raison de l'importance de la place de Londres, il a été permis aux pays pré IN (Royaume-Uni, Danemark, Grèce) de développer un deuxième RTGS national dédié aux paiements en euro, sous le contrôle de la banque nationale du pays, et connecté au réseau TARGET. Il est donc possible de faire un virement en euro vers la Grande-Bretagne.
- **ECS** (Euro Clearing system/**ABE**) : l'Association bancaire pour l'euro (ABE) a développé le *Clearing de l'euro* (*Euro Clearing System*), système d'échange à règlement net sécurisé pour l'écu. L'opérateur technique de ce système est SWIFT. Ce système est le plus souvent appelé par le nom de l'organisme qui le gère (ABE). L'ABE a son siège à Paris et les paiements sont traités en Belgique.
- **PNS accès distant :** Il est maintenant possible à des banques localisées hors de France d'accéder au système de paiement PNS. Un tel système est aussi proposé en Allemagne sur son équivalent EAF2.

On notera que ce système EAF2 est très particulier car ses caractéristiques techniques lui permettent de faire des virement internationaux via un interface sur TARGET.

c. Résumé des caractéristiques des différents systèmes

2425. Le tableau ci-dessous récapitule les caractéristiques des différents systèmes auxquels les entreprises sont confrontées. Sont notamment précisés la devise dans laquelle l'ordre est communiqué d'une banque à l'autre, et le coût technique du virement (frais moyen facturés par le système de compensation aux banques participantes, sachant que les banques doivent ajouter les coût de traitement manuel et les investissements dans des logiciels de connexion et de routage des paiements). Le développement de solutions alternatives aux anciens systèmes devrait permettre aux entreprises de mieux négocier avec leurs banques sur le choix de solutions moins coûteuses notamment.

Système	Zones	Devises	Caractéristiques	Coût moyen du virement
SIT	• France	• Franc	• Possibilité d'indiquer la monnaie d'origine dans un champ spécifique. Mais ce n'est pas une obligation.	• Coût technique : environ 3 centimes de FF. • Prix facturé : environ 6 FF.
TARGET	• Pays « in »	• Euro	• Pas de champ prévu pour indiquer la monnaie d'origine. La France est le seul pays à s'être engagé à mentionner systématiquement cette information dans un champ non prévu à cet effet à l'origine.	• Coût technique : 0,25 €.
SWIFT	• Pays « in » • Pays « out »	• « In » • Euro • « Out »	• Ordres possibles dans toutes les devises (y/c monnaies « in »). • Possibilité d'indiquer la monnaie d'origine en zone texte, mais nécessité de se mettre d'accord avec les banques correspondantes au préalable.	• Coût technique : environ 10 FF. • Le coût réel de traitement du SWIFT est très élevé car il n'existe pas d'équivalent du RIB français et les modalités techniques de renseignement des champs dans les messages SWIFT sont sujettes à interprétation. • Une étude a évalué, en 1994, le prix moyen facturé par la banque à 130 FF. Les coûts ont baissé depuis à environ 60 FF pour une entreprise.
Clearing de l'euro	• Pays « in »	• Euro	• Paiements en euros avec des messages de paiement au format Switf. Il est recommandé de renseigner la devise d'origine dans le champs 72.	• Coût technique : environ 0,25 €.

Remarque — Pour tout virement, on rappelle qu'il est nécessaire de préciser le montant final à transférer. Deux possibilités :
— le destinataire reçoit le montant total du virement, l'émetteur étant débité du montant et des frais de transfert ;
— le destinataire reçoit le montant net, frais déduits (c'est ce qui se passe si rien n'est précisé).

2426. Cette situation peut encore évoluer. En effet, on assiste actuellement à une **forte concurrence** entre TARGET, l'ABE (ECS) et les systèmes nationaux. Chacun essaie d'attirer l'essentiel des flux. Or, les systèmes nationaux ont le défaut de ne connaître que les banques de leur pays et voient d'un mauvais œil le développement d'un système comme l'ABE. Tous ces systèmes ont vu que la course au volume de paiements était un bon moyen de réduire les coûts. On a donc déjà pu constater une baisse très significative du prix de l'ABE depuis les premières estimations. De même, le système net national allemand (EAF2), qui est l'équivalent de PNS, a tout fait pour attirer les banques étrangères (et en particulier asiatiques), et a développé une interface TARGET pour permettre une extension internationale des paiements. PNS réfléchit aussi à une telle évolution.

En l'état actuel, on peut constater que les systèmes nets (EAF2, PNS, EBA...) ont subi quelques blocages liés à leurs caractéristiques techniques de partage de risque et de compensation des paiements. On assiste donc à une baisse (temporaire ?) des volumes traités sur ces systèmes, au bénéfice de systèmes bruts tels que TBF ou TARGET. Ce phénomène se compense avec la croissance du système EBA qui prend une importance de plus en plus marquée dans le monde des systèmes nets.

Enfin, il faut noter que l'on assiste à une croissance significative des paiements internationaux (TARGET, EBA principalement), ce qui démontre le développement du caractère transnational de l'euro.

À l'inverse, la création envisagée ou en cours de divers systèmes centralisés de compensation des opérations de marché (projet CLS...) peut réduire fortement le nombre de paiements internationaux car il n'y aurait plus qu'un seul paiement par salle de marché et par jour, au lieu d'un paiement par contrat traité hors marché. On rappellera que les paiements de marchés financiers représentent environ 80 % des paiements internationaux en nombre (et beaucoup plus en montant).

2427. Jusqu'à maintenant, très *peu d'évolution* a pu être constatée *sur les systèmes de paiements de masse* tels que le SIT.

Ces systèmes sont significativement moins coûteux car ils traitent les paiements sous la forme de fichiers pouvant contenir des milliers de paiements, avec compensation globale de fin de journée. Par contre, en cas de défaillance d'une des banques participantes, ils est quasi impossible de faire un arrêt des paiements à l'instant de la déclaration de défaillance. C'est pour ces raisons de sécurité que des systèmes de gros montant (TBF, SNP, TARGET) ont été développés ; ces derniers traitant chaque paiement individuellement et de manière irrévocable. Nous rappelons que le seuil français pour les gros montants est à cinq millions de FF.

Or, il est peu probable que des systèmes comme le SIT puissent durablement survivre dans une logique purement française. Il sera donc nécessaire d'étendre leur fonctionnement sur la zone euro, ou de basculer sur des systèmes équivalents communs avec les autres pays de la zone euro. Les grandes manœuvres concurrentielles ne sont pas entamées, mais la fin de la période de transition (2001) devrait accélérer le mouvement.

4. L'évolution de ces modes de paiement conduit les banques à revoir leur offre...

2430. Toutes les principales banques européennes et de nombreuses banques nationales ont développé une réponse commerciale aux besoins des entreprises depuis le 1er janvier 1999. L'*activité bancaire au quotidien*, qui continue d'être gérée au niveau national, n'a subi que peu de modifications. Ceci s'explique essentiellement par le manque de systèmes de compensation des chèques sur le plan européen et de chambre de compensation automatisée pour les petits montants. Quelques banques, souvent américaines, à même d'offrir leurs services de base dans plusieurs pays fournissent des services commerciaux de façon plus coordonnée.

Toutefois, peu de banques disposent d'une présence importante sur le plan européen. Ce facteur pourrait donc inciter certaines entreprises à s'orienter vers des *banques ayant une présence significative dans tous les pays d'Europe* aux dépens des banques locales, quelquefois performantes mais peu aptes à accompagner des opérations internationales.

2431. Il est patent que la *loi* et la *pratique bancaires* ne se sont pas harmonisées et que les comptes conservés dans plusieurs pays auprès d'une banque sont soumis à des conditions différentes. Par contre, la création du système de l'ABE et la disparition des coûts de change intracommunautaires ont créé les bases pour une réduction significative des coûts de paiements transnationaux. Néanmoins, cela n'a pas pu se constater dans les catalogues standards de prix des banques. Une forte pression est en cours de la part des organismes européens (BCE, Commission europénne). Il faut noter que les banques généralistes ont en priorité adapté leurs systèmes de marchés pour se connecter à l'ABE, et que des travaux restent à effectuer pour intégrer les systèmes de banque de détail.

La réduction progressive des coûts de paiements internationaux devrait permettre à terme de centraliser les fonctions de gestion de flux de paiements au sein des entreprises.

Une gestion centralisée de la trésorerie au niveau européen

2432. L'avènement de l'euro va radicalement changer le paysage quotidien du trésorier en matière de cash management. Depuis le 4 janvier 1999, l'instauration de l'euro peut désormais justifier à elle seule une gestion centralisée européenne, basée essentiellement sur le netting (compensation de flux) et le cash pooling (fusion de soldes sur comptes). Les entreprises doivent alors s'interroger sur le type d'organisation adapté à un environnement totalement nouveau, européen et monodevise, avec la fin de la gestion du risque de change pour onze devises, voire quinze ou plus à terme. Un examen approfondi des aspects juridiques et fiscaux de ces nouveaux types d'organisation est nécessaire.

Parallèlement à la mise en place de l'euro, le ministère de l'économie, des finances et de l'industrie est venu lever une des dernières barrières fiscales à l'*établissement de centrales de trésorerie en France*. En effet, ces dernières peuvent maintenant bénéficier d'un double avantage fiscal :
— suppression des retenues à la source sur les intérêts dus sur les comptes courants créditeurs des filiales étrangères, ce qui correspond en fait à la possibilité de pouvoir bénéficier dans ce cas de l'application de l'article 131 quater du Code général des impôt ;
— non-application de la disposition de l'article 39-1-3° du Code général des impôts qui limite la déduction des intérêts versés par une société mère à sa filiale pour le cas où c'est la société mère qui tient le rôle de centrale de trésorerie.

Face à ces opportunités, les banques ont développé une **offre** plus ou moins évoluée, selon les prestations de gestion des encaissements, ou qu'elle offre un reporting en euro et dans les monnaies IN... Cette offre est effectuée soit grâce au réseau de succursales de la banque, soit par création d'un réseau bancaire virtuel liant technologiquement entre elles les banques participantes. Les premiers prestataires se sont avérés être les grandes banques d'affaires américaines et les cinq à dix premières banques européennes, mais la pression concurrentielle contraindra les autres établissements à leur emboîter le pas.

Finalement, l'**offre bancaire**, sous la pression de la concurrence, va considérablement s'élargir. C'est une opportunité certaine pour les trésoriers de **faire jouer la concurrence** entre les banques.

Les attentes des entreprises sont importantes

2433. Une *enquête* conduite par PriceWaterhouseCoopers en collaboration avec l'AFTE indique que 52 % des entreprises considèrent que les économies de coûts potentielles liées à l'euro sont « significatives » et 50 % estiment que les économies d'intérêts potentielles liées à l'amélioration de la mise en pool ainsi qu'à la baisse ou l'élimination des soldes des fonds en transit sont « très significatives ».

Selon « l'Observatoire de l'euro » de l'AFTE, les opérations de trésorerie de 78 % des entreprises seront effectuées en euros en 1999, et 33 % mettront en place leur processus de facturation en euros dès 1999.

En outre, cette enquête indiquait que 40 % des PME sont prêtes à changer de banque pour s'orienter vers des institutions offrant des produits transeuropéens.

5. ... ce qui donne au trésorier d'entreprise une opportunité d'optimiser le traitement des flux

2435. Même si les textes réglementaires ont établi le principe du « ni, ni » (ni obligation, ni interdiction d'utiliser l'euro), la pression du marché peut conduire l'entreprise à accepter des règlements ou à effectuer des paiements en euros. C'est pourquoi le trésorier d'entreprise doit s'assurer qu'il est capable de traiter des flux en euros.

Pour cela, le trésorier veillera particulièrement aux points suivants pour son entreprise :
— la capacité à recevoir des paiements en euros pendant la période transitoire ;
— la capacité à payer en euros pendant la période transitoire ;
— la capacité à utiliser des pièces et des billets en euros (seulement à partir du 1er janvier 2002) ;
— le contrôle des disponibilités en euros et en monnaie nationale ;
— le volume des transferts des disponibilités ;
— l'optimisation des soldes de trésorerie (par pays et au niveau global, en euros et en expressions nationales) ;
— les différences de conversion de dates de valeur selon les pays ;
— les relations bancaires ;

— le transfert électronique des fonds;
— la politique d'ouverture des comptes en euros (ouverture dès 1999 ou progressivement au cours de la période transitoire).

Ce travail n'est pas seulement une question d'adaptation technique mais un vrai **défi stratégique** du fait de la nouvelle donne (concurrence renforcée entre banques et élargissement de l'offre en cash management international).

Il est ainsi indispensable de réfléchir à :
— une **nouvelle gestion des flux de trésorerie**;
— une **possible renégociation avec le pool bancaire** de l'entreprise, que ce soit dans le cadre d'un appel d'offres de cash management européen, ou plus généralement afin de renégocier les conditions bancaires.

SECTION II

Une nouvelle donne pour la politique de financement et d'investissement

1. La convergence des taux européens

2440. Au cours de ces dix dernières années, on a constaté une forte convergence des taux d'intérêt à long terme dans le cadre du système monétaire européen, convergence ponctuée de crises monétaires occasionnelles (notamment en août 1993 avec la révision des bornes de fluctuation du SME). Les raisons de cette convergence ont été le développement du marché unique européen, la rigueur budgétaire progressivement généralisée (notamment sous l'impulsion de l'Allemagne) et la définition des critères de Maastricht, qui a renforcé la confiance de l'ensemble des acteurs du marché. On note que les crises, elles, ont souvent été dues au simple fait que les marchés ne croyaient pas en la capacité de certains pays européens à supporter le coût de la stabilité.

Avec l'euro, la convergence des taux est une réalité. La plupart des décisions d'investissement s'inscrivent dans le long terme et les écarts de taux se réduisent. Ainsi, on peut citer les emprunts d'État italiens à haut rendement affichant un écart de taux avec les emprunts d'État allemands le plus faible depuis les années 70.

Cette convergence est soutenue politiquement par la volonté de ne plus permettre la création de marchés monétaires différenciés suivant les pays. Cette volonté est ainsi apparue dans l'**abandon des indices nationaux** tels que le PIBOR, et dans la création concertée d'indices plurinationaux tels que l'Euribor et l'EONIA (European OverNight Indexed Average).

2. L'évolution des marchés financiers dans la perspective de l'euro

2445. L'objectif de ce paragraphe n'est pas d'être totalement exhaustif sur les impacts concernant les marchés financiers. Il vise simplement à cerner les évolutions globales liées à l'arrivée de la monnaie unique. Nous laissons donc volontairement de côté les problématiques liées aux nouveaux indices européens (type Dow Jones EURO Stoxx...), aux évolutions des places boursières en Europe ou à la conversion des titres en euros.

Le *4 janvier 1999*, les marchés financiers européens ont basculé en euro en redéfinissant dans une nouvelle monnaie l'ensemble des marchés et des flux de capitaux. L'euro constitue donc un pas fondamental dans l'accomplissement du marché unique pour les entreprises. Jusqu'alors, les marchés européens étaient fragmentés par les risques liés aux taux de change.

2446. Sans risque de change, on peut constater une plus grande profondeur et une plus grande *liquidité des marchés financiers*. Le PIB de l'UE est de 12 % supérieur à celui des États-Unis, bien que son marché soit nettement inférieur : les marchés d'actions sont en Europe moitié moins importants qu'aux États-Unis et le marché des emprunts d'État est de 30 % inférieur à ce qu'il est outre-Atlantique. Ce décalage va progressivement s'amenuiser.

2447. De plus, la *culture financière* en Europe va sans doute évoluer. Une redistribution des cartes se fera probablement, avec :
— certaines grandes entreprises qui pourront plus facilement faire un appel direct au marché pour obtenir des liquidités (processus de désintermédiation) ;
— d'autres entreprises qui devront plus largement faire appel aux banques que par le passé.

Enfin, l'unification des marchés développera probablement la compétence de gestion de fonds et de gestion de flux, avec de probables centralisation des centres de traitement, et une marginalisation des acteurs bancaires incapables de suivre la concurrence « par la compétence et la spécialisation de gérant ».

On peut noter que de nouveaux produits sont déjà apparus en 1999, tirant parti du savoir faire de la place de Londres. Ces produits sont par exemple des :
— « jumbo » ;
— produits de placements indexés, garantis ou non, dérivés ou non ;
— « High Yield » (obligations d'entreprises non cotées ou à cotation réduite).

2448. Des marchés plus compétitifs et à meilleurs rendements couplés à des émissions de titres de plus en plus nombreuses créent un cercle vertueux. Et si on ajoute à cela des réformes sur les fonds de pension, il est probable que de *nouvelles opportunités* vont se créer sur les marchés européens.

3. Les trésoriers peuvent-ils faire plus pour leur entreprise ?

a. Peu de changements attendus sur les stratégies de taux

2450. L'accroissement de l'importance des marchés de capitaux européens consécutif à l'arrivée de l'euro n'était pas jusqu'à récemment majoritairement perçu comme pouvant exercer un impact majeur sur les possibilités d'*accès à des financements ou à des placements*. Cependant cette perception évolue avec l'arrivée de nouveaux vecteurs financiers sur le marché de l'euro, tirant parti du savoir-faire de la place de Londres.

En ce qui concerne la stratégie d'intervention sur le *change*, environ la moitié des entreprises françaises estiment que l'euro aura un impact élevé. On constate cependant que l'introduction de l'euro n'est pas perçue comme un élément déterminant de rupture des stratégies sur les taux d'intérêt.

Enfin, ces changements liés à la fonction trésorerie n'affecteront que peu le *personnel* des services de la fonction trésorerie. En effet, les trésoriers pourront consacrer d'avantage de temps aux opérations réalisées en devises « exotiques », aux cash management domestiques et internationaux, à l'amélioration des prévisions et à l'optimisation des flux financiers de placement.

b. De nouveaux modes de financement et d'investissement

2452. Tout d'abord, des modifications concernant le crédit bancaire sont à attendre avec l'arrivée de l'euro : il s'enrichit en effet notamment d'émissions obligataires et de nouveaux outils de gestion de trésorerie ; en somme, la réorganisation des banques et la nouvelle concurrence qui va s'instaurer sur les produits de crédit liés à l'euro vont nécessairement redéfinir l'offre en crédit bancaire au sein de l'Union européenne. Pour les entreprises, cela signifie des opportunités de *diversification des sources de financement.*

2453. Les éléments sur lesquels les responsable financiers devront être particulièrement *vigilants* sont les suivants :
— transition de la monnaie nationale vers l'euro des financements et investissements existants ;
— nouveaux financements et investissements envisageables et disponibles ;
— adéquation des différents systèmes de financement et d'investissement ;
— libellé en monnaie nationale des actions et des dividendes ;
— financements et investissements sur les marchés de capitaux ;
— financements intragroupe ;
— risques de marché et leur couverture ;
— risque de crédit à long terme.

2454. L'élargissement de la taille et de la liquidité du marché obligataire laisse également de nouvelles opportunités : les États, étant contraints de respecter le critère de Maastricht des 3 % de déficit public, vont être beaucoup moins actifs sur les marchés, ce qui laissera l'opportunité à de *nouvelles émissions* provenant de l'ensemble des pays de l'Union mais aussi d'autres pays hors de la zone euro. Les émetteurs nationaux vont désormais se trouver face à une concurrence européenne et devront donc s'assurer de la qualité de leur signature vis-à-vis de celle d'autres émetteurs du marché. On comprend alors l'enjeu important que représente la communication financière dans la perspective de l'euro.

4. Les nouvelles opportunités induites par l'euro nécessitent de renforcer la communication financière

a. Notoriété et notation

2455. Les investisseurs français ont en moyenne entre 70 % et 90 % de leur *portefeuille en actions* françaises. L'une des raisons à ce fort pourcentage est le risque de change associé à l'achat de valeurs étrangères. Or, avec l'euro, ce risque disparaît totalement et il est probable que le pourcentage passera à, disons, 30 %, le reste étant composé de valeurs d'entreprises étrangères.

Le même processus va se dérouler pour l'ensemble des portefeuilles. Cela signifie que les portefeuilles étrangers vont se diversifier et acquérir notamment des actions françaises.

Le message clé est donc que la *communication* ne doit pas seulement cibler le pays dont l'émetteur est issu mais tous les *pays potentiellement acheteurs* de la valeur.

Il semble ici opportun de souligner le *nouveau contexte* dans lequel le *processus de notation des entreprises* va s'inscrire :

— la notation permet l'analyse du risque par tous les investisseurs, et ce, quel que soit leur pays. Les *moyens de notation* sont actuellement accessibles aux grands groupes et vont, de plus en plus, être accessibles aux plus *petites entreprises* avec la généralisation de l'accès à l'information sécurisée et la standardisation des sûretés ;

— les agences de notation vont avoir à faire face à un *changement de comportement des investisseurs* qui vont s'orienter davantage vers l'analyse de crédit, du fait de la plus grande fluidité du marché financier ;

— les intermédiaires financiers et les investisseurs veulent de plus en plus disposer d'un *instrument de mesure du risque de contrepartie* : ils pourront ainsi obtenir une référence comparable à celle offerte par des marchés déjà plus habitués à gérer les problématiques d'appréciation du risque ;

— on constate que la *standardisation de la documentation* devient un facteur clé de la notation ;

— la *notion de crédit européen* est bien perçue par les prêteurs, même si ceux-ci demandent des sûretés et des engagements de la part des actionnaires.

En outre, la cotation en euros sur les marchés financiers se fait depuis le 4 janvier 1999. Toute évaluation d'entreprise se fera donc progressivement en euros, ce qui impose de disposer d'un certain nombre de données factuelles également délivrées en euros. Les données disponibles en 1999 sont les comptes de 1998. D'où l'intérêt de voir ces comptes 1998 établis en euros.

Et cela est encore plus vrai pour les *particuliers* qui ne sauront plus s'y retrouver : certes les cotations sont en euros, mais il est probable que le particulier, du moins au début, passera tous ses ordres en francs à sa banque (disons 5 000 francs d'achat d'actions). La banque convertira les 5 000 francs en euros, avec l'arrondi afférent, puis achètera les actions : le chiffre obtenu ne correspondra alors pas à un nombre exact d'actions. Et si l'on rajoute les commissions prises au passage par les intermédiaires, on comprend que le particulier puisse ne pas s'y retrouver.

Dans ce contexte, on comprend bien l'intérêt pour l'ensemble des entreprises de pouvoir publier leurs comptes en euros. Diverses lois et textes réglementaires ont été publiées fin 1998 et début 1999. Ils permettent une bascule comptable à la discrétion des entreprises, en faisant un arrêté comptable simplifié le jour de la bascule.

b. En cas de publication en euros, assurer la comparabilité des données financières

Avis du CNC et recommandation de la COB

2460. Le CNC et la COB ont publié un certain nombre d'obligations et de recommandations à l'égard des entreprises cotées et non notées (voir « chapitre comptable », n°s 525 s.).

Au-delà de cette recommandation

2461. Il faut être conscient que les pressions du marché et des investisseurs conduiront soit à un rapide passage à l'euro de la communication financière, soit à une communication utilisant les deux unités monétaires.

En tout état de cause, il faudra suivre de très près l'évolution des besoins des investisseurs en termes d'information financière tout au long de la période transitoire.

2462. L'action à engager dès que possible pour toute entreprise désireuse de profiter de tous les avantages potentiels de l'euro sera de **préparer un plan de trésorerie et de financement** afin de :

— **réfléchir à l'organisation et aux nouvelles activités de trésorerie** liées à l'arrivée de l'euro ;

— **repenser le cash management** domestique et international (cycle encaissement-décaissement) ;

— **redéfinir ou réfléchir à la politique de placement et d'investissement** et à celle de la gestion du risque de change ;

— **le cas échéant, remettre en concurrence son pool bancaire ;**

— **comparer les gains financiers** des différentes options susceptibles d'être retenues ;

— communiquer en interne et en externe vis-à-vis des banques et des investisseurs.

CHAPITRE V

Conséquences organisationnelles et sociales du passage à l'euro

2500. Même si l'introduction de l'euro n'a pas, en soi, d'impact direct sur l'organisation, la conjonction de cet événement avec d'autres évolutions peut conduire à des changements radicaux. En effet, en agissant sur la stratégie, les modes de fonctionnement et les systèmes, l'euro va, indirectement, obliger les entreprises à revoir leur organisation.

Une des conséquences directes de l'euro est la disparition de la barrière du change. Cette étape supplémentaire vers l'intégration européenne va mettre encore plus en évidence les derniers obstacles qui empêchent de parvenir à un marché « vraiment unique », en particulier dans les domaines fiscaux et sociaux. Les grands choix culturels des entreprises dépendent d'un équilibre entre tous ces facteurs. Ces choix doivent donc être revus en fonction du nouvel équilibre consécutif à l'arrivée de l'euro.

L'euro est donc pour les entreprises un extraordinaire révélateur de la nécessité du changement (A) face à un environnement en pleine mutation (B). Il s'agit non seulement d'adapter les structures de l'entreprise (C) mais également de mettre en place de nouveaux modes de management, de trouver de nouvelles compétences et de changer les comportements (D) tout en tenant compte de la dimension humaine du passage à l'euro (E). La réactivité face à ces problèmes est une condition essentielle du succès des entreprises dans leur passage à l'euro (F).

A. L'euro, révélateur et accélérateur du changement

2501. L'organisation est prise en tenaille entre les évolutions stratégiques et les évolutions tactiques et techniques.

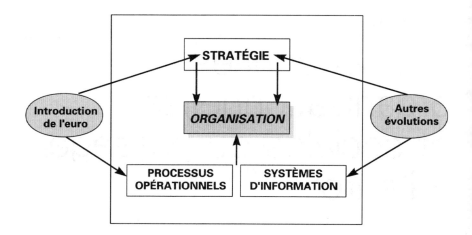

Au niveau **stratégique**, l'euro va principalement influer sur la politique commerciale. En effet, comme cela est développé ci-dessus (n°s 2100 s.), en facilitant la comparaison des prix, l'euro va mettre en évidence de fortes disparités entre les pays de la zone euro. Les entreprises doivent alors restructurer leurs forces de vente de façon à aborder le marché de façon globale, par exemple par une approche « grands comptes », et non plus pays. En termes d'organisation, les structures européennes vont donc se développer au détriment des filiales de distribution nationales.

Par ailleurs, l'introduction de l'euro intervient dans un contexte général où les entreprises recherchent la globalisation des activités et l'évolution des organisations vers des structures internationales. L'euro va donc agir comme accélérateur de tendance :
— directement, en facilitant les rapprochements internationaux (fusions, acquisitions, joint ventures...) grâce à une monnaie commune ;
— indirectement, en intensifiant le besoin d'appréhender le marché européen de façon globale.

Au niveau technique et **tactique**, l'introduction de l'euro va, dans la plupart des cas, nécessiter une refonte des processus et des systèmes. Indirectement, ces évolutions pourront se traduire par une nouvelle répartition des responsabilités dans l'entreprise.

L'euro pourra agir comme révélateur — par exemple, mise en évidence d'une structure inadaptée — ou comme accélérateur d'un certain nombre de tendances de fond.

Dans leur approche du passage à l'euro, les entreprises ont donc le choix entre **deux attitudes** : gérer le passage à l'euro comme un projet isolé ou le combiner avec d'autres projets d'adaptation de l'organisation à l'évolution de l'environnement externe.

Les expériences des sociétés ayant déjà initié ou mené à bien leur projet euro montrent que, indépendamment des ambitions originelles, ce dernier se combine souvent au cours de son déroulement avec d'autres chantiers de l'entreprise, qu'il s'agisse d'évolution des systèmes d'information ou d'autres types de projets organisationnels.

B. L'introduction de l'euro intervient dans un environnement en pleine mutation

2505. L'introduction de l'euro ne peut être considérée comme un phénomène isolé. L'étude de la stratégie de migration doit prendre en compte les autres évolutions de l'environnement de l'entreprise.

Structures juridiques

2506. L'utilisation de structures telles que commissionnaires à la vente ou façonniers permet de remplacer les structures classiques — filiales de distribution, de fabrication — et de découpler les flux physiques des flux financiers. Ainsi, achats, production, ventes, finance et autres processus peuvent être déployés internationalement et implantés dans les pays offrant les meilleures conditions opérationnelles, fiscales, sociales ou financières, tout en simplifiant la gestion de la problématique des prix de transfert entre les entités juridiques distinctes qui doivent encore subsister dans chacun des pays concernés.

Infrastructure

2507. Les dernières années ont vu une *amélioration* constante des infrastructures, dans le domaine du transport (routes, voies ferrées, canaux, etc.) et des télécommunications notamment. Parallèlement, le tissu économique s'est développé dans toute l'Europe. Une entreprise peut aujourd'hui trouver plus facilement, dans chaque pays européen, des partenaires d'envergure internationale, capables d'appliquer des standards de qualité et de service. Par ailleurs, les acteurs clés — banques, sous-traitants, transporteurs, etc. — sont présents partout.

Ces évolutions des infrastructures permettent aux entreprises d'adopter des types d'organisation qui n'auraient pas été envisageables il y a quelques années.

> Par exemple, l'arbitrage entre coût de stockage et coût de transport peut être abordé différemment aujourd'hui : plutôt que de maintenir des stocks d'un même produit dans différents pays, on peut ne garder qu'un seul entrepôt central, capable de livrer toute la zone européenne en maîtrisant les contraintes de coûts et de délais par une optimisation permanente des flux et des coûts.

Le tissu économique, le jeu des alliances, la diminution du coût et des délais de transport permettent aujourd'hui de redéployer les activités en termes de volume et de périmètre géographique, sans atteindre des niveaux d'investissement prohibitifs.

Technologies

2508. Parallèlement à l'amélioration des infrastructures, les technologies ne cessent de *progresser*. Les entreprises font de plus en plus appel à des outils tels que l'Internet, l'Extranet, le groupware et ou le workflow. Les débouchés liés au développement de ces technologies sont nombreux.

En interne, les avancées dans le domaine de la communication permettent à des équipes géographiquement éclatées de travailler ensemble, en faisant abstraction des distances. Les organisations multi-pays sont ainsi rendues plus efficaces et adaptées à une approche globale du marché.

Par ailleurs, la réduction des coûts des télécommunications, l'augmentation de la capacité de traitement des ordinateurs et de la vitesse de transmission rendent désormais possible la centralisation des applications informatiques à grande échelle, quelle que soit leur taille.

En externe, les relations avec les clients et les fournisseurs bénéficient aussi d'avancées technologiques telles que le commerce électronique et les canaux de distribution virtuels. Les entreprises peuvent accéder à une nouvelle clientèle et à une offre fournisseur plus large.

Là encore, l'euro n'est qu'un des facteurs d'évolution. Néanmoins, une approche combinée entre nouvelles technologies et euro peut apporter un avantage concurrentiel non négligeable aux entreprises.

C. Les structures doivent être adaptées pour tenir compte des évolutions externes

2510. La suppression des barrières de change conduit à réduire les **obstacles aux échanges** intracommunautaires.

La création de la Communauté européenne a permis de supprimer un certain nombre de barrières de nature juridique. Néanmoins, si la libre circulation des personnes, des biens et des capitaux ou la reconnaissance des normes, des diplômes ont rendu possibles les échanges au sein de l'Europe, elles ne les ont pas vraiment rendus beaucoup plus faciles.

L'introduction de l'euro supprime l'obstacle du change, ce qui représente un double avantage pour les entreprises. Elle facilite tout d'abord une vision stratégique à long terme en supprimant une incertitude sur la valeur des investissements. Elle favorise donc l'investissement et en fait baisser le coût. Le second avantage de l'euro est de nature opérationnelle : il simplifie les transactions et réduit le coût des échanges grâce à la suppression des opérations de couverture et des frais de change entre monnaies « in ».

Il subsiste néanmoins de nombreux obstacles aux échanges intracommunautaires, dans le domaine fiscal et social notamment. Au niveau de la fiscalité, directe comme indirecte, l'hétérogénéité entre les pays reste un frein à la compétitivité des entreprises et des produits. Au niveau social, le taux de syndicalisation, l'attitude des partenaires sociaux, la réglementation du travail, le coût et la flexibilité de la main-d'œuvre demeurent très différents d'un pays à l'autre et continueront encore à restreindre les choix des entreprises en matière de localisation. Enfin, reste l'obstacle « tour de Babel » : les disparités linguistiques risquent de demeurer un frein à une véritable construction européenne.

Dans un tel contexte, l'introduction de l'euro peut être l'occasion de recomposer les équilibres en fonction des obstacles subsistants.

Exemple

— Aujourd'hui, certains groupes internationaux gèrent les équilibres financiers en achetant dans les pays où ils encaissent et en se finançant dans les pays où ils investissent.

— Demain, avec la disparition du risque de change, il leur sera possible de dissocier complètement la politique d'investissement de celle de financement, et la politique d'achat de celle de vente.

2511. L'euro va donc inévitablement conduire à des décisions de **délocalisation/relocalisation** des centres de production internes ou externes (Global Sourcing), des centres administratifs (Shared Services Centers) et des structures commerciales. Le choix de la zone géographique se fera en fonction des disparités résiduelles entre les pays. Les entreprises se baseront notamment sur des critères d'optimisation fiscale et sociale. Un point peut cependant tempérer le redéploiement des structures à l'échelle européenne : la sensibilité de la clientèle et son degré d'acceptation des biens produits à l'étranger.

En termes de stratégie de migration, ne voir l'euro que sous l'angle des changements de systèmes ou de processus opérationnels serait trop restrictif et dangereux. C'est pourtant une approche assez largement répandue notamment en raison des adaptations concomitantes des systèmes d'information à l'an 2000. L'euro nécessite cependant de reconsidérer les structures, les modes industriels ainsi que les localisations. Il est vrai que beaucoup d'entreprises ont éprouvé des difficultés à s'adapter par anticipation à un phénomène aussi original et dont les manifestations ne sont pas toujours criantes alors même que nous sommes au début de la période transitoire.

D. Nouveaux types d'organisation et nouveaux modes de management

2515. L'organisation de l'entreprise évoluant, il est nécessaire de revoir la logique de management et de comportement. Dans le chemin vers la globalisation, notamment, certains **écueils** majeurs doivent être évités.

Exemples :

— l'approche coloniale :
- un seul produit qui ne correspond pas toujours aux besoins locaux (mass customisation),
- un centre administratif prééminent, une culture dominante qui frustrent les opérationnels locaux ;

— la dispersion :
- un management basé sur des baronnies locales, avec perte de cohérence et absence de politique globale,

• une organisation basée sur une compilation de solutions locales, sans recherche d'économies d'échelle.

Le type d'organisation doit refléter les grands choix stratégiques de l'entreprise, au regard, notamment :

— du degré d'adaptation du produit au marché local ;
— du degré de collaboration entre pays (recherche d'économies d'échelle).

2516. Le modèle ci-dessous présente *cinq organisations types*. Bien entendu, un grand nombre d'entreprises est à cheval entre plusieurs formes d'organisation. Ce modèle permet néanmoins de fixer les idées et d'analyser l'évolution des entreprises.

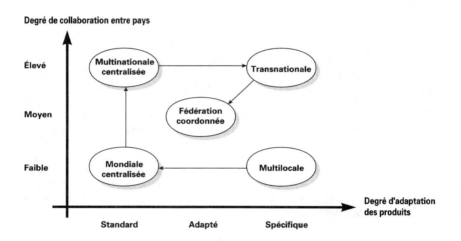

Parmi les nouveaux modes d'organisation qui émergent, la « *fédération coordonnée* » permet une approche globale cohérente. D'une part, les produits de base sont largement standardisés afin de réaliser des économies d'échelle. Néanmoins, ces produits sont perçus comme très adaptés aux marchés locaux grâce à une politique de personnalisation industrielle et marketing au niveau local. D'autre part, les responsabilités globales sont réparties, de façon volontariste, entre toutes les implantations. Le but de cette approche est d'attirer, de développer et de retenir au niveau local un encadrement de haut niveau, et non pas uniquement des exécutants.

2517. Quels que soient les choix d'organisation retenus, le passage à l'euro va avoir pour conséquence d'élargir le périmètre géographique (du pays vers l'Europe). Les managers cadres se retrouvent donc avec une « double casquette » : responsabilité locale et responsabilité internationale. Le profil requis devra évoluer en conséquence. Le manager devra s'imposer non pas par son statut ou son autoritarisme mais par sa compétence et son leadership.

Exemple : profil du manager international

NON	OUI
• Contrôleur administratif	• Leader, initiateur
• Homme de détail	• Stratégique, visionnaire
• Court terme	• Moyen, long terme
• Centralisateur	• Fédérateur
• Autoritaire	• Consensuel
• Méfiant	• Capable de déléguer
• Suit des budgets	• Suit des plans d'action
• Imposé aux pays	• Réclamé par les pays

À nouveau, l'euro n'impose rien en direct. Indirectement, il suscitera un déplacement vers des modes d'organisation plus internationaux, qui ne seront possibles que si les cultures de management et de comportement des cadres s'adaptent en conséquence. Réussir sa migration à l'euro nécessite aussi d'agir sur la culture et les valeurs partagées dans l'entreprise.

E. La dimension humaine doit être prise en compte

La fonction ressources humaines est concernée à plusieurs titres par l'introduction de l'euro.

1. Au-delà du traitement de la paie, ce sont les mécanismes de négociation sociale qui sont peut-être à revoir.

2. Les autres processus de la fonction ressources humaines méritent aussi d'être reconsidérés au regard d'une plus grande européanisation.

3. Enfin, les ressources humaines doivent jouer un rôle prépondérant dans la l'information des salariés sur le passage à l'euro et dans l'accompagnement des changements qui sont susceptibles d'intervenir.

1. Traitement de la paie et négociation sociale

Traitement de la paie

2520. Les règles s'appliquant à la conversion en euro des contrats de travail, des bulletins de paie, du paiement des salaires, des déclarations sociales et autres obligations du droit social, etc., sont décrites dans les chapitres systèmes d'information (voir chapitres VI et VII), et ne sont donc pas reprises dans cette section.

Nous nous contenterons de souligner ici que certaines procédures liées au traitement de la paie devront être ajustées (le plus souvent dans le sens d'une simplification), comme par exemple :

— la gestion du salaire des expatriés (dans la zone euro) ;

— le traitement des frais de déplacement.

Transparence salariale

2521. De la même façon que pour les prix d'achat et les prix de vente, un des effets immédiats de l'euro sera de faciliter la *comparaison* entre les salaires de la zone euro. Cette comparaison portera aussi sur la composition de la rémunération (véhicule de fonction, bonus, retraite et autres avantages).

Bien sûr, les salaires resteront durablement différents d'une région à l'autre ou d'un pays à l'autre, en raison des différences de coût de la vie, de l'état du marché du travail et en fonction des législations sociales locales (flexibilité du travail, niveau de la protection sociale). Mais la transparence des salaires et notamment de la composition de la rémunération conduira à une **pression** accrue pour l'harmonisation des salaires et des avantages sociaux. Cette pression pourra s'exercer vers le haut, sous la pression d'organismes représentatifs des salariés au niveau européen ou dans le cas de main-d'œuvre « volatile », ou bien vers le bas dans le cas de main-d'œuvre facilement délocalisable. Cette pression sera d'autant plus forte pour les groupes dans lesquels existent des instances sociales (comité central d'entreprise) ou des contacts entre sections syndicales nationales.

Les groupes internationaux doivent pour se préparer à cette **discussion avec les partenaires sociaux** :

— bâtir des argumentaires expliquant et justifiant les divergences salariales entre pays ;

— anticiper les effets d'une éventuelle harmonisation, de façon à permettre sa mise en œuvre progressive ;

— conserver la qualité du dialogue social en prenant l'initiative de la discussion sur ces sujets pour développer un esprit de transparence et de confiance, et pour ne pas se trouver en position de répondre en urgence à des situations de tension sociale.

Choc de l'accordéon

2523. Même si la conversion d'un montant en euros ne change pas sa valeur, il a été souligné que cette conversion serait perçue comme :

— une réduction de valeur, dans les pays dont la devise a une valeur unitaire inférieure à l'euro. Par exemple, le SMIC (brut) n'est plus « que » de 1036,22 euros, au lieu de 6797,18 francs ;

— une augmentation de valeur, dans les pays dont la devise a une valeur unitaire supérieure à l'euro. Par exemple, un article de 10 livres irlandaises passe à environ 13 euros.

Cet **effet psychologique** est communément appelé « effet d'accordéon » : perception réduite des écarts de prix dans certains pays, perception accrue des écarts dans d'autres.

Pour ce qui concerne le domaine social, cet effet d'accordéon se traduit par :

— un changement d'ordre de grandeur des **montants de référence,**

• les salaires sont divisés par environ 40 (Belgique), 170 (Espagne) voire 1 950 (Italie),

• en France, le SMIC mensuel (net) est inférieur à 1 000 €,

• en France, le SMIC horaire représente 6,13 €, contre 40,22 FF au 1/7/1998 ;

— la perception d'un refus d'**augmentation des salaires** : dans l'hypothèse d'une inflation de l'ordre de 1 % par an, ce qui correspond à la situation actuelle en France et dans plusieurs pays de la zone euro, une révision annuelle des salaires minimaux indexée sur le coût de la vie conduirait à une augmentation de l'ordre de 10 euros par mois, soit 6 cents par heure, ce qui risque d'être ressenti par les salariés comme une augmentation « de misère » ;

— une remise en question des *seuils* : La négociation salariale se cristallise souvent sur des seuils exprimés en chiffres ronds (exemple : « le SMIC à 7 000 francs »). L'utilisation de chiffres ronds en euros pourrait positionner ces seuils à des niveaux plus élevés : par exemple le SMIC mensuel à 1 100 euros (soit + 3 % par rapport au seuil précédent de 7 000 francs, + 6 % par rapport à la valeur actuelle du SMIC).

Cauchemar des arrondis

2525. Lors d'une conversion de francs en euros, l'arrondi au cent d'euro supérieur ou inférieur peut générer un *écart* de 3 centimes. Cet écart est d'autant plus sensible que le montant converti est faible. Dans le domaine des salaires, cet arrondi peut poser des problèmes significatifs :

— le SMIC horaire est actuellement de 40,22 francs, soit 6,13149 euros. L'arrondi doit être fait à 6,13 euros en fonction des règles édictées. Le montant final choisi est plutôt commode vu le montant actuel du SMIC horaire car la différence est inférieure à 0,02 %. En revanche, le SMIC évoluant par revalorisation régulière, il est possible que l'arrondi crée une différence de 0,07 %, ce qui ne devient plus négligeable face à des augmentations annuelles de 1 à 2 % ;

— la somme des arrondis n'est pas égale à l'arrondi de la somme : le SMIC mensuel est au 1/7/1998 de 6 797,18 FF. Le SMIC mensuel en euros peut être calculé :

- soit par conversion du SMIC mensuel en euros, qui donne 1 036,22 euros,
- soit par multiplication par 169 du SMIC horaire en euros, qui donne 1 035,97 euros.

Dans ces hypothèses de calcul, la première méthode sera évidemment préférée par les salariés ;

— une augmentation du SMIC horaire de 0,15 francs correspond à une augmentation de 0,37 % en francs, mais seulement 0,34 % en euros. Par contre, une augmentation de 0,16 francs correspond à + 40 % en francs, mais 0,49 % en euros. Des batailles de chiffres sont à prévoir !

— la valeur des points de retraite (tant pour le calcul des cotisations que des droits) est souvent de l'ordre de quelques francs, voire quelques dizaines de francs. À nouveau, un arrondi de 3 centimes correspondrait à une variation de 0,1 à 1 %, ce qui dans l'absolu conduirait à des écarts considérables dans les recettes ou les engagements d'une caisse de retraite. Pour éviter ces écarts, la valeur des points devrait être exprimée avec plus de chiffres significatifs (dix millièmes d'euro par exemple), ce qui pourrait nécessiter des changements importants des systèmes informatiques.

Sur les aspects réglementaires des seuils et barèmes sociaux, voir nos 1010 s. et 1100.

2. L'euro et les autres processus de la fonction ressources humaines

Les modifications organisationnelles liées ou portées par le passage à l'euro ne peuvent pas rester durablement sans conséquence sur les autres processus de la fonction ressources humaines.

Recrutement

2530. La réorganisation de l'outil industriel, logistique, commercial et administratif au niveau européen et plus seulement national doit constituer l'opportunité « d'européaniser » la politique de recrutement. L'émergence d'un véritable marché unifié va insensiblement faire évoluer les compétences dont les entreprises auront besoin pour appréhender ce nouvel ensemble. Les fonctions achat, logistique, vente, finance et juridique seront les premières pour lesquelles la zone euro deviendra le *champ d'actions* privilégié. Les directions des ressources humaines doivent dès aujourd'hui envisager des actions de recrutement sur les campus à l'échelon européen même pour les fonctions de siège. De la même façon, le recrutement de cadres expérimentés ne doit plus être considéré au seul niveau national.

Évaluation

2531. De la même façon que le recrutement, la politique d'évaluation des salariés devrait connaître une *homogénéisation* — qui ne signifie pas pour autant uniformisation — à l'échelon européen. Même si des différences culturelles vont subsister, les modes d'évaluation vont devoir davantage intégrer la capacité des managers à évoluer dans un environnement international, leur capacité à travailler dans des équipes pluri-culturelles. La connaissance de langues étrangères deviendra clé.

Gestion des carrières

2532. La conséquence logique d'une plus grande internationalisation des recrutements et de la politique d'évaluation devra conduire les entreprises à développer une véritable gestion européenne des carrières. Elle *ne pourra plus être limitée* aux seuls cadres dirigeants mais aussi inclure les niveaux intermédiaires du management. Les directions des ressources humaines devront donc à la fois définir les nouveaux profils nécessaires pour faire évoluer les équipes existantes, gérer les mobilités au sein de ce nouvel ensemble mais aussi s'assurer de la préservation des compétences clés pour éviter que les meilleurs éléments ne soient tentés d'évoluer vers des entreprises offrant des cursus plus attrayants. La création de la zone euro va incontestablement conduire les salariés les plus mobiles, et notamment les cadres, à gérer leur *employabilité* au niveau européen.

Ces évolutions importantes de la fonction ressources humaines ne sont bien sûr pas directement liées à la nouvelle monnaie mais résultent des conséquences que ce nouvel ensemble économique ne manquera pas d'introduire à moyen terme. Aussi, les négliger aujourd'hui pourra se révéler dangereux demain. Même si la majorité des grands groupes possède une *politique des ressources humaines* intégrant déjà une dimension internationale, elle reste trop souvent limitée aux cadres dirigeants et gérée au cas par cas. Pour les entreprises de taille plus modeste, l'ouverture européenne de leur fonction ressources humaines présente une réelle opportunité pour tirer les avantages liés à la croissance potentielle résultant de la zone euro.

3. Informer, former et accompagner le changement

2535. Le passage à l'euro représente pour les salariés un changement considérable qu'il ne faut pas sous-estimer. Pour accompagner ce changement et assurer que l'entreprise fonctionnera correctement une fois le passage effectué, les salariés devront être correctement informés et formés.

Parler aux citoyens autant qu'aux salariés

2536. Les salariés d'une entreprise sont avant tout des individus et des citoyens. Comment pourraient-ils être des éléments moteurs dans le basculement à l'euro de leur entreprise, s'ils ne sont pas confiants et motivés en tant qu'individus ou citoyens (impact sur la vie de tous les jours en dehors de l'entreprise). Les sondages réguliers effectués auprès des particuliers font remonter des messages préoccupants :
— le niveau général d'information sur l'euro reste faible ;
— une très faible majorité de particuliers est favorable à l'euro.

Même si ces sondages manifestent depuis les derniers mois des améliorations, il subsiste de fortes demandes d'information de la part des particuliers.

Les entreprises doivent donc s'interroger :
— Sont-elles capables de comprendre finement le degré d'acceptation de l'euro par leurs salariés et les besoins en information générale sur l'euro ?
— Pour ces besoins en information, doivent-elles s'en remettre aux organes à même de les couvrir (État, collectivités locales, administrations sociales ou fiscales, caisses de retraite, banques...) ? Doivent-elles au contraire prendre l'initiative d'assurer elles-mêmes une information sur l'impact de l'euro dans la vie quotidienne ?

Sans aller jusqu'à un débat sur les responsabilités de l'« entreprise citoyenne », de simples préoccupations d'efficacité opérationnelle peuvent conduire une entreprise à informer ses salariés sur les conséquences et les modalités de passage à l'euro dans leur vie individuelle, pour, en ricochet, faciliter le passage dans leur vie professionnelle.

Informer sur la politique d'ensemble

2537. Il n'est pas souhaitable de confiner les employés dans un simple rôle d'exécution. Il leur est nécessaire de comprendre dans quel contexte s'inscrit leur action. La première des formations doit donc viser à sensibiliser l'ensemble du personnel à la nécessité et à l'ampleur des changements induits par l'euro :
— Comment évolue l'environnement externe ?
— Quelle est la politique d'ensemble (euro-leader, opportuniste, attentiste) ?
— Comment cette politique se décline-t-elle (par pays, par fonction...) ?
— Quels sont la logique de basculement, le planning d'ensemble, les étapes intermédiaires ?

Former aux nouveaux modes de fonctionnement

2538. Chaque changement prévu sera soutenu par la formation correspondante, comme illustré par le tableau ci-après.

Nature du changement	Exemple de formation correspondante
Stratégie	– Segmentation des clients ou des canaux de distribution, – Politique tarifaire, – Segmentation de l'offre fournisseur, – etc.
Organisation	– Explication du nouveau rôle des employés, de leurs nouvelles responsabilités, – Formation technique complémentaire pour les employés dont le périmètre d'intervention s'accroît, comme par exemple, dans le cas d'une internationalisation de poste, – Connaissance des particularités (commerciales, juridiques) des marchés étrangers, – Maîtrise des langues étrangères, – etc.
Processus	– Explication des nouvelles procédures, des tâches élémentaires, – Présentation des nouveaux bordereaux utilisés, – etc.
Systèmes d'information	– Utilisation des nouvelles fonctionnalités des applications, – Présentation des outils (convertisseurs...), – Règles de calcul, de conversion, d'arrondi, – etc.

Former à informer

2539. Les changements occasionnés par l'euro ne sont pas confinés à l'intérieur de l'entreprise, comme c'est souvent le cas dans un projet. Au contraire, la devise étant le support permettant d'exprimer la valeur d'une transaction, elle matérialise en quelque sorte les relations entre une entreprise et son environnement. Ainsi le passage à l'euro d'une entreprise devrait-il être hautement visible par ses partenaires extérieurs : clients, fournisseurs, distributeurs, sous-traitants, etc.

L'entreprise doit donc être capable d'expliquer à ses partenaires :
— ce qu'est l'euro (s'il lui semble qu'ils n'y sont pas assez sensibilisés) ;
— comment elle a décidé de passer à l'euro (en général) ;
— comment ce passage se traduit concrètement sur les transactions élémentaires de commande, de livraison, de paiement, etc.

Cette explication peut être assurée par la fonction de communication externe de l'entreprise. Mais le plus souvent, elle devra être assurée sur le terrain par les employés eux-mêmes dans les services :

— commercial, administration des ventes et comptabilité clients (relation avec les clients) ;

— achat, approvisionnement et comptabilité fournisseurs (relation avec les fournisseurs) ;

— industriel et comptabilité fournisseurs (relation avec les sous-traitants).

Les employés ne sont pas toujours à même de fournir ces explications, d'autant plus qu'ils sont rarement impliqués dans la définition de la politique de passage à l'euro (où ce sont plutôt les cadres qui interviennent). La formation technique évoquée au paragraphe précédent ne doit pas se limiter aux aspects internes, mais inclure le point de vue externe (des partenaires), pour permettre aux employés de jouer effectivement leur rôle d' « ambassadeur » de l'entreprise.

Plusieurs vagues de formation seront nécessaires

2540. La formation ne pourra pas être assurée en une seule fois. Les entreprises devront envisager d'assurer plusieurs vagues de formation échelonnées dans le temps :

— politique d'ensemble dès que possible si ce n'est déjà fait et prise en compte de l'euro en phase transitoire (période de « ni, ni ») ;

— basculement de la devise de référence (entre 1999 et 2001) ;

— traitement des espèces (fin 2001) ;

— abandon définitif des monnaies nationales (début 2002).

Accompagner le changement

2541. Nous avons décrit précédemment les besoins en information ou en formation de caractère général et technique. Il est nécessaire d'aller au-delà de ces aspects pour conforter le processus de migration. En effet, le passage à l'euro constitue un changement considérable — sans précédent disent certains — dans un laps de temps finalement relativement court. Une bonne communication est nécessaire pour combattre l'inertie naturelle, voire la résistance au changement qui ne manqueront pas de se manifester.

Pourquoi communiquer ?

2542. Si une entreprise ne communique pas sur son projet euro, ses partenaires (clients, fournisseurs, actionnaires) ou salariés pourraient craindre :

— que l'entreprise n'ait pas engagé de projet euro, ou

— que le projet euro ne progresse pas de façon satisfaisante, ou

— que des décisions « inavouables » soient prises, telles que les évolutions de tarifications ou des salaires.

Une bonne communication permet au contraire de développer la **confiance** des acteurs (lisibilité de la stratégie, transparence des actions), d'assurer l'**adhésion** au projet des acteurs clés, et de garder la **maîtrise du temps** en anticipant sur les décisions ou actions critiques.

Comment communiquer ?

2543. De nombreux moyens sont à la disposition des entreprises pour véhiculer leur communication euro, tant interne qu'externe :

— journal interne (journal d'entreprise ou journal spécifique) ;

— revues de presse ;

— « guichet euro » pour répondre aux questions des partenaires et/ou salariés. Ce guichet peut être soit physique (stand, boîte aux lettres), soit virtuel (forum de discussion sur un site Intranet ou Extranet);

— conférences;

— plaquettes explicatives;

— informations sur les bulletins de paie;

— calculettes euro (au logo du groupe) distribuées aux clients et aux personnels;

— etc.

Ces différents moyens peuvent être utilisés pour assurer en parallèle une communication générale et une communication plus ciblée sur certains acteurs. Il est nécessaire d'assurer, toutefois, la cohérence des messages transmis, ainsi que leur continuité dans le temps — le processus de passage à l'euro n'étant pas instantané mais se prolongeant sur plusieurs années.

Prendre l'initiative de la communication

2544. Des entreprises ont une tendance à rester repliées sur elles-mêmes. Nous avons été surpris, au cours de nos enquêtes, de constater combien d'entreprises mènent seulement en interne leur réflexion sur le passage à l'euro, alors même qu'elles y traitent des relations avec leur environnement externe.

Le risque majeur est de ne pas appréhender l'évolution de cet environnement, d'être surpris par ses réactions et de ne pouvoir y répondre rapidement.

Il nous semble au contraire que, après une première phase de préparation en interne pour élaborer leurs argumentaires, les entreprises doivent prendre l'initiative de contacter leurs partenaires pour diriger — et non subir — les négociations tarifaires ou salariales. L'euro est une occasion de renouer contact et renforcer les relations avec les partenaires externes.

F. La réactivité sera une condition essentielle du succès

2550. L'euro va entraîner, directement ou indirectement, des changements forts au niveau de la stratégie, de l'organisation et des techniques. Ces évolutions interviennent dès à présent et sur une période longue, au-delà de 2002. Elles se prolongeront également avec l'arrivée probable d'autres pays dans la zone euro.

Les gagnants seront ceux qui auront su combiner des actions à court terme avec des refontes en profondeur, qui auront su associer l'euro aux autres changements et qui auront réagi vite à l'évolution de l'environnement.

L'attitude des entreprises face à l'introduction de l'euro a pu être analysée en détail grâce à une *étude* menée par PricewaterhouseCoopers auprès d'une centaine d'entreprises françaises. Elle a permis de mettre en évidence beaucoup plus de « bons élèves » que de « leaders ». En termes de scénario de migration, la plupart des entreprises se préparent de façon à être *prêtes* le jour où le marché souhaitera passer en euros, *sans chercher à devancer* la tendance.

Cette attitude est cohérente avec le courant de pensée « time based competition » : l'essentiel n'est pas d'être le premier, de faire preuve à tout prix d'innovation, mais de savoir réagir vite aux évolutions de la demande ou de l'environnement.

La réussite de la migration vers l'euro requiert la capacité à mesurer finement l'évolution de l'environnement. Cela exige de mettre en place des structures de veille, de développer des relations intrasecteurs ou intersecteurs. Paradoxalement, l'attitude la plus fréquente que nous constatons jusqu'à maintenant est de réaliser en interne l'analyse des impacts de l'euro, ce qui prive de l'opportunité de comprendre l'environnement externe.

Enfin, si une grande réactivité est nécessaire, celle-ci doit rester coordonnée. Il est indispensable de mettre en place une culture et des moyens tournés vers l'échange et la communication, de conserver une vision globale partagée et des buts communs, tout en s'appuyant sur une structure locale autonome et responsable.

2551. Les points à retenir concernant les impacts de l'euro sur l'organisation de l'entreprise sont les suivants :

⇒ L'arrivée de l'euro, en soi, n'a pas d'impact direct sur l'organisation. En revanche, *la conjonction de l'euro avec les autres évolutions de l'environnement peut conduire à des changements majeurs en termes d'organisation.*

⇒ L'arrivée de l'euro abolit la barrière du change, ce qui *conduit à mettre davantage en lumière les obstacles restants* tels que les différences fiscales, la réglementation du travail ou les différentes politiques salariales. La recherche d'équilibre entre ces contraintes résiduelles, facilitée par les progrès réalisés dans les domaines des techniques et des infrastructures, *pourra entraîner des décisions en termes de localisation.* Cette refonte de l'organisation à l'échelle européenne ne pourra être réussie que si elle est accompagnée d'une *adaptation des comportements et des modes de management.*

⇒ Employés et cadres devront être *informés* des conséquences du passage à l'euro (sur leur travail quotidien, sur la politique salariale...) mais également *formés* à l'évolution des modes de fonctionnement. L'entreprise a un rôle important à jouer dans l'accompagnement des salariés face aux changements internes et externes liés à l'arrivée de l'euro.

⇒ Face à l'arrivée de l'euro, les entreprises vont donc devoir combiner des actions à court terme et des réorganisations en profondeur. La *réactivité* sera probablement, dans ce contexte de changement, un facteur clé de succès.

CHAPITRE VI

Passage à l'euro des systèmes d'information

Introduction

1. La prise en compte de l'euro a un impact considérable sur les systèmes d'information des entreprises

2600. Les systèmes d'information jouent un rôle essentiel dans le fonctionnement des entreprises. Dès lors, il n'est pas surprenant que l'impact de l'euro le plus souvent cité, et considéré comme le plus important, soit celui sur les systèmes d'information.

De fait, de nombreux sondages montrent que, dans les systèmes d'*information de gestion* des entreprises, 80 % à 90 % des programmes ou des fichiers contiennent des montants exprimés en devises. On comprend la crainte des chefs de projets euro et des informaticiens d'avoir à modifier tous ces programmes et fichiers, soit pour dupliquer les zones « montant » (de façon à faire coexister pour chaque montant une expression en euros et une expression en devise nationale), soit pour créer des mécanismes de conversion entre euro et monnaie nationale. Et encore, les systèmes d'information de gestion ne représentent que la partie émergée de l'iceberg. Au-delà des applications gérées et maintenues par les services informatiques, existent des feuilles de calculs, bases de données et « micro-applications » développées par les utilisateurs avec des *outils bureautiques*, sans toujours la rigueur (analyse, documentation...) attendue d'un professionnel.

2. La migration à l'euro n'est pas une simple migration technique, et peut nécessiter des évolutions fonctionnelles

De nouvelles applications peuvent s'avérer nécessaires

2601. Plusieurs types de besoins peuvent conduire à la création de nouvelles applications informatiques. À titre d'*exemple*, nous pouvons citer :

a) Des applications de *gestion paneuropéennes*, en remplacement d'applications autrefois distinctes pays par pays :
— catalogue produits ;
— tarif ;
— etc.

C'est le cas lorsque le passage à l'euro s'accompagne pour l'entreprise d'une harmonisation des processus opérationnels ou d'une centralisation de certaines structures organisationnelles (« Shared Services »).

b) Des utilitaires permettant la *conversion* entre euro et devise nationale, destinés à être appelés par les applications (notamment par l'utilisation de convertisseur en amont des chaînes comptables, en général adossé à un interpréteur) :
— modules de conversion d'un montant ;
— modules de saisie ;
— modules d'affichage.

c) Des applications spécifiques de *suivi de la migration* :
— base de données pour la veille externe (« observatoire de l'environnement » : concurrents, clients, fournisseurs, public... permettant notamment de surveiller la vitesse de basculement à l'euro de l'environnement économique pendant la période transitoire) ;
— outil de gestion de projet, base de gestion et de partage de savoir-faire euro : en effet, la migration à l'euro peut avoir un impact sur l'ensemble de l'entreprise et nécessite de mobiliser un très grand nombre d'acteurs ; notamment dans les grands groupes ou dans les entreprises ayant plusieurs établissements, la conduite d'un tel projet nécessite des moyens technologiques (« groupware ») permettant de faire circuler l'expérience euro acquise — éviter de « réinventer la roue » dans chaque établissement ou filiale — et permettant de coordonner et de synchroniser l'ensemble des participants au projet.

Les applications actuelles devront être adaptées pour traiter la transition, puis le basculement vers l'euro

2602. Une application informatique présente deux caractéristiques majeures :
— sa capacité à traiter un flux de transactions (par exemple : des commandes, des livraisons, des factures, des mouvements comptables...) ;
— sa capacité à mémoriser des informations semi-permanentes, de référence ou de synthèse sur ces transactions (par exemple : des historiques de vente, des historiques de stock — permettant de calculer la valeur d'un inventaire en FIFO, LIFO ou PMP, des soldes comptables...).

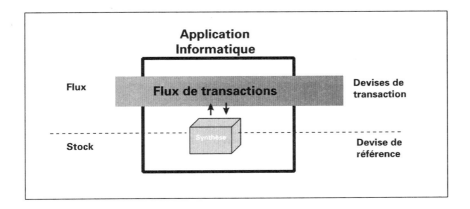

Si les transactions peuvent être exprimées dans diverses devises (notamment dans les entreprises pratiquant l'import et l'export), en revanche les informations de synthèse sont le plus souvent libellées dans une devise unique qui est la devise de référence de l'entreprise.

L'adaptation à l'euro de l'application informatique nécessite donc d'assurer, pendant la période de transition, la coexistence entre transactions libellées en devises nationales et transactions libellées en francs, et de basculer de devise nationale à euro leur base de données « de référence ».

2603. Les logiciels compatibles euro doivent gérer des aspects clés :

Transition — Depuis le 1er janvier 1999, les entreprises commencent à recevoir des paiements et d'autres informations aussi bien en euros que dans toutes les monnaies utilisées jusqu'à présent. Certaines informations comme les listes de prix peuvent même être traduites en euros plus tôt. Les entreprises peuvent également décider d'effectuer des paiements et de fournir des informations en euros, ou de se donner les moyens de négocier indifféremment en euros ou en devise nationale, selon les préférences de leurs partenaires commerciaux. La tendance à recevoir, payer et reporter en euros va croître pendant la période de transition, de 1999 à 2002. Cette tendance pourrait s'accélérer et il serait prudent pour toute entreprise de supposer qu'elle va devoir gérer deux types de transactions, en euros et en devise nationale, dès le début de la période de transition.

Basculement — À un certain stade de la période de transition, chaque entreprise intervenant dans la zone euro aura besoin de changer sa devise de référence en passant de la monnaie nationale existante à l'euro. La date de passage à l'euro reste à la discrétion de chaque entreprise individuelle ou de sa société mère, mais dans la pratique, ce changement devra être achevé d'ici au 1er janvier 2002. Pour le moment, les entreprises ne sont pas soumises à une obligation légale d'effectuer ce passage à l'euro. Une entreprise pourrait en conclure qu'elle peut continuer indéfiniment à garder ses livres comptables dans l'ancienne monnaie nationale et à convertir en euros tous les montants requis, même après le retrait de la monnaie nationale. Toutefois, cela serait fort peu pratique ; et pour toute entreprise complexe, cela pourrait aller à l'encontre des conditions légales en ce qui concerne la tenue des livres de comptes.

2604. La caractéristique clé de l'euro, concernant les systèmes d'information, est que son taux de *conversion* est fixé par rapport aux monnaies nationales existantes des pays participants (taux en vigueur depuis le 1er janvier 1999). Les taux de change entre les monnaies nationales des pays participants ont été définitivement fixés lors du week-end du 1er mai 1998 (voir n° 70). Des règles strictes et précises sur la conversion de ces monnaies ont été arrêtées (ces règles sont discutées de manière plus détaillée aux nos 260 s. et 2570 s.). Pour souligner le fait que les monnaies nationales sont, depuis le 1er janvier 1999 de simples expressions alternatives face à l'euro, nous sommes encouragés à utiliser le terme « taux de conversion » plutôt que « taux de change » quand nous nous référons aux conversions de devises au sein de la zone euro.

2605. Concrètement, les *mécanismes d'adaptation à mettre en œuvre* sont illustrés par le schéma suivant :

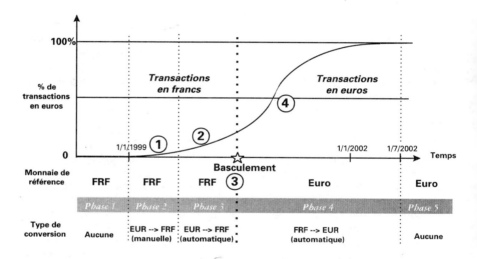

1. Au début de la période transitoire, les transactions en euros, encore exceptionnelles, peuvent être converties manuellement.
2. Par la suite, le volume de transactions en euros devenant plus significatif, il devient indispensable d'automatiser le mécanisme de conversion des transactions en euros (tout en permettant l'enrichissement des informations de référence restées en monnaie nationale).
3. À une date choisie par l'entreprise, l'ensemble des informations de référence doit être converti en euros.
4. Dès lors, les transactions en monnaies nationales devront être converties automatiquement vers l'euro, qui sera alors devenu la devise de référence.

Enfin, le passage à l'euro peut poser des problèmes pratiques de type logistique

2606. Ces problèmes pratiques peuvent résulter des caractéristiques de l'euro ou des décisions prises en matière de double affichage ou de double devise de règlement. À titre d'exemple, nous pouvons citer les problèmes liés :

a) Aux montants en euros

La règle est de gérer six chiffres significatifs. Par exemple, la précision d'un eurocent peut s'avérer insuffisante par rapport à la précision du centime (pour le franc). Le passage au millième d'euro peut s'avérer nécessaire (pour certaines devises de la zone euro, cela peut conduire à gérer jusqu'à six décimales).

Dans certains pays (Espagne, Italie...), la monnaie nationale n'est pas subdivisée. L'introduction de l'euro nécessite de prévoir des zones numériques avec 2 chiffres après la virgule (au moins), ce qui peut dans certains cas conduire à des modifications aussi coûteuses que le passage à l'an 2000 !

b) Au double affichage

Les volumes d'états imprimés risquent d'augmenter (plus 20 % de surface pour un catalogue de vente par correspondance), voire doubler (si on imprime chaque état en devise nationale et en euros). Cette augmentation de volume peut s'avérer intolérable soit du fait de son coût (papier), soit du fait de la durée d'impression.

Les zones numériques des écrans (transactions de saisie, de consultation) doivent dans certains cas être doublées. Au mieux, la lisibilité de l'écran en sera fortement altérée. Au pire, il n'y aura pas de place pour les zones à ajouter.

La taille et le format des bordereaux doivent être revus : bulletins de paie, tarifs, bons de commandes, factures, étiquettes, tickets de caisse.

c) À une double devise de règlement

Ainsi, doivent être adaptés :

— les balances de pesage, volucompteurs...

— les terminaux de paiement électroniques TPE (lecteurs de cartes de crédit).

En effet, la plupart des équipements ne permettent pas actuellement de spécifier la devise de règlement (qui est implicitement la monnaie nationale).

d) À la saisie et affichage des données

Il ne faut pas sous-estimer l'impact sur les matériels installés, en particulier pour intégrer le symbole € sur les claviers et dans les tables de gestion des caractères et ce pour l'ensemble de pays où l'entreprise est active et pour l'ensemble des machines serveurs et clients avec leur différents systèmes d'exploitation.

3. La compatibilité à l'euro des applications informatiques est un concept essentiellement subjectif, et propre à chaque entreprise

2607. Il n'y a pas de définition objective et largement acceptée de la compatibilité euro. Cela signifie qu'une application donnée d'un logiciel peut être compatible euro pour une organisation X mais pas pour une organisation Y, simplement parce que les deux organisations ont des besoins différents en traitement informatique ou en comptabilité — ou parce que le logiciel gère les caractéristiques euro dans un sens que l'organisation X considère comme acceptable mais que l'organisation Y ne peut pas considérer comme tel.

Cette subjectivité est la raison principale pour laquelle ce document ne cherche pas et ne peut pas chercher à être totalement exhaustif. Chaque organisation doit d'abord décider de ses exigences et de sa politique, et ensuite les assortir aux caractéristiques du logiciel existant ou du nouveau logiciel qu'elle est en train d'évaluer. Même si l'organisation achète un nouveau logiciel, celui-ci aura nécessairement beaucoup de lacunes fonctionnelles, indépendamment des considérations de compatibilité euro ; par conséquent, l'organisation devrait **définir les caractéristiques spécifiques du logiciel** dont elle a besoin concernant la compatibilité euro.

Du fait de la nature subjective du sujet, ce document évite volontairement de mentionner des logiciels spécifiques ou d'évaluer leur compatibilité euro. Lorsque cela est pertinent, le document décrit les caractéristiques générales que certains fabricants de logiciels ont incorporées et discute dans quelle mesure elles peuvent être considérées comme compatibles euro.

4. Plan du chapitre

2608. La section II décrit, pour les différents types d'application, les modalités à prévoir pour la phase de transition :
— les différents rythmes de passage ;
— les applications du processus des « recettes » ;
— les applications du processus des « dépenses » ;
— les applications du processus d'exploitation ;
— les applications de reporting.

La section III décrit les mécanismes de basculement à l'euro d'une application :
— la stratégie possible pour une application ;
— la logique du cycle permettant de préserver la cohérence et la continuité des flux ;
— comment fixer la date de basculement ;
— les liens à établir avec les autres projets systèmes.

5. Éléments de terminologie et conventions adoptées dans ce chapitre

Hypothèses et usages du document

2610. Ce document émet deux hypothèses.

a) Les systèmes actuels d'une entreprise utilisent une monnaie de base unique. Cela signifie que, dans le cas de systèmes capables de gérer des transactions dans plusieurs devises, tous les montants exprimés en monnaie étrangère doivent être convertis en une seule devise pour la consolidation ou le reporting. De plus, l'entreprise utilise cette monnaie de base comme « langage » principal ou « monnaie de référence » quand elle discute de montants monétaires. Avec l'introduction de l'euro, le personnel de l'entreprise, à tous les niveaux, devra être capable de travailler dans deux monnaies. Les entreprises dont les systèmes et le personnel jonglent déjà avec deux monnaies de base — par exemple, les organisations bancaires et les organisations de trésorerie internationale, ou certaines filiales de multinationales centralisées — seront déjà habituées à penser simultanément dans deux ou plusieurs monnaies et percevront donc moins l'introduction de l'euro comme un changement dans leur façon de penser.

b) Une entreprise continuera à utiliser sa monnaie nationale comme monnaie de référence pendant la première partie de la période de transition. La section III aborde spécifiquement le problème du moment où une entreprise fait passer sa monnaie de référence de l'ancienne monnaie nationale à l'euro. Dans le chapitre suivant (sections 2 et 5), on supposera en particulier que la monnaie de référence de l'entreprise est encore l'ancienne monnaie du pays. L'essentiel de la discussion dans ces deux sections 2 et 5 demeure valide même après le changement de la monnaie de référence — mais les positions relatives de la monnaie nationale et de l'euro sont inversées.

Ces hypothèses sont vérifiées pour la plupart des entreprises.

Terminologie et usages

2611. La terminologie suivante est utilisée :

Zone euro — Groupe des États membres de l'Union européenne qui rejoignent l'Union monétaire européenne et pour lesquels l'euro est devenu la devise officielle à partir du 1er janvier 1999 (dit aussi Euroland).

Devise nationale — Devise initiale du pays ayant rejoint la zone euro (par exemple, le mark allemand, la livre irlandaise).

Monnaie de référence — Monnaie la plus utilisée au quotidien dans l'entreprise quand on se réfère à des montants monétaires — dans la plupart des cas, la monnaie nationale du pays dans lequel l'entreprise est implantée.

Monnaie de base — Monnaie utilisée comme l'unité principale de comptabilité dans les systèmes d'une entreprise — dans la plupart des cas, la même que la monnaie de référence de l'entreprise.

Taux croisé — Taux de change direct utilisé pour effectuer des conversions entre deux monnaies nationales de la zone euro.

Pour la plupart des entreprises, la monnaie de référence et la monnaie de base vont toutes les deux devenir l'euro à un certain stade de la phase de transition, entre 1999 et 2002.

Pour des raisons de commodité et de brièveté, tout au long du document :
— le franc français est utilisé comme exemple de monnaie nationale ;
— pour les transactions interdevises à l'intérieur de la zone euro, le mark allemand (« mark ») est utilisé comme exemple de monnaie croisée ;
— EDI (Electronic Data Interchange) signifie échange de données informatisées.

SECTION II

Les impacts informatiques pendant la période de transition

A. Des rythmes de passage à l'euro différents

2615. Les différents *paramètres* qui peuvent influencer le rythme de passage d'une entreprise à l'euro sont les suivants :
— la nature de ses produits et services ;
— l'implantation géographique de l'entreprise et de ses partenaires ;
— sa politique commerciale ;
— l'image euro prônée ;
— le nombre de ses différents partenaires et leur rythme de passage à l'euro ;
— les souhaits, les plans, le pouvoir de négociation relatif de ses partenaires (particulièrement des clients, mais également des fournisseurs et concurrents) ;
— les exigences des autorités législatives et fiscales de chaque pays avec lesquels l'entreprise travaille.

2617. Ces points soulignent encore le fait que « la compatibilité euro » est subjective, car chaque entreprise a des besoins spécifiques. Ce chapitre montre qu'il est peu probable qu'il y ait une définition commune des critères de compatibilité avec l'euro pour le fonctionnement des systèmes. Cependant, il est peut-être possible d'*identifier des critères « idéaux »* qui fourniraient un maximum de flexibilité pour permettre à l'entreprise de configurer un système qui satisfasse ses exigences spécifiques.

L'étude des différents points précités est impérative pour anticiper les souhaits et les attitudes de ses partenaires. Presque toutes les entreprises vont subir un passage rapide de 0 % d'activité euro à la fin de 1998 à 100 % avant 2002. Certaines entreprises peuvent anticiper un volume significatif de transactions en euros dès le début de la 3ᵉ phase de l'UME, particulièrement si leurs clients et fournisseurs se situent majoritairement dans la zone euro et prévoient un passage précoce à l'euro. D'un autre côté, les détaillants et les entreprises nationales anticipent une faible proportion de transactions en euros avec leurs clients jusqu'à la fin de la période de transition.

2618. Cette section étudie *quatre processus* clés *communs* à presque toutes les entreprises :
— le processus des recettes (vendre et être payé) ;
— le processus des dépenses (acheter et payer) — incluant la paie ;
— le processus d'exploitation (fabriquer) ;
— le processus de reporting (comptabiliser et rendre compte).

B. Processus des recettes

2620. Les *sous-processus* clés du processus recettes sont les suivants :
— la détermination et la publication des prix ;
— l'enregistrement des commandes ;
— la livraison ;
— la facturation ;
— le suivi du compte client ;
— la publication des comptes.

La discussion qui suit montre que le *risque* lié aux problèmes de conversion est plus grand lorsque la monnaie d'une transaction donnée du processus des recettes change entre la commande initiale et le paiement de la facture. En conséquence, idéalement, une entreprise devrait *s'entendre* à l'avance avec un client *sur la monnaie* dans laquelle une *transaction* sera effectuée, et s'assurer que la transaction utilise cette monnaie de façon cohérente depuis la fixation du prix jusqu'au paiement.

Dans la *pratique*, la plupart des clients de la zone euro vont probablement souhaiter effectuer toutes les transactions dans une devise donnée ; au début, il s'agira le plus souvent de la monnaie nationale puis, après le jour E (le jour auquel l'entreprise bascule toutes ses opérations en euros), il s'agira de notre nouvelle monnaie. Inévitablement, ainsi que nous le verrons dans la section 3, certaines transactions seront à cheval sur le jour E (par exemple, une commande est passée avant le jour E mais facturée ou réglée après). Des arrangements particuliers devront donc être pris afin de gérer de telles transactions.

1. Détermination et publication des prix

a. Différents formats de l'expression des prix

2621. Les entreprises fixent et rendent publics leurs prix de différentes façons. En voici quelques *exemples* :

Les listes et catalogues de prix (cela concerne surtout les fabricants ou distributeurs de volumes importants) — Le prix de vente est standard pour une gamme d'articles spécifiques ; le client a souvent l'habitude de passer ses commandes depuis longtemps à partir de catalogues de prix. Certains clients peuvent bénéficier de remises ou de rabais.

L'affichage des prix (cela concerne surtout les détaillants) — L'éventail d'articles spécifiques est large, chacun ayant un unique prix de vente standard ; le prix est souvent officiellement inscrit sur l'article ou affiché à côté. De même que pour le prix unitaire standard, une réduction de prix et un prix unitaire peuvent également être affichés.

Les prix personnalisés ou contractuels (cela concerne notamment les fabricants spécialisés ou les prestataires de services) — Les prix sont calculés individuellement pour chaque commande ou demande de renseignements. Les calculs de prix peuvent être basés sur des catalogues internes ou sur des estimations de coûts auxquelles on rajoute la marge ; ils peuvent également être déterminés à partir d'articles semblables ou encore en fonction de ce qui peut être négocié avec le client. On peut simplement donner au client un prix total mais occasionnellement une analyse détaillée de prix peut être fournie.

b. Dans quelle monnaie les prix doivent-ils être donnés ?

2622. Les *options* sont les suivantes :
— dans la monnaie nationale exclusivement ;
— en euros exclusivement ;
— à la fois en euros et dans la monnaie nationale ;
— dans une seule monnaie (monnaie nationale, euro ou autre) déterminée en fonction du client.

2623. Suivant le principe « ni obligation, ni interdiction » de la phase de transition, il n'y a pas de contrainte ou d'impératif légal concernant la monnaie dans laquelle une entreprise doit libeller ses prix. La *décision* est *prise individuellement* par chaque entreprise en fonction :
— des exigences de ses clients ;
— de l'historique de sa politique concernant l'expression des prix ;
— de l'image de marque qu'elle souhaite véhiculer relativement à l'euro.

> Précurseur (i.e. adopter l'euro comme monnaie de référence), en phase avec le marché (i.e. simplement adopter le même rythme que ses concurrents), traditionnel (i.e. conserver l'ancienne monnaie aussi longtemps que possible), flexible (i.e. traiter au cas par cas dans la devise choisie par le partenaire).

2624. La décision est subordonnée aux capacités des systèmes de l'entreprise et au type de prix qu'elle pratique, ce qui fera l'objet d'une discussion plus avant. Le choix de l'attitude face à l'euro est également influencé par des *considérations pratiques* :

> — Si une entreprise exprime ses prix dans deux monnaies ou plus à la fois, alors, particulièrement pour les petits prix unitaires, elle risque de générer des différences entre la somme des arrondis et les arrondis de la somme. Cela peut créer la confusion dans l'esprit des clients. De plus, lorsqu'il s'agit de gros volumes, certains clients pourraient décider de procéder à une sorte d'arbitrage et choisir la somme arrondie la moins élevée. De telles pratiques de double prix peuvent porter à confusion lorsque cela concerne la facturation. Une solution possible à ce problème pour l'utilisation du double prix est de définir l'une des deux monnaies comme étant la monnaie « officielle » (l'autre monnaie est alors donnée seulement à titre d'information) et de le faire figurer clairement sur tous les document concernant le prix.

> — Une entreprise ne peut avoir qu'un seul prix psychologique dans une seule monnaie à la fois : un prix psychologique de 0,99 FF se traduirait par un prix non psychologique de 0,15 €.

> — Il serait difficile pour une entreprise d'exprimer ses prix seulement en euros, avant d'avoir basculé sa monnaie de référence.

> — Au final, la situation idéale serait qu'un client puisse recevoir l'information sur le prix dans la monnaie de son choix. Cela minimiserait le risque de confusion tout au long du

processus qui va de la vente jusqu'à la facturation. Cela peut être faisable ou non selon le système du vendeur et la complexité de ses structures de prix.

2. Enregistrement des commandes

a. Systèmes existants

2625. Généralement, les systèmes de prise de commande dans les entreprises calculent les prix en utilisant des règles internes, et éventuellement leur appliquent des réductions de prix en fonction soit du client, soit des volumes commandés. Le responsable de la prise de commande peut dans certains cas modifier les prix donnés par défaut. Ce procédé s'applique à la fois aux articles standard et à ceux faits sur mesure. Dans certaines industries, dans lesquelles les algorithmes de prix sont trop complexes ou dans lesquelles les prix varient selon les clients, le système de prise de commande n'effectue pas de tels calculs et accepte seulement l'entrée d'un prix pour chaque ligne de la commande.

Il arrive que les commandes soient chiffrées par rapport à un catalogue de prix ou une proposition de prix envoyée au client. Dans ce cas, le logiciel peut ne pas autoriser l'entrée d'un autre prix que celui qui a été utilisé pour le devis fait au client, ce qui serait un gage de l'intégrité du système. Dans une telle situation, il faut espérer que pour n'importe quelle étape de la commande, le client a fait le choix de la monnaie dans laquelle la commande sera effectuée.

b. Scénario « idéal »

2626. Il semble que le scénario « idéal » durant la période de transition serait *que le système permette à l'utilisateur de définir la monnaie dans laquelle la commande sera prise* (en général, elle sera toujours la même pour un client donné). Ainsi, la monnaie à utiliser pourra directement être déduite du fichier client principal mais il devra être possible de la modifier dans des cas exceptionnels.

Dans un tel système, les règles de détermination de prix seront, soit fixées dans chaque monnaie dans laquelle une commande peut être passée, soit fixées dans une monnaie de référence et traduites au moment de la commande dans la monnaie utilisée pour cette commande. Cette dernière méthode peut s'avérer plus pratique dans la mesure où l'euro a un taux fixe par rapport à la monnaie nationale, mais seulement à condition que le logiciel respecte les règles de conversion. Lorsque le prix de la commande est basé sur les coûts unitaires standard (par exemple, dans le module coût-produit d'une application de fabrication), il est important de s'assurer que la conversion se fait de façon précise et que des erreurs d'arrondi ne sont pas introduites.

Les caractéristiques « idéales » décrites ci-dessus peuvent être particulièrement nécessaires dans le cas de commandes de volumes importants avec un facteur temps réduit telles que la *télévente*, où tout ralentissement dans la prise de commande peut engendrer de sérieuses complications logistiques, occasionner des retards pour les clients, augmenter le coût des Numéros Verts, etc. Même le temps pris pour déterminer quel client doit être privilégié par rapport à un autre, ou pour rechercher dans quelle monnaie un nouveau client veut effectuer une transaction, peut causer des problèmes à moins que le logiciel ne soit conçu pour traiter ces situations de manière optimale.

c. Précautions particulières à prendre

2627. La prise de commande est un aspect déterminant des relations qu'entretient une entreprise avec ses clients. En conséquence, toute manipulation manuelle ou semi-automatique doit être testée et ses performances évaluées avec attention pour s'assurer qu'elle est fiable et n'engendrera pas de contretemps supplémentaire. De même, toute entreprise n'anticipant qu'une faible proportion de transactions en euros devrait faire des *simulations* de différents scénarios avec des proportions de, par exemple, 5 %, 20 %, et 60 % de transactions en euros afin de mesurer les impacts si la proportion s'avère être plus importante que prévu. De telles entreprises sont contraintes d'admettre qu'entre 1999 et 2002, la proportion de clients de la zone euro utilisant la nouvelle monnaie pour leurs transactions va passer de 0 % à 100 % à un rythme imprévisible. C'est la raison pour laquelle il est important d'*évaluer* les effets des transactions qui ne sont pas faites dans la monnaie de référence.

D'autre part, lorsqu'un système d'EDI est utilisé pour transmettre des commandes, le code de la monnaie est généralement fourni dans le format du message, et il est probable que l'euro sera « simplement une autre monnaie » pour l'application EDI. Cependant, une entreprise qui utilise ce type de système devrait vérifier que son *interface EDI* est capable de reconnaître et de convertir et arrondir les sommes en euros avec exactitude. L'utilisation d'EDI ne dispense pas une entreprise de s'assurer que la monnaie utilisée lors d'une transaction est cohérente avec la détermination du prix jusqu'au paiement.

3. Livraison

2628. Certains documents accompagnent la livraison de biens. C'est en général la combinaison d'un bon de livraison ou d'une lettre de connaissement, d'une facture, de documents d'exportation ou de douane. Le bon de livraison ou la lettre de connaissement peuvent contenir des valeurs aussi bien que des quantités qui peuvent être utilisées pour les factures pro-forma ou pour la douane. Si tel est le cas, l'entreprise souhaitera vraisemblablement exprimer les valeurs dans la même monnaie que celle utilisée dans la commande. Cela s'applique aussi dans les cas où l'agent de livraison reçoit le paiement en cash ou par chèque lors de la livraison.

Les principaux documents concernés par l'euro sont les *documents d'exportation et de douane*. Dans de nombreuses entreprises, ces documents sont encore préparés manuellement ou à l'aide d'un sous-système à partir du système principal des transactions. Dans une minorité d'entreprises ayant un gros volume d'expéditions par export, les documents sont générés directement par l'unité centrale.

Les entreprises doivent donc d'abord *vérifier* quelles *monnaies* sont *acceptées par les autorités* compétentes selon le type de document. Chaque gouvernement de la zone euro a rendu publique sa politique concernant l'euro, ou doit le faire prochainement ; certaines politiques gouvernementales sont plus favorables à l'euro que d'autres.

Si la monnaie dans laquelle la commande a été passée est acceptée par toutes les autorités concernées, c'est alors la monnaie la plus adéquate pour préparer les documents de livraison. Sinon, il peut être nécessaire de convertir des sommes de la monnaie de la commande dans une monnaie acceptée par les autorités. Dans tous les cas, la monnaie dans laquelle les documents sont préparés doit être clairement identifiée et doit être doublement vérifiée pour s'assurer de l'exactitude des montants durant les premières étapes de la transition.

4. Facturation

2629. Le degré de détail indiqué sur une facture varie en fonction du secteur industriel, mais dans le cas général, elle mentionne pour chaque article la quantité, le prix unitaire et le prix total. Toute réduction de prix ou remise peut être calculée par article ou sur le total de la facture.

Dans la plupart des cas, il est souhaitable que le *montant de la facture* corresponde au *montant de la commande*, bien qu'il puisse y avoir quelques frais supplémentaires (tel que les frais de port). Cela conduit à préférer l'utilisation de la même monnaie pour la facture et pour la commande.

L'idéal, dans un système totalement intégré, est que le prix convenu de la commande figure automatiquement sur la facture : cela garantirait que le prix de la commande corresponde à celui de la facture et que toutes les modifications de prix ultérieures soient automatiquement inscrites sur la facture. Lorsque ce n'est pas le cas, il peut être nécessaire de consulter des dossiers manuels pour déterminer la monnaie utilisée et les montants convenus dans la commande pour qu'ils puissent être inscrits sur la facture.

Lorsqu'une *commande* est *enregistrée dans une monnaie* mais que le client demande à être *facturé dans une autre*, il est nécessaire de calculer et d'établir la facture manuellement. Ce n'est pas la situation la plus courante : une telle demande sera probablement faite lorsque les clients basculeront vers l'euro comme monnaie de référence. Il faut vérifier que les systèmes informatiques peuvent traiter ce scénario.

2630. Une solution possible afin de ne pas avoir à choisir entre deux monnaies à chaque facturation est de faire figurer les *informations en monnaie nationale et en euros sur la facture*. Cette solution peut prendre deux formes :
— Les prix unitaires sont exprimés dans les deux monnaies. Cela implique tout d'abord de reformater la présentation de la facture, ce qui peut être réalisé dans la plupart des systèmes. Il faut être conscient toutefois que le volume d'information sera ainsi considérablement augmenté. Mais surtout, cette méthode risque de générer des écarts entre la conversion des sommes et la somme des conversions, comme le montre l'exemple suivant.

		Prix en francs		Conversion en euros du prix unitaire		Conversion en euros du total en francs par ligne
[a]	[b]	[c]	[d]	[e]	[f]	[g]
Article	Qté	Par unité FRF	Total FRF	Par unité EUR	Total EUR	Total EUR
A	500	0,15	75,00	0,02	10,00	11,43
B	50	0,10	5,00	0,02	1,00	0,76
C	150	0,05	7,50	0,01	1,50	1,14
Total			87,50		12,50	13,33

N.B. : La colonne (e) est basée sur le prix unitaire francs (présenté en colone (c)) converti en euros. Il en est de même de la colonne (f), égale aux quantités colonne (b) multipliée par le prix unitaire en euros de la colonne (e). La colonne (g) est basée sur le total par ligne d'article (colonne (d) convertie en euros).

On constate de grandes différences entre les montants convertis en euros de la colonne (f) calculés sur la base du prix unitaire et ceux de (g) calculés sur la base du total par lignes d'article. Dans cet exemple, certaines différences sont positives et d'autres sont négatives, ce qui donne une différence globale de 6,4 %. On observe aussi une différence entre l'addition des montants des lignes par article de la colonne (g) (13,33 €) et le total en francs français converti en euros (87,50/6,55957=13,34 €).

— La deuxième option possible est que seul le prix total de la facture soit indiqué dans les deux monnaies. Cette méthode limite les écarts de conversion et les erreurs d'arrondi.

2631. En résumé, il est préférable d'éditer une facture dans la même monnaie que celle utilisée pour la proposition de prix et pour la commande. Le double prix sur la facture ne devrait être utilisé qu'en dernier ressort, et dans ce cas il ne devrait figurer qu'au niveau du total de la facture, plutôt qu'au niveau du prix unitaire ou par type d'article. La raison en est qu'un système peut alors traiter le problème de la facturation dans deux monnaies différentes relativement facilement, et que le fait de donner plusieurs sommes dans deux monnaies peut donner lieu à des erreurs d'arrondis significatives.

---

5. Gestion des paiements

2632. Un paiement doit être enregistré de préférence dans la *même monnaie que celle de la facture et du montant à recevoir*. Dans le cas où le paiement reçu est libellé dans une autre monnaie de la zone euro, il est toujours possible de créditer le compte client dans la monnaie de la créance, simplement en le convertissant au taux fixe de conversion. Le système doit être capable de le faire automatiquement, et dans le cas où il ne le pourrait pas, il devrait être relativement facile pour le responsable clients de convertir la somme (en utilisant une fonction couper-coller, à l'aide d'un tableur ou d'une calculatrice de bureau) avant de l'enregistrer.

Cependant, lorsqu'*un seul paiement* est effectué *pour plusieurs créances*, la situation peut devenir légèrement plus compliquée. Cela dépend de la façon dont le système fonctionne; il peut créditer directement des créances sur une base FIFO (i.e. créditer la facture la plus ancienne en premier), ou il pourrait être nécessaire de créditer chaque facture individuellement.

De plus, on peut imaginer le cas d'*un seul paiement* destiné à régler des *créances libellées dans des monnaies différentes*. Le processus de lettrage des factures ne devrait pas changer en lui-même. En revanche, la multiplication d'*écarts d'arrondis* dus à des conversions successives peut ralentir sensiblement les délais de traitement. Cela dépendra notamment de la souplesse qu'offre le système lors du passage en pertes et profits de ces écarts. La plupart du temps, les factures et les règlements sont rapprochés dans la devise d'origine. Dans ce cas, aucun écart d'arrondis n'apparaît. Dans le cas de rapprochement d'une créance convertie (par le système) et d'un règlement converti (par la banque), des écarts n'apparaîtront que si ces deux conversions diffèrent. Ce sera le cas si la règle de conversion utilisée n'est pas celle recommandée. Autre source d'écarts, les remises de chèques qui peuvent être soit converties globalement, soit ligne par ligne, les deux méthodes ne donnant pas le même résultat. Une proportion croissante de factures sont réglées par EDI ou par transfert direct sur compte bancaire. Selon la façon dont fonctionne l'interface EDI, et le degré de détail des informations fournies sur les transferts bancaires directs, les entreprises peuvent devoir prendre des mesures spéciales afin d'être en mesure de rapprocher ces montants perçus.

6. Édition d'extraits de compte

2633. Certaines entreprises éditent des situations de compte pour les clients qui le souhaitent. Elles peuvent également leur fournir des historiques du compte. De tels états doivent être exprimés dans une *devise déterminée* — de préférence celle choisie par le client. La monnaie doit, bien entendu, être *clairement spécifiée* sur les états. Si le système d'une entreprise traite déjà des états financiers sur la base de plusieurs devises, il devrait pouvoir éditer ces documents destinés au client dans la monnaie qui convient.

Il est raisonnable de supposer que tout système multidevises peut également produire des extraits de compte dans n'importe quelle devise contenue dans la base, une fois qu'il a été configuré pour le faire. Cependant, lorsque les états sont édités automatiquement dans une devise unique, il sera nécessaire d'exporter ces états sur un tableur pour effectuer la conversion, si le client souhaite les avoir dans une monnaie différente de celle de la base du système. Les arguments en défaveur de l'édition d'états financiers dans deux monnaies différentes (présenter les transactions et les soldes à la fois en euros et en francs français, par exemple) sont les mêmes que ceux déjà formulés concernant les autres documents : il y a un *risque* important *de confusion*, et il peut y avoir des différences d'arrondis et de totaux qui donnent lieu à quelque ambiguïté.

C. Processus des dépenses

2635. Les sous-processus clés du processus dépenses sont les suivants :
— l'obtention et la comparaison des propositions de prix ;
— les ordres de contrats ou de commandes ;
— la réception des livraisons ;
— l'enregistrement et la validation des factures ;
— le règlement des factures ;
— la gestion de la paie.

La discussion qui suit conclut que, pour la plupart des entreprises, l'euro n'a qu'un impact limité sur le processus des dépenses. Un nombre réduit de grandes entreprises peuvent insister auprès de leurs fournisseurs pour commercer avec eux dans une devise donnée ; ce document s'adresse aux entreprises qui ne possèdent pas un tel pouvoir sur leurs fournisseurs.

1. Obtention et comparaison des propositions de prix

2636. La plupart des entreprises effectuent cette comparaison des prix manuellement ou semi-automatiquement. Lorsque différents fournisseurs font leurs propositions de prix dans des devises différentes, la fonction achats est obligée de convertir les prix dans sa monnaie de référence pour faciliter la comparaison.

Tant que la *monnaie de référence* de l'entreprise reste l'ancienne monnaie nationale, toute proposition de prix en euros peut être convertie dans l'ancienne monnaie à l'aide du taux officiel de conversion. Cela ne présente pas plus de difficultés que s'il s'agissait d'une proposition exprimée dans n'importe quelle autre devise ; dans ce contexte, sous réserve que le système soit multidevises, *l'euro peut être considéré comme « simplement une autre devise »*. Cependant, une entreprise qui a l'habitude de recevoir et de traiter les propositions de prix dans une seule monnaie pourra rencontrer des difficultés lorsque les propositions consisteront en un mélange de monnaie de référence et d'euros (attention, notamment pour les achats sur catalogue, aux différences de packaging).

Afin de *réduire les frais généraux* d'administration consacrés à la conversion des propositions de prix dans une même devise, particulièrement lorsque le processus de conversion est manuel, une entreprise qui possède une certaine influence sur ses fournisseurs peut décider de *faire pression* sur ces derniers pour qu'ils expriment leurs *prix en euros*. Pour que cela soit exploitable, l'entreprise elle-même devra avoir effectué son basculement vers l'euro.

2. Ordres d'achats et commandes

2637. La conclusion pour ce processus est la même que pour l'obtention de propositions de prix : il doit être possible d'envisager l'euro comme « simplement une autre devise ».

Une fois qu'un accord est trouvé pour le prix d'un contrat ou d'une commande, l'édition de l'ordre d'achat dans la devise souhaitée ne devrait pas poser de difficultés particulières, pourvu que le système ait une *capacité multidevises*. Dans ce cas, *l'euro est « simplement une autre devise »*.

Si le système ne peut produire des ordres d'achats que dans *une seule devise* (très probablement la devise de base du système), l'entreprise devra continuer à éditer toutes les commandes dans l'ancienne monnaie nationale jusqu'à ce que le système bascule définivement vers l'euro, moment à partir duquel il commencera à éditer des commandes en euros. Indépendamment des possibilités du système, il est difficile d'envisager une situation dans laquelle il serait avantageux de produire des ordres d'achat dans deux devises différentes.

Ainsi que nous le montrerons dans la section III, la conversion des montants de l'ordre d'achat de l'ancienne monnaie vers l'euro pourrait conduire à une situation où une commande envoyée au fournisseur dans l'ancienne monnaie est ultérieurement enregistrée dans les comptes en euros. Cela pourrait donner lieu à des problèmes de concordance lors de la réception des marchandises ou de la facture.

3. Réception des livraisons

2638. La réception des livraisons n'a généralement pas d'implications financières. Parfois les livraisons sont accompagnées de bons de livraison ou de la facture. En conséquence, il est peu probable que le processus soit affecté par l'euro. Dans l'hypothèse où il subirait des impacts, ces derniers ne devraient pas être différents de celle où il s'agirait de n'importe quelle autre devise, dans le cas où le système est multidevises.

4. Enregistrement et validation des factures

2639. Comme nous l'avons déjà souligné, l'idéal serait que la monnaie de la facture reçue soit la même que celle utilisée pour la commande ; mais il se peut que ce ne soit pas toujours le cas, particulièrement lors de la période qui suit le passage à l'euro.

En général, il est possible de traiter les factures euro comme une facture libellée dans une devise étrangère. Des problèmes peuvent survenir concernant les programmes automatiques de compensation lorsque les devises de la facture et de la commande ne sont pas les mêmes. Cependant beaucoup de programmes de compensation des factures permettent à l'utilisateur de définir des zones de tolérance au sein desquelles le programme pourra considérer les factures comme étant « compensées » — par exemple, si une quantité ou un prix se situent entre x % de la commande, où x % est généralement 2 % — 5 %. Il peut être nécessaire d'augmenter le « x % » pour réduire les différences d'arrondis et de conversion pendant la phase de transition.

5. Règlement des factures

2640. Régler une facture dans n'importe quelle devise de la zone euro ne devrait pas nécessiter de caractéristique particulière du système, parce que les banques acceptent les règlements d'une entreprise dans n'importe quelle devise de la zone euro et créditent le bénéficiaire dans la devise utilisée sur le compte de ce dernier en utilisant les taux de conversion officiels. Des problèmes d'arrondis peuvent apparaître si aucune des parties impliquées dans la transaction ne fixe précisément les règles de conversion. De même, des problèmes de frais bancaires peuvent toutefois apparaître (voir nos 378 s.).

6. Gestion de la paie et des retraites

2641. Les impacts sur la gestion de la paie durant la période de transition relèvent plus de la communication et de l'entreprise que des systèmes. Comme pour la plupart des fonctions de l'entreprise, il est possible de gérer la paie soit dans l'ancienne monnaie, soit en euros et d'effectuer la conversion dans la monnaie requise pour les documents tels que les feuilles de paie. Les systèmes bancaires s'occuperont de la conversion des sommes versées sur le compte des employés.

Dans la pratique, il faut s'attendre à ce que la plupart des *employés* veuillent continuer à recevoir leur feuille de paie libellée dans l'ancienne monnaie jusqu'au moment où ils auront leur compte bancaire exprimé en euros et où les billets et pièces euro seront effectivement mis en circulation. Une entreprise qui déciderait unilatéralement d'utiliser l'euro sur les feuilles de paie rencontrerait probablement une certaine résistance. Cependant, une entreprise pourrait décider d'utiliser les feuilles de paie pour former ses employés à l'utilisation de l'euro, en imprimant des feuilles de paie utilisant les deux monnaies et réduire l'impact psychologique de la « baisse » de salaire.

Pour une *entreprise qui externalise* la gestion de la paie, il est important qu'elle coordonne son passage à l'euro avec l'organisme concerné et qu'elle obtienne de la part de ce dernier des engagements concernant le respect de l'approche qu'elle désire adopter pour le basculement à l'euro (telle que l'utilisation des deux devises sur les feuilles de paie, l'acceptation de salaires en euros et la date de passage à l'euro comme monnaie de référence de l'organisme de gestion de la paie).

D'une manière générale, les entreprises devront également prendre en compte les *données juridiques* de la question ainsi que les contraintes techniques liées aux *obligations déclaratives* vis-à-vis des organismes sociaux : voir nos 972 s.

La plupart des problèmes évoqués ci-dessus sont également applicables pour les retraites. Cependant, le facteur temps est moins important concernant les retraites et elles font généralement l'objet d'un transfert global sur un compte bancaire ou un fonds de pension.

D. Processus d'exploitation

2642. Le principal impact de la transition euro sur le processus d'exploitation concerne les coûts. Presque toutes les entreprises évaluent le coût de leurs opérations, qu'il s'agisse du coût produit, du coût du travail ou du coût du service. La discussion qui suit concerne les opérations types de distribution et de fabrication. Cependant, en raison de la diversité des systèmes d'exploitation, chacun requiert des considérations particulières relatives à la phase de transition. On note ici que des éléments complémentaires concernant les coûts peuvent être retrouvés dans la partie concernant les impacts organisationnels du passage à l'euro (n°s 2500 s.).

1. Coût de revient produit

2643. La plupart des systèmes de coût produit sont intégrés aux systèmes opérationnels de fabrication ou de planification des ressources pour la fabrication. La discussion qui suit s'applique à la fois au système de contrôle des stocks et au système de contrôle de la charge de travail. Il est peu probable que les utilisateurs des données concernant le coût produit souhaitent recevoir l'information sur un support utilisant deux devises. Ils désireront (sûrement) connaître les coûts dans l'ancienne monnaie nationale jusqu'au basculement de l'entreprise à l'euro. Cette hypothèse doit être vérifiée avec eux une fois qu'ils seront en mesure de prendre une décision.

L'élément clé de la phase de transition pour le système de coût produit est la *cohérence et la clarté concernant la devise utilisée* — ceci s'applique aux écrans de données et aux comptes rendus de la direction. En particulier, il est important que toutes les données entrées relatives aux coûts et issues d'autres systèmes (les achats, les comptes fournisseurs ou la répartition de la main-d'œuvre) soient converties de façon précise dans le système de coût produit, et que toutes les données extraites du système (destinées au grand-livre ou aux comptes clients) soient de la même façon converties avec précision lors de l'interface.

Dans la mesure où peu de systèmes de calcul de coût produit ont été conçus avec des critères de multidevises (encore moins avec une base multidevises), les *risques d'erreur* et les problèmes associés à ces systèmes sont largement plus importants que ceux associés à des systèmes centraux de comptabilité.

Un autre problème potentiel associé au calcul du coût produit est que certains coûts unitaires représentent de très petits montants. Cela conduit au problème des *erreurs d'arrondis*. Si ce problème se présente, il sera nécessaire de changer les unités de mesure des articles ayant de petits coûts ou prix unitaires ; cela pourrait impliquer des efforts importants de la part des utilisateurs qui pourraient demander au département informatique de les aider à automatiser les changements nécessaires. De plus, il est possible que ce problème doive être traité au tout début de la phase de transition, dans la mesure où certains systèmes des partenaires de l'entreprise pourraient réclamer ces nouveaux prix unitaires.

2. Coût du travail et des services

2644. Concernant les applications du coût du travail et des services, nombre des considérations de la sous-section précédente sont applicables. Il est probable que les utilisateurs de ces systèmes souhaitent effectuer leurs opérations dans une seule devise, de façon qu'à n'importe quelle période, ils puissent recevoir toutes les informations soit en euros, soit dans la monnaie nationale.

Généralement, ces applications reçoivent leurs taux et leurs données à partir de divers systèmes externes. Il s'agit souvent de systèmes monodevises, les montants doivent donc souvent être convertis dans la devise de référence avant d'être introduits dans le système de calcul des coûts. Il est peu probable que la phase de transition impose des conditions spécifiques concernant le fonctionnement de ces systèmes : ceci doit être défini au travers d'une étude détaillée de leur fonctionnement et au travers de discussions avec les utilisateurs.

E. Processus de reporting

2650. Les *utilisateurs* clés des informations financières d'une entreprise sont les suivants :
— la direction interne d'exploitation et la direction générale ;
— les actionnaires et les dirigeants propriétaires de l'entreprise ;
— les autorités fiscales (incluant les conseillers fiscaux) ;
— les bureaux d'enregistrement de l'entreprise ou des entreprises équivalentes responsables de la mise à jour des dossiers de l'entreprise pour leur publication.

Les principales *sources* utilisées pour la rédaction des rapports par la direction sont les suivantes :
— la comptabilité analytique ;
— la comptabilité générale ;
— le Data Warehouse.

1. Comptes rendus pour les utilisateurs en interne

2651. Dans la plupart des entreprises, la direction souhaitera probablement que les états financiers soient établis *dans une seule devise*. Étant donné le volume de données figurant sur la plupart des rapports, il serait très encombrant de produire l'information dans deux monnaies à la fois. En conséquence, la direction demandera généralement que les comptes rendus soient rédigés en utilisant l'ancienne monnaie de référence jusqu'au jour E et en euros ensuite.

Pour des raisons pratiques, elles pourraient souhaiter voir ces rapports rédigés également dans l'ancienne monnaie nationale durant une courte période suivant le jour E en utilisant des parenthèses. En raison de la modification de la devise utilisée pour les rapports, il sera de plus en plus important de fournir des chiffres comparatifs pour permettre la comparaison des chiffres avant et après le jour E, et de les mettre en perspective (ce que les utilisateurs font certainement intuitivement aujourd'hui par calcul mental ou en ayant une représentation mentale des chiffres auxquels ils doivent s'attendre).

2. Comptes rendus destinés aux utilisateurs externes

2652. Les filiales de multinationales auront peut-être commencé à rédiger leurs rapports pour la *maison mère* en euros avant le jour E : beaucoup de multinationales ont annoncé qu'elles commenceraient à consolider leurs comptes et à établir les rapports en euros au début de la période de transition. Le progiciel de reporting ou de consolidation pourrait ainsi devoir accepter l'entrée de données dans l'ancienne monnaie de référence et transmettre les relevés en euros. La plupart des progiciels étant de façon inhérente multidevises, l'euro n'a pas engendré de difficultés majeures.

2653. Les directives concernant la devise utilisée dans les comptes rendus destinés aux *autorités légales et fiscales* dépendent de la politique suivie par ces dernières dans chaque pays. Par exemple, les autorités fiscales françaises ont déclaré qu'elles accepteraient que les déclarations fiscales soient faites en euros dès que la comptabilité sera tenue en euros (au moins sur une partie de l'exercice). Il s'agit d'un choix offert aux entreprises pendant la période transitoire. Cependant, si une entreprise décide d'établir ses déclarations en euros, elle doit continuer à le faire et ne pas revenir à l'utilisation du franc. D'autres autorités ont déclaré qu'elles n'accepteraient que des déclarations fiscales faites dans l'ancienne monnaie nationale jusqu'à la fin de la période de transition, moment à partir duquel toutes les entreprises seront tenues de rédiger leurs déclaration en euros. Dans ce cas, les entreprises devraient retraiter les montants en euros comptabilisés afin d'établir les déclarations.

SECTION III

Basculement à l'euro des systèmes d'information

2655. Cette section traite de la conversion de l'ensemble des données monétaires d'une entreprise de leur dénomination courante (généralement la devise nationale) vers l'euro. Bien que relativement courte, cette section est d'une importance non négligeable pour toutes les entreprises. Elle concerne le « jour E » pour les entreprises, c'est-à-dire le jour où les systèmes des entreprises utiliseront l'euro à la place du franc comme devise de référence. Il faut rappeler ici que la démarche détaillée de passage à l'euro sera développée dans le chapitre suivant : « Stratégie de migration des systèmes d'information » (n°s 2700 s.).

A. Besoin de migrer

2656. Depuis le 1er janvier 1999 et jusqu'au 30 juin 2002, les entreprises doivent commencer à compter et reporter en euros puisque, au plus tard le 1er juillet 2002, l'ancienne devise nationale aura cessé d'exister en tant que monnaie fiduciaire et scripturale. En pratique, cela signifie que les entreprises doivent convertir toutes leurs données monétaires en euros bien avant cette date limite.

Le périmètre de cette migration peut être large, même pour une petite entreprise. Il est évident que le système de comptabilité doit migrer. Mais cela ne représente qu'une fraction de tout l'effort nécessaire. En plus des systèmes de comptabilité, l'entreprise possède des systèmes opérationnels qui contiennent souvent des données monétaires complexes. Ces systèmes peuvent être obsolètes et faits sur mesure et donc ne pas s'adapter à une migration standard. Outre ces systèmes formels, les entreprises utilisent des centaines voire des milliers de tableurs contenant des montants en unités monétaires et concernant des applications aussi diverses que la gestion des investissements ou l'analyse du coût des produits ; en général, ces tableurs ne sont pas élaborés et documentés de façon très rigoureuse. La sous-section C de ce chapitre traite de la migration de chacun de ces types de système.

B. Migration vers un système ayant l'euro pour référence

1. Composantes de la migration

2657. Pour les applications informatiques, la migration vers l'euro comprend essentiellement les composantes suivantes :

1. La conversion définitive de chaque montant de la devise nationale vers l'euro.

2. La conversion en euros de tous les paramètres et dénominateurs monétaires apparaissant sur les documents, rapports et formulaires.

3. Le passage de toutes les procédures et de tous les manuels de comptabilité d'une référence en devise nationale à une référence euro.

4. La préparation de supports de communication à distribuer à l'ensemble du personnel et des partenaires commerciaux affectés par le changement, et la formation du personnel le plus directement touché par le changement.

5. La préparation de tests et la coordination de toutes les actions citées précédemment.

Ces principaux éléments sont requis pour chaque composant des systèmes de l'entreprise, que la migration se fasse par big bang ou par étapes. Si la migration se fait par étapes, ou si l'on dénombre un nombre significatif d'exceptions au basculement en big bang, les éléments suivants sont également requis :

6. Le développement de procédures temporaires pour la conversion des montants entre les systèmes qui ont basculé à l'euro et les autres, et l'élaboration de la documentation et des procédures manuelles associées.

7. Des efforts supplémentaires pour définir, coordonner, tester et communiquer les différentes phases.

2. Fonctions et caractéristiques de la mise en place de l'euro

2658. La conversion des montants requiert, globalement, les **fonctionnalités** suivantes :

— diviser chaque montant du système par le facteur de conversion officiel. Cela comprend tous les bilans et balances, les montants historiques, les montants de contrôle, etc. ;

— fournir des montants de réévaluation pour enregistrer tout écart de réévaluation entre les taux de change historiques auxquels les transactions multidevises (au sein de la zone euro) étaient effectuées et les taux de conversion officiels fixés ;

— fournir des comptes destinés à enregistrer les écarts d'arrondis pour chaque type de montant converti.

2659. Le basculement à l'euro requiert certaines **conditions** :

— il faut s'assurer que les données redondantes ou non normalisées sont correctement converties et rapprochées. Par exemple, si la ligne correspondant à l'enregistrement d'une facturation contient le prix unitaire, les quantités et le coût total, il faut s'assurer que l'arrondi du prix unitaire et celui du coût total convertis répondent à l'équation coût total = prix unitaire × quantités (si le schéma initial prétendait que cette équation est toujours vraie) ;

— les outils de conversion utilisés pour la migration vers l'euro doivent fournir une piste d'audit permettant de vérifier la conversion de chaque compte et de justifier les comptes d'écarts d'arrondis ;

— les outils de migration vers l'euro doivent faciliter l'abandon de l'ancienne monnaie de référence et ne permettre le recours à l'ancienne devise qu'en cas de sévère problème lors du jour E pour l'entreprise. Idéalement, il ne faudra pas réécrire sur les anciennes bases de données mais les laisser intactes afin de générer de façon indépendante des audits et contrôles à partir de chaque application, et de pouvoir les comparer pour la vérification finale ;

— des check-lists sur le changement des paramètres du système (comme le code de la devise de référence et les valeurs des taux de change) ainsi que sur le changement des autres aspects du système (comme l'apparition de devises sur les écrans et documents) devraient faire partie intégrante des outils informatiques pour le basculement à l'euro.

Pour une application, quel que soit son degré de complexité, la conception, le développement et les tests relatifs à la mise en place euro impliqueront donc d'importants efforts.

C. Types de systèmes qui devront migrer

2660. Les systèmes informatiques voués à la migration peuvent être classés en trois catégories :

1. Les progiciels qui bénéficient actuellement de l'assistance du vendeur, tels que la comptabilité ou les systèmes des entreprises ;

2. Les systèmes faits sur mesure développés pour ou par l'entreprise elle-même (cette catégorie inclut également les interfaces, les logiciels ayant subi d'importantes modifications et ceux qui ne font plus l'objet d'un soutien de la part du vendeur) ;

3. Les tableurs et autres applications informelles et non structurées développées par les utilisateurs — même si ces applications ne concernaient pas le département informatique de l'entreprise. L'équipe de projet chargée de la migration vers l'euro doit examiner et aider à la migration de ces applications informelles ;

4. Les systèmes confiés à des prestataires de services extérieurs qui peuvent comprendre des progiciels de développement spécifiques ou des bases de référence (panel, etc.).

1. Progiciels

2661. Pour les progiciels qui bénéficient actuellement de l'assistance de l'éditeur ou du vendeur, on peut s'attendre à ce que le vendeur ou l'entreprise-support fournisse un outil informatique fiable pour la migration euro, contenant les fonctions et caractéristiques décrites ci-dessus. Il est envisageable que le vendeur facture une prestation pour cette mise en place compte tenu des efforts nécessaires à sa réalisation en termes de développements et de tests.

L'offre que doit fournir le vendeur est double. Tout d'abord, le produit doit être adapté afin de tenir compte de la coexistence franc/euro. Ensuite, un logiciel de conversion peut être proposé pour la conversion des bases de données le jour E.

Un tel programme de mise en place (même s'il est coûteux) est fondamental pour permettre l'*utilisation continue* du progiciel de manière à constituer un critère de compatibilité euro.

Même s'il est probable que le vendeur de progiciel fournisse des produits compatibles « euro », chaque entreprise aura toutefois à examiner les autres composants de la migration (composants 3 et 7 ci-dessus, n° 2657) ; cela représente un effort considérable de la part de l'entreprise elle-même.

Il peut être utile de vérifier la validité des *certifications* dont se réclame l'éditeur.

2. Systèmes sur mesure

2662. Pour les systèmes sur mesure et les logiciels non supportés, l'entreprise devra concevoir, développer et tester ses propres logiciels de conversion à l'euro, contenant les fonctions et caractéristiques décrites plus haut. Cela impliquera d'importantes ressources. Ce type d'application est par ailleurs le plus sujet aux difficultés de l'an 2000. Il est déjà trop tard pour de nombreuses entreprises pour envisager de remplacer à temps leur système complexe existant par un progiciel ou une application sur mesure.

En général, l'idéal serait qu'une entreprise possédant de telles applications planifie *trois courants de projets successifs pour son personnel chargé de la mise en place euro* :

1. Des modifications pour assurer la compatibilité avec l'an 2000 ;

2. Des modifications pour traiter les processus de la phase de transition ;

3. Le développement des moteurs de conversion.

En mettant en place ces trois projets successivement, l'entreprise pourra assurer une certaine *continuité*, génératrice de productivité et de qualité. De plus cela réduira le risque : le projet de compatibilité à l'an 2000 est le plus urgent et le plus inévitable, et il serait donc risqué de le mettre en danger en accordant trop d'importance au travail de modification des processus de la phase de transition.

3. Tableurs

2663. Cette troisième catégorie comporte certainement un *risque élevé* pour une migration en douceur de l'entreprise vers l'euro. En voici les raisons :

1. La plupart des entreprises possèdent un grand nombre de ces systèmes (certaines entreprises de taille moyenne ont compté des milliers de tableurs en utilisation) ; même la compilation d'une liste de ceux qui sont actuellement en utilisation nécessiterait un effort de grande ampleur. De plus, de tels systèmes se trouvent sur les lecteurs de disques des PC locaux des utilisateurs.

2. De tels systèmes sont souvent développés par les utilisateurs (comme la comptabilité, la production ou le marketing) avec peu ou pas de formation, ce qui signifie que la conception est rarement fiable. La documentation est souvent pauvre ou inexistante.

3. Il n'est pas possible de faire de modifications « globales » sur les données de tableurs comme sur les bases de données ou des fichiers structurés. Par exemple, pour n'importe quelle base de données ou fichier de structure, il est possible de convertir de façon fiable tous les prix unitaires sur un fichier stock en programmant simplement « Pour tous les dossiers stockés excepté le dossier de contrôle, diviser le montant existant dans la zone définie par 6,55957 ; cumuler le net de l'erreur d'arrondi et ensuite l'imprimer sur le rapport d'audit. » Dans la mesure où très peu de feuilles de calcul comportant des sommes monétaires sont structurées comme des bases de données, il est difficile d'écrire un programme de conversion similaire pour un tableur. Même si cela est possible, le langage de programmation utilisé pour les feuilles de calcul est moins étendu que celui utilisé pour la plupart des systèmes de bases de données.

4. En relation avec le point précédent, il est difficile de distinguer les données des formules sur les feuilles de calculs. Afin de convertir une feuille de calcul de la monnaie nationale en euros, il est nécessaire d'étudier et de comprendre

chaque formule de la feuille. Le risque de double conversion d'une somme est très important.

2664. En conclusion :

1. Même pour une simple feuille de calcul, le processus de conversion euro est contraignant et prend du temps. Même une petite entreprise a probablement des dizaines ou des centaines de feuilles de calcul. Certaines de ces feuilles de calcul servent à alimenter le système central utilisé pour les transactions ou résument les données clés de la gestion de l'entreprise ; ainsi, toute erreur de conversion peut avoir un impact important sur l'entreprise — particulièrement s'il s'écoule un certain temps avant qu'on ne la décèle.

2. Il est difficile de contrôler la conversion, particulièrement si elle est semi-automatique. Il est essentiel de conserver une copie de sauvegarde de l'ancienne feuille de calcul, et de donner à celle qui est convertie en euros un nom lié à son contenu. Il est aussi essentiel de s'assurer que toutes les rubriques et les titres sont changés lors de la conversion de la feuille de calcul, et de s'assurer que les montants euros sont clairement mis en évidence.

3. Il y a un risque non négligeable de double conversion, particulièrement si le processus est semi-automatique.

La conservation des valeurs initiales dans l'ancienne devise sur la feuille de calcul à côté des montants convertis en euros rend la feuille de calcul plus compréhensible et réduit le risque de double conversion. Ceci est d'autant plus important lorsqu'il s'agit de grands tableurs complexes, mais cela les rend plus difficiles à lire compte tenu des colonnes supplémentaires.

4. Il est plus difficile de convertir une feuille de calcul dans laquelle les taux et les facteurs prix sont intégrés dans les formules du tableur, ou lorsque les prix unitaires sont basés sur des valeurs dans une autre partie du tableur. Dans de tels cas, il est nécessaire de reprendre la chaîne des formules du début à la fin pour identifier le meilleur endroit où convertir la somme — une fois et une seule.

5. Les formules du total des lignes et des colonnes doivent être soigneusement vérifiées, pour s'assurer qu'elles sont correctement converties — une fois et une seule.

6. À ce jour, l'euro n'est pas inclus dans le format « devises » des cellules des principaux tableurs.

D. Nécessité d'effectuer des simulations et des tests

2670. Il doit ressortir de la discussion précédente que le passage à l'euro, qu'il soit progressif ou radical, constitue un projet de grande ampleur pour les systèmes de toute entreprise. En raison du grand nombre de systèmes et d'interfaces concernés, et à cause de la difficulté potentielle de rattraper les erreurs, la bascule finale doit être considérée comme un *projet à haut risque*.

La préparation de la bascule est un projet qui prend couramment 18 mois ou plus, et qui doit inclure plusieurs *« répétitions générales »* longtemps à l'avance par rapport au jour E pour l'entreprise (ou la série des jours E pour l'entreprise), pour s'assurer que tous les paramètres et les processus fonctionnent correctement. Cela pourrait requérir une partie importante du personnel durant des week-ends. Les répétitions générales doivent inclure les jours qui suivent la conversion, ainsi que l'élaboration de tous les rapports ou les périodes particulières telles que les fins de mois.

2671. Un projet bascule à l'euro se gère comme tout projet de bascule. Il comporte diverses *étapes* structurantes, qui peuvent se présenter comme suit :

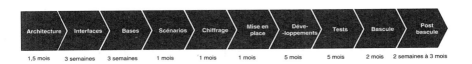

Architecture	Interfaces	Bases	Scénarios	Chiffrage	Mise en place	Déve-loppements	Tests	Bascule	Post bascule
1,5 mois	3 semaines	3 semaines	1 mois	1 mois	1 mois	5 mois	5 mois	2 mois	2 semaines à 3 mois

Quelques points forts sont à noter :
— le projet nécessite au préalable de mettre à jour les descriptifs de l'architecture informatique, de documenter tous les interfaces entre applicatifs, et de dimensionner le nombre et la taille des bases de données à migrer ;
— un programme de conversion doit être développé pour chaque base de données ;
— un programme de mise à niveau des IHM (interface homme machine) telles que claviers, tables de conversion des caractères,... ;
— le code programme doit être revu pour tous les affichages, les protocoles d'interfaces, la gestion des historiques, voire les seuils s'ils sont « en dur » dans les programmes ;
— une bonne sécurisation du projet impose au minimum deux tests techniques de bascule de bout en bout, et trois répétitions générales (incluant les utilisateurs, les partenaires et la simulation de redémarrage après bascule).

Un projet de bascule doit donc en général débuter au plus tard à la mi-2000 pour minimiser les risques.

2672. Les points clés à retenir concernant ce chapitre sur le passage à l'euro des systèmes d'information sont les suivants :

⇒ *C'est sur l'informatique que l'euro aura le plus d'impact* (elle représentera à elle seule la moitié des coûts de migration) ; la complexité et la charge de travail afférentes au projet de migration euro sont supérieures à celles rencontrées pour l'an 2000.

⇒ Au-delà des règles de conversion éditées dans le règlement européen n° 1109/97 du 17-6-97, *il n'existe pas de cahier des charges universel pour le passage à l'euro des systèmes d'information.* Chaque entreprise doit donc elle-même déterminer ses besoins.

⇒ *Ces besoins peuvent être finalement définis au travers de deux questions :*
   — comment *assurer la coexistence de flux de transactions* à la fois en euros et en monnaie nationale pendant la période transitoire (entre le 1er janvier 1999 et le 1er janvier 2002) ?
   — comment *assurer le passage de la monnaie nationale vers l'euro de l'ensemble du stock d'informations* contenu dans les systèmes (entrepôt de données et historiques)

⇒ *Le fait qu'un logiciel soit multidevises,* s'il réduit le risque de non-compatibilité euro, *n'assure en rien que ce système soit compatible euro.*

CHAPITRE VII

Stratégie de migration des systèmes d'information

2700. Après avoir balayé les impacts majeurs de l'euro sur les systèmes informatiques, il s'agit ici de définir les grandes orientations de la migration des systèmes d'information. L'objectif de cette partie est donc de soulever les grands enjeux liés à cette stratégie de migration vers l'euro.

La section I détaille les *contraintes et règles de conversion* :
— règles de conversion ;
— application du principe de ni, ni ;
— identification des devises utilisées ;
— erreurs sur arrondis.

La section II présente des éléments complémentaires liés aux *périphériques* informatiques utilisés.

La section III décrit de façon synthétique les grandes catégories d'offre de *systèmes multidevises*.

La section IV est consacrée aux aspects à considérer dans l'élaboration de la *stratégie de bascule*.

En conclusion, la section V propose des éléments de *démarche* pour le passage à l'euro des systèmes d'information d'une entreprise.

SECTION I

Règles et contraintes de conversion

A. Règles de conversion

2701. Des règles strictes et précises ont été définies par le Conseil de l'Union européenne pour convertir les sommes d'argent entre les monnaies nationales de la zone euro et l'euro et entre les monnaies nationales elles-mêmes. Certaines de ces règles peuvent sembler excessivement contraignantes mais il ne faut pas oublier qu'elles seront utilisées pour traduire irrévocablement toutes les richesses des pays, une grande clarté est donc vitale. Ces règles de conversion monétaire font partie des rares règlements obligatoires et spécifiques émanant du Conseil concernant l'Union monétaire. Elles sont contenues dans le règlement 1103/97 du Conseil, parfois appelé règlement de l'article 235.

Tout logiciel (de la calculatrice de poche à l'unité centrale de comptabilité) procédant à la conversion devra être conforme à ces règles. Ceci est une exigence à la fois légale et pratique. Cette section fournit les principaux points de pertinence pratique.

Les dispositions du règlement communautaire et les recommandations complémentaires élaborées en France sont présentées en détail aux n°s 260 s.

1. Taux de conversion euro/monnaie nationale : les taux de conversion doivent être exprimés en nombre d'unités de monnaie nationale par euro — c'est-à-dire 6,55957 FF par euro.

2. Six chiffres significatifs. Les taux de conversion doivent être exprimés avec six chiffres significatifs, incluant les décimales mais excluant le zéro précédant la virgule — c'est-à-dire 6,55957 francs français, 1,95583 mark allemand ou 0,787564 livre irlandaise ou encore 200,482 pesetas par euro.

3. Les taux réciproques ou inverses ne sont pas autorisés. Lorsque l'on convertit une somme exprimée en monnaie nationale en euros ou vice versa, le taux de conversion exprimé comme ci-dessus (c'est-à-dire en unités de monnaie nationale par euro) doit être utilisé. L'inverse (ou la réciproque) de ce taux ne doit pas être utilisé. Ainsi, pour convertir des francs français en euros, la procédure correcte est de diviser le montant en francs français par le taux de conversion ; pour convertir des euros en francs français, la procédure correcte est de multiplier le montant en euros par le taux de conversion. La raison pour laquelle l'utilisation du taux réciproque est interdite, est que ce dernier introduit des erreurs d'arrondi dans le calcul, la taille de l'erreur d'arrondi allant croissant avec la taille de la somme convertie.

4. La triangulation. Lorsque l'on convertit deux monnaies nationales de la zone euro (c'est-à-dire, par exemple, conversion entre le franc et le mark), la procédure correcte est de d'abord convertir en euros le montant initialement en francs, et ensuite de convertir ce montant en marks, en utilisant les règles énoncées précédemment. Cette conversion entre deux monnaies de la zone euro via l'euro est appelée « triangulation ».

5. Arrondir un montant en euros. Lorsque l'on convertit une monnaie de la zone euro en euros, le résultat doit être arrondi à deux décimales (i.e. au centième d'euro). Lorsque l'on procède à des calculs intermédiaires (comme lors de la triangulation) ils doivent être arrondis à au moins trois décimales (la partie « au moins » de l'énoncé de cette règle comporte un aspect légèrement ambigu de la règle : pour de gros montants, l'arrondi des calculs intermédiaires à trois décimales peut déboucher sur un résultat final différent par rapport à un arrondi à quatre ou cinq décimales). L'arrondi est fait suivant les règles mathématiques classiques : un résultat dont le dernier chiffre différent de zéro est cinq fait toujours l'objet d'un arrondi supérieur : par exemple, 9,8750000000 euros doit être arrondi à 9,88.

6. Arrondir un montant en monnaie nationale. Lorsque l'on convertit un montant de l'euro vers une monnaie nationale, le résultat doit être arrondi à la plus petite dénomination de la monnaie nationale — c'est-à-dire le centime pour la France.

7. La preuve de l'équivalence. Lorsqu'une conversion n'utilise pas les règles ci-dessus, elle doit produire les mêmes résultats. (La formulation précise de la règle est : « Aucune méthode alternative de calcul ne doit être utilisée à moins d'obtenir les mêmes résultats. ») Donc, par exemple, si on utilise la réciproque du taux de conversion plutôt que le taux de conversion lui-même, il est de la responsabilité de l'entreprise de démontrer que le résultat est le même que si elle l'avait calculé « correctement ». L'attitude prudente — en particulier pour un fournisseur de logiciels — est d'observer les règles à la lettre et plus particulièrement d'éviter l'utilisation des taux réciproques.

B. Impact des règles de conversion sur les applications de logiciels

1. Précision du taux de conversion

2703. La précision du taux de conversion à six chiffres significatifs (règles 1 et 2 ci-dessus) est la règle la plus importante concernant le logiciel. Afin de convertir de façon fiable toutes les monnaies de l'Union européenne en euros, la marge pour le taux de conversion doit être d'au moins quatre chiffres avant la virgule et d'au moins six chiffres après la virgule. Ceci est beaucoup plus précis que ce qui est généralement utilisé aujourd'hui pour les taux de change : un contrôleur financier fixe généralement un taux de change à seulement deux ou trois chiffres significatifs (par exemple, 0,16 $US pour 1 FF). La plus grande précision des taux de conversion en euros est importante dans la mesure où elle a un impact même sur les petites sommes.

2. Utilisation des taux de conversion

2705. L'utilisation des taux de conversion pourrait également nécessiter certaines modifications dans les systèmes existants. La plupart des entreprises expriment leurs taux de change comme des multiples de leur monnaie de référence (par exemple, les Allemands pensent au taux de change mark/franc comme 1 DM = 4 FF alors que les Français réfléchissent au même taux comme 1 FF = 0,25 DM). C'est de cette façon que sont exprimés les taux de change dans les applications de logiciels traitant plusieurs monnaies. Mais tant que la monnaie de référence de l'entreprise reste l'ancienne monnaie nationale, ce mode de raisonnement enfreint la règle 2 ci-dessus, car les taux doivent être exprimés en termes d'euros et non pas de monnaie nationale.

Les **applications de logiciels** peuvent ou ne peuvent pas rencontrer de problème à ce sujet, selon leur **conception** :

— certaines applications **permettent à l'utilisateur de décider pour chaque taux de change s'il doit être exprimé comme un multiple d'une monnaie ou comme diviseur d'une autre**. Dans un tel cas, l'utilisateur peut exprimer correctement le taux de conversion euro (par exemple 6,55957 FF = 1 €) tout en exprimant les autres taux de conversion de la façon habituellement utilisée, c'est-à-dire en tant que multiples de la monnaie nationale (1 FF = 0,20 $US) ;

— mais si une application **contraint l'utilisateur à exprimer tous les taux de change comme des multiples de la monnaie nationale**, alors l'utilisateur ne peut exprimer le taux de conversion euro correctement : il est obligé d'utiliser la réciproque. Par exemple, si l'utilisateur ne peut pas exprimer le taux comme 1 € = 6,55957 FF, il doit alors l'exprimer ainsi : 1 FF = 0,15244902 €... avec autant de chiffres significatifs que peut en traiter l'application. Une telle application n'est pas strictement « compatible euro ». Cependant, dans la pratique, si une telle application peut traiter six chiffres significatifs dans le taux de change, elle pourrait être capable de compenser ce traitement en fournissant un résultat équivalent (règle 7 ci-dessus). Le nombre de chiffres significatifs requis dépend de l'importance de la somme convertie.

3. Triangulation

2708. La triangulation est susceptible de poser un problème pour toutes les applications de logiciels actuellement en utilisation dans la mesure où c'est un **nouveau concept** pour la plupart des applications commerciales. Lorsque les calculs de taux de change entre deux monnaies nationales de la zone euro n'utilisent pas la triangulation, ils sont susceptibles de subir la combinaison de deux erreurs : l'utilisation implicite de la réciproque, et l'absence d'arrondi du résultat intermédiaire en euros.

Certaines applications informatiques conçues pour le passage à l'euro utilisent de 14 à 16 chiffres significatifs dans le taux de conversion, afin de minimiser les effets des erreurs d'arrondis engendrées par l'utilisation des réciproques et par les effets de la conversion directe sans la triangulation.

4. Problème de l'utilisation des réciproques

2710. L'utilisation des taux de conversion réciproques (inverses) et des taux de change directs entre les monnaies de la zone euro peuvent donner lieu à des *erreurs d'arrondis* s'ils ne sont pas suffisamment précis.

En effet, le calcul du taux inverse ne tombe pas juste :
— 1 euro = 6,55957 francs, soit
— 1 franc = 0,15244901723745 euros.

Si on arrondit le taux inverse à 0,15245, on commet une erreur de 6 pour 10 000, ce qui génère une erreur de calcul pour les nombres supérieur à 10 000.

L'arrondi se faisant sur la base de la décimale suivant immédiatement les centimes, il semble intuitif de penser que pour convertir correctement un nombre, le nombre de chiffres dans le taux inverse doit être égal au nombre de chiffres significatifs du montant à convertir, plus un.

Cette **règle intuitive** est malheureusement **inexacte**, comme l'illustre exemple suivant :

- Soit un montant de 654 456 livres irlandaises à convertir en euros, le taux de la livre irlandaise est 1 euro = 0,787565 IEP. Le taux inverse est donc 1 IEP = 1,26973646619644 euros.
- Un montant de 654 456 IEP vaut donc en suivant les règles difficiles de conversion 830 986,648721058 euros, arrondis à 830 986,65 euros.
- L'utilisation d'un taux de conversion inverse à 6 chiffres (1,26974) donne un résultat arrondi de 830 988,97 euros soit 2,31 euros d'erreur.
- L'utilisation d'un taux de conversion inverse à 7 chiffres (1,269736) donne un résultat arrondi de 830 986,34 euros, soit 0,31 euros d'erreur.
- L'utilisation d'un taux de conversion inverse à 8 chiffres (1,2697365) donne un résultat arrondi de 830 986,67 soit encore 0,02 euros d'erreur.
- Un taux de conversion inverse à 9 chiffres (soit 3 chiffres de plus que le montant à convertir) est nécessaire pour obtenir le résultat exact.

Des calculs faits avec des taux de conversion (fictifs) proches de 1 ou 0,1 montrent qu'un taux de conversion inverse comportant quatre chiffres de plus que le montant à convertir est nécessaire pour obtenir un résultat conforme aux règles officielles de conversion.

Les règlements communautaires ne précisent pas comment une entreprise doit **prouver** que sa méthode pour convertir les sommes donne le même résultat que la méthode officielle. Cependant, un simple exercice sur tableur peut mettre en évidence l'**inexactitude potentielle des calculs utilisant les taux inverses**, même lorsque le taux inverse a trois chiffres de plus que le montant euro converti. Il est prudent de supposer que pour prouver le respect des règles, une méthode doit être capable de convertir correctement tous les nombres d'une ampleur donnée au centième le plus proche. À la connaissance de l'auteur au moment de la rédaction de ce document, il n'y a pas de formule mathématique publiée pour démontrer le minimum de chiffres nécessaires. Cependant, ainsi que nous l'avons expliqué précédemment, au moins quatre chiffres supplémentaires sont nécessaires dans le taux inverse par rapport au nombre de centièmes d'euro dans le résultat, afin de garantir l'exactitude.

5. Problèmes de sommation

2715. L'une des grandes règles de gestion des arrondis est que « l'arrondi de la somme n'est pas égal à la somme des arrondis ». Ainsi, par exemple, si nous avons une division qui a vendu cinq fois pour 1 FF :
— le total vendu est de 5 FF, soit 0,76 €,
— chaque vente fait 0,15 €, soit au total 0,75 €.
Cette difficulté apparaît en particulier pour tous les systèmes de comptabilisation et de contrôle de gestion. Aucune règle particulière ne détermine si il faut convertir avant ou après la sommation. Tout au plus peut-on dire que l'AFECEI (Association française des établissements de crédit et entreprises d'investissements) a recommandé que la conversion soit faite au préalable, sachant que cette recommandation n'engage que les banques et n'a aucune force de loi.
À l'inverse, l'expérience montre que pour des entreprises disposant de systèmes multidevises, il est généralement plus commode de traiter le franc et l'euro indépendamment et de ne faire des conversions qu'au niveau des montants déjà agrégés (processus de consolidation, tableaux de bord...)

6. Résumé des problèmes de conversion

2718. En résumé, la compatibilité euro dans le contexte de la conversion monétaire signifie que toute application de logiciel de conversion de sommes de monnaies doit :
1. Pouvoir exprimer les taux de change/conversion avec au moins six chiffres ;
2. Arrondir les sommes converties conformément à la monnaie cible et toujours arrondir 0,5 à 1 ;
3. Pouvoir exprimer la monnaie nationale comme un multiple d'euro sans avoir à l'exprimer comme une réciproque ;
4. Pouvoir effectuer des conversions croisées via l'euro (« triangulation »).
Certaines entreprises ont décidé de faire des **concessions** sur les points 3 et 4 (mais seulement car elles ont précisément mesuré les risques juridiques, comptables, fiscaux... attachés à ces choix) ; ainsi, elles ont pu :
— utiliser la réciproque du taux de conversion officiel (sous réserve que la réciproque puisse être exprimée avec suffisamment de précision pour obtenir le même résultat qu'avec le taux de conversion officiel) ;
— utiliser un taux de conversion « direct » entre les deux monnaies sans passer par l'euro. Comme avec l'utilisation des réciproques, le nombre de chiffres nécessaire pour le taux de conversion direct dépend des taux de conversion euro spécifiques et de la taille des sommes à convertir. Cependant, dans la mesure où l'utilisation des taux de conversion directe introduit une plus grande erreur d'arrondi, le nombre de chiffres significatifs nécessaire pour une conversion exacte est encore plus grand que celui pour la simple utilisation de réciproques, et le risque d'écart est également plus grand.
Par **prudence**, une entreprise souhaitant utiliser les taux inverses doit tenir compte du fait que le taux inverse devra comporter **au moins quatre chiffres de plus** que la plus grande somme qu'il souhaite convertir. Avec cette approche, la conversion d'une somme de 100 000 000,00 d'euros (11 chiffres) nécessiterait que le taux inverse utilisé comporte au moins quinze chiffres. Naturellement, tous les calculs

intermédiaires nécessiteraient le traitement de ce taux sans perte de précision. Lors d'une conversion directe entre deux monnaies de la zone euro sans utiliser la triangulation, il serait prudent d'envisager la nécessité d'un chiffre supplémentaire dans le taux utilisé, pour compenser une perte éventuelle provenant du fait de contourner l'euro.

C. Ni obligation, ni interdiction

2720. La période 1999-2001 se déroule suivant le principe « ni obligation, ni interdiction » d'utiliser l'euro. Cela signifie qu'il n'y a pas d'impératif légal pour les organisations concernant les transactions ou comptes rendus en euros jusqu'à l'introduction des billets et des pièces euros. La plupart des ministères, des autorités et organismes fiscaux des pays appartenant à la zone euro acceptent des paiements et la rédaction de rapports exprimés dans la nouvelle monnaie durant toute la période de transition ; d'autres n'acceptent pas de recevoir de rapports en euros avant 2002.

Nous conseillons au lecteur de se reporter au **plan national de passage à l'euro** qui fournit des détails spécifiques sur la façon dont les institutions financières et les administrations gèrent la période de transition. La plupart des pays de l'UE ont publié des documents similaires ou ont l'intention de le faire — chaque pays adopte une approche unique concernant sa politique dans ce domaine, et les politiques de certains pays sont plus libérales que celles des autres. Ces documents sont régulièrement publiés et mis à jour ; ainsi une organisation fortement liée à l'UME doit surveiller continuellement les publications des autorités compétentes.

D. Identifier clairement la devise utilisée

1. Risque de confusion concernant la monnaie

2722. Jusqu'à présent, il y avait très peu de cas où des doutes pouvaient apparaître concernant la monnaie dans laquelle les montants étaient exprimés. On considère en effet comme acquis que presque toutes les sommes d'argent traitées dans les relations entre entreprises ou avec un consommateur sont exprimées dans la monnaie nationale à moins que ne figure une mention contraire. Il arrive que les Français soient obligés de préciser si une somme d'argent est exprimés en francs français, belges ou suisses, mais de telles circonstances sont rares. En conséquence, beaucoup de **documents** élaborés aujourd'hui **ne précisent pas clairement la monnaie** dans laquelle les sommes d'argent sont exprimées. Ceci s'applique plus particulièrement aux rapports internes des entreprises et plus précisément à ceux issus de programmes informatiques. La plupart des documents commerciaux (achats, commandes, factures, chèques) font mention de la monnaie, mais cela est souvent pré-imprimé sur le document, ou un commentaire standard tel que « tous les montants sont en francs français », applicable à tous les documents, est rajouté.

Cette **habitude** de considérer l'expression de la monnaie comme allant de soi a dû **changer** début 1999. Durant les trois ans de la période de transition, particulièrement dans les affaires, il sera essentiel de savoir clairement si une somme d'argent est exprimée dans l'ancienne monnaie nationale ou en euros. Cela ne sera pas aisé et des **erreurs** sont **inévitables**. Ceci concerne plus particulièrement des pays comme l'Irlande, l'Allemagne et les Pays-Bas, pour lesquels la valeur de la monnaie nationale est proche de celle de l'euro ; quelqu'un qui lirait une somme pourrait supposer qu'elle est en euros alors qu'elle est en ancienne monnaie nationale, ou vice versa.

Le risque évoqué ci-dessus est plus grand dans des situations où des solutions « rajoutées » sont utilisées pour traiter le problème de l'euro — par exemple, lorsque des montants de factures ou de commandes sont convertis manuellement ou semi-automatiquement de la monnaie nationale en euros et vice versa.

Au mieux, de telles erreurs donneront lieu à un grand **embarras** et une grande confusion ; au pire, elles auront pour résultat des **pertes** substantielles ou des **coûts** de rattrapage des erreurs commises pour l'entreprise.

En conséquence, il est fortement souhaitable que tous les documents rapportant des sommes d'argent mettent **en évidence la devise** dans laquelle les sommes sont exprimées et que le personnel vérifie scrupuleusement la monnaie avant d'enregistrer une opération. Cette remarque concerne toutes les entreprises, y compris celles qui n'anticipent qu'une faible proportion de transactions en euros jusqu'à la fin de la période de transition.

2. Symbole de l'euro

2723. La Commission européenne encourage l'utilisation du symbole graphique de l'euro. Ce symbole a été normalisé sur les claviers d'ordinateurs. Il est accessible via la séquence de touches Ctrl-Alt-e (ou Alt Gr-e). Pour les micro-ordinateurs sous Windows, un programme complémentaire gratuit est disponible pour le téléchargement sur le serveur internet Microsoft. Il ne fonctionne qu'avec les applicatifs les plus récents (exemple : Microsoft Office 97). Il faut noter qu'il peut imposer de reconfigurer les imprimantes.

Il est donc probable qu'un grand nombre d'entreprises auront des difficultés à gérer le symbole euro tant qu'elles n'auront pas remis à jour leur parc informatique et les logiciels associés. Jusqu'à ce que les entreprises soient capables de produire facilement et uniformément le symbole, il est fortement recommandé d'éviter toute tentative ad hoc de produire un symbole approximatif (comme « C= »). Au lieu de cela, les entreprises devraient utiliser le **mot « euro »** ou le **symbole international EUR** lorsqu'elles se réfèrent à la monnaie euro.

E. Conversion de petites sommes

2725. Le problème est le suivant : si l'on convertit une somme d'une monnaie dans une autre, il y a une différence de valeur entre les deux sommes due à l'arrondi de conversion. Pour des petites sommes, la **différence peut être significa-**

tive. Ce problème concerne donc plus particulièrement les entreprises ayant de petits prix unitaires qui doivent être convertis au centième d'euro. La **solution** à ce problème serait d'indiquer les **prix « pour cent » ou « pour mille » unités** au lieu d'une. Dans certaines applications, cela pourrait nécessiter des changements de programmation ou de conception. Dans une application intégrée de fabrication ou de distribution, ce changement pourrait induire un effort important — par exemple, il pourrait impliquer le changement du fichier principal et des factures d'achat pour augmenter l'unité de mesure.

L'arrondi potentiel maximum est de 0,5 cent d'euro. Ce qui signifie qu'il peut y avoir au maximum un écart de 0,5 cent entre un montant en euros et son équivalent exact en monnaie nationale à cause de l'arrondi.

2726. Le tableau ci-dessous illustre le problème de la conversion de petits montants, même si l'on respecte les règles précédentes concernant les facteurs de conversion.

Montant à convertir	Montant précis	Arrondi réel		Arrondi supérieur	
FF	€	€	% erreur	€	% erreur
1,00	0,152449	0,15	− 1,61 %	0,16	+ 4,95 %
10,00	1,524490	1,52	− 0,29%	1,53	+ 0,36 %
100,00	15,244901	15,24	− 0,03 %	15,25	+ 0,03 %

2727. Lorsque l'on convertit de petits montants sur, par exemple, un catalogue de prix ou une facture, il est préférable d'indiquer le prix unitaire par 10 ou par 100 pour réduire la marge d'erreur. Dans le tableau ci-dessous, on peut noter la différence de marge d'erreur pour 100 unités à 1 FF chacune, avec un prix unitaire converti avant la multiplication par la quantité (ligne 1) ou après (ligne 2). De tels écarts peuvent avoir un impact significatif sur la rentabilité lorsqu'ils s'appliquent à des prix unitaires car le pourcentage d'écart est cumulé lorsque le montant arrondi est multiplié. L'erreur d'arrondi peut bien entendu être positive ou négative. Les lignes 3 et 4 montrent comment on peut tenter d'éviter ces écarts de conversion en regroupant les produits par lots de 100 unités. L'écart est alors insignifiant.

	Article	Quantité	Prix unitaire FF	Prix unitaire €	Prix total FF	Prix total €	% d'erreur
1	X	100		0,14		14,00	
2	X	100	0,95		95	14,48	**3,00 %**
3	X (par 100)	1		14,48		14,48	
4	X (par 100)	1	95		95	14,49	**0,07 %**

Dans le tableau ci-dessus, et sur une toute petite quantité (100 unités), on trouve déjà un différentiel de 3 %... On peut sans mal imaginer ce que peut représenter le différentiel sur une année pour une entreprise qui gère de gros volumes.

2728. C'est pourquoi ce problème doit être considéré sérieusement par toute entreprise qui travaille avec de faibles prix unitaires. Naturellement, le problème est de moindre importance si la facture ou l'affichage convertit le montant total en francs plutôt que le prix unitaire. Cependant, une entreprise peut difficilement supposer que les systèmes de ses clients le font également tous : si le système achat d'un client traite le prix unitaire arrondi en euros, il pourra alors facilement y avoir des écarts portant à confusion entre l'ordre d'achat et la facture.

SECTION II

Les périphériques informatiques peuvent aussi nécessiter des adaptations pour prendre en compte l'euro

2730. Les applications informatiques (logiciels) ne sont pas les seules à devoir être adaptées pour prendre en compte l'euro. Dans de nombreux cas, des périphériques informatiques nécessiteront des adaptations :

1. Compte tenu de l'importance économique que devrait jouer l'euro, le caractère « € » a été rajouté dans les **polices de caractères**, à l'instar des symboles « £ » et « $ ».

> À défaut de remplacer les claviers existants, il faudrait au moins remplacer les capots de touches ou rajouter un autocollant sur le capot de touche.

2. Les polices de caractères ayant été changées, il faudra en conséquence modifier les **imprimantes** (dont les polices ne seraient pas téléchargeables).

3. Devront également être changés ou adaptés les périphériques informatiques utilisés dans les relations avec les consommateurs, et qui affichent et/ou gèrent des montants monétaires :
— distributeurs de billets ;
— monnayeurs (ex. : distributeurs automatiques) ;
— caisses automatiques (ex. : parking) ;
— terminaux points de vente TPV (caisses enregistreuses) ;
— terminaux de paiement électronique TPE (lecteurs de cartes de crédit) ;
— imprimantes de chèques (d'autant plus que les chèques en euros imposent un positionnement précis du montant en chiffres) ;
— balances de pesage (dans le commerce de détail) ;
— dispositifs d'affichage de prix (par exemple : volucompteurs et totems de prix des stations-service).

2731. Dans la plupart des cas, ces équipements et périphériques sont achetés par les entreprises à des **fournisseurs externes**. Les entreprises ont rarement la maîtrise des logiciels, dont la modification doit donc être sous-traitée.

Les points à couvrir concernent donc :
— la **responsabilité** des modifications : qui doit spécifier les modifications à assurer ? Qui porte la charge de ces modifications ? Est-ce facturable au client ou inclus dans les prestations de maintenance assurées par le contrat ?
— la **synchronisation** entre ces **modifications** et/ou ces remplacements directement liés à l'euro et le plan de **renouvellement** des équipements pour raisons d'obsolescence, de façon à optimiser les investissements et les amortissements ;
— la **planification** et le déploiement de ces modifications et/ou remplacements ; leur étalement dans le temps est d'autant plus critique que les équipements sont plus nombreux et plus répartis géographiquement ;
— la synchronisation entre ce déploiement et les **actions d'accompagnement** requises : adaptation des applications de gestion (notamment les interfaces entre ces applications et les équipements), information des utilisateurs (clients et consommateurs), information et formation des agents.

SECTION III
Les progiciels multidevises sont-ils compatibles euro ?

2735. Il n'y a pas de solution valable universellement à la compatibilité euro. Les solutions discutées ici sont applicables à **plusieurs types d'entreprises**, mais cette section défend l'idée que chaque entreprise doit évaluer toute solution proposée à la lumière de ses besoins spécifiques.

A. Systèmes multidevises

2736. Il est inquiétant de constater que beaucoup d'entreprises adoptent l'attitude « l'euro n'est qu'une devise supplémentaire » ou « notre système est multidevises, nous sommes donc prêts pour l'euro ». Il faut espérer que la lecture de ce document dissipera ces **attitudes** qui nous paraissent **erronées**.

Il ne fait pas de doute qu'un système multidevises (c'est-à-dire un système qui peut accepter une transaction dans une monnaie autre que la monnaie de référence et la convertir dans la monnaie de référence en utilisant une table de conversion) est d'un intérêt majeur pour permettre à une entreprise de traiter un

mélange de transactions en euros et dans l'ancienne monnaie nationale. Cependant :
— beaucoup de systèmes multidevises ne sont pas objectivement compatibles euro ;
— certaines entreprises n'ont pas besoin d'un système multidevises pour appréhender l'euro.

1. Caractéristiques minimales d'un système multidevises

2737. Afin qu'une entreprise puisse considérer que son système multidevises est apte à permettre le passage à l'euro, le système doit remplir les **conditions** suivantes :
— observer les règles objectives de conversion ou pouvoir donner la preuve d'une exactitude de calcul identique pour toutes les sommes traitées par l'entreprise (triangulation en particulier) ;
— remplir les autres critères de compatibilité décrits concernant la mention du Code de la monnaie et respecter les différentes lois nationales ;
— posséder un outil informatique de migration euro comprenant toutes les caractéristiques décrites dans ce chapitre. Il est très improbable qu'un système soit capable de garder comme monnaie de base l'ancienne monnaie nationale une fois que l'entreprise utilisera l'euro comme monnaie de travail ;
— remplir même le critère le plus subjectif identifié par l'entreprise durant son étude, processus par processus, de ses besoins pour la compatibilité euro. Pour la plupart des entreprises, une condition clé est leur capacité à définir pour chaque client une monnaie de transaction préférentielle ainsi que leur capacité à la modifier une fois que le client les aura informées de son passage à l'euro. Enfin, une autre condition souhaitable est la capacité d'éditer des rapports dans une autre monnaie que la monnaie de référence — ou au moins la capacité d'exporter un rapport sur tableur ou sur un autre outil qui puisse le convertir dans la monnaie requise.

D'autre part, d'autres caractéristiques de systèmes multidevises types ne sont pas pertinentes dans la perspective de la compatibilité euro — particulièrement la capacité d'ajuster les taux en fonction de la date de référence, car une fois que la conversion initiale des pertes et gains a été effectuée, il n'y aura aucun besoin de changer les taux de conversion entre les monnaies de la zone euro.

2. Alternatives aux systèmes multidevises

2738. Si un système n'est pas multidevises, une organisation n'a pas nécessairement besoin de le remplacer pour son passage à l'euro.

Dans un *système monodevise*, tout montant libellé dans une monnaie étrangère devra être converti manuellement dans la monnaie de référence avant d'être entré dans le système. Cette conversion se fera à l'aide d'une calculatrice, d'un barème (électronique ou papier, selon la diversité des sommes enregistrées), d'un tableur ou d'un menu déroulant au sein de l'application. Une autre alternative pourrait être l'utilisation d'un écran intermédiaire de saisie où seraient effectuées les conversions.

Sous réserve que l'organisation puisse fournir l'effort supplémentaire impliqué par cette conversion manuelle, elle devrait être capable de survivre à la phase de transition. Il y a quelques indicateurs permettant de déterminer si cela est faisable ou non :

— l'organisation aura besoin d'un outil informatique qui peut gérer l'euro, dans la mesure où elle ne pourra pas continuer indéfiniment à utiliser l'ancienne monnaie nationale une fois que cette dernière aura cessé d'avoir cours légal ;

— l'organisation doit prendre la mesure des efforts manuels impliqués tout au long de la période de transition. Au début, la proportion de transactions en euros sera de faible importance. Cependant, avant la fin de la période de transition, cette proportion sera de 100 %. Peu importe la date de migration de l'organisation qui aura alors l'euro comme monnaie de référence, cela signifie qu'à un moment donné, l'organisation devra inévitablement faire face à une situation où la moitié de ses transactions ne se fera pas dans la monnaie de référence, et que donc la moitié des transactions devra faire l'objet d'un retraitement manuel. Ceci pourrait constituer une contrainte importante concernant l'utilisation des ressources de l'organisation.

3. Résumé : les systèmes multidevises et l'euro

2739. En résumé, afin de pouvoir être considérée comme compatible euro, une application doit posséder de nombreuses caractéristiques qui ne sont pas typiquement propres aux systèmes multidevises et, parallèlement, de nombreuses caractéristiques types d'un système multidevises ne sont pas pertinentes. Cela signifie qu'être « multidevises » ne donne pas beaucoup d'informations sur le statut du système dans la perspective de la compatibilité euro.

B. Systèmes basés sur plusieurs devises

1. Principes d'un système comportant plusieurs monnaies de base

2740. Certains logiciels de comptabilité ont (maintenant ou dans une prochaine version) une caractéristique de « double ou triple monnaie de référence ». Certains fournisseurs de logiciels considèrent cela comme un critère important de compatibilité euro. Le terme de « multiples devises de base » recouvre à la fois les systèmes basés sur deux devises et ceux basés sur trois devises. Il est important de comprendre la différence entre les concepts de système « basé sur plusieurs devises » et celui de système « multidevises ». Les points suivants expliquent ces deux concepts dans des termes généraux :

STRATÉGIE DE MIGRATION DES SYSTÈMES D'INFORMATION   © Éd. Francis Lefebvre

a) La plupart des applications comptables modernes sont multidevises. Dans un système multidevises, chaque transaction est enregistrée dans la monnaie d'origine et automatiquement convertie dans la monnaie de référence du système en utilisant un ensemble de taux de change contenus dans le système ; ces taux de change sont généralement déterminés en fonction d'une date, et le système possède des fonctions permettant de revaloriser les transactions avec un taux de change révisé et enregistre les écarts de réévaluation dans des comptes spécifiques.

b) Les systèmes « basés sur plusieurs devises » sont relativement nouveaux. Dans un système basé sur deux devises, presque tous les montants sont enregistrés simultanément dans les deux devises de base ainsi que, lorsque cela est applicable, dans la devise étrangère. Dans un système basé sur trois devises, presque toutes les sommes monétaires sont enregistrées simultanément dans les trois monnaies de base.

Ce document n'étudie pas les systèmes à base de devises multiples en détail, car :
— beaucoup de lecteurs de ce document ne seront pas en mesure de mettre en place des systèmes basés sur plusieurs devises ;
— ces systèmes ne sont pas une solution indispensable pour toutes les entreprises durant la phase de transition vers l'euro — bien qu'ils puissent être utiles ou nécessaires pour certaines entreprises ;
— les systèmes à base multidevises ont leurs propres difficultés concernant les rapprochements et les arrondis, et sont plus complexes dans leur utilisation que les systèmes basés sur une seule devise ;
— il existe un grand débat même entre les principaux fournisseurs de logiciels concernant les avantages des systèmes à base multidevises pour l'UEM. Certains fournisseurs de logiciels considèrent que les systèmes à base multidevises sont la solution idéale dans la perspective de la compatibilité euro, alors que d'autres semblent les considérer comme une solution lourde et non appropriée. Ceci met en évidence la nécessité pour les entreprises d'étudier leurs besoins spécifiques concernant le traitement des données avant de réfléchir aux solutions possibles.

2. Avantages et inconvénients des systèmes à base multidevises

2745. Les systèmes à base multidevises réduisent quelques-unes des difficultés évoquées dans les sections précédentes concernant la migration vers l'euro. L'atout principal de tels systèmes est que les sommes euro correspondantes sont déjà contenues dans le système, de même que les montants dans l'ancienne monnaie. Ceci devrait éliminer la plupart des besoins discutés précédemment concernant un outil de conversion euro.

Certains **problèmes** de procédure et d'ordre pratique **demeurent**, même avec les systèmes à base multidevises :

a) Il est peu probable que tous les systèmes d'une entreprise soient à base multidevises ; et il est probable que certains systèmes basés sur une devise unique aient une interface avec le système à base multidevises. Même au sein d'un système multidevises, il est possible que certaines sommes monétaires aient été laissées dans une seule devise (par exemple, dans un système de planification des ressources de l'entreprise, les modules financiers peuvent être à base multidevises mais les modules de fabrication, incluant le coût produit et le coût travail, peuvent être à base de devise unique ou monodevise).

b) Il est probable que les utilisateurs de systèmes à base multidevises soient habitués à travailler prioritairement avec une seule des devises de base. Une reprogrammation ou un reparamétrage pourraient s'avérer nécessaires afin de faire passer la monnaie de référence pour tous les employés à l'euro. Peut-être que de façon idéale le système à base multidevises permet au responsable du système de définir une unique devise de référence par défaut, et de changer aisément cette monnaie par défaut pour qu'elle devienne l'euro le jour E pour l'entreprise.

c) Le changement des procédures et des supports de reporting lors du basculement de l'ancienne monnaie vers l'euro nécessite un certain niveau de publicité et de formation comme dans le cas d'un système basé sur une seule devise.

d) Le processus de migration nécessite d'être consciencieusement testé, en utilisant les mêmes procédures que pour n'importe quel autre système.

e) Une fois que l'euro est devenu la « principale » monnaie du système à base multidevises, l'entreprise doit envisager d'éliminer les calculs et les processus redondants. Cette décision doit bien sûr être vérifiée avec le fournisseur de logiciels.

3. Basculement à l'euro d'un logiciel compatible euro

2746. Le fait qu'un logiciel soit déclaré « compatible euro » ne signifie pas pour autant que le passage à l'euro soit immédiat. Ce passage requiert en effet des **travaux importants** qui dépendent des fonctionnalités du progiciel, mais que nous pouvons classer dans les **étapes** suivantes :

1. Chargement de la version « eurocompatible » du logiciel ; adaptation en conséquence des développements sur mesure réalisés sur la version précédente.

2. Paramétrage de la devise euro.

3. Évolution du paramétrage (données de base produits/articles/clients/fournisseurs/moyens de paiement) de façon à permettre la coexistence des monnaies nationales et de l'euro pour les transactions. Ce reparamétrage peut utiliser soit des fonctionnalités « standard » (par exemple, choix de la devise de facturation pour un client), soit des utilitaires spécialement développés pour l'euro (par exemple : recalcul en euros d'un tarif ; basculement à l'euro des conditions commerciales pour tous les produits — pour un client donné — ; basculement à l'euro des conditions commerciales applicables à un produit, pour tous les clients ; etc.).

4. Changement de devise de référence. Cette étape consiste à reprendre tous les fichiers (référentiels, statistiques, transactions, mouvements élémentaires...) et à convertir en euros les montants exprimés en devise nationale.

5. Évolution du paramétrage, symétrique à l'étape 3 ci-dessus, de façon à supprimer progressivement les références aux monnaies nationales au fur et à mesure du basculement des clients et fournisseurs.

6 Enfin, après 2002, suppression de tous les mécanismes transitoires mis en place (convertisseurs, double affichage, etc.)

2747. Chacune de ces étapes peut nécessiter des actions de diverses natures ; en cas de difficulté, ces actions devront être itérées plusieurs fois, avec corrections progressives :

— sauvegarde de l'environnement de travail initial (programmes, fichiers) ;
— modifications proprement dites ;
— tests utilisateurs — contrôle des traitements ;
— tests d'intégration ;
— tests de non-régression ;
— test de performance ;
— formation utilisateur.

2748. Certaines de ces étapes, et notamment les étapes 3 et 4 peuvent ainsi nécessiter des charges de travail très importante. Dans le cas d'un progiciel multifonction-multipays, le basculement de la devise de référence est un projet à part entière, regroupant plusieurs centaines de tâches pour une charge de travail se chiffrant en milliers d'hommes x jours.

SECTION IV

Période de transition et stratégie de bascule

2750. Avant l'arrivée de l'euro, de nombreuses entreprises avaient déjà entrepris une analyse des stratégies à adopter pendant la phase transitoire. En fonction de la solution retenue, plusieurs solutions étaient possibles :
— enrichissement des flux en entrée : acceptation de montants en euros en plus ou à la place des montants en devises ;
— mise en place de convertisseurs (devise vers euro et/ou euro vers devise) en entrée et/ou en sortie ;
— enrichissement des données mémorisées : mémorisation des montants en devises et en euros, ainsi que de la devise d'origine (le cas échéant, de la règle de conversion utilisée) ;
— enrichissement des flux en sortie : affichage ou transmission de montants en euros en plus ou à la place des montants en devises.

D'autres entreprises ont estimé que l'arrivée de l'euro n'avait pas un impact significatif sur l'ensemble de leurs processus, leurs partenaires continuant à travailler dans la devise nationale ; aussi leurs systèmes d'information ne nécessitaient pas de modifications à court terme.

Toutefois, quelle que soit la stratégie adoptée lors de la phase de transition, la gestion de migration vers l'euro concernant toute entreprise de la zone euro pose des questions d'ordre général :

A. Comment gérer les flux en ancienne monnaie nationale alors que l'euro est devenu la monnaie de référence ?

B. Comment préserver la cohérence et la continuité des flux suite à la bascule ?

C. Quel échéancier adopter pour la bascule (big bang ou migration par étapes) ?

D. Quelles sont les interdépendances avec les autres grands projets ?

A. Gestion postmigration des flux en anciennes devises nationales

2751. La décision de bascule définitive vers l'euro doit également considérer le volume restant de transactions en ancienne monnaie nationale avant la date de retrait définitif (premier semestre 2002). Ainsi, il conviendra de prévoir une procédure temporaire pour gérer ces transactions. Celle-ci pourra être à dominante manuelle si le volume est non significatif. Dans le cas inverse, les modalités de gestion devront être adaptées en vue de ne pas pénaliser l'efficience des différents services de l'entreprise, le système d'information devant dans ce cas être capable de gérer ces transactions. De plus, suite au retrait définitif de la monnaie nationale, une procédure de migration des dernières données en ancienne monnaie devra être mise en place en prenant les mêmes précautions que lors de la bascule initiale.

B. Basculer ensemble les chaînes d'applications pour préserver la cohérence et la continuité des flux

2752. Le plus souvent, les applications informatiques ne fonctionnent pas de façon isolée, mais s'enchaînent les unes aux autres. Chaque application correspond en fait à une étape dans un processus opérationnel comme illustré par le schéma suivant.

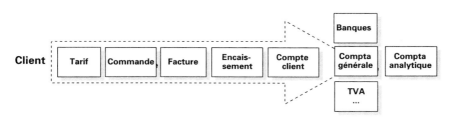

Pour préserver la cohérence des flux de transactions tout au long du processus et garantir la continuité (exemple : rapprochement commande/facture, rapprochement facture/règlement), il convient d'adopter pour toutes les applications de la chaîne le **_même mode de traitement_** de l'euro (ce qui simplifiera les interfaces) et de basculer en même temps les fichiers de références de toutes les applications.

2753. Cependant, les entreprises ne sont pas toujours libres de faire évoluer leurs applications informatiques de leur propre initiative. Il convient de distinguer (voir schéma suivant) les *applications à vocation purement interne*, sur lesquelles l'entreprise a une maîtrise complète, des *applications en relation avec l'environnement extérieur*, pour lesquelles une coordination avec les partenaires externes est nécessaire avant toute évolution.

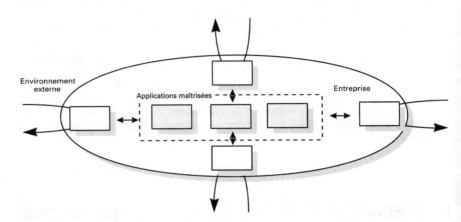

2754. La stratégie de migration consiste donc à *isoler les applications « internes »* qu'il est possible de conserver dans une seule expression monétaire en les isolant par des convertisseurs. Ces applications pourront basculer d'un coup à l'euro. Il est possible d'inclure dans ce groupe des applications en relation avec des partenaires externes, mais dont on anticipe qu'ils ne basculeront à l'euro qu'au dernier moment. Par contre, les applications « externes », en relation avec des partenaires extérieurs dont on pense qu'ils utiliseront rapidement l'euro, doivent pouvoir traiter en parallèle des flux en euros (€) et des flux en devise nationale (FF) comme illustré sur le schéma suivant.

394

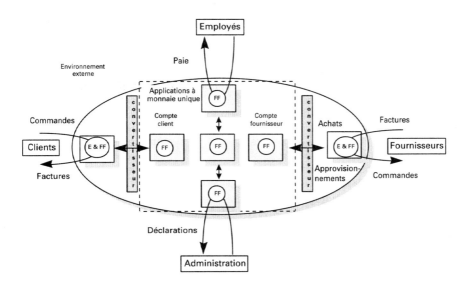

C. Fixer la date de basculement : big bang ou migration par étapes ?

2755. La conversion de la devise nationale vers l'euro pourra se faire par big bang ou par étapes. Il s'agit d'une *décision clé* qui doit être prise par la direction générale après une analyse attentive des impacts occasionnés sur les systèmes informatiques, la logistique, les relations avec les partenaires, etc. Même si elle engage en priorité la responsabilité du directeur financier ou son équivalent, la décision affectera toutes les fonctions de l'entreprise qui tiennent des comptes en devises — c'est-à-dire a priori tout le monde.

Quelle que soit l'approche retenue, il est indispensable que le calendrier de la migration fasse l'objet d'une campagne de *communication* de grande envergure au sein de l'organisation et à l'attention de ses partenaires. De plus, la devise dans laquelle chaque montant devra être converti devrait être clairement précisée, au moins jusqu'à ce que l'organisation ait complètement basculé à l'euro.

2756. Une *approche big bang* requiert une planification et une organisation importantes. Le principal défi est d'identifier toutes les applications informatiques, les systèmes manuels et les interfaces externes qui doivent être modifiés et de réaliser et tester ces changements bien avant la date du big bang. De plus, selon cette date, il se peut qu'apparaissent certaines exceptions inévitables. Par exemple, il est nécessaire de retarder jusqu'au début 2002 la migration de systèmes gérant des pièces et billets. De telles applications doivent être identifiées, et des stratégies de coexistence doivent être étudiées.

Les principaux **avantages** d'une approche en big bang, une fois programmée et mise en place, sont les suivants :
— cette approche peut être coordonnée et communiquée comme un projet majeur ;
— elle représente un effort intense et soudain mais de courte durée ; (ne pas négliger toutefois la possibilité de devoir encore gérer des flux en ancienne monnaie nationale après la bascule) ;
— elle diminue le besoin d'interfaces temporaires pendant la période de transition, où certains systèmes seront encore en devise nationale et d'autres déjà en euros (il serait très difficile de séparer un même système en deux parties, l'une en euros, l'autre en devise nationale) ;
— le fait que tous les montants soient convertis de façon irréversible (à l'exception de certains clairement identifiés) réduit le risque de confusion et d'ambiguïté.

2757. Malgré les avantages d'un basculement par big bang, une **approche par étapes** peut se révéler inévitable — particulièrement pour les entreprises dont l'activité comprend la vente au détail (où les fonctions directement en contact avec le consommateur ne peuvent pas migrer jusqu'à l'introduction des billets et pièces euro, alors que d'autres fonctions comme les achats ou la comptabilité souhaitent migrer plus tôt vers l'euro).

Les principaux **inconvénients** d'une approche par étapes sont les suivants :
— la formulation et la communication du calendrier sont complexes et cette complexité risque d'augmenter avec le nombre d'étapes ;
— le risque d'ambiguïté et de confusion est élevé, surtout entre les individus et systèmes qui ont migré et ceux qui continuent d'opérer en devise nationale ;
— les efforts pour développer et tester les interfaces de transition entre les systèmes qui ont migré et les autres sont importants.

2758. À l'expérience, **il est nécessaire de gérer deux projets euro** : un projet permettant de traiter la période de transition, et un projet de bascule finale. Chacun de ces deux projets peut être du type « par étapes » ou du type « Big Bang ». Seul le projet de bascule finale est obligatoire. Il faut noter qu'il s'agit en général d'un projet très lourd car il faut reprendre l'ensemble des données du système d'information et convertir tous les montants.

D. Synchroniser le projet de passage à l'euro avec les autres grands projets

2760. Pour une entreprise, le passage à l'euro est un projet qui va s'étaler sur au moins quatre ans. Il va donc se dérouler en parallèle avec d'autres projets devant aboutir dans la même fenêtre de temps comme par exemple :
— le projet « **an 2000** » : les systèmes d'information doivent être rendus « compatibles an 2000 », ce qui peut nécessiter de les modifier, voire de les remplacer complètement ;
— le projet « **normes comptables** » : les normes comptables françaises vont évoluer d'ici à la fin du siècle et se rapprocher des normes internationales IASC. Le

changement de référentiel comptable, outre un changement de paramétrage de l'outil comptable, peut nécessiter également l'adaptation des systèmes amonts pour qu'ils produisent les informations requises (axes d'analyse, information sectorielle...).

Mais bien d'autres projets peuvent être lancés par les entreprises :
— **refonte d'organisation,** « Business Process Reengineering », pour rechercher une plus grande efficacité ;
— **fusions et acquisitions,** pour répondre au mouvement de globalisation de l'économie et des échanges ;
— mise en place de **logiciels intégrés** (ERP ou Enterprise Resource Planning) ;
— développement de **canaux de distribution virtuels** (commerce électronique) ;
— mise en œuvre de moyens étendus de **communication** : workflow, groupware, Intranet, Extranet, Internet... ;
— développement de la **chaîne de la valeur intersectorielle,** Entreprise étendue, ECR (Efficient Consumer Response) ;
— mise en œuvre de nouvelles **structures juridiques** et de nouvelles relations entre entreprises : commissionnaires à la vente, contrats de façonniers... ;
— etc.

Autant de projets qui, fondamentalement, refaçonnent les modes de fonctionnement des entreprises et, en conséquence, induisent la refonte de leurs systèmes d'information.

2761. Les **risques** qui résultent de la cœxistence de tous ces projets sont multiples :
— en termes d'**image** et de **communication** : la multiplicité des projets peut brouiller la vision de la stratégie. Trop de projets peut déboussoler le personnel, et conduire à une certaine démobilisation ;
— en termes de **synchronisation** : les différents projets vont toucher les mêmes objets (par exemple l'application comptable). Soit ces impacts sont gérés de façon séquentielle, ce qui signifie que les mêmes tâches — analyse, réalisation, test, recette, mise en production — devront être répétées plusieurs fois, soit on tente de synchroniser les impacts pour ne réaliser par exemple qu'une réalisation/test/recette par application ; la réduction attendue des charges de travail est alors compensée par des contraintes d'ordonnancement très fortes et c'est l'ensemble qui s'écroule ;
— en termes de **ressources** : in fine, ce sont toujours les mêmes interlocuteurs qui sont impliqués dans les projets : cadres opérationnels, utilisateurs clés, chefs de projets et responsables d'application de la direction informatique. Les ressources mobilisables par une entreprise sont limitées et ne sont pas toutes remplaçables par des consultants extérieurs. Des priorités et des arbitrages sont nécessaires pour concentrer les efforts sur les projets stratégiques.

2762. La **conduite à tenir** pour les entreprises consiste donc :
1. à clarifier leur vision stratégique pour arbitrer entre les projets :
— ne garder que les projets stratégiques ;
— évaluer le niveau de ressources à engager sur les projets restants en fonction de leurs enjeux.

2. à décider du groupage ou de la synchronisation des projets :
— regrouper des projets peut en réduire la charge globale (en mettant en commun certaines tâches) ;

— il faut néanmoins faire attention à ne pas regrouper de façon trop importante. En informatique, la complexité d'un projet est une fonction exponentielle de sa taille (un projet deux fois plus gros est quatre sinon huit fois plus complexe à gérer). Regrouper des projets peut conduire à constituer des « mega-projets » que leur taille même rend pratiquement ingérables !

2763. À titre d'*exemple*, le schéma ci-dessous illustre les questions pouvant conduire à combiner ou au contraire à laisser séparés le projet an 2000 et le projet de passage à l'euro.

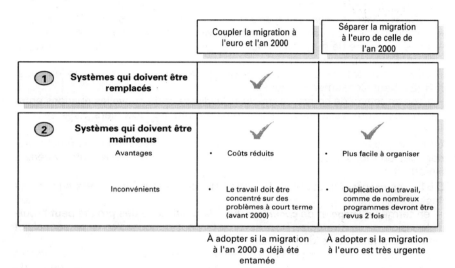

	Coupler la migration à l'euro et l'an 2000	Séparer la migration à l'euro de celle de l'an 2000
① Systèmes qui doivent être remplacés	✓	
② Systèmes qui doivent être maintenus	✓	✓
Avantages	• Coûts réduits	• Plus facile à organiser
Inconvénients	• Le travail doit être concentré sur des problèmes à court terme (avant 2000)	• Duplication du travail, comme de nombreux programmes devront être revus 2 fois
	À adopter si la migration à l'an 2000 a déjà été entamée	À adopter si la migration à l'euro est très urgente

SECTION V

En conclusion : des recommandations d'actions

2765. Ce chapitre a soulevé entre autres deux enjeux principaux concernant les problèmes de logiciels dans la perspective de l'Union monétaire européenne :

Le traitement de la phase de transition — Les exigences du logiciel pour cette phase sont déterminées par plusieurs décisions de politique stratégique commerciale impliquant la direction générale des ventes et du marketing, de la finance, des opérations et des ressources humaines. Jusqu'à ce que ces décisions aient été prises, seul un nombre limité de travaux peuvent être menés en vue de la préparation du logiciel à la phase de transition. La priorité attribuée aux changements de logiciel pour cette phase dépend principalement des décisions de la direction concernant les questions de calendrier et de fonctionnalité, ainsi que les prévisions des taux de transactions effectuées en euros.

Les outils informatiques nécessaires à la migration vers l'euro — En ce qui concerne ces outils, les exigences des logiciels sont essentiellement techniques, bien qu'il faille prendre certaines décisions de politique comptable avant que le modèle ne soit finalisé.

Les étapes suivantes sont recommandées :

1. Décisions stratégiques

2766. L'organisation devrait d'abord prendre des décisions stratégiques en ce qui concerne ses objectifs et son approche concernant l'Union monétaire européenne. Cela inclut :
— la planification du jour E pour l'entreprise ;
— l'adoption d'une approche big bang ou par étapes ;
— les aménagements fournis aux partenaires commerciaux (expression des prix et stratégie d'affichage, utilisation de la monnaie préférée par le client ou de deux monnaies, etc.) ;
— la mise en place de procédures pour gérer les flux en ancienne monnaie nationale suite à la bascule vers l'euro ;
— les ressources disponibles pour mettre en place la stratégie.

Les décisions prises à ce stade sont nécessairement préparatoires, jusqu'à ce que leur faisabilité soit confirmée par une analyse détaillée et une estimation de la charge de travail.

2. Processus de la phase de transition

2767. 1. Les analystes commerciaux et les analystes de systèmes devraient **effectuer une étude structurée des processus commerciaux de l'organisation** et considérer l'impact des décisions stratégiques antérieures sur ces processus et sur les systèmes. Ils devraient fortement impliquer, dans ce processus d'analyse, des utilisateurs pertinents afin de s'assurer que toutes les personnes concernées comprennent quels sont les processus concernés et quelles sont les implications sur les systèmes.

2. Simultanément, ils devraient examiner les **changements à venir** initiés par le fournisseur de logiciels concernant les progiciels et identifier si ces changements sont compatibles avec les politiques commerciales de l'organisation durant la phase de transition. Si l'un de ces changements est incompatible, les analystes devraient étudier **comment obtenir** cette **compatibilité**.

3. Les analystes devraient procéder à l'**estimation des efforts** impliqués pour effectuer les changements de systèmes nécessaires, et, pour les progiciels, déterminer le moment où la fonctionnalité requise sera disponible. Ces estimations devraient laisser du temps pour réaliser des **tests** et également gérer d'éventuels retards.

4. La direction informatique devrait vérifier avec la direction générale de l'organisation que les **délais** de livraison du logiciel sont conformes aux délais commer-

ciaux requis par l'organisation. Si tel n'est pas le cas, la direction informatique devrait étudier des alternatives, comme recruter du personnel supplémentaire, réviser ses ordres de priorité pour les autres travaux ou sous-traiter certains changements. En dernier recours, la direction informatique pourrait devoir négocier des changements concernant les politiques de l'organisation ou les délais, de façon que les délais commerciaux et les délais de système coïncident.

5. La direction informatique devrait, en accord avec les utilisateurs clés, **attribuer un ordre de priorité aux développements** de telle sorte que les plus importants ou les plus urgents soient effectués le plus tôt possible.

6. Le personnel informatique devrait développer les modifications de logiciel et de paramètres en concordance avec les pratiques des systèmes standards. Les **utilisateurs** devraient être fortement **impliqués** à tous les stades du projet afin de s'assurer que les changements sont faits d'une manière optimale et que tous les changements requis sont identifiés aussi rapidement que possible. L'implication de l'utilisateur semble même plus essentielle dans ce cas qu'elle ne l'est pour un projet de systèmes classique ; ceci tient à la nature sans précédent de ses exigences et la planification temporelle très minutée.

7. Parallèlement au développement des changements de logiciel et de paramètres, le personnel informatique et les utilisateurs devraient développer des **procédures détaillées** et des **supports de formation** de telle sorte que les changements soient clairement compris dans toute l'organisation.

8. Le personnel informatique et les utilisateurs devraient **tester** de façon approfondie les changements, d'abord les changements au niveau individuel et ensuite les systèmes intégrés, en prêtant particulièrement attention à ceux où des changements monétaires sont impliqués.

9. La direction informatique et l'équipe de formation des utilisateurs devraient mettre en place les changements en fonction d'un **calendrier** soigneusement communiqué. Tous les départements (particulièrement la finance et l'audit) devraient vérifier les nouveaux systèmes aussitôt que possible, afin de s'assurer que le logiciel et les procédures fonctionnent correctement en tandem.

3. Outils de la migration euro

2770. 1. Il faudrait former une **équipe** regroupant les départements **comptabilité** et **informatique** afin qu'elle prenne en considération les exigences fonctionnelles des outils de la migration. Comme décrit tout au long de ce chapitre, les outils nécessitent bien plus qu'une simple conversion des montants exprimés en ancienne monnaie en des montants exprimés en euros grâce à un facteur de conversion.

2. L'équipe devrait dresser une **liste de tous les systèmes qui utilisent des montants monétaires** — progiciels, logiciels sur mesure ou « informels ». Toutes les interfaces entre les systèmes impliquant des montants monétaires ont également besoin d'être listées. Même s'il n'est pas possible de mener une analyse détaillée de tous les systèmes informels, il est quand même nécessaire d'analyser les systèmes principaux utilisés pour les transactions clés.

3. L'équipe devrait **réexaminer les décisions stratégiques** prises par la direction, particulièrement en ce qui concerne le calendrier et la planification du jour E pour l'entreprise.

4. L'équipe devrait **effectuer un modèle détaillé des outils de conversion requis**, particulièrement pour les transactions de base et les systèmes de provision-information. Ce n'est en effet qu'à travers une analyse détaillée de ces outils que les exceptions et les problèmes pourront être identifiés.

5. L'équipe devrait se renseigner sur les **outils informatiques prévus** par les distributeurs et évaluer s'ils sont **compatibles** et adaptés aux besoins de l'organisation. L'équipe devrait prêter particulièrement attention à toutes les personnalisations qui ont été faites pour les progiciels, car elles ne seront pas couvertes par les outils standards de migration. L'équipe devrait identifier tous les changements requis pour les outils standards de la migration, évaluer les coûts et allouer le budget correspondant dès que possible. Il faut ici rappeler que les fournisseurs de logiciels vont potentiellement recevoir des demandes similaires de chaque client de la zone euro, si bien qu'il est vital d'évaluer très tôt les coûts liés au changement (particulièrement là où l'organisation n'a pas elle-même les ressources pour modifier les outils standards de la migration). Enfin, l'équipe devrait obtenir des engagements fermes de la part du vendeur en ce qui concerne le calendrier et la disponibilité des outils, y compris toute personnalisation.

6. Le département informatique devrait **évaluer l'effort total** que nécessite le développement des outils informatiques propre à l'organisation et en déduire les dates auxquelles des ressources données et disponibles devront leur être délivrées.

7. L'équipe devrait confirmer que le **calendrier** selon lequel les outils vont être délivrés est **compatible** avec les plans du jour E pour l'organisation, en parant à toute éventualité. Si tel n'est pas le cas, il pourrait être nécessaire de replanifier les plans de l'organisation. Il faut remarquer que cela peut avoir un effet de répercussion sur la fonctionnalité requise de la phase de transition, si nous nous basons sur une hypothèse de faible volume de transactions en euros.

8. Le département informatique devrait **développer et tester les outils** informatiques de la migration, avec un utilisateur attentif et une participation de l'audit à toutes les étapes. Certains accords précis seront probablement nécessaires, particulièrement pour traiter le problème des erreurs d'arrondis et de la réalisation de gains ou de pertes.

9. L'organisation dans son ensemble devrait **réaliser une simulation** sur un jour et sur une fin de mois des opérations à venir utilisant la suite complète de la migration euro bien avant le jour E fixé. Cela prendra probablement plusieurs jours d'effort intensif.

4. Éléments du projet à prendre en considération

2773. Le temps nécessaire à la migration euro (en même temps que le problème de l'an 2000 et tout autre projet requis) pourrait très bien excéder la **capacité informatique de l'organisation de l'entreprise**. Si tel est le cas, le département informatique pourrait avoir besoin de négocier avec la direction générale un calendrier révisé ou une fonctionnalité à échelle réduite. Pour réduire les risques que cela se produise, il est important que l'analyse et les tâches nécessaires décrites ci-dessus pour chacun des deux projets soient accomplies de manière urgente.

La plupart des organisations seront très *tentées de minimiser l'effort* consacré au développement et au test du logiciel requis, et à l'écriture des procédures propres à la phase de transition et aux suites de la migration euro, en raison :
— des impératifs du calendrier ;
— de la concurrence importante des autres projets pour l'obtention de ressources, y compris le problème an 2000 et les projets d'augmentation de la fonctionnalité ;
— de la courte espérance de vie de la fonctionnalité de la phase de transition ;
— de la nature définitive des suites de la migration euro.

S'il faut réduire l'effort en raison des contraintes de ressources ou de temps, cette réduction devrait intervenir dans le domaine de la fonctionnalité du logiciel, et non dans le domaine de sa résistance. Cela doit être clairement communiqué à la direction générale.

En résumé, les systèmes peuvent très bien s'avérer être un frein majeur concernant la préparation de l'organisation à l'euro et son calendrier de passage au jour E. Cela s'applique particulièrement aux organisations dont les départements informatique n'ont pas encore effectué une analyse détaillée de leurs exigences dans la perspective de l'euro.

2774. Les points clés à retenir concernant la stratégie de migration des systèmes d'information sont les suivants :

Concernant la stratégie de passage :

⇒ La première étape est de *définir, application par application, les fonctionnalités requises* pour :
— *permettre la coexistence entre la monnaie nationale et l'euro ;*
— *basculer de la monnaie nationale vers l'euro.*

⇒ Ensuite, il faut *déterminer les liens entre les applications* pour préserver la cohérence des flux entre ces applications.

⇒ Il faut *décider d'une migration de type big bang ou par étapes.*

⇒ Il ne faut pas perdre de vue que le basculement à l'euro des systèmes d'information est un projet à part entière. Certes, on peut le gérer de façon autonome mais *il est nécessaire de le synchroniser au moins avec les autres grands projets informatiques* du type an 2000.

Concernant les modalités de passage :

⇒ *Bien prendre en compte la réglementation.*

⇒ *Ne pas oublier les aspects pratiques de la migration* (notamment l'identification claire dans tous les documents de la devise utilisée — monnaie nationale ou euro).

⇒ *Ne pas oublier que les périphériques informatiques devront également être modifiés.*

⇒ *Ne pas négliger les flux en ancienne monnaie nationale résiduels après la bascule vers l'euro.*

CHAPITRE VIII

Bascule
de la comptabilité

2800. La bascule de la comptabilité est l'opération qui permet de passer d'une devise de tenue de la comptabilité à une autre (ainsi passer du franc à l'euro). Comme l'indique l'Ordre des experts-comptables dans son forum de discussion sur l'euro (site Internet), il n'y aura *pas*, pendant la période transitoire, existence de *deux jeux de comptabilité* : l'un pour les flux en euros tenu en euros et l'autre pour les flux en francs tenu en francs. La comptabilité est tenue en francs jusqu'à la date de bascule et en euros par la suite. Les opérations libellées dans l'expression monétaire qui n'est pas celle de tenue de la comptabilité (euro avant la date de bascule, franc après) seront donc converties pour être comptabilisées.

Basculer sa comptabilité à l'euro est, pour l'entreprise, un *choix irréversible* qui s'intègre dans un cadre juridique précis. Pendant toute la période transitoire (du 1er janvier 1999 au 31 décembre 2001), l'entreprise peut librement choisir sa date de bascule. La bascule devrait normalement intervenir lorsque l'essentiel des opérations sera réalisé en euros. D'autres contraintes pèseront sur l'entreprise dans le choix de la date de bascule : son exposition au marché européen, la pression qu'elle peut supporter de la part de ses partenaires commerciaux et des contraintes techniques.

La première section de ce chapitre présente les grandes lignes des différentes *méthodes de bascule* de la comptabilité à l'euro, les modalités de conversion des soldes, les recommandations en matière de formalisation des procédures de bascule. Dans une seconde section sera traitée la question de l'*archivage des données* qui concourent à la formation du résultat comptable. Ce chapitre n'a pas pour objet d'analyser tous les aspects techniques de la bascule de la comptabilité qui seront seulement évoqués.

Ces aspects éminemment pratiques de l'opération de bascule devront être abordés par l'entreprise en concertation avec ses conseils (experts-comptables, conseils informatiques ou autres consultants) dans les plus brefs délais car la période transitoire est courte. La bascule de la comptabilité devra être réalisée au plus tard le 1er janvier 2002.

SECTION I

Méthodes de bascule, modalités de conversion des soldes

1. Cadre juridique de la bascule de la comptabilité

2801. L'opération de bascule de la comptabilité à l'euro s'inscrit dans un cadre régi par les *trois principes* suivants (rappelés par le groupe de travail Simon-Creyssel) :

— les comptabilités peuvent être tenues en euros depuis le 1er janvier 1999 (en application des dispositions de l'article 16 du Code de commerce modifié par la loi DDOEF du 2 juillet 1998 : en annexe au n° 1900) ;

— les comptabilités devront être tenues en euros au plus tard le 1er janvier 2002. En effet, la référence au franc ne sera plus valable après la période transitoire qui se termine le 31 décembre 2001 (Règlement 974/98 du Conseil de l'Union européenne : en annexe au n° 1902) ;

> Aucune écriture comptable ne pourra plus être enregistrée en francs à partir du 1er janvier 2002, exception faite des écritures d'inventaire relatives à l'exercice clos le 31 décembre 2001 et des écritures relatives à la tenue d'un livre de caisse jusqu'au 30 juin 2002.

— l'opération de conversion de la comptabilité peut avoir lieu soit en début d'exercice, soit en cours d'exercice.

Les *dates* de bascule (date à laquelle est réalisée l'opération de conversion) et d'effet (date à laquelle la conversion est réputée effectuée) peuvent donc être différentes.

> Le choix de la date de bascule dépendra de la situation de chaque entreprise, mais des contraintes peuvent imposer une date précise de bascule (comme l'indique l'OEC dans le forum de discussion euro de son site internet) :
>
> — saisonnalité : une bascule en période de sous-activité semble préférable (davantage de disponibilité) ;
>
> — lien avec la sphère sociale : il faut incorporer dans le choix de la date de bascule la périodicité des déclarations sociales. Ainsi, une bascule en cours de trimestre civil semble incompatible avec des déclarations trimestrielles aux organismes sociaux.

L'opération de bascule de la comptabilité n'entraîne pas l'obligation d'établir les *déclarations fiscales* en euros, ni l'obligation de basculer la *sphère sociale* (paie, déclarations aux organismes sociaux).

Les principales déclarations fiscales pourront être souscrites en euros sur option à condition que l'entreprise tienne sa comptabilité en euros (instruction fiscale du 12 novembre 1998, BOI 13 RC), mais l'entreprise peut choisir d'utiliser le franc pour ces déclarations. Le choix s'effectue indépendamment pour chaque impôt. Pour plus de détails voir n°s 700 s.

Les principales déclarations sociales peuvent être souscrites en euros alors même que la comptabilité est tenue en francs. Pour plus de détails voir n°s 972 s.

Le choix de souscrire des déclarations fiscales ou sociales en euros est irréversible.

Dans le cas d'une bascule avec une date d'effet en cours d'exercice, l'administration fiscale a autorisé que l'arrêté comptable soit un « *arrêté intermédiaire simplifié* sans pour autant procéder à l'arrêté des comptes et aux opérations d'inventaire » (Instruction du 12 novembre 1998, BOI 13 RC).

2. Les différentes méthodes de bascule

2805. Les *difficultés techniques* de la bascule tiennent notamment au fait que, avant toute adaptation à l'euro :

— la majorité des logiciels comptables ne peuvent pas connaître deux monnaies dans un même exercice et donc ne peuvent pas changer de monnaie de tenue de la comptabilité à la suite d'un arrêté de comptes intermédiaire ;

— les logiciels existants ne permettent pas de modifier la monnaie de tenue de la comptabilité tant que l'exercice précédent n'est pas clos ;

— certains logiciels convertiront l'ensemble des données portant sur des exercices en ligne (c'est-à-dire des exercices non archivés, toujours consultables par l'utilisateur).

2806. *Plusieurs solutions techniques sont offertes* — Le choix d'une solution dépendra du logiciel utilisé par les sociétés et de différentes contraintes internes (délai de clôture, charge de travail du service comptable en période de clôture favorisant le choix de la bascule en cours d'exercice, directives imposées par la société mère à ses filiales, etc.).

Nous présentons ci-après trois méthodes de bascule concernant une entreprise dont l'exercice comptable coïncide avec l'année civile, la plupart ressortant des travaux du groupe Simon-Creyssel.

Ces méthodes sont récapitulées dans un tableau au n° 2830.

a. Méthode 1 : Réduire la période complémentaire de comptabilisation des écritures sur l'exercice clos et ne pas comptabiliser d'opération sur le nouvel exercice avant la date de bascule

2810. Cette solution consiste à clore l'exercice précédent avant tout enregistrement comptable sur le nouvel exercice. Les écritures d'inventaire relatives à l'exercice précédent sont comptabilisées en francs. Après clôture et bascule, les écritures de l'année en cours sont enregistrées en euros.

Cette solution est la plus simple puisqu'elle évite le problème de gestion concomitante de deux comptabilités dans deux monnaies différentes. Elle *suppose que les délais de clôture soient courts* afin que le retard pris dans la comptabilisation des écritures sur le nouvel exercice ne pénalise pas la production habituelle des états de reporting.

En outre, elle ne nécessite pas d'arrêté intermédiaire simplifié.

Les dates dans les graphiques présentés ci-après ne sont données qu'à titre d'exemple.

Schéma pour une bascule réalisée le 15 janvier N

Méthode 1

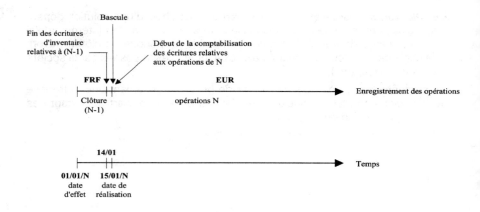

Remarque : Certains reprochent à cette méthode de contrevenir aux *règles* posées par le Code de commerce *sur l'enregistrement des opérations*. L'article 8 du Code de commerce stipule en effet que les mouvements sont enregistrés chronologiquement et l'article 3 du décret du 29 novembre 1983 précise au jour le jour.

Mais, à notre avis, et selon l'OEC, un enregistrement au jour le jour ne signifie pas que les entreprises ont l'obligation d'enregistrer les pièces comptables au fur et à mesure de leur réception. Nous rappelons ci-après les principaux éléments de l'analyse développée dans notre Mémento comptable (MC n° 305).

La chronologie imposée par la loi du 30 avril 1983 et le décret du 29 novembre 1983 ne permet pas de reprendre plusieurs journées différentes (par exemple de ventes) dans une seule écriture. Mais deux questions se posent :

a. De quel jour s'agit-il? Selon la Rec. OEC n° 21-07, « plusieurs dates peuvent être associées à un même fait comptable. La date, dite date comptable, est en pratique celle de la pièce justificative » (c'est-à-dire la date de la facture d'achat ou de vente, la date de la remise du chèque ou de sa signature, etc.).

Mais, selon l'OEC (Rec. n° 21-07 précitée), « le législateur n'a pas voulu imposer de délai entre la date comptable et celle de l'enregistrement. Le PCG (p. I.5) indique simplement que ces données de base sont enregistrées sans retard afin qu'elles puissent être traitées en temps opportun ».

Aussi nous paraît-il également possible (sous réserve de dispositifs complémentaires de contrôle interne) d'enregistrer — par exemple — des factures d'achat, non pas selon leur chronologie d'arrivée dans l'entreprise, mais au fur et à mesure que les factures sont acceptées et portent la mention « Bon à payer ».

b. Quel ordre d'enregistrement retenir à l'intérieur d'une même journée? Selon le secrétariat du CNC (Bull. n° 40-02), il n'y a pas de chronologie des opérations entre elles ; en conséquence, l'enregistrement dans une journée est possible, par exemple :

— dans l'ordre où les opérations se sont déroulées,

— ou par catégories d'opérations (achats, ventes, frais, etc.),

— ou dans l'ordre des numéros de comptes.

Toutefois cette souplesse devrait être limitée à la comptabilisation des opérations du premier mois de l'exercice en cours compte tenu des obligations de centralisation mensuelle (MC n°s 305, 328-2).

En conséquence, cette méthode simple nous paraît applicable dans le respect des règles comptables.

b. Méthode 2 : Ouvrir un nouveau dossier comptable, voire dupliquer l'environnement technique, à la date de bascule de la comptabilité à l'euro

2815. Le *premier dossier* permet d'enregistrer toutes les écritures comptables relatives au nouvel exercice en francs tant que la clôture de l'exercice précédent n'a pas été réalisée.

À la date de bascule, la balance en capitaux (qui reprend le total des mouvements au débit et au crédit d'un compte) relative à ce premier dossier est convertie en euros pour constituer les soldes d'ouverture en euros du second dossier dans lequel les écritures sont uniquement comptabilisées en euros. Dès l'ouverture du *second dossier*, aucune écriture ne peut plus être enregistrée sur la période antérieure (c'est-à-dire sur le premier dossier).

> La *balance en capitaux correspondra à l'arrêté de comptes intermédiaire* simplifié demandé par l'administration.

Certains logiciels ne permettront pas l'ouverture d'un nouveau dossier ; il s'agira alors de dupliquer l'environnement technique en entier (base de données, et éventuellement programmes).

Cette solution peut poser des difficultés pratiques aux services comptables notamment pour l'enregistrement sur la période close des factures reçues au début du mois suivant et relatives à cette période.

Cette solution, comme le souligne le MEDEF dans la présentation qu'il en fait dans le Guide de l'euro, permet de basculer la comptabilité *en cours d'exercice, à n'importe quel moment pendant la période transitoire*, les dates d'effet et de bascule étant identiques et différentes du premier jour de l'exercice.

Schéma pour une bascule réalisée le 1er avril N

Méthode 2

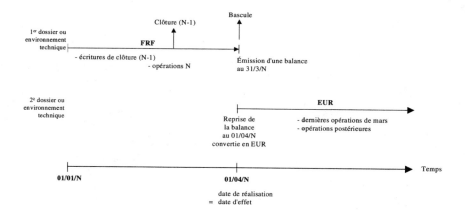

2816. *1re variante à la méthode 2* — Cette première variante propose l'ouverture d'un second dossier non pas en cours d'exercice, mais dès le premier jour du nouvel exercice avec des « reports à nouveau » provisoires. Le premier dossier est seulement utilisé pour l'enregistrement des dernières écritures de clôture relatives à l'exercice (N-1). Une correction manuelle des « reports à nouveau » provisoires du second dossier sera alors nécessaire après la clôture de l'exercice (N-1).

Cette variante ne nécessite pas d'arrêté de comptes intermédiaire.

Schéma pour une bascule réalisée le 1er janvier N

Méthode 2 variante 1 (2^{V1})

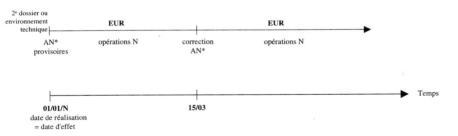

* AN : reports à-nouveau

2817. *2ᵉ variante à la méthode 2* — La méthode 2 peut présenter, pour certaines entreprises, l'inconvénient d'avoir à arrêter la comptabilité d'un mois donné alors que toutes les transactions du mois ne sont pas encore totalement enregistrées. À notre avis, une autre variante que celle proposée au n° 2816 consisterait à envisager d'attendre le 10 ou le 15 du mois suivant pour :
— clore le premier dossier sur lequel auront donc été enregistrées les factures reçues, ou émises postérieurement à la fin du mois et relatives à la période close et les dernières opérations bancaires du mois clos ;
— enregistrer la balance d'ouverture dans le second dossier.

Cette variante nécessite un arrêté de comptes intermédiaire.

Cette possibilité présente cependant la difficulté d'avoir à enregistrer en euros, sur les premiers jours du mois de la bascule, des opérations sans solde d'ouverture (pas de rapprochement possible entre les écritures constitutives du solde à la fin du mois précédent et les règlements reçus sur le début du mois de la bascule par exemple).

Schéma pour une bascule réalisée le 1ᵉʳ avril N

Méthode 2 variante 2 (2^{V2})

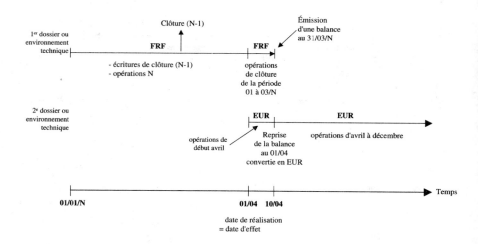

c. Méthode 3 : Convertir en euros les écritures déjà comptabilisées en francs sur le début de l'exercice de bascule en effectuant une « rétropolation »

2820. Cette solution permet de clôturer l'exercice précédent avant de réaliser la bascule. La date d'effet de la bascule coïncidera avec le premier jour de l'exercice. À la date de bascule, toutes les écritures comptabilisées en francs sur l'exercice en cours sont converties automatiquement en euros par le système informatique avec identification d'arrondis de conversion. La plupart des éditeurs ont développé les outils nécessaires à cette opération. Toutes les écritures postérieures à la date de bascule sont comptabilisées en euros.

Cette méthode ne nécessite pas d'arrêté intermédiaire.

Schéma pour une bascule réalisée le 31 mai N

Méthode 3

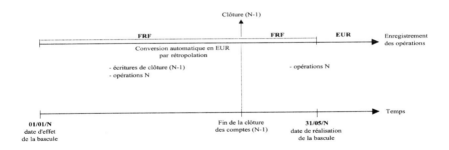

Remarque : Cette solution rendra particulièrement difficile, voire impossible, une bascule au 1er janvier 2002. En effet, les logiciels existant sur le marché ne permettent généralement pas de gérer de façon concomitante deux exercices dans deux expressions monétaires différentes. Or toutes les transactions de l'exercice 2002 seront libellées en euros. Aucun enregistrement comptable ne pourra donc être effectué en francs au titre de l'exercice 2002 (à l'exception des écritures relatives à la tenue d'un livre de caisse).

d. Autres méthodes

2825. Le groupe de travail Simon-Creyssel évoque par ailleurs d'autres méthodes comme :
— l'éventualité d'utiliser un logiciel qui puisse gérer deux exercices de façon concomitante dans deux monnaies (avec gestion des « à nouveau » provisoires) ;
— l'éventualité d'utiliser un logiciel capable d'effectuer un arrêté intermédiaire mensuel avec changement d'unité monétaire.

Ces méthodes devraient être marginales compte tenu de la rareté de telles fonctions dans les logiciels existants.

3. Cas d'un exercice décalé

2826. *Une entreprise ayant un exercice décalé* ne constitue pas en fait un cas particulier car elle pourra utiliser une des méthodes précédemment décrites.

Ainsi, la solution d'ouvrir un nouveau dossier comptable à la date de bascule est préconisée pour basculer la comptabilité en cours d'exercice (et notamment le 1er janvier d'une année).

Pour une bascule dont la date d'effet serait le premier jour de l'exercice, une entreprise ayant un exercice décalé peut envisager trois solutions :
— la réduction de la période complémentaire de comptabilisation des écritures sur l'exercice clos et l'absence d'enregistrement comptable sur le nouvel exercice avant la date de bascule (méthode 1) ;
— l'ouverture d'un nouveau dossier comptable qui enregistre toutes les écritures en euros alors que le premier dossier serait réservé aux dernières écritures de l'exercice à clôturer (méthode 2, variante 1) ;
— la rétropolation (méthode 3).

4. Tableaux récapitulatifs

2830. Les tableaux récapitulatifs ci-dessous ont été construits à partir d'une présentation réalisée par le groupe de travail Simon-Creyssel. Les cinq méthodes présentées ci-dessous sont :
— Méthode 1 : clôture de l'exercice précédent en francs avant tout enregistrement comptable en euros sur le nouvel exercice.
— Méthode 2 : ouverture d'un nouveau dossier comptable (ou duplication de l'environnement technique) en cours d'exercice.
— Méthode 2 variante 1 (2^{V1}) : ouverture d'un nouveau dossier comptable (ou duplication de l'environnement technique) dès le 1er jour de l'exercice. Le premier dossier est seulement utilisé pour la clôture de l'exercice précédent.
— Méthode 2 variante 2 (2^{V2}) : ouverture d'un nouveau dossier comptable (ou duplication de l'environnement technique) en cours d'exercice avec reprise décalée de la balance de clôture de la période précédente.
— Méthode 3 : rétropolation ou conversion automatique en euros des écritures comptabilisées en francs jusqu'à la date de bascule.

Cas d'une entreprise ayant un exercice comptable calendaire

Date de la Bascule / Date d'effet	01/01/1999	01/01/2000 01/01/2001	En début d'exercice 1999 ou 2000 ou 2001 ou 2002	En cours d'exercice et au plus tard le 31/12/2001	01/01/2002
01/01/1999	Méthode 2^{v1}		Méthode 1	Méthode 3	
01/01/2000 01/01/2001		Méthode 2^{v1}			
En cours d'exercice et au plus tard le 31/12/2001				Méthode 2 Méthode 2^{v2}	
01/01/2002			Méthode 1		Méthode 2^{v1}

Cas d'une entreprise ayant un exercice comptable décalé

Date de la Bascule / Date d'effet	01/01/1999	1er jour d'exercice comptable 1999/2000 ou 2000/2001 ou 2001/2002	En début d'exercice 1999/2000 ou 2000/2001 ou 2001/2002	En cours d'exercice et au plus tard le 31/12/2001	01/01/2002
1er jour d'exercice comptable 1999/2000 ou 2000/2001 ou 2001/2002		Méthode 2^{v1}	Méthode 1	Méthode 3	
En cours d'exercice (par exemple 01/01/N) et au plus tard le 31/12/2001	Méthode 2			Méthode 2 Méthode 2^{v2}	
01/01/2002					Méthode 2

(1) Date de bascule : date de réalisation de la bascule.
(2) Date d'effet : date à partir de laquelle les opérations sont enregistrées en euros.

5. Précisions sur la méthodologie de conversion des soldes

2835. L'entreprise a le *choix* des modalités de conversion des soldes d'ouverture du premier exercice comptable en euros : soit la conversion des écritures justificatives des soldes, soit la conversion du seul solde des comptes.

La *conversion des écritures justificatives* facilitera le lettrage automatique postérieur des mouvements comptabilisés. Elle augmentera la charge de travail technique lors de la bascule.

La *conversion des soldes des comptes* peut conduire à une gestion difficile des écarts de conversion. Elle soulèvera des difficultés au moment du lettrage des mouvements comptabilisés (créances et dettes avec règlements).

2836. Un groupe de travail de l'OEC, dans une étude parue en mai 1998 « euro et informatique » (SIC n° 163) a précisé les points suivants sur la méthodologie de conversion des soldes d'ouverture.

La *méthode* de conversion devra être *différente* selon qu'il s'agit d'un compte « justifié ou non » :
— conversion simple en euros du solde d'un *compte non justifié* ;
— conversion de chaque élément constitutif du solde d'un *compte justifié* et enregistrement d'une écriture d'arrondi s'il existe un écart entre la somme des éléments constitutifs et le solde converti en euros.

> Un compte « *justifié* » est un compte dont le solde est décomposable. Sont ainsi des comptes justifiés les comptes clients ou fournisseurs mais également les comptes immobilisations et amortissements. Un élément constitutif d'un compte client ne sera pas forcément une facture en solde mais pourra correspondre au montant net d'une facture, d'un acompte reçu et d'un avoir partiel émis.
>
> La démarche de reprise d'un compte collectif doit être identique à la reprise d'un compte justifié : le solde du compte collectif doit être calculé à partir de la somme des comptes individuels et ajusté par le compte de résultat (écart d'arrondi afin de faire coïncider la somme des comptes individuels convertis avec la conversion de la somme des comptes).
>
> Un compte « *non justifié* » est par essence un compte de résultat (produit ou charge) dont le solde est le résultat de l'accumulation des opérations enregistrées. Certains comptes de bilan ne sont pas justifiés, notamment les comptes de trésorerie (comptes courants groupe ou comptes courants bancaires).

Sur un plan pratique, le groupe de travail conseille de convertir les immobilisations, les amortissements, les comptes auxiliaires puis les comptes généraux de bilan et enfin ceux de gestion (comptes de résultat).

6. Autres points d'attention

2840. La procédure de bascule de la comptabilité soulève également d'autres questions techniques qui devront être prises en compte dans le projet global sous la contrainte des spécificités de chaque logiciel :
— procédure de *conversion des historiques* ;
— gestion indépendante de la bascule de la *comptabilité auxiliaire* et de la comptabilité générale ;
— gestion de la bascule de la *comptabilité analytique* (qu'il est préférable de réaliser au même moment que la bascule de la comptabilité générale) ;

— *présentation des différents états comptables* utilisés : mention de la monnaie de comptabilisation, mention de l'autre expression monétaire pour information, choix de la monnaie de présentation des données relatives à l'exercice précédent si apparentes... ;
— bascule des *données traitées sur des tableurs* (voir à ce sujet n°s 2663 s. et 2968) ;
— gestion indépendante ou simultanée de la bascule de la *comptabilité des différentes entités constitutives d'une société ou d'un groupe* (établissements, filiales).

7. Formalisation des procédures de bascule à l'euro

2845. Plusieurs textes évoquent la nécessité de formaliser les procédures applicables pendant la période transitoire et donc en particulier les procédures de bascule de la comptabilité à l'euro.

L'*instruction fiscale* du 12 novembre 1998 indique dans la section sur les modalités de basculement :« Les conditions de passage du franc à l'euro et d'établissement des documents comptables en euros entre le 1er janvier 1999 et le 31 décembre 2001 devront nécessairement être retracées dans le document obligatoire décrivant les procédures et l'organisation comptable prévu par l'article 1er du décret n° 83-1020 du 29 novembre 1983. »

Le *guide de la Compagnie des commissaires aux comptes* sur l'euro, dans la fiche III-2 au paragraphe « l'adaptation de l'organisation comptable », indique : « L'entité doit veiller à mettre en place des procédures spécifiques (pouvant faire l'objet d'un manuel spécifique) dès la période transitoire pour éviter tout risque d'erreur notamment pour ce qui concerne le traitement des opérations répétitives pendant la période transitoire. »

> Pour plus de détails généraux sur le document prévu par le décret du 29 novembre 1983, voir MC n°s 335 s.

Aucune *sanction* n'est spécifiquement prévue en cas de non-établissement de ce document. Cependant, compte tenu de la prescription de l'administration fiscale, de la recommandation récente de la CNCC et de la position des organismes professionnels sur le manuel des procédures, nous recommandons la *rédaction des conditions* de passage du franc à l'euro et des conditions d'établissement des documents comptables en euros pendant la période transitoire.

SECTION II
Archivage

2848. Certaines entreprises se demandent si la bascule automatique des données historiques en euros au moment de la bascule de la comptabilité à l'euro posera un problème, dans le cadre des *obligations de conservation des données et traitements*, puisque sur la période considérée la comptabilité aura été tenue en francs.

Nous rappelons ci-après les *textes* qui régissent la question de la conservation des données et traitements informatiques avant d'exposer les *incidences* du passage à l'euro.

1. Cadre législatif, réglementaire et doctrinal

2850. La *documentation administrative 13 K 117* (1er février 1994) dispose dans les principes généraux du mode de conservation des documents :

« Les copies de lettres, de factures ou de documents en tenant lieu établies par les entreprises à l'appui de leurs ventes peuvent être archivées sur microfilms ou sur bandes magnétiques, à la condition toutefois que toutes facilités soient mises à la disposition des agents de l'administration pour leur permettre de consulter, sans cause d'erreur ni perte de temps, notamment au moyen d'un appareil de lecture, les documents en question et s'il y a lieu, de reconstituer l'original ou d'en prendre copie. En ce qui concerne les autres documents qui doivent être représentés à toute réquisition des agents des impôts, l'administration fiscale ne peut que s'en tenir aux obligations prévues par les textes régissant la matière et desquels il résulte que ces documents doivent être conservés dans leur forme originale (Rép. Min. Deliaune, AN 17 janvier 1970, p. 123 et 124).

Toutefois, la loi n° 80-525 du 12 juillet 1980 relative à la preuve des actes juridiques a notamment modifié l'article 1348 du Code civil en prévoyant l'assimilation à l'original d'une copie dont celui qui s'en prévaut pourra établir qu'elle est la reproduction fidèle et durable.

Cependant, les articles 286-3° du CGI et L 102 B, 3e alinéa du LPF, confirme que les pièces justificatives relatives à des opérations ouvrant droit, du point de vue fiscal, à une déduction en matière de taxes sur le chiffre d'affaires, doivent être conservées en original pendant six ans.

Compte tenu de l'ensemble de ces dispositions, la conservation des documents comptables justificatifs et de tous autres visés à l'article L 102 B du LPF s'effectue de la manière suivante :
— en original pour les pièces justificatives d'un droit à déduction en matière de taxes sur le chiffre d'affaires et notamment pour les factures d'achats,
— en original ou en copie qui en est la reproduction fidèle et durable pour les autres documents justificatifs, notamment les copies des factures de vente. »

2851. L'*instruction fiscale du 24 décembre 1996* sur « les contrôles des comptabilités informatisées » précise que les « données (élémentaires) soumises à l'obligation de conservation (informatique) doivent être définies par leur relation avec la formation des résultats comptables et fiscal et des déclarations rendues obligatoires par le CGI. Il s'agit des données, traitées par des procédés informatiques, qui concourent à la constitution d'enregistrement comptable ou à la justification d'un événement ou d'une situation transcrite dans les livres, registres, documents, pièces et déclarations contrôlées par l'administration ».

L'*instruction fiscale du 12 novembre 1998*, « passage à l'euro, obligations déclaratives et de facturation » n'apporte aucune précision sur l'archivage.

2. Procédure applicable dans le cadre de la bascule de la comptabilité à l'euro

2852. *Le groupe de travail Simon-Creyssel a rappelé*, dans son rapport de mars 1997, au chapitre « l'organisation et le contenu des contrôles », « qu'aucune procédure spécifique en matière de vérification des comptabilités informatisées n'est envisagée à l'occasion du passage à l'euro. Les règles en vigueur seront maintenues, tant en matière de documentation qu'en termes de conservation des données : ce sont les textes actuels dont l'instruction du 24 décembre 1996 qui devront être appliqués.

La mise en place de convertisseurs n'entraînera pas d'obligations nouvelles en termes de conservation au regard des obligations qui existent aujourd'hui.

Ainsi, les fichiers permanents de référence (fichiers clients, fournisseurs, barèmes, tarifs...) convertis en euro n'auront pas à être conservés également en francs, à la différence des fichiers vivants qui devront suivre les règles actuelles : ils devront donc être conservés selon les règles de droit commun (en francs jusqu'à la date de changement de l'unité de comptabilisation, et en euro à compter de cette date) ».

2853. Si nous recommandons l'archivage en francs des données élémentaires justifiant la comptabilité en francs, un **archivage en euros de ces données en francs** n'est donc, à l'analyse des textes précédents, pas interdit si tous les moyens de traitement informatique sont conservés par l'entreprise pour justifier les écritures comptables vis-à-vis d'un tiers contrôleur (notion de traçabilité des opérations : conservation de l'application de conversion, moyens de reconversion).

Certains ont évoqué le **risque** de rejet de la comptabilité par un contrôleur fiscal face à un mécanisme de reconversion qui aboutira à des écarts d'arrondis par rapport aux montants en francs des opérations comptabilisées. D'autres pensent que ce risque reste théorique, la question étant de savoir si l'administration sera tolérante dans l'environnement de passage à l'euro dans la mesure où la traçabilité et la piste d'audit seront conservées.

C'est pourquoi, en accord avec l'ensemble des spécialistes (fiscalistes, spécialistes des systèmes d'information, experts-comptables), il convient de **préconiser** la conservation des archives dans la monnaie de tenue de la comptabilité ; cette **solution** est en effet la plus **prudente** au regard des impératifs de conservation du droit commercial et fiscal, même si elle peut être génératrice de coûts supplémentaires (en entraînant parfois la duplication des fichiers historiques).

CHAPITRE IX

Maîtrise des risques

2900. Tous les acteurs de l'entreprise ainsi que l'ensemble de ses partenaires doivent impérativement gérer le passage à la monnaie unique avant la date butoir du 1er janvier 2002. Par contre, toute latitude est laissée à l'entreprise quant au *choix de la date* de basculement à l'euro de tout ou partie de ses transactions entre le 1er janvier 1999 et le 31 décembre 2001.

Depuis le début de cette période de transition, l'euro a une incidence sur l'ensemble des fonctions de l'entreprise : direction générale, direction commerciale et marketing, direction des achats, direction des ressources humaines, directions financière et juridique et, bien entendu, direction informatique.

Au-delà de la période de transition, l'euro entraînera encore certaines conséquences que l'entreprise devra gérer, par exemple : renforcement de la concurrence, ouverture sur les marchés internationaux, modification du comportement du consommateur.

Il s'agit donc pour les entreprises de *limiter les effets négatifs* du passage à l'euro sur leurs stratégies et de *saisir les opportunités* qu'il offre en tant que catalyseur et facteur de déclenchement de nouveaux projets stratégiques : redéfinition de la politique d'achat, création de services trésorerie, administratif et comptable partagés au niveau européen, positionnement commercial, etc.

2901. Les entreprises sont donc dès maintenant confrontées aux risques et opportunités liés à la réalité de l'euro. Ceux-ci sont anticipés, vécus et gérés par elles de façons extrêmement diverses, à commencer par la notion même de risque. La plupart des entreprises ont une vision traditionnelle du risque qui correspond à la notion d'aléa (accident, incendie, défaillance imprévisible d'un client). D'autres ont adopté une conception plus large du risque conçu alors comme tout élément pouvant avoir une incidence négative sur la réalisation de leurs objectifs. C'est cette conception que nous privilégions. L'expérience acquise par PricewaterhouseCoopers en matière de gestion des risques et le résultat des enquêtes que nous avons menées auprès de dirigeants de grands groupes et de PME montrent qu'ils perçoivent *trois niveaux de risques* dans la poursuite de leurs objectifs.

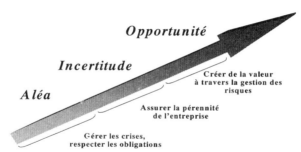

Opportunité

Incertitude

Aléa

Créer de la valeur
à travers la gestion des
risques

Assurer la pérennité
de l'entreprise

Gérer les crises,
respecter les obligations

1. L'*aléa* correspond à la vision première et couramment retenue du risque, c'est-à-dire celle de la survenance d'une perte ou d'un sinistre non anticipés, par exemple : un accident, une catastrophe naturelle, un incendie, une défaillance d'un client.

2. L'*incertitude* implique une certaine maîtrise des processus à risques, permettant d'en appréhender les conséquences possibles, par exemple : l'issue d'un litige commercial, l'évolution des prix de ventes, des taux de déchets de fabrication.

3. En réalité, tout risque peut s'avérer aussi porteur d'une *opportunité*, celle-ci représentant la face positive des aléas et incertitudes. Ainsi, l'euro est porteur d'opportunités stratégiques pour les entreprises, par exemple : la mise en œuvre de politiques tarifaire et commerciale innovantes leur permettant de gagner des parts de marché.

A. Différentes approches de la gestion des risques liés à l'introduction de l'euro

2905. Schématiquement, notre expérience permet d'identifier trois grandes catégories d'approche des risques par les entreprises.

1. Pilotage à vue des risques, alors perçus comme des aléas

2906. Cette situation résulte de l'*absence de réelle anticipation* des risques liés à l'euro :
— réflexions stratégiques non conduites au niveau de la direction générale,
— identification et évaluation des risques spécifiques au passage à l'euro non réalisées,
— absence de vision d'ensemble du projet euro.

Les entreprises qui pilotent à vue prennent conscience de leur exposition aux risques lorsque ceux-ci se matérialisent, par exemple lors de la découverte d'une erreur ou de la survenance d'un incident. Elles sont amenées à en traiter les effets dans l'*urgence*, au détriment de la maîtrise des coûts et des délais, dans un contexte de gestion de crises successives absorbant les ressources vives de l'entreprise jusqu'au retour à la normale.

2. Gestion des risques pour réduire les incertitudes

2907. Cette approche se caractérise par une *recherche d'anticipation* qui nécessite une réflexion préalable sur l'euro et sur ses enjeux pour les entreprises. À ce titre, celles-ci ont généralement défini la sensibilité de leurs objectifs stratégiques et opérationnels à l'euro, les moyens visant à pallier les risques menaçant la réalisation de ces objectifs, une structure de coordination du projet euro sensibilisée à la gestion des risques.

Ces entreprises se sont donné les moyens d'avoir l'*assurance raisonnable* que les aléas et incertitudes auxquels elles seront confrontées ne mettront pas en péril leur pérennité ainsi que la concrétisation de leurs objectifs.

Cependant, des lacunes subsistent dans leur démarche dans la mesure où celle-ci demeure souvent limitée à la recherche de solutions techniques pour adapter l'entreprise à l'introduction progressive de l'euro :
— continuité et optimisation des opérations à travers la mise en place de l'euro,
— maintien de la fiabilité des informations financières établies en euros et / ou en francs,
— conformité du traitement de la problématique euro au regard des lois et règlements.

3. Saisie des opportunités stratégiques offertes par la maîtrise des risques

2908. Cette approche se distingue par la *recherche constante et systématique des nouvelles opportunités* liées au passage à l'euro : réflexion autour des politiques tarifaires, de l'image de marque de la société, des possibilités d'obtention de réductions significatives de coûts (révision de la politique d'achat et d'approvisionnement, négociation des achats à l'échelle internationale,...). Elle vise à utiliser l'opportunité offerte par le passage à l'euro pour créer de la valeur.

Cette démarche suppose acquise la gestion des aléas et incertitudes menaçant de compromettre la réalisation des objectifs de l'entreprise.

Dans ce contexte, les leviers stratégiques potentiels en termes d'opportunités de gains de parts de marché, d'amélioration de l'image de l'entreprise ou de différenciation sont systématiquement recherchés.

C'est cette *approche dynamique* de conversion de la maîtrise des risques en initiatives stratégiques offertes par le passage à l'euro que beaucoup de dirigeants d'entreprise souhaiteraient mettre en œuvre.

En synthèse, les différentes approches présentées ci-dessus peuvent être schématisées comme suit, avec l'indication des responsables généralement amenés à gérer les différents niveaux de risques auxquels l'entreprise est confrontée :

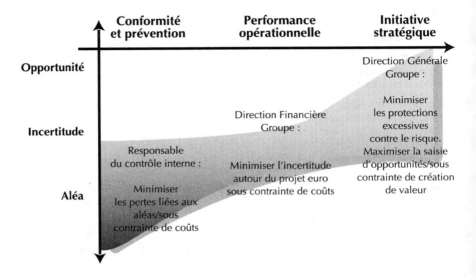

B. Conditions de la mise en œuvre d'une dynamique de création de valeur

2910. L'analyse des opportunités stratégiques liées à l'euro fait l'objet de développements dans les chapitres II et IV de cette partie.

Pour être en mesure de saisir ces opportunités grâce à une gestion appropriée des risques pesant sur la réalisation de ses objectifs, l'entreprise doit mettre en place une démarche « proactive » par opposition à la démarche réactive traditionnellement adoptée par la majorité des acteurs.

La **démarche ORCA** (Objectifs, Risques, Contrôles, Adéquation) développée par PricewaterhouseCoopers répond à cette exigence. Elle consiste à :

Objectifs

Hiérarchiser les Objectifs de l'entreprise.

Risques

Identifier pour chacun des objectifs les Risques menaçant leur réalisation ; décider des modalités de gestion des risques :
— élimination de la cause du risque, par exemple cession ou arrêt d'une activité,

— transfert du risque à un tiers, par exemple via un contrat d'assurance, de swap,

— acceptation pure et simple du risque, c'est-à-dire absence de mesures visant à se prémunir contre le risque,

— contrôle du risque par la mise en place de mesures adéquates.

Contrôles

Recenser / améliorer / compléter les Contrôles existants pour gérer les risques que l'entreprise a décidé de prévenir ou traiter.

Les éléments fondamentaux d'un système intégré de contrôle des risques sont les suivants :

> Pour une présentation complète des constituants d'un système intégré de contrôle, voir « La nouvelle pratique du contrôle interne », Les Éditions d'organisation, 1994.

Environnement de contrôle — fondement du système : éthique, style de management, délégations de pouvoirs, implication du conseil d'administration dans la marche et le contrôle des affaires.

Évaluation des risques — processus d'identification et analyse des risques pertinents pouvant affecter les objectifs de l'entreprise : hiérarchisation des risques en fonction de leur probabilité d'occurrence et de la gravité de leurs conséquences.

Activités de contrôle — politiques et procédures : permettant de s'assurer que les décisions de la direction en matière de gestion des risques sont effectivement mises en œuvre.

Information et communication — Interne : assurant l'information verticale et horizontale des acteurs du système de contrôle. Externe : notamment avec les partenaires clés extérieurs.

Pilotage — processus d'évaluation de l'efficacité et de l'efficience du système : périodique ou continu, autoévaluation du contrôle interne.

Adéquation

S'assurer de l'Adéquation des contrôles avec les risques et les objectifs de l'entreprise, en :

— mettant en œuvre une démarche par étapes, impliquant le plus haut niveau décisionnel de l'entreprise (conseil d'administration par exemple) jusqu'aux acteurs responsables des processus à risques d'une filiale ou d'un département de l'entreprise,

— construisant une architecture intégrée de gestion des risques à l'échelle de l'ensemble de l'entreprise.

2911. L'adéquation des objectifs avec les risques et les contrôles, processus-clé dans la construction d'une architecture de gestion intégrée des risques à l'échelle globale de l'entreprise, peut être schématisée comme suit :

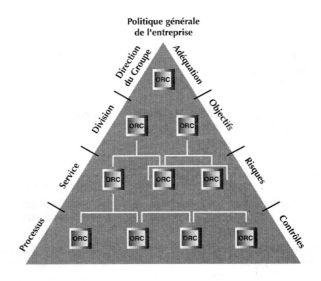

Politique générale de l'entreprise

Commentaires :

Processus d'adéquation :
— aligner objectifs & risques & contrôles (ORC) à tous les niveaux de l'entreprise.
— démarche top-down : du conseil d'administration aux acteurs des processus à risques d'une filiale, d'un service.

Valeur ajoutée de l'adéquation :
— identification des ruptures dans les liens entre objectifs, risques et contrôles,
— création d'un environnement intégré liant les hommes, le processus, la stratégie et le pilotage,
— responsabilisation accrue des acteurs (autoévaluation, émergence d'une culture de risk management),
— mise en évidence des redondances / surcoûts.

2912. L'application de la démarche ORCA, notamment à l'euro, dépend cependant bien évidemment du contexte propre à chaque entreprise :
— sa taille, sa culture et son environnement,
— ses objectifs et priorités stratégiques,
— les types de risques auxquels elle se trouve confrontée du fait de ses objectifs,
— ses choix en matière de gestion des risques,
— la nature des contrôles adaptés aux éléments ci-dessus,
— les modalités utilisées pour mettre en adéquation objectifs, risques et contrôles.

2913. Le présent chapitre vise à sensibiliser le lecteur à la valeur ajoutée apportée par la mise en œuvre de la démarche ORCA. Pour ce faire, seront successivement présentés :

— deux exemples illustrant de manière pratique l'application de la démarche ORCA à l'introduction de l'euro (section I),
— les principaux composants d'une architecture intégrée de contrôle des risques « euro » communs à toute entreprise :

- environnement de contrôle (section II),
- principaux risques et contrôles associés (section III),
- information et communication (section IV),
- pilotage (section V).

Les développements suivants seront plus particulièrement axés sur les incidences de la période de transition de trois ans (1999-2001) qui est, en effet, la plus critique.

SECTION I

Illustration de l'application de la démarche ORCA au passage à l'euro

2914. Les deux thèmes proposés ci-dessous sont inspirés de *cas réels* et portent sur :
— les conditions des négociations commerciales,
— la politique tarifaire.

A. Risques sur les négociations commerciales

2915. L'ensemble des acteurs de l'entreprise doivent être en mesure, à la demande d'un tiers, de raisonner indifféremment en euros ou en devises « in » au cours de la période transitoire, et ce, sans que le fond de la négociation s'en trouve altéré. Cet aspect de la problématique euro recèle des enjeux très importants dans les relations clients — fournisseurs où l'agent économique le mieux préparé tirera des **profits élevés** de cet avantage. Notons à ce titre que les centrales d'achats de nombreux groupes de distribution préparent avec beaucoup de soin leur stratégie d'achat en euros.

Pour éviter les écueils liés à une insuffisante préparation à la négociation en euros, la **force de vente** de l'entreprise devra, non seulement être dotée d'outils fiables et lisibles, mais également avoir été suffisamment sensibilisée et formée à l'euro pour être en mesure de répondre à toutes questions émanant des acheteurs sur les modalités de conversion des tarifs et des historiques de ventes.

Cette **préparation** du « basculement » des négociations vers l'euro passe notamment par :
— le recensement des états à convertir et leur hiérarchisation (tarifs, catalogues, statistiques de ventes par clients et par produits, accords de coopérations commerciales, etc.),
— la définition des modalités pratiques de conversion les plus sûres,
— la mise à disposition d'historiques de ventes en francs convertis en euros, par clients, par produits, par périodes,
— une réflexion, en amont, sur la présentation des budgets annuels qui pourraient, dans l'absolu, être exprimés à la fois en francs et en euros,
— l'établissement d'une politique tarifaire claire (en euros et en francs),
— une sensibilisation de la force de vente aux enjeux des conversions (notamment pour les articles à bas prix et / ou à faibles marges).
L'entreprise devrait, de façon idéale, fixer la **date** de « basculement » de ses relations commerciales en euros de façon concertée avec ses principaux partenaires, ce qui implique une communication constante avec les tiers au cours de la période transitoire.

2916. Le tableau synoptique ci-dessous présente l'évolution et le calendrier des **besoins des commerciaux** en matière de supports à la négociation commerciale.

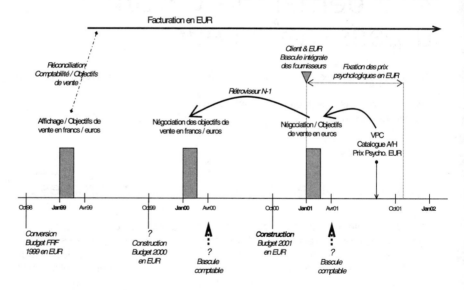

Commentaires :
— les distributeurs basculent leurs tarifs publics en euros dans le courant du deuxième semestre 2001,
— cette bascule implique de possibles modifications simultanées des tarifs publics dues à la détermination des prix psychologiques en euros,
— les négociations commerciales entre les industriels et les distributeurs qui ont lieu fin 2000, début 2001 pour des livraisons fin 2001 et 2002 seront menées en euros.

2917. L'*analyse ORCA* de cette situation peut se présenter comme suit :
— Objectifs de l'entreprise : croissance des parts de marché entre 2001 et 2003 auprès des grands distributeurs,
— Vecteur de risque : utilisation par les distributeurs du passage à l'euro pour négocier les conditions d'achat.

Le tableau ci-dessous présente des *exemples de traitement des risques* associés à cette situation selon la démarche retenue par l'entreprise (pilotage à vue, maîtrise des incertitudes, saisie des opportunités stratégiques).

	Risque	Contrôle
Aléa	* S'apercevoir dès le début des négociations que les informations nécessaires au bon déroulement de celles-ci sont insuffisantes → Risque de perte de certains marchés	* Faire l'analyse systématique des besoins d'informations nécessaires pour la force de vente → Élaborer un plan de secours applicable en 2001.
Incertitude	* Le plan de conversion des informations nécessaires à la négociation commerciale peut ne pas être achevé pour le 2ᵉ semestre 2001 → Prendre du retard dans la réalisation des objectifs de ventes	* Mettre en place un suivi de projet spécifique → Détecter, résoudre les difficultés rencontrées pour être prêt au 2ᵉ semestre 2001
Opportunité	* La bascule à l'euro sera réalisée dès le 1ᵉʳ janvier 2000, y compris pour les informations nécessaires à la négociation commerciale → Prendre de l'avance dans la négociation commerciale et dans la réalisation des objectifs de ventes	* Conférer à un membre de la direction la responsabilité d'informer les opérationnels sur l'état d'avancement du projet de bascule euro et de rechercher systématiquement les opportunités → Entamer les négociations en euros dès janvier 2000

B. Risques sur la politique tarifaire

2920. Pour les entreprises présentes sur des marchés ouverts à l'international, et dont les produits sont exportables, l'introduction de l'euro va être un phénomène accélérateur de **transparence** tarifaire. Ceci signifie qu'une telle entreprise, présente sur plusieurs marchés de la zone euro, pourra être mise en difficulté dans ses négociations commerciales en cas de **disparité** tarifaire entre les différents pays, avec, bien entendu, le risque que ses clients souhaitent obtenir le prix du pays où il est le plus favorable. Ce risque peut aussi être étendu à des entreprises présentes dans leur seul marché national dans la mesure où la zone euro favorise l'entrée de nouveaux concurrents.

Pour **éviter les pièges** dus à une insuffisante préparation de l'évolution de la politique tarifaire dans la zone euro, l'entreprise doit en particulier :
— comparer ses prix de vente dans chaque pays concerné,
— définir l'écart maximal acceptable par les clients (« corridor »),
— analyser les « corridors » de ses concurrents français et étrangers sur l'ensemble de ses marchés,
— anticiper les stratégies tarifaires de ses concurrents en fonction de la situation actuelle des prix et des positions de marché,
— analyser et chiffrer les impacts financiers d'un alignement des prix selon les différentes hypothèses envisageables,
— réexaminer sa stratégie commerciale et industrie le en fonction des résultats de l'analyse précédente.

Ceci doit permettre à l'entreprise d'arrêter une stratégie de politique tarifaire, en prenant en compte les conséquences éventuelles sur le plan opérationnel, industriel, etc.

2921. Le graphique ci-dessous illustre les disparités de prix entre pays et permet de visualiser la nécessité de **déterminer le « corridor » acceptable** et donc les actions à prendre pour les pays situés en dehors du « corridor » :

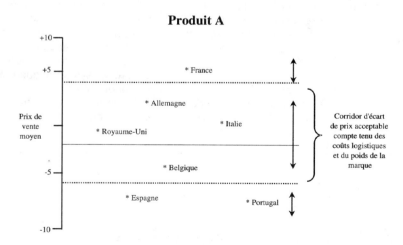

Produit A

2922. L'**analyse ORCA** de cette situation est la suivante :
— objectifs de l'entreprise : croissance de parts de marché entre 2001 et 2003 auprès des clients de la zone euro,

— vecteur de risques : non-maîtrise des prix de vente liée à l'existence d'agents commerciaux dans les pays d'Europe du Sud, libres de commercer dans la zone euro, et pouvant contribuer au développement d'importations parallèles.

Le tableau ci-dessous présente des *exemples de traitement des risques* associés à cette situation selon la démarche retenue par l'entreprise (pilotage à vue, maîtrise des incertitudes, source des opportunités stratégiques) :

	Risque	Contrôle
Aléa	* Perte de marché auprès d'un client français significatif au profit d'importations parallèles → Ne pas gagner tous les marchés escomptés	* Mener l'analyse comparative systématique des prix par pays et par concurrent → Déterminer un plan de secours prévoyant les modalités d'un réaménagement d'urgence de la politique tarifaire
Incertitude	* Perte de volume résultant d'une anticipation pessimiste de l'évolution tarifaire par rapport aux comportements des concurrents → Prendre du retard dans la réalisation des objectifs de ventes	* Mettre en place une veille continue sur le comportement des concurrents et des clients (y compris les importations parallèles) → Mettre en œuvre les modalités d'ajustement du corridor
Opportunité	* Avoir défini le corridor optimal avant ses concurrents → Augmenter les parts de marché tout en améliorant les taux de marges moyens au sein de la zone euro via une stratégie commerciale adaptée (envisager la possibilité de se retirer des pays les moins porteurs) et/ou une révision de la stratégie de production	* Nommer un membre de la direction en tant que responsable de la coordination des politiques commerciales et industrielles → Saisir les opportunités de gains de volume de vente et de marge

Dans la pratique, il conviendrait en outre :
— de mesurer les conséquences des risques et leur probabilité de survenance,
— de désigner un responsable pour chaque risque identifié,
— de mettre en place les moyens d'information et de communication à destination de l'ensemble des personnels et clients concernés,

— de prévoir les procédures d'évaluation périodique de l'efficience des contrôles mis en place.

SECTION II

Mise en place d'un environnement de contrôle efficient autour du projet euro

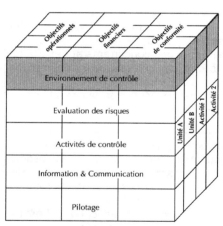

L'introduction de l'euro induit un changement environnemental profond qui nécessite la mise en place ou la consolidation de l'environnement de contrôle pour mener à bien le projet euro. Cet environnement devra être en mesure de procurer une assurance raisonnable à la direction générale de l'entreprise sur la qualité de la gestion du projet dont une des caratéristiques et difficultés majeures est son étalement dans le temps déterminé par le calendrier, celui-ci étant défini au niveau européen.

A. Choix stratégiques préalables de la direction générale relatifs à :

1. La définition de l'approche globale de l'entreprise

2925. La direction générale de l'entreprise doit, après avoir pris connaissance des différentes approches existantes de la problématique euro, définir son positionnement stratégique dans la gestion du projet. Au cours de cette phase, les réponses aux questions suivantes doivent nécessairement avoir été apportées :

— A-t-on la volonté de saisir les opportunités offertes par l'euro pour travailler sur le positionnement / l'image de l'entreprise ?
— Est-on déterminé à créer une dynamique d'entreprise autour du projet euro ?
— Retiendra-t-on l'approche euro réactive ou euro « proactive » ?

2. L'anticipation de la stratégie de basculement

2926. La stratégie de basculement à l'euro est largement conditionnée par les facteurs suivants : le secteur d'activité dans lequel opère l'entreprise, l'approche adoptée par ses principaux partenaires, le système d'information préexistant, le niveau de disponibilité des ressources humaines et les moyens matériels à disposition. Dans ce contexte, la stratégie euro revêt de forts enjeux de cohérence et de flexibilité, tant sur le plan interne à l'entreprise que sur le plan externe. Aussi semble-t-il primordial d'anticiper avec suffisamment de recul la stratégie de basculement à l'euro de l'entreprise.

L'efficience de l'environnement de contrôle conçu autour du projet euro dépendra largement de la qualité de l'environnement de contrôle général préexistant au sein de l'entreprise.

B. Principales conditions de la constitution d'un environnement de contrôle efficient

1. Implication de la direction générale

2930. Le projet euro nécessite une implication réelle et constante de la direction générale de l'entreprise qui doit le présenter comme un projet essentiel. Sa réussite conditionne en effet non seulement la survie de l'entreprise mais également une part importante de son positionnement futur.

> Le lecteur pourra se référer aux chapitres VI et VII de cette partie où sont présentées de façon détaillée les différentes stratégies de passage à l'euro.

L'implication visible et constante de la direction de la société doit se traduire notamment par :
— son appropriation du projet euro,
— son rôle moteur dans la hiérarchisation du projet euro parmi les autres projets de l'entreprise,
— la création d'une dynamique d'entreprise visant à obtenir l'implication de tous les salariés au projet euro,
— la mobilisation des ressources humaines et techniques nécessaires à la réalisation du projet euro,
— la dimension conférée au projet euro.

2. Définition claire des différents niveaux du projet

2935. Dans la mesure où le projet concerne l'ensemble des acteurs et des services de l'entreprise, une définition claire des responsabilités « euro » doit être attribuée à chaque chef de service avec un calendrier d'action précis. Dans ce contexte, il nous paraît essentiel de réaliser une distinction nette entre les différents niveaux du projet, qui peuvent être classés selon les catégories suivantes :
— stratégique (positionnement prix, politique achats, compétitivité, communication financière),
— technique (système d'information, tenue de comptabilité),
— opérationnel (mise en œuvre des décisions stratégiques au sein de chaque service),
— juridique et financier (respect des règlements européens, établissement des états financiers, gestion de trésorerie, des risques financiers et des flux).
Le respect du calendrier et la qualité des solutions euro proposées et / ou mises en œuvre doivent être contrôlés selon un rythme à définir.

3. Coordination centralisée du projet

2940. Tout en gardant la maîtrise du projet, l'entreprise peut avoir recours, pour tout ou partie de la gestion de celui-ci, à une assistance externe. Cette décision pourra être prise en considérant notamment les facteurs suivants :
— Quel est le niveau des ressources humaines mobilisables sur la durée du projet ?
— Quel est le savoir-faire interne en termes de gestion du projet ?
— Quelle est l'opportunité d'un apport externe en termes de compétences techniques et de pratiques du projet ?
— Quels sont les coûts comparatifs entre une réalisation purement interne du projet et celle faisant appel à une assistance externe ?
Compte tenu de son envergure et de la multiplicité des niveaux d'impact au sein de l'entreprise, le projet euro doit être coordonné de façon centralisée par un comité stratégique *ad hoc* dont les attributions et les responsabilités doivent être définies en concertation entre la direction générale et les membres dudit comité.

2941. Le rôle de management de programme qui lui est assigné comprend les missions suivantes :
— la rédaction du cahier des charges euro de chaque service de l'entreprise (et également de chaque filiale dans le cadre d'un groupe),
— la coordination et la vérification de la cohérence mutuelle des actions conduites au sein de chaque service (et également de chaque filiale dans le cadre d'un groupe),
— le contrôle du respect du calendrier défini au niveau de chaque entité et au niveau du groupe,
— la collecte et la diffusion au sein de l'entreprise de l'information pertinente relative à l'euro.
Afin de maintenir la qualité de l'environnement de contrôle tout au long du projet, il paraît nécessaire, compte tenu de sa durée relativement longue (plus de trois ans), de prévoir des périodes de recadrage à intervalles réguliers, lorsque des phases clefs du projet sont abordées.

Synthèse

2945. L'environnement de contrôle créé autour du projet euro est la clef de voûte de la gestion des risques « euro » et apparaît comme la condition sine qua non de sa réussite.

Pour créer les conditions d'un environnement de contrôle optimal autour de la problématique euro, l'entreprise doit avoir :
— obtenu une implication réelle et constante de la direction générale,
— défini clairement les différents niveaux du projet,
— mis en place une coordination centralisée du projet.

SECTION III

Principaux risques et contrôles associés spécifiques à l'euro

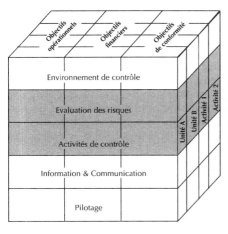

Cette section présente, dans un premier temps, les vecteurs de risques spécifiques à l'euro pour aborder ensuite les principaux risques et contrôles associés.

A. Vecteurs de risques liés à l'euro

2950. Les principaux vecteurs de risques liés à l'euro doivent être systématiquement recherchés et analysés par l'entreprise pour qu'elle prenne conscience des risques pouvant menacer ses objectifs, mais aussi des opportunités à saisir.

Principaux vecteurs de risques abordés ci-après :

1. Influences du secteur d'activité / Concurrence

2951. L'appartenance de l'entreprise à un secteur d'activité donné conditionne souvent pour une large part les risques auxquels elle est constamment confrontée depuis l'introduction de l'euro. Certains secteurs d'activité apparaissent en effet en première ligne (secteur bancaire, grande distribution), alors que d'autres secteurs d'activité (business to business notamment) ont, a priori, plus de latitude dans la gestion temporelle de leur projet euro.

Le ***positionnement de l'entreprise*** au sein de son secteur d'activité joue également un rôle déterminant. Ainsi, un client important d'un fournisseur donné pourra lui imposer sa propre stratégie de basculement à l'euro ; dans ce contexte, il pourra notamment être en position d'exiger que les opérations soient traitées en euros à partir d'une certaine date, ce qui implique que le fournisseur y soit dûment préparé. La situation inverse peut également être envisagée : un fournisseur très significatif peut être en mesure d'imposer ses conditions à son client.

Au cours du processus d'évaluation des risques « euro » liés au secteur d'activité, l'entreprise aura la possibilité de réfléchir à sa ***stratégie de positionnement*** au sein de son secteur et de prendre en compte les opportunités de développement induites par la construction de la zone euro : prise en compte des attentes de ce nouveau marché, de son influence sur ses marchés traditionnels, de l'entreprise, de l'entrée potentielle de nouveaux concurrents auparavant réticents du fait des risques de change, etc.

2. Culture de management de la société / du groupe

2953. Les groupes dont la culture de management est *décentralisée* ont fréquemment des systèmes, des organisations et des processus différents dans la mesure où chaque structure a pu être amenée à développer en interne ses propres solutions. En conséquence, les *analyses d'impacts* ne peuvent pas être menées globalement mais doivent l'être *au niveau de chaque entité / société*. En outre, compte tenu de la diversité des systèmes d'information, la coordination des travaux de migration est rendue plus ardue et les économies d'échelle plus difficiles à cerner.

L'introduction de l'euro peut, dans ce contexte, constituer une excellente raison pour analyser, voire *redéfinir, le mode de management de l'entreprise* afin de l'adapter à son nouvel environnement et de tendre vers une plus grande homogénéité des procédures et des systèmes d'information.

3. Niveau d'implication internationale de la société / du groupe

2955. Plus la structure du groupe est internationale, plus on peut supposer un volume élevé de transactions financières dans différentes devises et plus les besoins de coordination entre les filiales des divers pays seront grands. Du degré d'implication internationale de la société va dépendre, également, pour une large part, le *nombre de transactions à traiter en euros* lors de la période transitoire (achats ou ventes).

En outre, l'introduction de l'euro pose la problématique du *choix de la monnaie de transaction à l'international* et également des *devises fonctionnelles à l'intérieur du groupe* : compte tenu du poids de l'euro face aux principales autres devises, les sociétés bénéficient de la faculté de définir une nouvelle donne en matière de gestion des devises et peuvent être à même d'imposer l'euro comme la monnaie de transaction à leurs fournisseurs et / ou leurs clients internationaux. En tout état de cause, une étude approfondie sur le choix des devises de transaction devra être conduite au niveau « groupe » afin de dégager les *économies d'échelles potentielles* et de déterminer l'impact des différentes solutions sur le niveau de contrôle interne : plus le nombre de devises de transaction est réduit, plus les risques sont faibles.

Enfin, l'euro offre la possibilité à chaque entreprise de *mettre à plat sa stratégie internationale* et de redéfinir ses objectifs en la matière afin d'optimiser les opportunités en termes d'accès à de nouveaux marchés et de positionnement par rapport à la concurrence.

4. Relations clients

a. Structure de clientèle et du réseau de distribution

2957. La structure de la clientèle de l'entreprise et de son réseau de distribution conditionne également pour une large part la conduite du projet euro.

Il convient à ce titre de distinguer clairement :
— les entreprises qui sont en contact direct avec le **consommateur final**,
— les entreprises dont la clientèle est uniquement constituée d'**autres entreprises** (« business to business »).

Les premières auront nécessairement un rôle fort en termes de sensibilisation ou d'information de leurs clients à l'euro, ce qui leur confère des contraintes et des opportunités stratégiques essentielles au plan du positionnement marketing : choix du mode de communication sur l'euro, volonté ou non d'apparaître comme un précurseur en matière d'euro, etc. Les entreprises de type « business to business » auront nécessairement un rôle de moindre importance en termes de formation et de sensibilisation à l'euro ; en revanche, elles devront communiquer en permanence avec leurs clients privilégiés afin de prévoir des modalités de basculement concertées à l'euro. En outre, l'euro représente pour ces dernières des opportunités fortes en termes d'accès à de nouveaux marchés.

b. Politique tarifaire de l'entreprise

2958. Compte tenu de la plus grande transparence des prix générée par l'introduction de l'euro, les sociétés dont le **réseau de distribution** est déjà **fortement internationalisé** courent le risque de subir une **pression relativement élevée sur les prix** : certaines chaînes de distribution et certains industriels tenteront vraisemblablement d'obtenir des prix identiques pour l'ensemble de leurs achats quel que soit le lieu de facturation.

Dans ce contexte, une réflexion stratégique sur la politique des prix devra être conduite et de **nouveaux prix psychologiques** devront être déterminés en tenant compte de l'impact potentiellement élevé des arrondis sur les articles à bas prix et / ou à faibles marges pour lesquels une modification des conditionnements existants devra certainement être envisagée.

Sur le plan international, les **divergences de prix**, autrefois en partie masquées par les effets de change et les fluctuations de taux de change, seront beaucoup plus apparentes. Compte tenu de cette nouvelle transparence, les différences de prix vont devenir plus difficilement acceptables, ce qui pose également le problème de la nécessaire homogénéisation de la politique tarifaire au niveau européen.

5. Relations fournisseurs

2960. La gestion du passage à l'euro devra être d'autant plus concertée avec les fournisseurs de l'entreprise que l'intégration des relations est élevée. En effet, si l'entreprise a d'ores et déjà mis en place des **relations intégrées** de type joint-venture, ECR (Effective Consummer Response), autofacturation ou façonnage, le basculement à l'euro devra être réalisé de façon combinée afin de minimiser les risques. Il convient donc, lors de la phase de recensement et d'évaluation des risques spécifiques à l'euro, d'identifier les fournisseurs-clefs de l'entreprise avec lesquels la gestion du projet euro doit être conduite de façon coordonnée.

Les entreprises qui n'ont **pas** encore noué **de relations aussi étroites** avec leurs fournisseurs peuvent saisir l'opportunité du projet euro pour créer un climat propice à l'instauration d'un partenariat afin de souder les liens commerciaux avec leurs partenaires-clefs.

6. Politique de financement et gestion de trésorerie

2962. La mise en place de l'euro a conduit dès le 1er janvier 1999 à une refonte importante des instruments et des indicateurs financiers. La perte des repères existant avant l'introduction de l'euro génère de facto des risques dans la mesure où elle perturbe les contrôles de cohérence; d'où l'impérieuse nécessité de *renforcer les contrôles sur les opérations financières* au cours de la période transitoire.

L'euro peut par ailleurs jouer le rôle de catalyseur dans la définition d'une nouvelle politique de financement, de placement et de gestion des risques ainsi que dans la mise en place d'une gestion de trésorerie groupe homogène et sécurisée (cash-pooling, global cash management).

B. Principaux risques et contrôles associés

1. Niveau stratégique opérationnel

2965. Les risques et opportunités opérationnels liés à l'euro sont largement abordés dans le présent ouvrage. Nous avons cependant jugé utile de récapituler ci-après, à titre d'illustration, certains points d'attention parmi les plus couramment rencontrés.

1 – Principaux facteurs de risques à considérer	Points d'attention objets des contrôles
Remise à plat des relations avec les fournisseurs	Politique tarifaire Conditionnement des produits Gestion des marques propres Création de partenariats
	Nécessité de gérer la période transitoire en concertation avec les fournisseurs de l'entreprise : besoins de communication permanente
Stratégie commerciale/ Relations clients	Positionnement prix
Perception de l'entreprise/ Image de l'entreprise	Stratégie de communication euro Stratégie de précurseur ou de suiveur

2 – Principaux facteurs de risques techniques à maîtriser	Points d'attention : objets des contrôles
Traitement de transactions en euros	Réalisation et traitement des transactions en euros dès le 01/01/1999
Relations avec les tiers	Émission et exploitation de lettres circulaires aux tiers afin de connaître leur état d'avancement sur le projet euro
Fonction informatique (euro-compatibilité)	Réalisation d'une cartographie de la fonction informatique et des mises à jour et adaptations nécessaires Vérification du respect des normes réglementaires en termes d'archivage informatique et de gestion des arrondis de conversion Disponibilité et formation du personnel Revue des contrats de maintenance des logiciels et applications informatiques acquises à l'extérieur (coûts supportés par le prestataire ou par l'entreprise ?) Coexistence devise nationale/euro pendant la période transitoire ? Modalités de changements de devises de référence et conversion de l'ensemble des fichiers

2. Niveau financier (erreurs ou fraudes)

2967. L'introduction progressive de l'euro est susceptible d'entraîner une **perte de repère généralisée**, notamment durant la période transitoire au cours de laquelle certaines transactions seront traitées en euros et d'autres dans les devises des pays « in ». Cette situation **affaiblit l'efficacité des contrôles en place**, conduisant à une réactivité potentiellement moins forte en cas d'erreurs matérielles et de fraude.

Nous avons choisi d'illustrer ce point par les exemples significatifs suivants :

a. Conversion des tableaux de bord et des données de gestion

2968. La stratégie de conversion des tableaux de bord de l'entreprise soulève des questions multiples en termes de :
— recensement des tableaux de bord existants,
— choix de la date du premier établissement des tableaux de bords en euros,
— détermination de la ou des devises de présentation (franc ou euro versus franc et euro),
— mise en œuvre technique des conversions (manuelles versus automatisées).

Dans la mesure où la conversion est techniquement complexe, les *risques* d'erreurs matérielles sont *nombreux*, notamment lorsque le processus d'établissement des tableaux de bord comprend une large part d'opérations manuelles et / ou traitées à partir de feuilles de calculs. Or, ce type d'erreur peut avoir d'importantes conséquences opérationnelles car nombre de décisions sont prises sur la base de ces données de gestion.

Pour *sécuriser au maximum ces conversions*, il paraît nécessaire de :
— dresser un inventaire complet des tableaux de bord et feuilles de calculs existant au sein de l'entreprise,
— sensibiliser l'ensemble du personnel sur les risques induits par les erreurs de conversion,
— privilégier les processus de conversion automatisés,
— vérifier pour chaque tableau de bord ou feuille de calculs la cohérence des données converties,
— tester, sur un échantillon de contrôle, l'exactitude de la conversion et rapprocher systématiquement les totaux exprimés en francs des totaux exprimés en euros avant et après conversion.

Enfin, lors du *premier arrêté comptable en euros*, les gestionnaires des comptes mouvementés à partir de données de gestion extra-comptables tenues sur des feuilles de calculs devront se montrer extrêmement vigilants sur les risques de conversion qui peuvent induire des erreurs matérielles dans les comptes. Dans ce contexte, une procédure de rapprochement systématique entre, d'une part, les reports à nouveau de l'exercice précédent convertis en euros lors du basculement du système d'information à l'euro et, d'autre part, les reports à nouveau issus des données des feuilles de calculs devra être mise en place.

b. Contrôle des arrondis au cours de la première période transitoire

2969. L'application des règles de conversion et de triangulation au cours de la période transitoire génère des arrondis dont l'origine et les règles de traitement comptable ont été exposées au sein du présent ouvrage. Ces arrondis sont générateurs de risques de contrôle interne relativement nouveaux pour l'entreprise, dans la gestion des comptes de trésorerie notamment.

> Pour une présentation détaillée de ces aspects techniques et comptables, le lecteur pourra utilement se référer aux n°s 260 s., 490 s. et 660 s.

Afin de limiter ces risques, il est crucial de restreindre au maximum les causes engendrant des arrondis. Cet objectif pourra notamment être atteint par le respect de la règle de *continuité des chaînes d'opérations de ventes et d'achats* ; pendant la période transitoire, une transaction doit être gérée dans une même monnaie, de son commencement (conclusion du contrat ou du tarif utilisé) jusqu'à son dénouement (paiement).

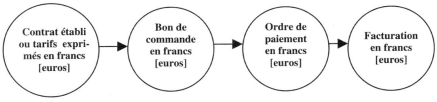

Tenue et justification des comptes de trésorerie

2970. L'apparition d'arrondis dans les comptabilités auxiliaires et les comptes bancaires fait naître un risque d'erreur et / ou de fraude dans la mesure où le *processus habituel de rapprochement bancaire* peut être *perturbé* et que des *écritures manuelles de rapprochement* sont rendues *nécessaires*. Afin d'écarter tout risque d'erreur et / ou de fraude, il convient, d'une part, en liaison avec les possibilités du système informatisé de rapprochement bancaire, de rédiger une procédure de gestion des comptes bancaires au cours de la période transitoire et, d'autre part, d'instaurer une revue mensuelle spécifique des rapprochements bancaires.

2971. *Procédure de gestion des comptes bancaires au cours de la période transitoire —* Elle pourra être enrichie des éléments suivants :
— définition de la stratégie de gestion des encaissements / décaissements en euros (ouverture de comptes spécifiques à l'euro ou maintien des comptes bancaires existants avec écritures de conversion constatées directement par l'établissement bancaire),
— communication des coordonnées bancaires aux clients de l'entreprise en fonction de l'expression de la devise souhaitée,
— tenue du rapprochement bancaire dans la monnaie du compte bancaire et non dans la devise de tenue de la comptabilité (si celles-ci sont différentes),
— automatisation maximale de la gestion des arrondis sous les contraintes techniques du logiciel utilisé.

En termes de contrôle interne et de limitation des risques d'erreurs ou de fraude, l'ouverture de comptes bancaires dédiés aux transactions en euros est plus sécurisante dans la mesure où le nombre d'arrondis de conversion est automatiquement limité aux modes de règlements exceptionnels : règlements clients libellés en francs versés sur un compte en euros (et inversement). Cependant, l'ouverture de comptes spécifiques à l'euro pose le problème de la multiplication des comptes de trésorerie à gérer et de l'augmentation proportionnelle des frais de tenue de comptes.

2972. *Revue des rapprochements bancaires au cours de la période transitoire —* La procédure de rapprochement bancaire doit donner la possibilité de suivre systématiquement chaque arrondi unitaire présenté en rapprochement : en ce sens, chaque gestionnaire de compte devra être en mesure d'expliquer, non seulement l'origine comptable de l'arrondi, mais également d'en apporter la preuve arithmétique. L'application de cette procédure devra faire l'objet d'une revue mensuelle par une personne indépendante de la gestion des comptes de trésorerie.

En l'absence d'une telle procédure, les rapprochements bancaires pourraient être facilement falsifiés sous couvert « d'arrondis » inexpliqués.

Tenue et justification des comptes d'arrondis

2973. Parallèlement à la gestion des comptes de trésorerie, les comptes d'arrondis ouverts au sein du compte de résultat devront également être *justifiés et revus mensuellement* afin de s'assurer qu'ils sont constitués uniquement d'arrondis de conversion (à l'exclusion de tout écart de conversion sur les monnaies« out »). Une procédure de contrôle des comptes d'arrondis devra également être mise en place : il s'agira, notamment, de *vérifier, sur la base de tests, le fait générateur de l'arrondi* : capacité de remontée à la source de l'arrondi unitaire, et d'en démontrer l'exactitude arithmétique. Ici aussi, l'absence de contrôle de supervision et de cohérence sur ces comptes pourrait faciliter la survenance d'erreurs, voire la constatation de fraudes.

Il convient également de souligner que la gestion comptable des arrondis nécessite une **mobilisation de ressources humaines dûment formées** au cours de la période transitoire. Ce phénomène doit être quantifié en amont du projet afin d'éviter les risques de goulets d'étranglement qui entraîneraient nécessairement des approximations, voire des erreurs, dans la tenue des livres comptables.

c. Conversion des données permanentes lors de la bascule comptable

2974. L'absence de conversion ou la conversion partielle ou erronée des données permanentes contenues dans les applications périphériques au progiciel comptable peuvent être génératrices d'erreurs matérielles sur les comptes, de manques à gagner en termes d'exploitation et d'une dérive des procédures de contrôle interne de l'entreprise.

Gestion des données permanentes clients

2975. *Limites de crédit autorisées* — Le processus de conversion du montant des limites de crédit autorisées, client par client, doit être **anticipé** lors de la définition de la stratégie de bascule comptable à l'euro. En effet, si les limites de crédit exprimées en francs n'ont pas été converties lors du processus, ou ont été converties de façon incomplète ou erronée, la société pourrait continuer à livrer des clients dont les encours de crédit maximaux, définis en francs, sont largement dépassés.

Exemple — Un client bénéficie d'un encours maximal de 200 000 FF, identifié comme une donnée permanente dans l'application « administration des ventes ». Si cette limite n'est pas convertie lors de la bascule comptable à l'euro, la passation d'une commande de 50.000 € va générer un contrôle automatique entre le montant de l'encours cumulé du client exprimé en euros et la limite de crédit du client exprimée en francs. En effet, le système ne décèlera pas l'existence d'un risque et ne bloquera pas la commande bien que la limite de crédit soit, en réalité, largement dépassée.

Notons que cette problématique existe également pour le processus de conversion des seuils de relances clients. Elle doit faire l'objet d'un traitement similaire à celui exposé supra.

2976. *Remises automatiques lors du franchissement de certains seuils de chiffre d'affaires* — Certaines sociétés ont mis en place des conditions commerciales prévoyant l'octroi de remises automatiques lorsqu'un client donné dépasse certains seuils de chiffre d'affaires cumulé sur l'exercice. Dans la mesure où le suivi des ventes cumulées client par client est fréquemment réalisé au sein d'une application périphérique au système comptable, le processus d'alimentation en euros de ces applications doit être envisagé ainsi que les modalités de conversion du volume des ventes cumulées client par client au jour de la bascule comptable à l'euro.

En outre, il convient de s'assurer que les seuils de chiffre d'affaires, à partir desquels les remises contractuelles sont automatiquement accordées au client, sont correctement convertis.

Pour pallier les risques d'émission de remises sur chiffres d'affaires erronées, le processus de conversion des données permanentes correspondantes devra faire l'objet d'un *contrôle d'exactitude des conversions sur la base de tests* après la bascule comptable à l'euro.

2977. *Conversion des produits et frais accessoires à la vente* — La stratégie de conversion des données permanentes clients doit comprendre, non seulement la conversion maîtrisée des tarifs clients, mais également celle des données périphériques telles que les frais de douane, les frais de port ou les différentes taxes sur le chiffre d'affaires.

Cette modalité, a priori évidente, doit absolument être vérifiée afin d'éviter l'émission de factures dont le total arithmétique serait issu de données exprimées en francs et de données exprimées en euros. Notons que certaines sociétés ont déjà été confrontées à ce type d'anomalie lors ce l'émission de factures en euros.

Gestion des données permanentes fournisseurs

2978. *Fichiers prix commandes* — La conversion des fichiers de prix commandes fournisseurs doit être réalisée lors du basculement en euros des relations avec les fournisseurs. Si celle-ci est inexacte ou partielle, les bons de commandes émis comporteront des anomalies qui peuvent se traduire par des manques à gagner en termes d'exploitation. En outre, les provisions pour factures non parvenues, comptabilisées sur la base des fichiers permanents prix commandes, se trouvent également erronées.

Afin d'éliminer ce risque, l'entreprise doit définir en amont sa stratégie de conversion de ces données permanentes et tester les résultats obtenus lors de la conversion.

2979. *Rapprochement prix commandes / prix d'achat facturés* — La procédure de contrôle factures doit demeurer opérante au cours de la période transitoire, ce qui implique la possibilité de rapprocher automatiquement les prix commandes des prix d'achat facturés, quelle que soit la monnaie de transaction et / ou de commande.

Afin de déceler rapidement les anomalies entre les prix commandes et les prix effectivement facturés par le fournisseur, l'adaptation du module achat aux contraintes de la période transitoire doit être envisagée.

Gestion des données permanentes stocks

2980. Compte tenu de la multiplicité et de la diversité des applications permettant la valorisation des stocks, il n'est pas possible dans le cadre de cet ouvrage de présenter toutes les démarches envisageables.

Il convient simplement de rappeler à cet égard l'importance de dresser une cartographie de l'ensemble des applications intervenant dans la valorisation des stocks et de vérifier qu'elles basculeront à l'euro de façon concomitante et homogène.

2981. À titre d'*exemple*, une entreprise utilisant la méthode FIFO (First In, First Out) pour valoriser ses stocks devra convertir chacune des lignes correspondant aux entrées en stock constituant le prix de revient du stock en fin d'exercice afin que le calcul de marge sur la période subséquente soit exact. En effet, si l'entreprise opte pour une simple conversion du solde, les marges calculées sur les premiers mois de l'année suivante seront faussées. Ceci peut être illustré par l'exemple suivant au 31/12/n :

		FRF	EUR
entrée du 05/11/n	100 articles à 10 FF	1 000	152,45
entrée du 20/11/n	50 articles à 8 FF	400	60,98
entrée du 28/12/n	50 articles à 9 FF	450	68,60
	200 articles à un prix	1 850	282,03
	moyen de 9,25 FF au 31/12/n		

sortie de stock de janvier n+1 = 120 articles vendus au prix de 3 €

Calcul de la marge réalisée (en euros)

- si conversion du solde au 31/12/n :

prix de vente : 120 x 3 =	360
prix de revient : 120 x 9,25 x (1/6,55957) =	<169,22>
marge brute =	**190,78 €**

- si conversion ligne à ligne (règle FIFO) :

prix de vente : 120 x 3 =	360	
prix de revient : 100 x 10 x (1/6,55957) =	<152,45>	} 176,84
20 x 8 x (1/6,55957) =	< 24,39>	
marge brute =	**183,16 €**	

Soit une différence de marge brute entre les deux méthodes de calcul en janvier n+1 de 7,62 €

L'erreur illustrée ci-dessus peut avoir des conséquences opérationnelles significatives pour les sociétés dont les prix de ventes fluctuent en fonction des cours mondiaux, comme par exemple les sociétés pétrolières et les sociétés papetières.

d. Utilisation de la monnaie exacte de comptabilisation

2982. Au cours de la première période transitoire, des confusions entre les devises nationales et l'euro interviendront vraisemblablement au moment de la comptabilisation et / ou lors du paiement.

Afin de limiter ce risque d'erreur et d'éviter les fraudes, les procédures de contrôle devront être adaptées. Les *solutions* suivantes peuvent être *envisagées*.

Sensibilisation et formation du personnel

2983. Les gestionnaires des comptes d'achats et de ventes devront être sensibilisés sur l'attention particulière à apporter dans le choix de la monnaie de transaction ainsi que dans celui de la monnaie de comptabilisation lors de la saisie.

Il convient notamment de souligner que les risques induits sont potentiellement élevés, tant sur le plan de l'établissement des comptes de la société que sur le plan opérationnel (manques à gagner).

Procédures d'identification des monnaies de transaction applicables

2984. En amont de la comptabilisation des transactions, un processus d'identification et de tri des documents reçus par la société doit être envisagé :
— identification et tri des fournisseurs en fonction de la monnaie de transaction,
— marquage des documents comptables (euro / franc).

Renforcement des procédures de contrôles en aval

2985. Afin d'identifier sans délai les erreurs de saisie, il convient de renforcer les contrôles réalisés en aval :
— contrôle de saisie sur un échantillon de transactions,
— contrôle de cohérence des prix de facturation et revue hebdomadaire de la marge.

Caractère spécifique des comptes tenus de façon manuelle

2986. Les comptes de notes de frais, de notes de débit, d'opérations diverses, de régularisation ou d'attente font, le plus souvent, l'objet d'une tenue largement manuelle, par opposition aux comptes de ventes ou d'achats alimentés par des systèmes amont.

Dans ce contexte, les risques inhérents d'erreurs ou de fraudes sur la monnaie de comptabilisation ou de paiement peuvent être considérés comme forts. Aussi convient-il de mettre en place des procédures de contrôle strictes et fréquentes au niveau de ces comptes afin de s'assurer de l'absence d'erreurs ou de fraudes importantes.

C. Niveau juridique

2989. Les enjeux et risques juridiques liés à l'introduction de l'euro ont été largement abordés dans cet ouvrage : règles de conversion du capital social, règle de continuité des contrats, obligation d'accepter les règlements scripturaux en euros, implication en termes de droit social, etc.

Nous avons cependant jugé utile de présenter ci-après deux domaines spécifiques qui ne sont généralement pas ou peu anticipés par les acteurs économiques.

1. Gestion des contrats à terme

2990. La règle de continuité des contrats s'applique normalement aux contrats à terme. Cependant, compte tenu de l'étalement dans le temps de la réalisation des obligations mutuelles des parties, celles-ci doivent s'accorder sur les conditions d'application du principe de continuité des contrats en envisageant les cas suivants :
— contrat dont l'origine est antérieure au 01/01/1999,
— contrat dont le terme se situe entre le 01/01/1999 et le 31/12/2001,
— contrat dont le terme est postérieur au 31/12/2001.

Chaque cas est spécifique et doit donner lieu à la *négociation de conventions mutuelles* lorsque les parties souhaitent qu'un contrat en cours soit basculé en euros. Afin d'éviter tout litige, les parties doivent confirmer leur accord mutuel sur l'évaluation, en francs et en euros, de l'état d'avancement du contrat à la date de bascule : niveau des encours de production, contre-valeur des avances et acomptes versés, etc. Ces points peuvent faire l'objet de la définition d'un avenant contractuel.

2. Application des règles de triangulation

2991. En cas de non-respect de la règle de triangulation par une des parties au contrat, toute personne intéressée peut demander devant les tribunaux l'annulation du contrat. Même si cette hypothèse paraît aujourd'hui peu vraisemblable, compte tenu du caractère peu significatif des arrondis dans le cas d'espèce, on ne peut qu'inviter les parties à respecter scrupuleusement les règles de triangulation.

Synthèse

2993. Nous souhaitons attirer l'attention du lecteur sur l'importance du maintien et du renforcement des contrôles de pilotage de l'entreprise au cours de la période transitoire. Ces contrôles consisteront, notamment, à vérifier la cohérence des données de gestion accumulées (ventes, marge opérationnelle par division, frais généraux) exprimées en euros ou en francs.

Cette vigilance permanente doit permettre de détecter rapidement toute anomalie notable dans les données de gestion et de prendre les mesures correctrices appropriées.

SECTION IV

Nécessité d'une information et d'une communication permanentes

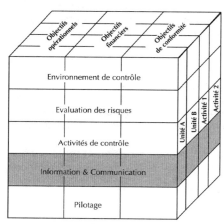

L'information et la communication relatives aux modalités de contrôle des risques constituent des composants fondamentaux du dispositif de maîtrise des risques liés à l'euro.

A. Information

2996. L'information pertinente sera définie et communiquée aux responsables selon une périodicité adéquate. Ceci leur permettra d'assumer leurs fonctions opérationnelles et de gestionnaires de risques.

Cette information proviendra aussi bien de l'intérieur que de l'extérieur de l'entreprise.

Par exemple :

— un **tableau de bord précisant l'état d'avancement du projet euro** pourra être créé et soumis mensuellement à la direction de la société qui intégrera l'analyse de celui-ci dans l'ordre du jour de ses réunions afin de déceler rapidement les retards éventuels par rapport au calendrier initial et de prendre les décisions stratégiques et techniques appropriées.

— une **analyse comparative des politiques euro des concurrents** pourra de même être soumise régulièrement à la direction.

L'information portera non seulement sur les performances financières, mais aussi sur tout élément de nature à contribuer à la maîtrise de la réalisation des objectifs stratégiques, opérationnels et de conformité à la législation.

C'est ainsi que le système d'information couvrira des besoins aussi divers que par exemple :
— la continuité de l'information financière disponible quelle que soit la devise autorisée, franc ou euro,
— l'optimisation de la gestion des savoir-faire et de l'effet d'expérience. Ceci sera favorisé si un processus de remontée immédiat au coordinateur de projet des difficultés rencontrées et des solutions préconisées par les collaborateurs est mis en place en vue de leur diffusion à l'ensemble de l'entreprise.

De ce fait, le système d'information traitera également les données relatives aux risques et au fonctionnement des contrôles mis en œuvre pour les maîtriser. Il conviendra de veiller à ce que la culture de l'entreprise facilite le fonctionnement des **circuits informels d'information** qui sont particulièrement propices à l'identification des risques et opportunités résultant souvent, par exemple, du dialogue entre les membres de départements ou services de l'entreprise, d'entretiens avec les clients et les fournisseurs, de participation à des colloques organisés par des associations professionnelles.

B. Communication

2997. La communication est indissociable des systèmes d'information formels et informels évoqués ci-avant. Dans le contexte du passage à l'euro, autant les systèmes d'information permettent aux acteurs de l'entreprise d'assumer leurs responsabilités, autant la communication abordera des **sujets plus qualitatifs** et permettra de délivrer en interne et à l'extérieur de l'entreprise des messages sur les attentes et les responsabilités des acteurs concernés par le passage à l'euro. Pour être un composant efficace et efficient du système intégré de maîtrise des risques, la communication sera ascendante, descendante et transversale. Elle comprendra par exemple :
— la diffusion de **messages clairs** de la direction de l'entreprise **à l'ensemble du personnel** sur l'importance de chacun en matière de contrôle des risques liés au passage à l'euro,
— la création des conditions permettant la **remontée régulière et continue des informations importantes relatives aux risques** et au fonctionnement des contrôles,
— l'**élaboration de réseaux et protocoles de communication avec les tiers** (clients, fournisseurs, autorités de tutelle, actionnaires) afin que l'entreprise soit en situation de mieux saisir les opportunités.

SECTION V

Piloter le contrôle des risques associés à l'euro

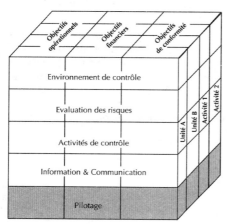

Les systèmes de contrôle doivent eux-mêmes être contrôlés. Pour cela, il convient de mettre en place un système d'évaluation permanent et/ou périodique. Ce pilotage s'inscrit dans le cadre des activités courantes de contrôle effectuées notamment par le management et le personnel d'encadrement. Les faiblesses de contrôle autour du projet euro doivent être portées à l'attention de la hiérarchie, les lacunes les plus graves devant être signalées à la direction générale et au conseil d'administration.

2998. Le pilotage permettra d'adapter les contrôles aux évolutions constatées tant à l'intérieur de l'entreprise que dans ses relations avec ses partenaires.

Parmi les contrôles à évaluer périodiquement, figurent au premier rang ceux qui concourent à s'assurer de la conformité du déroulement du projet euro avec les objectifs que s'est fixés l'entreprise, notamment de *délais*, de *champs d'application* et de *coûts*. Nous renvoyons le lecteur au chapitre X du présent ouvrage qui présente les meilleures pratiques en matière de gestion et de maîtrise d'un projet euro.

Les points clefs de ce chapitre devant être mis en exergue sont les suivants :

⇒ Un *risque* se définit comme *tout élément pouvant avoir une incidence négative* sur la réalisation des objectifs que s'est fixés l'entreprise.

⇒ Le passage à l'euro présente des *risques spécifiques dont les entreprises n'ont pas nécessairement identifié la nature ni mesuré l'ampleur.*

⇒ La *démarche ORCA* (Objectifs, Risques, Contrôles, Adéquation) est la plus adaptée pour mettre les entreprises en situation de maîtriser les risques spécifiques à l'euro et, au-delà, de créer les conditions pour transformer cette maîtrise en saisie d'opportunités stratégiques.

CHAPITRE X

Modalités de mise en œuvre

3000. Beaucoup d'informations et de précisions ont été données dans les chapitres précédents sur les différents impacts que l'euro a dès à présent et va avoir, de façon générale, sur la vie de l'entreprise. Nous avons compris qu'il faut impérativement intégrer, si ce n'est déjà fait, ce changement, et la tâche n'est pas aisée. Il ne peut y avoir de méthode unique pour introduire l'euro à tous les stades de l'entreprise, mais une méthode de gestion de projet peut être suggérée pour faire de l'euro une formidable occasion d'appréhender les opportunités qui sont offertes (section II). Ce projet doit ainsi faire l'objet pour l'entreprise d'une dynamique forte et d'un suivi rigoureux (sections III et IV).

SECTION I

Contraintes de calendrier

A. Incidences des échéances proches

3001. Quelques mois après l'introduction de la monnaie unique, de nombreuses sociétés ont réalisé ou mènent encore actuellement des projets visant à faciliter leur passage à l'euro. Deux étapes principales sont à considérer dans cette optique : la phase transitoire, déjà entamée, et le 1er janvier 2002 marquant l'introduction de la monnaie fiduciaire. Pour les sociétés gérant des flux importants d'argent liquide, une troisième période est à prendre en compte : il s'agit de la période de double circulation, précédant le retrait des pièces et billets nationaux, au cours du premier semestre 2002 (au plus tard le 1er juillet 2002, en fait avant fin février en France).

La première échéance du *1er janvier 1999* est maintenant passée, ce qui place les entreprises qui ne sont pas encore préparées dans une situation d'urgence.

En revanche, la *durée de la période transitoire* laisse trois opportunités aux entreprises qui souhaiteraient profiter du changement d'exercice pour effectuer leur migration : il s'agit des trois dates de clôture d'exercice intervenant en 1999, 2000 et 2001.

Quoi qu'il en soit, les *délais fixés* par le calendrier officiel laissent aux sociétés le temps de mettre en œuvre les changements nécessaires lors de la bascule de 2002. Cela ne signifie pas pour autant qu'il n'est pas temps de déterminer une stratégie de passage, certaines opérations pouvant être complexes et rendant nécessaire leur étalement sur plusieurs exercices.

B. Adaptation des ambitions au calendrier

1. Échéance du 1er janvier 1999

3002. Dans certains domaines tels que les *marchés financiers et de capitaux*, 1999 a constitué l'échéance majeure puisque, rappelons-le, l'euro est devenu la monnaie de référence dans les transactions et les cotations. Les établissements financiers, qui avaient donc à opérer des transformations très importantes en termes de systèmes d'information, de communication, d'organisation, etc., ont lancé ces travaux depuis plusieurs années.

Tous les secteurs d'activité n'ont pas été aussi touchés par l'échéance de 1999 que l'ont été les banques. Néanmoins des *dispositions minimales* sont à prendre dans quelques domaines afin de tenir compte des souhaits ou des besoins de certains partenaires — la tarification et la facturation en euros en sont deux exemples.

En fonction du *degré d'avancement* des projets, les sociétés ont pu mettre en œuvre des changements plus ou moins importants au 1er janvier 1999. Pour celles qui n'ont pas encore lancé cette démarche d'évolution, le temps constituera une contrainte majeure de leur stratégie de migration. Il apparaît notamment difficile d'opter pour des changements profonds de systèmes d'information dans un délai court. Dans ce cas, les évolutions consisteront en une adaptation minimale permettant de prendre en compte — au-delà de la règle du ni, ni — les exigences du marché (acceptation de paiements en euros par exemple) ; ces transactions pourraient le cas échéant être traitées manuellement dans un premier temps, pour autant qu'elles ne représentent qu'un faible volume.

2. Échéance du 1er janvier 2002

3003. Cette date représente une échéance légale de basculement à l'euro de la devise de référence de l'entreprise et de la devise de transaction. Elle vient à nouveau d'être confirmée par la Commission (IP/99/225 du 13 avril 1999).

a. Rapprochement de l'échéance en raison de la date de clôture

3004. Ces raisons sont essentiellement liées à la date de clôture de l'exercice. Pour les *sociétés dont l'exercice ne coïncide pas avec l'année civile*, l'échéance est rapprochée de quelques mois (pour la clôture de l'exercice 2000-2001), sauf à basculer en cours d'exercice, ce qui n'est pas sans poser des problèmes supplémentaires de conversion et de reprise de données. C'est le cas pour des secteurs entiers de l'économie tels que le tourisme, les activités liées à l'éducation,...

Il est intéressant de noter que de ce fait, ces sociétés auront à gérer une période transitoire « à l'envers », des transactions en monnaie nationale pouvant avoir lieu jusqu'au 31 décembre 2001.

b. Rapprochement de l'échéance liée à l'environnement

3005. Certains secteurs d'activité se préparent à adopter une attitude commune vis-à-vis de l'euro.

Cette approche peut être guidée par une nécessité de cohésion due à des échanges intensifs — c'est le cas notamment dans le *transport aérien* où les compagnies cherchent à se coordonner par le biais de leurs organismes représentatifs —, ou par l'adoption de positions « de branche », certains aspects de la migration faisant l'objet de réflexions au sein de comités professionnels — par exemple dans l'industrie pétrolière.

Une autre raison peut être la position de l'entreprise vis-à-vis de ses partenaires. Par exemple, la stratégie de migration d'un *sous-traitant* réalisant l'essentiel de son activité avec un client principal sera fortement influencée par celle de ce dernier.

3006. Enfin des considérations de gestion de risque peuvent conduire à fixer une date de basculement nettement avant la dernière limite légale (de façon à préserver une marge de manœuvre, pour pouvoir engager des plans de secours en cas de difficultés).

SECTION II

Approche générale permettant de traiter les nombreuses facettes de la problématique euro

3010. L'objet de cette partie est de présenter une méthode d'approche pour la prise en compte de la problématique euro dans les sociétés ou les groupes de sociétés. Le caractère unique de cet événement place les organisations dans une situation inhabituelle qui leur crée des **difficultés** compte tenu :

— de l'étendue et de la portée du projet qui s'avèrent mal connues ;
— de la difficulté à nommer un chef de projet (quel profil ?) ;

— de l'insuffisante connaissance des dispositions réglementaires, ou des impacts potentiels de l'euro ;
— du nombre de paramètres restant à définir (taux de change, dispositions réglementaires, position des administrations, attitudes des marchés, attitudes des consommateurs...) ;
— des conséquences budgétaires mal cernées.

A. Une démarche en cinq étapes

3012. L'approche visant à intégrer la problématique euro, à définir et à mettre en œuvre les changements est composée de cinq étapes :

Étape de démarrage

3013. Elle a pour but d'instaurer les conditions nécessaires à la réussite du projet : sensibilisation des responsables, mise en place et formation des structures et de l'organisation du projet, formation des participants.

Analyse des impacts

3014. Cette étape vise à déterminer les conséquences stratégiques et pratiques de l'introduction de l'euro dans les différents domaines de l'entreprise.

Recherche de solutions

3015. Elle vise à apporter des réponses traduisant différentes attitudes possibles — leader, opportuniste, réactive — et de les regrouper en scénarios tout en évaluant à la fois leur coût et leurs avantages. Ces scénarios doivent alors faire l'objet d'un choix.

Plan de migration

3016. Il a pour objectif de décliner le scénario retenu dans les différentes entités de l'organisation (filiales, directions, pays) et dans l'ensemble des domaines d'action (système, organisation, communication, formation,...) et de déterminer les échéances et les budgets.

Mise en œuvre

3017. C'est une phase de gestion de projets avec les soucis habituels de coordination, calendrier, moyens, etc.

Chacune de ces étapes fait l'objet d'une description plus approfondie dans la section 3 — démarche détaillée.

B. Facteurs clés de succès pour transformer la contrainte de l'euro en opportunité

3020. Réussir l'intégration de l'euro ne signifie pas uniquement satisfaire aux obligations réglementaires dans le respect du calendrier établi. L'introduction d'une nouvelle monnaie constitue une opportunité significative offerte aux sociétés pour démontrer l'attention qu'elles portent à la gestion de leurs rapports avec leur clientèle, leurs fournisseurs, leur personnel, etc.

Elle leur permet de démontrer leur créativité dans la définition de **nouveaux produits**, leurs modes de commercialisation. C'est également l'occasion de saisir de nouvelles opportunités en matière de **gestion financière**, de **politique d'achats**, de **nouveaux marchés** pour ne citer que ces domaines.

La réussite d'un projet euro signifie donc, au-delà de la simple prise en compte des obligations légales, être en mesure de **tirer parti de cette évolution sous forme d'économies et/ou d'un avantage concurrentiel**.

La réussite d'un tel projet repose sur un certain nombre de facteurs clés décrits ci-après.

1. Comprendre l'impact de l'euro dans tous les domaines de l'entreprise

3021. Un projet euro concerne a priori tous les domaines de l'entreprise. Par domaines, on peut aussi bien entendre les services ou directions composant la société que les **leviers d'action** dont dispose la direction pour mettre en œuvre sa stratégie pour l'entreprise. Ces différents leviers sont :
— les produits ;
— les marchés ;
— les structures et les organisations ;
— les ressources humaines ;
— les modes de fonctionnement (processus de gestion) ;
— les systèmes d'information.

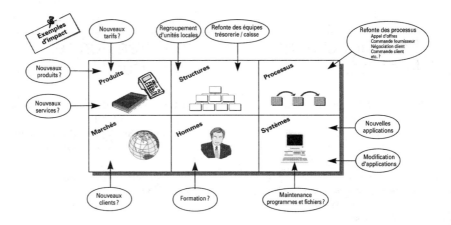

Ce découpage permet d'effectuer un classement tourné vers l'action, favorisant une attitude offensive qui considère l'euro comme une opportunité et non comme une contrainte.

2. Gérer la migration comme un grand projet

3025. Le passage à l'euro constitue un projet d'envergure dans la mesure où il concerne a priori *tous les secteurs* de l'entreprise, du marketing à la production en passant par les fonctions juridiques, comptables ou achats ; il affecte également les systèmes d'information. Pour les groupes internationaux, il concerne la plupart des pays européens, parfois au-delà de ceux participant à la première vague.

Les modifications à apporter ne sont pas forcément conséquentes dans tous les domaines, mais compte tenu de leur nombre (les groupes de distribution ont identifié plus de 1 000 points d'impact sur l'activité d'un hypermarché !), elles représentent une *charge de travail* conséquente.

De plus, ces évolutions interviennent parallèlement aux changements liés à l'an 2000, au passage aux 35 heures en France, aux demandes classiques d'évolution des systèmes, et aux autres projets de l'entreprise.

L'ensemble de ces facteurs impose de gérer le passage à l'euro comme un projet, découpé en actions, agencées selon un planning, auquel sont affectés un responsable, des ressources, etc.

L'ensemble de ces éléments peut être matérialisé par une *charte* contractualisant les différentes actions à mener dans le cadre du projet. Chaque domaine est décrit par une *fiche*. L'ensemble de ces fiches, accompagné d'un planning d'ensemble et de la description des structures du projet, constitue la charte du projet.

Chaque fiche détaille les aspects suivants :
— objectifs ;
— périmètre, sujets traités ;

— ressources : responsables, participants ;
— mode de fonctionnement ;
— produits finis ;
— points spécifiques, commentaires ;
— facteurs clés de succès.

3026. À titre d'exemple, une *représentation possible* de ce type de fiches est illustrée par le schéma ci-dessous.

CHARTE DE PROJET   **Domaine n° 1 : achats**

Objectifs

- Évaluer l'enjeu et l'impact de l'euro sur l'ensemble des processus et activités d'achat

- Définir pour les différentes branches concernées les choix de traitement de l'euro en matière d'achats

Périmètre / sujets

- Toutes branches d'activité du groupe
- Tous types d'achats

Correspondant Euro : A. Martin

Participants

- Responsable du thème : À désigner (éventuellement membre du comité de pilotage)
- Responsables achats de chacune des branches

Mode de fonctionnement

- Questionnaire préliminaire à remplir par les participants
- Réunion de lancement des travaux et de sensibilisation aux impacts de l'Euro avec les participants
- Travail intermédiaire / complémentaire
- Si besoin, réunion de synthèse des impacts recensés et de proposition des solutions

Produits finis

Fiche de thème, comprenant :

- Les impacts stratégiques : risques et opportunités
- Les impacts opérationnels, recensés, hiérarchisés et classés par échéance (1999 / 2002)
- Des premiers éléments de chiffrage
- Des amorces de solutions ou recommandations
- Les points à traiter et décisions à prendre

Points spécifiques / commentaires

Questions en suspens :
- Proposition de questionnaire par le consultant
- Désignation des responsables achats
- Traitement des filiales étrangères
- Répartition des tâches avec l'atelier informatique

Facteurs clés de succès

- Représentativité des participants : couverture de l'ensemble des achats, pays, processus...
- Implication des participants, et notamment réponse au questionnaire, respect des délais et réalisation des travaux demandés
- Exploitation du questionnaire afin d'approfondir la problématique avant le premier atelier

3. Segmenter le projet pour maîtriser la taille et les risques

3030. La charge importante combinée aux délais courts — selon les objectifs de préparation propres à chaque société — induit des risques importants (budgétaires, liés au respect des délais...).

Le découpage en *sous-projets*, plus facilement maîtrisables, permet de limiter ces risques. La découpe dépend du contexte de chaque projet : elle peut s'effectuer selon les métiers, par pays, par processus ou selon tout axe structurant de l'entreprise.

Cette segmentation nécessite une coordination forte et donc la mise en place d'une structure de projet adéquate.

4. Gérer l'incertitude en fixant des hypothèses

3032. Comme dans de nombreux projets, mais peut-être de façon plus marquée, l'intégration de l'euro suppose la gestion de nombreuses incertitudes. Ces *incertitudes* peuvent être *internes*, et dans ce cas assez peu différentes de celles liées à d'autres projets :
— ressources nécessaires ;
— nouvelles règles de gestion ;
— avancement des travaux ;
— budgets ;
— conflits de priorité entre projets ;
— etc.

3033. Elles sont également *externes*, en assez grand nombre, et c'est là que réside la différence par rapport à la plupart des projets. Parmi ces incertitudes, on peut citer :
— le périmètre du projet (cette incertitude a été considérablement réduite depuis le 2 mai 1998 avec la nomination des pays « in » ; elle subsiste à plus longue échéance ; intégration du Royaume-Uni, extension de la zone euro à partir de 2002 ?) ;
— l'attitude des banques — services proposés, facturation… ;
— l'attitude des particuliers — acceptation de la nouvelle unité, attitude de consommation ;
— l'attitude des clients, des fournisseurs et des concurrents — rythme de migration vers l'euro, évolution de l'offre et de sa présentation… ;
— attitude des administrations — degré de préparation au fonctionnement en euros ;
— environnement juridique ;
— etc.

3034. C'est pourquoi il est important de fixer rapidement des *hypothèses de travail*. Ces hypothèses peuvent concerner l'attitude générale de l'entreprise (volonté d'afficher un leadership en interne ou en externe, souhait de minimiser le coût du passage, nécessité d'adhérer à une logique de branche…), le calendrier d'ensemble, ou toute autre hypothèse structurante liée à l'environnement externe. De telles hypothèses limitent l'étendue des travaux à réaliser. Elles conditionnent sinon la réussite du projet, tout au moins ses délais et son coût.

Par ailleurs, il est utile de mettre en œuvre une *cellule de veille* afin de suivre les évolutions de l'environnement. En effet, les échéances approchant, un nombre croissant d'incertitudes vont être levées, et ces informations contribueront à faciliter la conception des solutions.

Pour les hypothèses demeurant incertaines, une analyse de sensibilité peut être effectuée afin d'évaluer leur impact et les amendements au projet que nécessiterait le changement de l'une d'entre elles. L'ensemble de ces solutions alternatives peut faire l'objet d'une synthèse sous la forme d'un plan de secours.

5. Envisager le lien entre l'euro et les autres grands projets

3035. La gestion simultanée de projets importants induit des *risques d'incompatibilité* notamment en termes :
— de dates ;
— de ressources disponibles ;
— d'objets modifiés (ex. : les systèmes informatiques).

Néanmoins, en raison de son étendue, un projet euro ne doit pas être mené de façon isolée. La *question du regroupement* avec d'autres projets se pose inévitablement. La gestion séparée de chaque projet permet certes de réaliser une ségrégation des risques en cas de difficultés sur l'un des projets. Cependant cette méthode conduirait à créer des interférences avec d'autres projets (an 2000, refonte de systèmes d'information, projets de développement...) et par là une dispersion des moyens et un risque supplémentaire vis-à-vis de l'atteinte des objectifs initiaux. Elle *risque* in fine de s'avérer beaucoup plus coûteuse, et d'aboutir à des délais de réalisation sensiblement allongés. L'urgence des adaptations des systèmes d'information à l'*an 2000* peut notamment nécessiter dans certains cas, pour des raisons de charge de travail, un report des modifications nécessaires à l'intégration de l'euro.

Une *approche coordonnée* de l'ensemble des projets apparaît donc nécessaire dans la plupart des cas : elle conduira vraisemblablement à des *arbitrages* (priorités), tous les projets ne pouvant pas forcément être menés de front. Par ailleurs il faut prendre en compte le fait que gérer l'euro en plus des autres aspects n'est pas sans effet sur la charge de travail. Cela peut nécessiter d'affecter des ressources supplémentaires par rapport à celles affectées au(x) projet(s) initial (aux). Le raisonnement consistant à considérer cet ajout d'objectifs — la prise en compte de l'effet de l'euro dans le cadre d'un autre projet existant — comme marginal trouve rapidement ses limites.

6. Utiliser les technologies Intranet ou groupware pour partager le savoir-faire

3036. Dans le cadre de grands projets multisites, ce qui peut être le cas de projets euro, la mise en place d'outils de communication dépassant le cadre de la simple messagerie peut se révéler très utile pour gérer les échanges d'information entre les acteurs du projet (qu'ils soient internes ou externes à l'entreprise).

Les *exemples* d'application de ces outils sont nombreux :
— information de base sur l'euro (compréhension générale, dispositions réglementaires) ;
— organisation des réunions, diffusion des comptes rendus ;
— échange rapide de notes ;
— diffusion de documents de référence (Charte euro,...) ;
— actualisation et diffusion du planning général, des plans d'action détaillés ;
— partage de bases de connaissance tout en permettant une gestion de la confidentialité ;
— etc.

De façon générale, ces outils permettent de gérer une source d'information unique, tenue à jour, et d'en permettre à chacun, selon ses droits, l'accès quasi immédiat indépendamment des contraintes géographiques.

Concrètement, de nombreux exemples vécus montrent que l'utilisation de ces outils se traduit en termes concrets par de multiples **avantages** :

— réduction des délais de certaines étapes du projet : par exemple, gain de plusieurs jours sur l'aller-retour d'un document (validation d'un rapport...) ;

— implication plus forte de l'ensemble des acteurs, qui ont un accès direct aux informations concernant le projet ;

— fiabilité et qualité des rapports améliorées grâce notamment à la diffusion d'informations fiables (à jour, de source unique...).

7. Au-delà d'un projet, gérer l'euro comme un programme

3038. Le basculement à l'euro ou l'adaptation au nouvel environnement que constitue l'Union économique et monétaire se gèrent dans un contexte éminemment mouvant. Quels que soient les efforts déployés pour définir une stratégie et une tactique de basculement, des événements externes vont se produire et des aspects opérationnels survolés dans un premier temps vont nécessiter de « reprendre l'ouvrage ».

Un projet euro, surtout si on doit le mener de façon accélérée, s'apparente à du tir sur cible mobile : *l'environnement et le contexte* dans lesquels fonctionnent les groupes de travail chargés de l'analyse des risques et des opportunités *évoluent constamment*. Une gestion de projet et une gestion de programme sont nécessaires pour garder le contrôle de l'ensemble et doivent être initiées dès le lancement des travaux puis poursuivies jusqu'à l'aboutissement de la migration.

L'*apport d'une bonne gestion de projet* :
- les bonnes ressources sont disponibles au moment requis ;
- les efforts restent focalisés sur les objectifs déclarés ;
- la qualité des travaux est suivie ;
- les évolutions de périmètres, d'hypothèses et d'objectifs sont documentées et contrôlées ;
- les risques sont identifiés, pris en compte, et effectivement traités.

Les *délais courts* imposés à la migration ne permettent pas d'apprendre « sur le tas ». Le chef de projet et le directeur de programme doivent avoir une bonne expérience de la façon de fonctionner en projet et doivent savoir procéder à des *arbitrages* en cas de conflits de ressources.

Un projet de migration à l'euro nécessite une *forte charge de travail dans un délai très court*. Dans un groupe international, on en arrive vite à mobiliser une centaine de personnes, compte tenu de la combinatoire suivante :

« métiers » x « fonctions » x « pays ».

La coordination et la communication sont alors des activités critiques : il faut faire bien du premier coup et réagir vite aux évolutions internes et externes. Le rythme de la migration euro ne laisse en général *pas le temps de corriger les erreurs*.

L'*apport d'une bonne gestion de programme* :

- l'ensemble de la démarche est expliqué de façon claire et est compris par les intervenants ;
- les conflits entre groupes de travail sont exposés et résolus ;
- des liens et des communications forts sont établis entre les groupes de travail et l'ensemble de l'entreprise ;
- les interdépendances entre projets sont identifiées et les points de synchronisation sont gérés ;
- les modifications apportées aux résultats des projets (contenu, produits finis) ou aux échéances ne pénalisent pas d'autres projets ou le programme dans son ensemble.

C. Un périmètre de projet très large

3040. L'étendue d'un projet euro a déjà été évoquée à plusieurs reprises au sein de ce chapitre. Ce paragraphe a pour but de rappeler le caractère globalisant d'un tel projet dans une entreprise, en s'appuyant sur des exemples concrets rencontrés lors de projets euro réalisés notamment par des groupes européens.

1. L'euro concerne tous les pays, y compris ceux à l'extérieur de la zone euro

3041. De nombreux groupes ont des *implantations* à la fois dans des pays de la zone euro et hors de cette zone (soit des pays de l'Union européenne adhérant plus tardivement au mécanisme de l'euro, soit des pays tiers). L'euro aura également des impacts dans des pays hors zone euro par le simple fait qu'à l'exportation, les acteurs étrangers n'auront plus à gérer *10 monnaies* mais une seule pour l'ensemble des pays de l'Union.

Afin de faciliter les échanges entre les différentes filiales et le groupe, il est envisageable que des sociétés adoptent des changements vers l'euro même dans des pays où aucune réglementation ne les y incite. Cela est même souvent recommandé lorsqu'il s'agit de *filiales* de groupes européens.

La *position frontalière* de certains pays ou certaines régions peut aussi constituer un motif d'évolution. Si l'on peut penser à des préoccupations de reporting — entre autres — dans le cas évoqué au paragraphe précédent, le motif d'évolution serait, dans cette situation, plus guidé par des aspects opérationnels.

> À titre d'exemple, un groupe helvétique de taille significative, également implanté dans divers pays de l'Union européenne, a fortement envisagé de prendre en compte l'euro dans son offre de services (tarification notamment) y compris en Suisse. C'est également le cas de groupes japonais ou américains pour l'ensemble de leurs opérations en Europe.

2. L'euro affecte a priori toutes les fonctions de l'entreprise

3042. Les projets euro ont souvent été assimilés dans une première approche à des projets comptables ou liés aux systèmes d'information. Cette vision est en train d'évoluer significativement, depuis que l'introduction de l'euro est passée de concept à réalité quotidienne. Les différents chapitres de cet ouvrage apportent par ailleurs quantité d'arguments et d'exemples en ce sens.

À titre d'illustration, une liste de fonctions autres que comptables et informatiques est dressée pour lesquelles un exemple significatif de problématique est donné (il en existe bien d'autres, ce paragraphe n'ayant pas pour but de se substituer aux autres chapitres) :

— *ressources humaines* — comment communiquer au personnel les changements liés à l'euro en gérant notamment le cas des salaires modestes à trois chiffres (inférieurs à 1 000 euros) ?

— *marketing* — comment gérer l'aspect des prix psychologiques (qui ne le sont plus une fois exprimés en euros) ?

— *commercial* — quel degré d'harmonisation tarifaire adopter sur les zones transfrontalières ?

— *juridique* — les contrats passés avec des pays tiers et libellés en francs doivent-ils être amendés ? Comment convertir le capital social ?

— *approvisionnements* — la monnaie unique n'est-elle pas l'occasion d'étendre la base de fournisseurs, notamment à l'extérieur du périmètre traditionnel ?

— *achats* — la suppression de variations de change n'est-elle pas propice à la mise en place de contrats-cadres à plus long terme avec les fournisseurs étrangers ?

— *production* — la recherche de prix cibles (prix psychologiques) ne remet-elle pas en cause la définition de la gamme de produits ou leur présentation ?

3. L'impact de l'euro peut différer selon les lignes de produits

3043. Les entreprises regroupent souvent des lignes de produits de *caractéristiques* assez *différentes*, en termes de :

— marchés (« business to business » vs. « business to consumers ») ;
— canaux de distribution (direct vs. indirect) ;
— positionnement prix ;
— intensité concurrentielle ;
— niveau d'internationalisation ;
— etc.

L'impact de l'euro varie donc très largement d'une ligne de produit à l'autre.

3044. Une difficulté majeure d'un projet euro est donc de *combiner ces trois problématiques* (par pays, par fonction, par ligne de produit, voir le schéma ci-après), sans entrer dans une logique combinatoire, et tout en conservant une bonne coordination entre les différents groupes de travail.

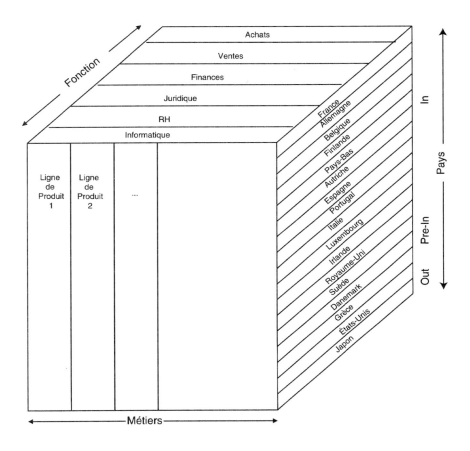

D. Une structure de projet adaptée au contexte de l'entreprise

3045. Comme on aura l'occasion de le souligner maintes fois dans ce chapitre, le projet « euro » est d'une ampleur considérable et nécessite donc notamment une structure adaptée à la taille du projet.

Les éléments de structure ci-après sont extraits de l'expérience acquise par PriceWaterhouseCoopers en matière de gestion de projet euro. Ils peuvent être une bonne base de réflexion pour quiconque veut appréhender la structure nécessaire à la réussite d'un projet de ce type.

1. Une structure générale du projet sur quatre niveaux appuyée par la direction générale

3046. Une structure du projet équilibrée repose sur quatre niveaux :
— comité de pilotage ;
— chef de projet ;
— équipe de projet ;
— des correspondants ou interlocuteurs occasionnels appuyés de façon visible par la direction générale.

Comité de pilotage

3047. Le *rôle* du comité de pilotage est de valider les travaux effectués par l'équipe de projet, de fixer les grandes orientations à suivre et d'affecter les ressources nécessaires à la réussite du projet. Le comité de pilotage représente la direction de l'entreprise, et à ce titre doit comprendre certains de ses membres.

Chef de projet

3048. Il s'agit de la personne communément désignée comme « *Monsieur Euro* » (ou Madame Euro).

Le chef de projet est responsable de l'orientation et de l'avancement des travaux dans le cadre fixé par le comité de pilotage. Il a un rôle de suivi et d'arbitrage dans l'utilisation des moyens. Il dirige l'équipe de projet et coordonne l'action de ses membres, internes ou externes à l'entreprise.

Le chef de projet a également un rôle de coordination avec les autres projets internes (an 2000, systèmes d'information...)

Équipe de projet

3049. *Différents types d'organisation* de projet peuvent être envisagés au niveau de l'équipe de projet. Le choix de l'un d'entre eux dépend de critères internes à l'entreprise tels que l'organisation (par ligne de produits, par fonction, par territoire géographique...).

L'équipe de projet a pour rôle de contribuer aux différents travaux d'analyse.

Elle peut comprendre des intervenants externes. L'apport d'un *consultant* — éclairage externe, expertise euro, méthode, disponibilité — est de nature à accélérer le projet et à maximiser les opportunités liées à l'euro, tout en réduisant le coût de la migration. Dans ce cas une coordination étroite avec les ressources internes est nécessaire.

Il faut souligner que, même si une personne ne peut prétendre couvrir toute la problématique, il vaut mieux une équipe de projet *restreinte*, mais impliquée *à temps plein* pour assurer une continuité des travaux que de nombreuses personnes (plus compétentes sur leur domaine d'expertise pointu) mais affectées à temps partiel. Au-delà de cette équipe restreinte, l'appel ponctuel à des experts constitue généralement une solution avantageuse.

Correspondants/interlocuteurs

3050. L'équipe de projet doit pouvoir s'appuyer dans ses travaux sur un réseau de correspondants et/ou d'interlocuteurs dont les compétences couvrent :
— l'ensemble des fonctions (achat, vente, comptabilité...) ;
— l'ensemble des divisions, branches, départements, lignes de produits ;
— l'ensemble des pays.

Il est fait appel aux interlocuteurs de manière occasionnelle pour des travaux d'analyse au cours d'entretiens, de réunions de travail...

Les correspondants interviennent de façon plus régulière pour valider les travaux. Leur rôle est d'assurer que les décisions sont pertinentes et valides des trois points de vue listés ci-dessous.

Les schémas suivants décrivent différents types d'organisation en fonction des contraintes internes d'organisation et de fonctionnement. Ils permettent de prendre en compte toutes les facettes d'une organisation sans pour autant nécessiter le déploiement d'une équipe trop nombreuse.

2. Découpage par territoire

3051.

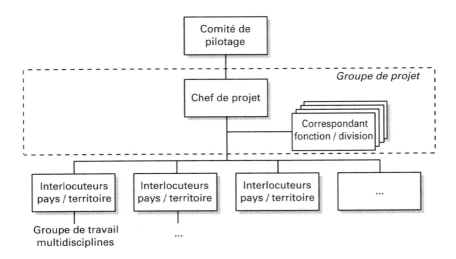

Ce type d'organisation convient à des sociétés pour lesquelles le territoire constitue un axe fort d'organisation, les différentes entités disposant d'autonomie de gestion. Il permet également de prendre en compte des particularismes locaux tout en garantissant une coordination d'ensemble au moyen du groupe de projet.

3. Découpage par fonction

3052.

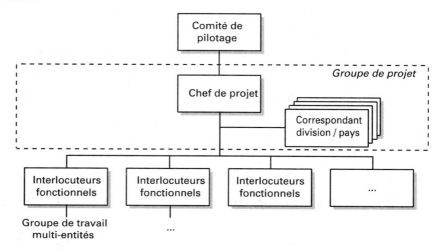

Cette forme d'organisation s'adapte dans le cas de sociétés structurées par fonction ou par processus. La coordination entre les différents processus est assurée par le groupe de projet. Chaque responsable fonctionnel veille de son côté à la bonne représentativité du groupe de travail qu'il encadre.

4. Découpage par business units

3053.

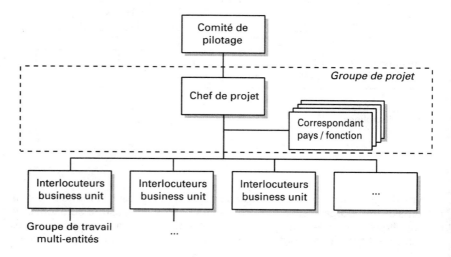

Cette forme d'organisation convient à des groupes structurés autour des métiers (organisés en « business units »). Les correspondants veillent alors à la cohérence des aspects fonctionnels et coordonnent les travaux entre les différents pays ou régions.

E. Calendrier du projet

3055. La durée d'un projet est liée à plusieurs facteurs dont les plus influents sont :
— la complexité de l'organisation (nombreuses entités, activités multiples) ;
— le niveau de sensibilisation et de connaissance de la problématique euro de l'encadrement et du personnel.

La complexité de l'organisation implique d'analyser chaque activité séparément, les impacts pouvant varier sensiblement d'un métier à l'autre.

> Par exemple, dans le métier du tourisme, un tour opérateur européen ayant récemment réalisé son étude d'impact a estimé que les contraintes du marché étaient beaucoup plus importantes dans l'activité voyages d'affaires que celle des voyages de loisirs. Par ailleurs, la nature de ces impacts était également différente (alors que les aspects marketing revêtaient une importance particulière dans l'un des métiers, les contraintes informatiques constituaient le souci primordial dans une autre activité...).

Le degré de connaissance des conséquences générales de l'euro par le personnel a un effet important sur la durée des deux premières phases, sensibilisation et analyse d'impact. Précisons qu'il ne s'agit pas d'attendre du personnel qu'il ait réalisé un diagnostic de l'entreprise avant même le début du projet, mais qu'il dispose de certaines informations telles que le mécanisme de la période transitoire, la règle du ni, ni, les demandes des partenaires, etc.

Compte tenu de ces éléments et pour des sociétés de complexité moyenne (3 à 5 activités distinctes, implantation dans plusieurs pays) dont le personnel est peu sensibilisé — ce qui a jusqu'à ce jour constitué le cas le plus fréquent —, la *durée probable d'un projet euro* est de l'ordre de quatre à six mois, hors mise en œuvre. En effet, selon la nature du plan d'action, la phase de mise en œuvre peut durer de quelques mois à plus d'un an notamment si des systèmes informatiques doivent être remplacés ou si les changements sont étalés dans le temps pour des raisons pratiques ou budgétaires.

3056. Le schéma ci-dessous illustre les *durées types* de chacune des *phases* d'un projet dont la durée est de l'ordre de six mois. Ces délais sont donnés à titre indicatif, et peuvent varier en fonction du contexte propre à chaque société.

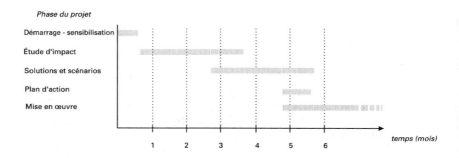

Ce schéma montre le degré d'urgence dans lequel se trouvent les sociétés qui n'ont pas initié leur démarche de migration vers l'euro, notamment dans la perspective de gérer les événements survenant lors de la phase transitoire. Il s'agit pour ces entreprises de fixer tout d'abord les échéances clés puis de remonter le compte à rebours en fonction des différentes étapes à réaliser (rétroplanning).

3057. Une durée d'étude de six mois peut s'avérer incompatible avec les contraintes d'un tel compte à rebours. Les entreprises voulant mettre en œuvre en urgence leur projet de migration à l'euro doivent adopter une *méthode accélérée*. Il convient alors de réfléchir aux structures (équipes, moyens,...) qui permettent :
— d'accélérer la courbe d'apprentissage ;
— d'identifier rapidement les enjeux les plus importants ;
— de ne pas réinventer la roue et d'accéder aux meilleures pratiques du marché ;
— de disposer de ressources compétentes et disponibles.

3058. Sur la base de l'expérience accumulée depuis plusieurs années, PricewaterhouseCoopers a élaboré une telle méthode accélérée (« Euro Fast Track »). Cette méthode s'articule autour des six phases suivantes :

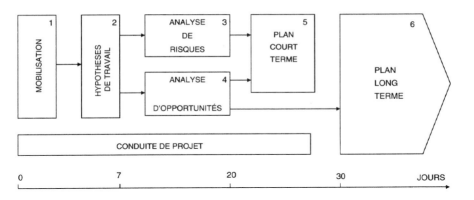

Phase 1 : *Mobilisation et éducation.*

Phase 2 : *Fixation des hypothèses* internes et externes. Fixation des dates clés et première ébauche d'une stratégie d'ensemble.

Phase 3 : *Analyse des risques* critiques. Les sept catégories de risques à couvrir sont :
— Perte d'activité (incapacité à traiter une demande client) ;
— Incapacité à acheter, produire, ou à traiter une demande fournisseur ;
— Non-respect de la réglementation ;
— Non-respect des règles de conversion ;
— Erreurs techniques, corruptions des informations ;
— Fraudes et malversations ;
— Contrats.

Phase 4 : *Analyse des opportunités* (régionales, sectorielles ou propres à l'entreprise) et des leviers d'actions.

Phase 5 : Mise en œuvre des *actions à court terme.*

Phase 6 : Mise en œuvre des *actions à moyen/long terme.* Intégration dans un programme d'ensemble de basculement à l'UEM.

F. Un projet à court et à long terme

3059. La mise en œuvre d'une méthode accélérée ne permet pas pour autant de s'en tenir au court terme. Les programmes d'évolution vers l'Union économique et monétaire sont de façon typique constitués de quelques grands projets et de dizaines — voire de centaines — de plus petits, incluant celui de migration à l'euro.

Même une stratégie relativement simple d'acceptation de règlement en euros nécessitera sans doute des changements dans les catalogues et dans la documentation commerciale; la modification et le test des applications informatiques de facturation d'encaissement; l'information des clients et la formation des équipes de vente / administration des ventes.

La modification d'un processus opérationnel ou d'une application informatique peut affecter d'autres éléments de l'organisation qui en même temps s'adaptent au nouveau contexte de l'Union économique et monétaire.

En adaptant leur entreprise aux exigences de l'euro/de l'UEM, les dirigeants doivent se laisser guider par une *vision stratégique à long terme couvrant toutes les dimensions du problème* (et pas seulement l'aspect devise). À quoi bon dépenser énergie, argent, et temps pour permettre aux applications commerciales actuelles de facturer en euros, si l'Union économique et monétaire conduit à se positionner sur d'autres segments de produit/de marché ou à utiliser d'autres canaux de distribution, qui nécessiteront de refondre ces applications informatiques?

Les entreprises doivent donc considérer au-delà de l'euro les conséquences à moyen et long terme de l'Union économique et monétaire en conjonction avec les autres tendances de fond de l'économie mondiale (voir le schéma ci-dessous).

Tendances de fond de l'économie mondiale :
- Convergence;
- Globalisation;
- e-business;
- Innovation;
- Ruptures technologiques.

Plus proche de nous, le processus d'intégration de l'Europe va se poursuivre au-delà de l'Union économique et monétaire, ce qui bouleversera à nouveau la donne stratégique.

Tendances d'intégration en Europe :
- Harmonisation sociale,
- Harmonisation fiscale,
- Intégration des économies et des marchés,
- Réformes structurelles (politiques, sociales),
- Élargissement à d'autres pays,
- Développement démographique.

SECTION III

Démarche détaillée des quatre premières étapes du projet euro

A. Démarrage/sensibilisation

3060. Comme dans la plupart des projets, un certain nombre d'actions doivent être menées afin de prendre la mesure du projet, d'informer les personnes concernées soit par le projet lui-même, soit par ses conséquences prévisibles puis d'y affecter les ressources nécessaires et enfin de le promouvoir afin de créer l'élan indispensable à son démarrage.

Par ailleurs, une différence notable par rapport à d'autres types de projets réside dans le **manque d'expérience** des entreprises face à ce changement sans précédent. L'impact de l'euro constitue dans bien des cas une **inconnue** majeure, dont on imagine l'ampleur sans arriver à la décrire ou à la cerner.

C'est pourtant ce que vont devoir réaliser les entreprises, et avec un niveau de détail suffisamment fin pour pouvoir ensuite élaborer un plan d'action et le mettre en œuvre.

La phase de démarrage et de sensibilisation prend là toute son importance, peut-être même plus que dans d'autres projets. C'est pourquoi elle occupe une place importante dans ce chapitre relativement aux phases suivantes qui, en matière de charge de travail, sont beaucoup plus conséquentes.

1. Lettre de mission et implication forte de la direction générale

3061. Une des premières tâches qu'aura à réaliser la direction de l'entreprise est d'identifier et de nommer le chef de projet.

a. Choix du chef de projet

3062. Quel est le **profil idéal** ?

On constate avec l'expérience que dans de nombreux cas, le chef de projet est nommé parmi les cadres de la **sphère financière** : trésorier, directeur des comptabilités ou contrôleur de gestion, voire directeur financier. Ce type d'affectation résulte probablement d'une vision orientée de la problématique de l'euro, centrée sur les aspects comptables.

L'affectation d'un profil fonctionnel peut être perçue par les responsables opérationnels comme le signal d'un projet concernant en premier lieu les fonctions de support. Or, même si l'euro induit indiscutablement des contraintes en matière administrative, il n'en demeure pas moins une source d'opportunités considérables dans les domaines opérationnels à commencer par les fonctions marketing et commerciales. C'est pourquoi il peut être opportun de choisir le chef de projet euro **parmi les responsables opérationnels**.

Désigner un **informaticien** peut s'avérer tentant afin d'appréhender les problèmes techniques induits par le passage à l'euro. Néanmoins, les problématiques que soulève le passage à la monnaie unique vont, comme on a déjà pu le souligner, bien au-delà d'un simple problème de systèmes informatiques.

Quoi qu'il en soit, il n'existe **pas de fonction prédestinée** pour prendre en charge un projet euro. Le directeur comptable ou le trésorier peuvent donc fort bien remplir cette fonction. Le profil idéal repose davantage sur la **capacité** de l'individu à :

— connaître et comprendre les différentes activités de la société, leur organisation interne et externe, leurs règles de fonctionnement ;
— gérer une équipe et un projet ;
— asseoir son autorité vis-à-vis des responsables des différentes entités afin de donner au projet l'impulsion nécessaire.

Il apparaît, à la lumière de ce dernier point, qu'indépendamment de sa fonction, le chef de projet devra avoir une **position hiérarchique** relativement élevée au sein de la structure, ou à défaut, un « sponsor » clairement affirmé au niveau de la direction générale.

b. Communiquer les objectifs et le champ du projet

3063. Le chef de projet étant choisi, il s'agit de porter cette décision à la connaissance de l'ensemble du personnel concerné. Pour ce faire, tous les **moyens classiques** peuvent être employés selon les habitudes et la culture propres à chaque société : annonce en comité de direction, note de service, journal interne, etc.

Un point mérite cependant d'être signalé : autant la raison d'être et les objectifs de certains projets peuvent être clairs pour tous les interlocuteurs (exemple : remplacement du système de gestion de la paie), autant les motivations et la finalité d'un projet euro peuvent apparaître confuses pour bon nombre d'employés. N'importe quel collaborateur ayant un peu d'ancienneté a assisté de près ou de loin au remplacement d'un système informatique et est à même d'en comprendre le type de conséquences, tout au moins les plus pratiques. Le changement de monnaie de référence à un échelon supranational est par contre un événement sans précédent et constitue une **expérience inédite**.

Il est donc nécessaire dans la plupart des cas de préciser dans l'annonce les raisons et les objectifs du projet en donnant un ou deux **exemples concrets** d'impacts possibles dans quelques domaines afin de faire prendre conscience au personnel de la portée du projet — toute l'entreprise —, de la contrainte de calendrier et de la nature des changements à attendre.

C'est pourquoi la lettre de mission, quelle qu'en soit la forme, doit non seulement désigner le chef de projet, mais également procéder, plus encore que dans d'autres projets, à une première sensibilisation.

Compte tenu de la portée du projet, il est important que cette lettre soit émise par un responsable disposant d'une **autorité suffisante** au sein de l'entreprise — typiquement la direction générale. Un appui marqué d'un sponsor important peut également se révéler utile au cours du projet, notamment pour aborder les domaines situés à l'extérieur du champ de compétences habituel du chef de projet (exemple : dépasser l'antagonisme fonctionnels/opérationnels).

c. Exemple de lettre de mission

3064.

Le Siège, le 2 mars 1999

À tous les directeurs pays/directeurs de branches

Chers amis,

Depuis le 1er janvier 1999, l'euro est devenu la monnaie unique de onze pays de l'Union européenne, et va progressivement se substituer aux anciennes devises nationales dans l'expression des montants des transactions, l'affichage des prix, etc.

Bien que des incertitudes demeurent quant à l'attitude de nos partenaires et des administrations pendant la période transitoire qui durera jusqu'au 31 décembre 2001, nous savons que cette évolution majeure aura des impacts significatifs sur nos activités, tant d'un point de vue opérationnel que stratégique.

Par conséquent, nous devons dès à présent nous préparer dans cette perspective désormais devenue réalité.

C'est pourquoi le comité de direction a nommé Monsieur X chef du projet euro au sein de notre groupe.

Compte tenu de notre dimension européenne, l'ensemble des filiales est concerné par ce projet, y compris celles des pays non inclus dans la « zone euro ». Le volume d'échanges internationaux qu'elles génèrent et le souci de préserver des facilités de communication avec le groupe font qu'elles doivent également envisager un scénario d'intégration de l'euro.

Chacun doit être conscient que les impacts de l'euro ne se limitent pas aux fonctions financières ou informatiques, mais affectent tous les domaines dans lesquels sont utilisées des expressions monétaires (achats, commercial, marketing, ressources humaines...).

Par ailleurs, le succès du passage de notre entreprise à l'euro viendra du fait que nous considérons cet événement comme une opportunité et non comme un inventaire de contraintes. Cela implique que nous soyons à même d'identifier et de saisir toutes les opportunités de développement de nos activités. Nous devons tous prendre conscience que nous opérons dorénavant sur le premier marché mondial et essayer d'imaginer les possibilités que cette situation nous offre : création de nouveaux produits, développement de notre présence dans certaines régions, nouvelles sources d'approvisionnement...

Il est donc clair que le succès du projet de transition vers l'euro est crucial pour le groupe. Le comité de direction en fait donc une priorité majeure, et je compte sur votre soutien actif à Monsieur X et à l'équipe de projet.

Celle-ci sera constituée dans les jours qui viennent et comprendra des représentants de différentes branches et de différents pays. Elle sera vraisem-

---

blablement renforcée de consultants externes, qui pourraient dans ce cas nous apporter une méthodologie adaptée et l'expérience de projets similaires.

Les objectifs fixés à Monsieur X sont les suivants :
— établir un diagnostic précis des impacts de l'euro ;
— élaborer des scénarios de migration chiffrés prenant en compte notre stratégie de développement ainsi que les spécificités des différentes branches et des pays ;
— assister le comité de direction dans l'arbitrage entre les différents scénarios ;
— établir un plan détaillé de migration et les budgets correspondants.

Comme vous le comprenez, ce projet va nécessiter un important effort de coordination. C'est pourquoi nous vous demandons de désigner dès à présent, et en tout état de cause avant le xx mars, un correspondant pays et un correspondant par branche.

Les correspondants seront impliqués dans le projet à la fois comme animateurs et comme coordinateurs. De leur participation active dépend la réussite de ce projet. Leur fonction sur le projet requiert un certain niveau hiérarchique ainsi qu'une bonne vision des activités qu'ils représentent. Ils seront amenés à faire des choix et à prendre des positions pour les structures qu'ils représentent. Pendant la durée du projet, ils devront être disponibles à raison d'un mi-temps.

Le projet débutera le xx mars par un séminaire de sensibilisation d'une journée qui se déroulera au siège du Groupe. La participation de l'ensemble des représentants y est impérative. Vous y êtes également cordialement invités.

Je vous remercie de votre appui dans le cadre de ce projet.

Le Président Directeur Général

2. Questionnaire de sensibilisation pour évaluer le niveau d'impact

3065. Afin de prendre la mesure du projet un *premier diagnostic* instantané peut être effectué. Il vise deux objectifs :
— tester rapidement la sensibilité de l'entreprise aux impacts de l'euro ;
— évaluer le degré d'urgence de l'avancement des travaux de migration.

Ce questionnaire détaillé est *présenté en annexe*. Il ne prétend pas être totalement exhaustif mais peut être utilisable lors de lancement de travaux sur les différents processus de gestion.

3. Présentation de sensibilisation

3066. La réussite du projet et en premier lieu son démarrage effectif nécessitent une adhésion aux objectifs, et en conséquence une prise de conscience de l'importance des impacts potentiels, et de la nécessité de bâtir rapidement un plan de migration.

Dans de nombreux cas, la connaissance de la problématique euro par les responsables qui auront à s'impliquer dans le plan de migration est assez limitée. Elle croît néanmoins au fur et à mesure que les échéances se rapprochent. De plus, la perception des impacts dépend du niveau hiérarchique (la direction générale sera ainsi particulièrement sensible aux questions stratégiques). Il est donc nécessaire de sensibiliser les membres du projet et leurs responsables hiérarchiques à l'ensemble des problématiques soulevées par le passage à l'euro.

Cette présentation a pour **but** :
— d'informer les participants sur les conséquences déjà connues de l'euro (planning général, mécanismes de conversion, de retrait des monnaies nationales, règles du ni, ni...) tant au niveau européen que dans leur déclinaison nationale (modification de l'article 16 du Code de commerce, dispositions administratives...) ;
— de poser un certain nombre de problématiques afin de les convaincre de l'importance des impacts de l'euro ;
— de les amener à réfléchir sur la nature de ces impacts au sein de leur entreprise.

Le choix des exemples présentés est important. Il permet d'alerter les participants sur les impacts auxquels ils vont probablement être confrontés et contribue de ce fait à une prise de conscience de l'ampleur des travaux d'adaptation.

B. Analyse des impacts pour aboutir à une stratégie de migration

3067. Pour finaliser la sensibilisation, il est recommandé d'évaluer l'ordre de grandeur des coûts de migration, en parallèle du démarrage de l'étude d'impact.

Une des premières étapes pour évaluer l'impact de l'euro et pour sensibiliser l'ensemble de l'entreprise est de faire une première estimation du coût potentiel du passage à l'euro.

1. Méthode appliquée

3068. Nous proposons ici une méthode spécifique et rapide ; elle ne peut bien entendu aboutir qu'à définir un ordre de grandeur des coûts de passage à l'euro. Elle ne se substitue pas au chiffrage des coûts définitifs (basé sur une analyse plus détaillée des solutions après définition de la stratégie de passage à l'euro).

Elle se base sur un référencement existant des applications, souvent effectué dans le cadre de l'an 2000.

Elle divise les coûts selon deux natures différentes :

● les **coûts de conduite du changement** qui se divisent eux-mêmes en :
— formation et sensibilisation
— communication interne

— communication externe
— études

● les *coûts d'adaptation des systèmes informatiques*.

Cette méthode ne prend pas en compte les coûts d'adaptation des matériels non informatiques (ex. machines d'encaissement).

Coûts de conduite du changement

3069. *Formation/sensibilisation* — L'impact étant différent selon les catégories de personnels, le nombre de jours de formation varie selon les profils.

Profils	Nombre de personnes à former par profil	Nombre de jours de formation	Nombre total de jours
Acheteurs			
Vendeurs			
Comptables			
Contrôleurs			
Trésoriers			
...			
		Coût journalier moyen	
		Coût total	

Communication interne — Il faut tout d'abord faire une estimation du nombre de personnes à toucher, du nombre de communications envisagées et du coût de chaque communication.

Type de communication	Nombre de personnes à toucher	Nombre de diffusions envisagées	Coût unitaire de chaque diffusion	Total
Questionnaire force de vente				
Journal Euro				
Plaquette				
Intranet				
Hot Line Euro				
...				

Communication externe — Dans cette partie, nous incluons les questionnaires, plaquettes et autres communications euro envoyés aux clients et aux fournisseurs.

Type de communication	Nombre de personnes à toucher	Nombre de diffusions envisagées	Coût unitaire de chaque diffusion	Total
Questionnaire clients				
Questionnaire fournisseurs				
Plaquette institutionnelle				
Séminaires				
Réunions individuelles				
...				

Études — Dans cette partie, nous incluons toutes les études comme par exemple organisation, stratégie de sourcing, uniformisation des tarifs européens ainsi que les audits réguliers du projet de mise en œuvre ou l'assistance à la conduite du projet.

S'il n'existe aucune visibilité sur les caractéristiques de l'impact de l'euro dans votre société, il peut être envisagé une enveloppe globale basée sur un pourcentage du montant des autres travaux à mener.

Coûts informatiques

3070. L'ensemble des applications de l'entreprise doit être considéré dans le cadre du périmètre étudié. Mais, ne pouvant à ce stade définir un coût application par application, cette méthode propose de :
— *définir la segmentation de vos applications* (le nombre de catégories doit être environ égal à 10 % du nombre total de vos applications) ;
— *définir les coûts standards par catégorie d'applications* (en prenant comme référence des études que vous avez déjà menées ou des montants fournis par vos éditeurs) ;
— *affecter chaque application à une catégorie* afin d'obtenir son coût d'adaptation ;
— *sommer l'ensemble de ces coûts unitaires.*

La *segmentation des applications* peut s'effectuer *selon différents critères*. Par exemple :
— *domaine fonctionnel* (comptabilité, reporting, achat, vente, RH, autres) ;
— *taille* (selon le nombre d'utilisateurs ou le coût de mise en œuvre) ;
— *capacité d'évolution* : « aisée » (comprenant les progiciels maintenus par l'éditeur, les applications internes bien documentées, les progiciels multi-devises, etc.) ou « difficile » (comprenant les progiciels non maintenus par l'éditeur, les développements internes anciens, les progiciels mono-devises, etc.).

Selon notre exemple, les catégories seraient :

Type	Évolution aisée			Évolution difficile		
	Taille importante	Taille moyenne	Taille faible	Taille importante	Taille moyenne	Taille faible
Comptabilité						
Reporting/ Consolidation/ Suivi budgétaire						
Achats/ Approvisionnement/ Production						
Vente/Marketing						
Paie/RH						
Autres (Juridique, Fiscalité, ...)						

Contrôle de vraisemblance

3071. A posteriori, un *contrôle par ratio* peut être appliqué. Par exemple :
— *pourcentage du chiffre d'affaires* (compris généralement entre 0,2 % et 1 %),
— *rapport entre* les *coûts de conduite du changement et* les *coûts d'adaptation des systèmes d'information* (compris généralement entre 50/50 et 80/20).

2. Nature des impacts

3072. Les impacts d'un projet euro peuvent être de trois natures :
— contraintes ;
— opportunités ;
— menaces.

Si la première catégorie d'impacts a des conséquences essentiellement opérationnelles, les deux autres natures peuvent avoir des répercussions sur la stratégie et la politique commerciale. Les impacts sur les entreprises peuvent donc être majeurs, et le premier enseignement vis-à-vis d'un projet euro pourrait être de n'ignorer aucun domaine lors de la phase de diagnostic, à commencer par les aspects stratégiques.

Dans une première approche, il peut être difficile d'imaginer qu'un simple changement d'unité de compte ait des répercussions aussi importantes, et n'est-ce pas là un message volontairement amplifié à des fins de sensibilisation ?

Effectivement, tous les impacts à venir ne sont pas des conséquences directes du changement de monnaie. Néanmoins, cet événement majeur sera dans de nombreux cas un *facteur déclencheur de changements significatifs* dans la stratégie et la politique de nombreuses entreprises. Les opérations de change et le risque financier qui y sont associés demeuraient encore pour les consommateurs et les petites ou moyennes entreprises une barrière parfois délicate à franchir.

La suppression de cet obstacle, peu de temps après la liberté de circulation des biens et des personnes, est de nature à favoriser une nouvelle forme d'échanges, sur une base géographique élargie. Il est alors aisé d'imaginer la nature et l'ampleur des évolutions à venir en matière de politique d'entreprise : accroissement des zones de diffusion, concurrence accrue par une transparence totale en matière de prix, nouvelle organisation de la présence sur le marché... ce sont bien là des enjeux majeurs, qui sont directement ou indirectement des conséquences plus ou moins immédiates de l'introduction de l'euro.

3. Méthodes possibles, avantages et contraintes

3073. Le but de cette phase est donc d'*identifier* de manière aussi exhaustive que possible les opportunités, menaces et contraintes induites par le passage à l'euro et la phase transitoire. Cet objectif ne peut être atteint que grâce à une participation active de représentants des différentes fonctions de l'organisation, indépendamment d'une aide externe qui peut être mandatée pour dynamiser le projet, le structurer ou stimuler la réflexion par l'apport d'une méthodologie adaptée et d'exemples à propos.

Nous touchons là un des points délicats de ce type de projet : en effet, son succès dépend du **degré d'exhaustivité de l'analyse d'impact**. Le temps étant désormais compté, tout manque de préparation peut avoir au moment de la migration des conséquences fâcheuses (surcoût important, mauvaise image de la société, incapacité à réaliser les transactions dans des délais acceptables, etc.).

La difficulté consiste à réaliser ce diagnostic avec des participants qui, s'ils connaissent bien leur domaine de responsabilité, n'ont dans la plupart des cas qu'une culture récente et limitée des aspects liés à l'euro.

La clé de la réussite de cette phase réside donc, quelle que soit la méthode choisie, dans une forte interaction entre les participants et l'équipe de projet (qui, elle, est censée disposer d'une connaissance plus approfondie du sujet). L'animateur de cette analyse devra veiller à créer un **échange permanent d'informations** avec ses interlocuteurs, de manière à catalyser leur réflexion. Les informations fournies peuvent être de plusieurs natures :
— illustrations des impacts possibles par le choix d'exemples dans d'autres structures ;
— précisions sur les règles de passage arrêtées ;
— impacts prévus dans les autres secteurs de l'entreprise pouvant influer sur le domaine analysé.

Plusieurs méthodes peuvent être employées pour réaliser ce diagnostic ; nous détaillerons ici les plus couramment employées, à savoir les questionnaires et les ateliers.

a. Questionnaires

3074. Les questionnaires présentent un avantage a priori : il est facile d'en trouver des exemples déjà rédigés. De nombreuses publications en proposent de plus ou moins complets et il est possible d'en obtenir de relativement détaillés. Parmi les sources, on peut citer la Commission européenne, le MEDEF, les

Chambres de Commerce et d'Industrie, ainsi que des organisations professionnelles ou les publications diverses ayant trait à l'euro.

Néanmoins, les questionnaires présentent un certain nombre d'*inconvénients*.

Tout d'abord, ils ne sont généralement *pas prêts à l'emploi* : les questionnaires que l'on peut se procurer sont par nature adaptés à des cas généraux. Il convient donc de les adapter à l'organisation et aux spécificités de la société à laquelle on entend les appliquer. Cette tâche peut représenter un travail relativement important, et l'emploi de questionnaires, avec l'administration qui y est liée (reproduction, envois, suivi des réceptions, des retours, etc.) s'avère beaucoup moins économique en temps qu'il n'y paraît à première vue.

Le deuxième inconvénient est lié à la *forme* du document. L'équilibre entre exhaustivité et concision étant très difficile à trouver — et d'autant plus que le questionnaire est administré à plusieurs entités — ce dernier a le plus souvent tendance à s'alourdir considérablement. Par ailleurs, afin de guider les réponses, des explications ou des exemples doivent être inclus. On aboutit alors à un document dont l'épaisseur provoque des réactions de rejet.

Un troisième inconvénient, qui est le plus gênant, est lié au *procédé* lui-même. La qualité des retours est généralement décevante, pour plusieurs raisons :
— les questionnaires ne sont pas retournés, ou pas retournés dans les délais convenus ;
— les réponses sont incomplètes ou laconiques ;
— la question a été mal comprise par la personne qui répond et la réponse ne correspond pas aux préoccupations de l'émetteur.

L'ensemble de ces points fait du questionnaire, utilisé seul, un outil imparfaitement adapté à un diagnostic exhaustif et efficace — à un coût raisonnable dans des délais limités.

Les questionnaires n'en sont pas pour autant inutiles. Ils peuvent trouver un emploi très intéressant en support d'ateliers et notamment dans la phase de préparation de ceux-ci. Ils constituent alors une aide à la réflexion destinée à aider à lister les impacts de l'euro.

À titre d'*exemple*, un tel questionnaire, centré sur le domaine comptable, est présenté ci-après.

Comptabilité générale
3075.

Tâche	Impact
Gestion du plan de comptes	⇒ Nécessité d'ouvrir des comptes spécifiques pour les besoins du passage à l'euro (ex. : affectation des arrondis). Une précision suffisante est nécessaire, notamment pour des raisons fiscales.
Retraitements périodiques	⇒ Concernant les retraitements, mais aussi d'une façon plus générale, nécessité de faire l'inventaire des tableurs pouvant être impactés par le passage à l'euro.
Conversion des soldes en devises	⇒ Lors du basculement de la comptabilité sociale vers l'euro, se pose le problème de la conversion des historiques. ⇒ Comment mettre à jour les historiques en euros ? ⇒ Faut-il convertir les soldes ou les éléments constitutifs des soldes ? ⇒ Combien faut-il convertir d'exercices ? ⇒ Le système acceptera-t-il l'euro comme monnaie pivot pour chaque conversion (problème lié à la disparition des taux directs, ex. : DEM/FRF) ? ⇒ Combien de décimales le système peut-il gérer (saisie, conversion, table des taux de change) ? ⇒ Certaines activités (ex. : grands projets) utilisent des taux uniques de conversion pour un projet donné. Comment traiter comptablement les écarts sur taux dès aujourd'hui, lors de la fixation des parités (mai 98), lors du passage à l'euro ?
Traitement/rapprochements des comptes intercos	⇒ Les transactions intercompagnies sont-elles significatives ? Nécessité d'harmoniser le basculement avec les sociétés concernées ?
Éditions de journaux et de balances	⇒ Les éditions actuellement utilisées sont-elles multidevises ? ⇒ A-t-on besoin de balances en francs et en euros ? ⇒ A-t-on besoin de journaux en francs et en euros ? ⇒ Le système, le cas échéant, peut-il présenter des éditions en plusieurs devises ?

Tâche	Impact
Clôtures périodiques des comptes sociaux	⇒ Quel est l'impact de l'euro en termes de procédures supplémentaires et de temps de préparation des comptes ?
Préparation de liasses de consolidation	⇒ Dans quelle devise les liasses de consolidation devront-elles être présentées ? ⇒ Peut-il s'agir d'une simple conversion des comptes sociaux ? Doit-elle se faire manuellement ou peut-elle être automatisée ?
Préparation de reportings (management, fisc, employés...)	⇒ Dans quelle(s) devise(s) les différents reportings doivent-ils / peuvent-ils être présentés ? ⇒ Les logiciels servant au reporting (y compris les tableurs) peuvent-ils gérer plusieurs devises de référence ?
Préparation et suivi des procédures (seuils, autorisations de paiement...)	⇒ Nécessité d'adapter les procédures internes afin de présenter des seuils en euros.

Comptabilité analytique
3076.

Tâche	Impact
Réalisation d'inventaires	⇒ Ne comprend que des quantités.
Gestion de l'inventaire permanent Valorisation des stocks (MP, WIP, PF)	⇒ Comment mettre à jour les historiques en euros ? ⇒ Faut-il convertir les soldes ou les éléments constitutifs des soldes ? Est-il possible de reconstituer les prix de revient en euros ?
Définition des règles d'imputation	⇒ Aucun impact a priori.
Calcul des coûts standards et analyse des écarts	⇒ Comment les coûts standards peuvent-ils être convertis en euros ? ⇒ À partir de quelle date cette conversion devra-t-elle avoir lieu ?
Calcul des coûts réels	⇒ Le processus d'élaboration des coûts réels sera-t-il impacté par le passage à l'euro ? ⇒ Ou bien, les coûts rentrant dans le calcul des coûts réels sont-ils déjà convertis ?

Cycle des ventes

3077. Les tâches listées ci-dessous se limitent aux traitements généralement confiés à la responsabilité des services comptables.

Tâche	Impact
Gestion du crédit client	⇒ Nécessité d'adapter la procédure d'attribution de crédits en intégrant l'euro. ⇒ Le système permet-il de fixer des seuils d'en-cours dans plusieurs devises ?
Gestion des éléments de facturation	⇒ Les documents liés à la facturation sont-ils multidevises (documents papier, interfaces ? ⇒ Nécessité de prévoir une procédure permettant de limiter les confusions franc/euro (ex. : utilisation de documents de couleurs différentes).
Gestion des taxes liées à la facturation	⇒ Voir paragraphe 3082.
Suivi des opérations d'assurance à l'export (COFACE)	⇒ À étudier au cas par cas.
Émission des factures	⇒ Le système actuel permet-il une facturation en plusieurs devises ? ⇒ Une facturation manuelle peut-elle répondre provisoirement aux demandes de certains clients ? ⇒ Quelles informations devront figurer sur les factures (ex. : double affichage des prix) ? ⇒ Faut-il convertir chaque élément de la facture ou le total de la facture ? Quels impacts ces deux solutions peuvent-elles avoir sur le traitement comptable ? ⇒ Les logiciels de gestion d'affaires (grands projets) peuvent-ils gérer plusieurs devises ?
Gestion de la base de données clients	⇒ Votre système permet-il de gérer plusieurs devises dans un même compte auxiliaire ? ⇒ Les fichiers maîtres clients pourront-ils comporter des données en francs et en euros ? ⇒ Nécessité de faire l'inventaire des données susceptibles d'être impactées par l'euro. ⇒ Quand faut-il convertir ces données (monnaie de facturation, remises, rabais, ristournes, etc.) ?
Lettrage des comptes	⇒ Nécessité de prévoir une procédure lorsque la facture et le paiement reçu sont dans des devises différentes. ⇒ Comment doivent être affectés les arrondis de conversion ?

Tâche	Impact
Centralisation des comptes auxiliaires	⇒ Comment mettre à jour les historiques en euros ? ⇒ Faut-il convertir les soldes ou les éléments constitutifs des soldes ? ⇒ Combien faut-il convertir d'exercices ?
Édition des balances et journaux	⇒ Existe-t-il des états multidevises ? ⇒ A-t-on besoin de balances en francs et en euros ? ⇒ A-t-on besoin des journaux en francs et en euros ? ⇒ Le système, le cas échéant, peut-il présenter des éditions en plusieurs devises ?
Relance et traitement des impayés	⇒ Le système de suivi des arriérés de paiement est-il interfacé ? Supporte-t-il une gestion multidevises ? ⇒ Des modèles de lettres spécifiques devront-ils être prévus pour les créances en euros ?

Cycle des achats

3078. Les tâches listées ci-dessous se limitent aux traitements généralement confiés à la responsabilité des services comptables.

Tâche	Impact
Gestion de la base de données fournisseurs	⇒ Votre système permet-il de gérer plusieurs devises dans un même compte auxiliaire ? ⇒ Les fichiers maîtres fournisseurs pourront-ils comporter des données en francs et en euros ? ⇒ Nécessité de faire l'inventaire des données susceptibles d'être impactées par l'euro. ⇒ Quand faut-il convertir ces données (monnaie de facturation, remises, rabais, ristournes, etc.) ?
Réception et enregistrement des factures	⇒ Nécessité de prévoir une procédure permettant de limiter les confusions franc/euro (ex. : documents de couleurs différentes). ⇒ Le système actuel permet-il une gestion multidevises ? ⇒ Quelles peuvent être les solutions alternatives ?
Suivi des retenues de garanties, avoirs, acomptes et cautions	⇒ Comment traiter les acomptes, avoirs émis dans une devise différente de celle de la facture (ex. : grands projets ?).

Tâche	Impact
Contrôle des factures et obtention d'un BAP (bon à payer)	⇒ Le traitement des factures en euros doit-il faire l'objet d'une procédure particulière ?
Édition des balances et journaux	⇒ Existe-t-il des états multidevises ? ⇒ A-t-on besoin de balances en francs et en euros ? ⇒ A-t-on besoin de journaux en francs et en euros ? ⇒ Le système, le cas échéant, peut-il présenter des éditions en plusieurs devises ?
Gestion des provisions pour factures à recevoir et charges à payer	⇒ Pas d'impact a priori.
Gestion des abonnements de charges	⇒ Est-il nécessaire de distinguer les charges par devises lors de la procédure d'abonnements ?
Gestion des taxes liées aux factures reçues	⇒ Durant la phase transitoire, en cas de passage à l'euro, les déclarations devront toujours être établies en francs. ⇒ Comment peut-on passer d'un suivi comptable en euros à une déclaration en francs ? Ce processus peut-il être automatisé ? Comment seront imputés les arrondis ?
Émission de chèques automatique	⇒ Le système permet-il de gérer des devises multiples ? ⇒ Est-il possible d'isoler les cycles de paiement en euros ? ⇒ Est-il possible d'alterner des souches différentes pour les chèques en euros et en francs ?
Lettrage des comptes	⇒ Comment doivent être affectés les arrondis de conversion ?

Immobilisations
3079.

Tâche	Impact
Préparation des demandes d'investissement	⇒ Nécessité de fixer de nouveaux seuils en euros.
Suivi des projets d'investissement	⇒ Le système de gestion de projets est-il multidevises ?
Gestion du fichier immobilisations (dont calcul des amortissements)	⇒ Le système de gestion des immobilisations est-il multidevises ? ⇒ La conversion des historiques pose-t-elle des problèmes techniques particuliers ?

Trésorerie

3080. Les tâches listées ci-dessous se limitent aux traitements généralement confiés à la responsabilité des services comptables.

Tâche	Impact
Suivi des comptes bancaires	⇒ Est-il nécessaire d'ouvrir des comptes bancaires en euros ? ⇒ Est-il nécessaire de maintenir les comptes bancaires en monnaies « in » ? ⇒ Contacter les banques pour connaître leurs principes de gestion vis-à-vis de l'euro. ⇒ S'assurer que vous pratiquez les conversions de la même façon que vos banques. Ex. : conversion de chaque chèque ou conversion du bordereau ? ⇒ S'assurer que les conversions ne feront pas l'objet d'une facturation de la part de vos banques. ⇒ S'assurer de la durée de validité des moyens de paiement (espèces, chèques, effets...) après le 1er janvier 2002.
Enregistrement des paiements reçus	⇒ L'enregistrement des paiements est-il manuel ou se fait-il via un logiciel de trésorerie ? ⇒ Peut-on enregistrer des paiements en euros ? ⇒ Votre banque propose-t-elle des services permettant de simplifier la gestion des paiements reçus ?
Dépôt des chèques et autres moyens de paiement	⇒ Est-il nécessaire d'ouvrir des comptes bancaires en euros ? ⇒ Peut-on déposer des chèques, des traites, recevoir des virements en euros sur un compte en francs ? Vérifier que la banque ne facture pas les prestations de conversion. ⇒ S'assurer que vous pratiquez les conversions de la même façon que vos banques. Ex. : conversion du bordereau de remise.

Tâche	Impact
Enregistrement des règlements effectués	⇒ L'enregistrement des règlements est-il manuel ou se fait-il via un logiciel de trésorerie ? ⇒ Peut-on enregistrer des règlements en euros ? ⇒ Votre banque propose-t-elle des services permettant de simplifier la gestion des règlements effectués ?
Rapprochements bancaires	⇒ Quel est l'impact de l'euro sur les rapprochements automatiques ?
Suivi des prêts et emprunts	⇒ À quelle date les prêts et emprunts bancaires vont-ils être convertis en euros ? ⇒ Vos banques vont-elles vous fournir de nouveaux contrats ? De nouveaux échéanciers ? ⇒ À quelle date devrez-vous convertir vos prêts et emprunts non bancaires ? Nécessité d'harmoniser la conversion avec le tiers concerné.

Paie

3081. Les tâches listées ci-dessous se limitent aux traitements généralement confiés à la responsabilité des services comptables.

Tâche	Impact
Centralisation des écritures de paie	⇒ Nécessité d'obtenir du service paie la date à laquelle le système paie risque de basculer en euros. À quelle date les écritures reçues seront-elles en euros ? ⇒ Quelle solution adopter pendant la période transitoire ?
Établissement des déclarations sociales	⇒ Les déclarations sociales et les éléments issus de la paie seront-ils dans la même devise ? ⇒ Comment est-il possible de passer de l'un à l'autre ?
Réconciliations paie/comptabilité	⇒ Sera-t-il possible de rapprocher des éléments de paie et de comptabilité dans des devises différentes ?
Paiement des salaires	⇒ Pourra-t-on intégrer la notion de devise dans la préparation des paiements ? ⇒ La banque se chargera-t-elle elle-même de convertir les salaires selon les desiderata des salariés ?

Impôts et taxes

3082. Les tâches listées ci-dessous se limitent aux traitements généralement confiés à la responsabilité des services comptables.

Tâche	Impact
Établissement des déclarations fiscales	⇒ Dans le cas d'une comptabilité tenue en euros, comment procéder à la conversion de la liasse fiscale ?
Traitement des taxes liées aux achats et aux ventes	⇒ Durant la phase transitoire, en cas de passage à l'euro, les déclarations devront toujours être établies en francs. ⇒ Comment peut-on passer d'un suivi comptable en euros à une déclaration en francs ? Ce processus peut-il être automatisé ? Comment seront imputés les arrondis ? ⇒ Le système permet-il de calculer une TVA sur des factures libellées dans une devise différente du franc ? ⇒ Est-il possible de séparer dans le système les bases francs des bases euros ? ⇒ La déclaration d'échanges de biens devra-t-elle être adaptée lors de l'introduction de l'UEM ?
Calcul de la taxe professionnelle	⇒ Absence de règles connues à ce jour.
Calcul des autres taxes	⇒ Absence de règles connues à ce jour.

b. Ateliers

3083. Le mode de fonctionnement en ateliers permet un *fort degré d'interaction* entre les participants et l'animateur. Cette interaction est nécessaire pour s'assurer que l'identification des impacts est aussi exhaustive que possible, et l'on aborde là un des facteurs critiques de succès d'un projet euro.

L'euro a de très nombreuses conséquences au sein des entreprises. Leur identification anticipée permet d'élaborer un plan d'action permettant à l'entreprise de passer le cap de la transition dans des conditions acceptables. Dans le cas contraire, le risque de surcharge de travail au moment où les changements deviennent nécessaires est très important. Les corollaires en sont :
— adoption de solutions et de modes de fonctionnement dégradés ;
— impacts négatifs sur le service à la clientèle ;
— pertes de productivité dues à l'urgence et à des solutions non maîtrisées ;
— démotivation du personnel ;
— risque de non-conformité avec les dispositions réglementaires ;
— etc.

Pourquoi un mode interactif est-il nécessaire ? Parce que d'une part, la connaissance approfondie du fonctionnement de l'entreprise, de son environnement, de ses partenaires... est détenue par ses membres. D'autre part la connaissance des contraintes liées à l'euro, mais aussi les événements à venir, les comportements prévisibles, les natures d'impacts probables, en un mot l'expertise sur le sujet est détenue par l'animateur du projet. Seul un échange intense de connaissances entre ces deux types d'interlocuteurs permet de transposer les impacts prévisibles de l'euro dans le cadre précis d'une société donnée.

3084. Nous avons abordé au passage un point important : l'*expertise de l'animateur*. Cette condition nécessaire n'avait pas été abordée lors de la description du rôle et du profil du chef de projet. Elle n'en est pas moins nécessaire, mais il existe plusieurs solutions pour répondre à cet impératif :
— le chef de projet est lui-même **expérimenté** ; il peut avoir acquis une culture approfondie de la problématique euro grâce à une veille active, une participation à des cercles de réflexion professionnels sur le sujet... ;
— il peut avoir été **recruté pour la circonstance** pour avoir déjà cette expérience acquise au sein d'une entreprise ou d'une institution financière — en raison de l'énorme impact que représente l'euro pour cette catégorie de sociétés et de la nécessité d'être totalement prêtes dès 1999, elles ont initié cette démarche depuis plusieurs années ;
— le chef de projet s'adjoint des **compétences externes**, qualifiées pour traiter ce genre de projet ; nombreuses sont les entreprises qui ont recours à des cabinets de consultants pour les assister dans ce domaine.

Une approche interactive est nécessaire, mais elle ne suffit pas à garantir une approche exhaustive dans l'identification des impacts. Il faut également employer une méthode d'approche des différents domaines qui permet de s'assurer que l'on balaie l'aire complète de la structure.

Différentes méthodes peuvent servir de guide afin d'atteindre cet objectif. Le choix de l'une ou l'autre dépend de l'organisation et du contexte propres à chaque société. Pour mémoire, nous en citons quelques-unes, qui peuvent d'ailleurs être combinées entre elles.

3085. *Approche par les processus* — Les différentes activités de la société sont découpées en processus (par exemple : processus commande/livraison/facturation/encaissement, processus études / développement / prototype / fabrication série...).

Chaque processus est ensuite passé en revue et pour chaque stade, les impacts potentiels de l'euro sont évalués. Pour cela, toutes les actions ou zones comportant un montant sont passées en revue afin de déterminer en quoi l'euro peut affecter le processus.

Une modélisation des processus s'avérera utile dans cet exercice. Néanmoins, il faut reconnaître que peu d'entreprises disposent de ce genre de document pour l'ensemble de leurs activités.

3086. *Approche par fonction* — Le découpage est ici différemment effectué, selon les différentes fonctions de l'entreprise. Bien qu'il ne s'agisse pas de la même chose, le découpage en fonctions s'approche souvent, dans une entité donnée, du découpage en services (marketing, production, trésorerie, etc.). Le fait de raisonner par fonctions permet, dans une structure comprenant plusieurs entités, d'avoir une approche commune à l'ensemble des entités.

3087. *Approche par métier* — Ce découpage permet de prendre en compte les particularités propres à chaque activité. Néanmoins, l'étendue des thèmes à traiter au sein d'une activité donnée oblige souvent à adopter un deuxième axe de découpage (processus ou fonction par exemple).

3088. Enfin, un *découpage combinant plusieurs de ces approches* peut être envisagé. Par exemple, approche par métier pour les domaines liés à la clientèle et à la production combinée avec une approche fonctionnelle pour les activités de support (comptabilité, ressources humaines, informatique...).

Notons toutefois que le choix de l'approche effectué guidera le choix de la structure de projet qui devra être cohérente avec celui-ci (la description de différentes structures de projet a été faite aux n°s 2695 s.).

3089. *Combien et quels ateliers doit-on organiser?* — Là encore, la réponse dépend en grande partie de chaque cas, mais également du mode d'organisation choisi (par exemple, une organisation par métiers implique d'organiser au minimum un atelier par métier). Les premières analyses menées au cours de la phase de démarrage/sensibilisation permettent de déterminer à la fois la structure du projet ainsi que le nombre et les thèmes des ateliers.

L'organisation des ateliers visera à équilibrer les impacts — avec la précision relative liée à une étude préalable — de façon à en équilibrer la charge de travail tout en maintenant un certain intérêt et un réel enjeu à chacun d'eux (aspects de motivation et d'implication des participants).

3090. Un des objectifs des travaux menés lors des ateliers consiste à *qualifier chacun des impacts* selon plusieurs critères et notamment :
— degré d'importance (ex. : critique, important, secondaire) ;
— imminence (ex. : dès à présent, durant la période transitoire, en 2002) ;
— probabilité (certain, très probable, incertain).

La synthèse de ces travaux doit alors permettre d'identifier les réels enjeux afin de faciliter le choix d'une stratégie de migration.

4. Stratégie de migration

3091. La stratégie de migration fixe le cadre général de l'intégration de la transition, mais n'a pas pour vocation de définir point par point une série de règles qui n'auraient ensuite qu'à être déclinées dans les différentes structures.

La stratégie de migration vise à :
— déterminer une attitude générale vis-à-vis de l'euro (exemples : leader, opportuniste, orientée par les coûts, suiveur...) ;
— définir un certain nombre d'orientations ou encore fixer quelques choix fondamentaux permettant de borner le périmètre de recherche des solutions.

Ces orientations peuvent être de différentes natures :
— contraintes de dates pour certaines opérations ;
— principes généraux (par exemple : obligation pour toutes les filiales d'accepter les factures en euros de clients qui le demanderaient) ;
— homogénéité des solutions imposées à l'ensemble des structures dans certains domaines (par exemple : bascule du reporting ou des comptabilités à une date unique).

3092. À titre d'*exemple*, la représentation d'une stratégie de migration est illustrée par le schéma suivant (l'exemple, tiré d'un cas réel, décrit la stratégie de migration d'un groupe en ce qui concerne les domaines achats et ventes; fait intéressant, ce groupe n'est pas basé dans un pays de l'Union européenne) :

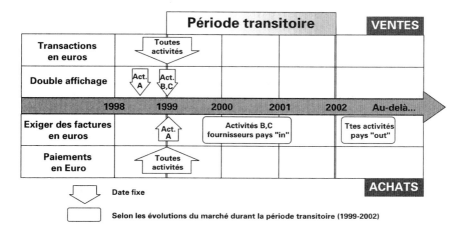

On voit sur cet exemple que le groupe imprime une tendance en guidant l'attitude de ses différentes composantes. Néanmoins, le niveau détaillé de décision reste du ressort de chaque entité. Par exemple, en ce qui concerne la facturation des ventes en euros, différentes options demeurent possibles :
— facturation en monnaie locale et conversion du net à payer en euros;
— facturation entièrement en euros pour les clients qui le demandent, en monnaie locale pour les autres;
— duplication de tous les éléments de prix et double affichage de tous les montants constitutifs du net à payer.

3093. Une stratégie de migration n'est donc pas une description détaillée des actions à engager, mais vise à décrire une attitude générale vis-à-vis de la problématique euro. On peut classer les stratégies de différentes façons. En voici une à titre d'*exemple* :
— leader — décrit une attitude résolument proactive, innovante et qui va au devant des préoccupations des partenaires de l'entreprise, et qui vise à le faire savoir; ce type de stratégie, il faut le reconnaître, est dorénavant hors de portée des entreprises n'ayant pas de projet de migration en cours au début de 1999;
— opportuniste — vise à limiter les investissements à certains domaines pour lesquels l'intérêt d'une évolution est manifeste;
— réactif — stratégie d'attente ayant pour but de différer les investissements en espérant profiter de l'expérience des autres entreprises et en limitant au maximum les actions d'accompagnement.

Une question peut alors venir à l'esprit. *Quelle est la meilleure* de ces stratégies? Il n'y a pas de réponse toute faite; cela dépend de la situation de chaque entreprise. Un certain nombre d'enseignements peuvent néanmoins être tirés de l'expérience.

3094. Tout d'abord, de nombreuses sociétés ont eu tendance à opter dans un premier temps pour la **première option**. Elle apparaissait **valorisante**, incitait à la créativité et faisait une large place aux aspects stratégiques. Néanmoins, cette stratégie a un coût de mise en œuvre. C'est à ce moment-là — lorsque les premiers chiffrages ont été effectués — qu'une part significative des décideurs ont eu tendance à se replier sur la deuxième, voire la troisième option.

Il est important de souligner que ce type de stratégie, résolument offensive, a un coût, et qu'elle n'a d'intérêt que si l'entreprise entend saisir l'opportunité de l'euro pour se démarquer vis-à-vis de la concurrence, soit au moyen de produits ou services innovants, soit en adoptant un nouveau mode d'organisation — achats, ventes par exemple —, soit en s'implantant sur de nouveaux marchés, etc.

> Nous citerons à ce titre un seul exemple; il provient de l'*industrie aéronautique*, secteur s'il en est dominé par le dollar US. Or, il se trouve qu'une compagnie aérienne européenne — Sabena en l'occurrence — a passé dès 1998 une commande importante (34 appareils) à Airbus en demandant au consortium que l'offre et la facturation soient établies en euros. Depuis, d'autres compagnies ou organismes de leasing d'avions ont suivi cette démarche, basée sur le fait qu'une partie importante de leurs ressources provenant des pays de l'UEM, il était logique de libeller une part similaire de leurs dépenses dans la devise de ces pays, l'euro, afin de réduire fortement le risque de change.

Dans des cas de figure, cette stratégie a un intérêt manifeste; les opportunités existant — nombreuses — il nous est apparu nécessaire de la mentionner, mais à condition d'en citer les dangers (son coût).

3095. À l'opposé, une **stratégie attentiste** constitue également un pari. Celui fait par une catégorie de dirigeants qui voient l'euro comme un coût et une contrainte. C'est leur choix et peut-être — même si nous en doutons fort — que dans leur secteur d'activité, dans leur entreprise et sur leur marché, l'euro n'a finalement pas d'impact significatif.

Ce pari repose sur le fait que plus on attend pour engager les travaux de migration, plus **on bénéficiera de l'expérience accumulée par les autres**. Cela est en partie vrai car les premières sociétés à avoir initié une démarche sur l'euro se sont heurtées à de nombreuses incertitudes (décrets d'application des directives européennes inexistants, attitude de l'administration encore floue, réaction du public mal connue, etc.). Néanmoins, ces inconvénients sont à comparer au risque que représente une migration dans l'urgence, à la fin de la période transitoire, mobilisant des ressources importantes avec un impératif de résultats, sans report possible de la date de basculement.

Le risque est alors d'investir des moyens importants dans un projet d'adaptation que les concurrents auront déjà mené, ces derniers se consacrant pendant ce temps à d'autres projets stratégiques visant à maintenir ou accroître leurs avantages concurrentiels.

Le choix d'une telle stratégie, s'il n'est pas à exclure a priori, doit être mûrement réfléchi.

3096. La **solution médiane** quant à elle dilue les avantages et les inconvénients des deux autres. C'est également celle qui est le plus souvent adoptée. Elle ne doit cependant pas constituer un non-choix et elle ne dispense aucunement d'une étude approfondie afin de déterminer les domaines dans lesquels les opportunités peuvent être saisies. Dans le cas contraire, elle pourrait se révéler la pire des stratégies, cumulant les inconvénients des deux autres, sans en générer les bénéfices.

3097. *Plusieurs stratégies à la fois* : La stratégie euro adoptée par les entreprises n'a pas été monolithique. En fait une entreprise peut avoir autant de stratégies euro que de types de relations avec des partenaires externes ou internes. Pour chacune de ces relations, le niveau d'ambition de la stratégie sera proportionné aux enjeux.

Par exemple, une entreprise pourrait choisir d'être :
— « euro leader » vis-à-vis de ses clients et de ses employés ;
— opportuniste vis-à-vis de ses fournisseurs ;
— attentiste pour ce qui concerne la comptabilité ;
— etc.

C. Solutions

1. En quoi consiste une solution ?

3098. La stratégie étant définie, il s'agit d'élaborer une ou plusieurs solutions (on parle alors de scénarii) décrivant de manière plus *précise* la façon de prendre en compte les impacts et de les traiter.

Toute solution doit être *déclinée* selon les différentes structures retenues pour l'analyse. Cela peut être aussi bien les pays que les branches ou les directions. Il est à noter que plus l'on s'approche de la mise en œuvre — et la conception de la solution en constitue les prémices — plus il devient opportun d'adapter la structure du projet en fonction de la structure hiérarchique et décisionnelle de la société.

Une solution ne saurait être complète sans un *budget* détaillé des dépenses d'adaptation à l'euro.

2. La méthode employée est identique à celle de la phase diagnostic

3099. Pour des raisons similaires, une organisation des travaux sous forme d'*ateliers* paraît ici encore la plus appropriée. On peut toutefois signaler que l'objectif d'exhaustivité fait plutôt place dans le cas des solutions à celui de consensus. En effet, une certaine cohérence des solutions sera recherchée tout en laissant l'autonomie souhaitée aux différentes entités.

3. Budgets

3100. Les budgets constituent un élément important de toute solution ou scénario, compte tenu des coûts significatifs liés au passage à l'euro. En effet, ces coûts représentent, selon les entreprises, de l'ordre de **0,5 % du chiffre d'affaires annuel**, avec des variations généralement comprises dans une fourchette de 0,2 % à 1 %. Même s'il s'agit d'une charge non récurrente, l'ampleur des montants en jeu justifie une approche détaillée à ce niveau.

Parmi les coûts, une part importante est liée aux **adaptations des systèmes d'information**, domaine qui fait l'objet du chapitre 6, n°s 2600 s. Ces dépenses représentent en moyenne les deux tiers du coût total, avec là encore des variations selon les cas dans une plage de 50 % à 80 %.

Pour le reste, c'est-à-dire les dépenses non liées aux systèmes d'information, bien que les postes de dépenses soient très divers, certains d'entre eux sont néanmoins assez significatifs dans la plupart des cas. On peut notamment citer :
— la **formation du personnel** (explication des mécanismes, règles de gestion, conduite à adopter face aux demandes des clients et partenaires...) ;
— la **communication** (information des clients et fournisseurs, publicité, opérations marketing...) ;
— l'**affichage des prix** (sur le lieu de vente, brochures, prospectus, formulaires pré-imprimés, catalogues de prix...).

Un **chiffrage détaillé** ne peut se faire qu'à partir du moment où la solution est connue. Néanmoins, cet exercice comportant un caractère prédictif assez important — il s'agit de préparer un budget pour les trois ou quatre années à venir d'actions dont les modalités de mise en œuvre ne sont pas toutes définitivement figées — un engagement sur des montants est parfois assez difficile à obtenir.

C'est pourquoi il peut être intéressant d'initier cette recherche d'information assez tôt, dès le début de cette phase, sur la base des résultats de l'analyse d'impact. Certains postes de dépenses, tels que l'adaptation de systèmes obsolètes par exemple, peuvent déjà faire l'objet d'une première estimation à ce stade.

Nous ne nous étendrons pas sur les aspects propres à toute démarche budgétaire, que l'on rencontrera inévitablement :
— imputation des dépenses (exemple : remplacement d'un système obsolète — quelle est la part due à l'euro ? à l'an 2000 ? aux évolutions des besoins des utilisateurs ?) ;
— capacité à s'engager sur des montants ;
— objectivité des informations (tendance à générer des marges de sécurité) ;
— réalisme des estimations ;
— etc.

À titre d'**illustration**, deux grilles budgétaires sont présentées ci-après. Elles reprennent certains des postes les plus significatifs. Elles n'ont aucun caractère exhaustif dans leur contenu et doivent être complétées ou modifiées en fonction des postes de dépenses propres à chaque situation.

Grille budgétaire — coûts systèmes d'information
3101.

Montants en '000 FRF	Édi-teur	1re esti-mation	Votre estimation		Interne/ externe	Date de mise en œuvre	Répartition des coûts sur la période (%)					Méthode utilisée : inducteurs, coûts, coûts unitaires, volume
			Jours h	000' FRF			1998	1999	2000	2001	2002	
ADMINISTRATIFS + LOCAUX SI												
COMPTABILITÉ												
APPLICATION 1 (ex. : Cpta générale + tiers)												
Conversion des données												
Spécifications détaillées												
Conception/développement												
Tests												
Mise en œuvre/déploiement												
Matériel												
Formation												
APPLICATION 2 (ex. : immobilisations)												
Conversion des données												
Spécialisations détaillées												
Conception/développement												
Tests												
Mise en œuvre/déploiement												
Matériel												
Formation												
REPORTING												
APPLICATION 3 (idem supra)												
RESSOURCES HUMAINES												
APPLICATION 4 (idem supra)												
OPÉRATIONNELS SI												
APPLICATION 5 (idem supra)												
APPLICATION 6 (idem supra)												
TABLEURS												
Conversion des fichiers existants												
Modification des valeurs dans les grilles												

Grille budgétaire — coûts hors systèmes d'information
3102.

Montants en '000 FRF	ACTIVITÉ 1		Répartition des coûts sur la période (%)					Méthode utilisée
	1re évaluation	Votre évaluation	1998	1999	2000	2001	2002	
Coûts hors informatique								
FORMATION								
Encadrement								
Vendeurs								
Chefs de produits								
Personnel Dir. Informatique								
Personnel Dir. Fin. & Adm.								
Autres (préciser)								
COMMUNICATION								
Mailings								
Matériel publicitaire (boutiques)								
Réunions clients/prospects								
Voyages/manifestations								
Autres (préciser)								
CONSEIL								
Juridique								
Comptable								
Fiscal								
Gestion du projet								
Autres								

D. Plan de migration

3103. La solution étant choisie, et déclinée au niveau de chaque entité, il s'agit de préparer sa mise en œuvre en définissant un planning d'intervention.

Un plan de migration peut être constitué :
— d'un planning général — conforme à la stratégie de migration établie — établi pour l'ensemble de la période ;
— de plannings détaillés de type PERT, GANTT — couvrant une période plus réduite ;
— de fiches action.

3104. Un *exemple de planning général* est présenté ci-dessous :

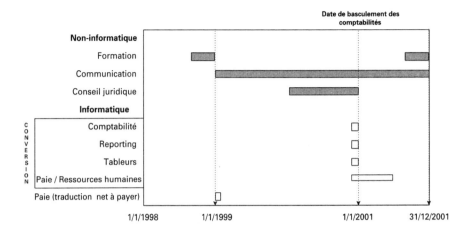

3105. Une *fiche action* est également jointe à titre d'exemple :

Responsable action	Date début	Date fin	
			Fiche action n°

Actions préalables	Actions suivantes liées

Objectif

Principales tâches à réaliser

Produit fini attendu	Participants

Risques

Indicateurs de suivi

SECTION IV

Suivi et mise en œuvre d'un projet euro

3106. Le plan de migration a défini l'ensemble des sous-projets à gérer ainsi que leur calendrier. Il s'agira donc ici de mettre en valeur les grands principes nécessaires à une bonne gestion de ces différents chantiers.

Cette partie n'a pas pour objet de définir en détail les éléments à prendre en compte dans la gestion des sous-projets (ces éléments sont en effet trop spécifiques à chaque processus de gestion et à chaque entreprise), mais bien plus de souligner les grands enjeux liés à cette gestion.

A. Problématique de la mise en œuvre

1. Contexte

3107. Comme on a déjà pu le souligner, la définition et la mise en œuvre d'un projet euro présentent une *complexité multidimensionnelle* :
— fonctionnelle ;
— organisationnelle ;
— technique.

Cette complexité se traduit pour le chef de projet euro par les *préoccupations* suivantes :
— quels sont les besoins ?
— quelles sont les ressources à ma disposition ?
— quelles personnes faire intervenir ? pour quelles contributions ?
— comment prendre en compte les aspects extérieurs ?
— quelle démarche retenir ?
— comment contrôler l'avancement du projet et en assurer la qualité ?
— comment gérer l'équilibre entre les coûts, les délais et la qualité ?
— comment maîtriser les risques de dérapage ?
— comment s'assurer du respect des engagements pris par les prestataires extérieurs ?
— quelle visibilité donner à la direction générale pour faciliter les arbitrages ?
— comment susciter l'adhésion des personnels ?

Ainsi, il apparaît important de cerner les objectifs prioritaires à mettre en œuvre pour assurer la bonne marche du projet tout au long de sa réalisation.

2. Objectifs

3108. La gestion des différents projets qui découlent du plan de migration doit reposer sur des objectifs clairs.

Définir la structure, le calendrier, et le budget du plan d'action — Le plan de migration précédemment décrit remplit l'ensemble de ces objectifs.

Assurer l'apport méthodologique et le transfert de savoir-faire — L'apport méthodologique doit souvent être fourni par des partenaires extérieurs. Une étude réalisée à la fin de 1997 par PriceWaterhouseCoopers auprès d'entreprises européennes a en effet révélé que la première contrainte décelée par les organisations dans leur migration vers l'euro était de ne pas disposer des ressources techniques et humaines nécessaires pour réaliser le projet.

Permettre la décision et l'action rapide par une présentation synthétique et systématique à l'instance de pilotage— Ce point s'avère particulièrement essentiel dans les cas de dysfonctionnements de coordination ou encore lorsque le chef de projet anticipe des dérives, des difficultés, des points d'écueil et d'arbitrage.

Assurer la mise en œuvre des décisions prises par l'instance de pilotage dans les meilleurs délais.

Assurer l'expertise tout au long du projet dans les domaines fonctionnels concernés — Ces domaines sont entre autres le marketing, les ventes, le service au client, la finance, etc. Là encore, la nécessité de faire appel à des partenaires extérieurs apparaît souvent comme une solution ayant la faveur des entreprises.

Assurer la gestion du projet en termes de communication, d'animation des équipes (techniques de « wall-charting », de « brainstorming », etc.), de coordination et motivation des équipes projet...

et ce autour des trois éléments essentiels de délais, coûts et qualité.

PROJET EURO

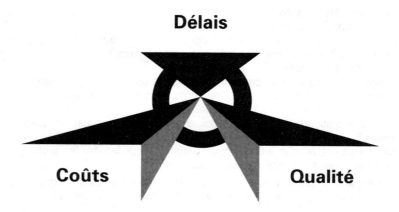

Délais

Coûts   **Qualité**

B. Éléments clés de la maîtrise d'un projet euro

3110. La gestion de sous-projets liés à l'euro peut se résumer en *quatre phases* :
— définir précisément les sous-projets ;
— préparer le projet ;
— piloter le projet ;
— vérifier le bon déroulement du projet.

1. Définir les sous-projets

3111. Le plan de migration a précisément donné l'orientation et le calendrier des différents sous-projets. Il n'a bien entendu pas pu tenir compte des spécificités de mise en œuvre. Il s'agit donc ici de souligner les *grandes étapes* de définition et de coordination.

Segmenter le projet

3112. Même s'il s'agit déjà d'un sous-projet, la dimension d'un projet euro est significative en termes de ressources et de temps. C'est pourquoi, il est souvent nécessaire de séparer de nouveau le projet en tâches pour :
— ramener le projet à des dimensions plus contrôlables ;
— permettre des avancements en parallèle de parties du projet distinctes et gagner sur les délais de réalisation ;
— rechercher les meilleures compétences pour réaliser un travail bien déterminé ;
— diminuer les risques en faisant appel à des prestataires spécifiques différents ;
— réaliser en interne une partie du projet ;
— avoir le choix de trajectoires de mise en œuvre variées de façon à progresser au rythme des impératifs des différents métiers ;
— gérer les coûts de façon plus segmentée et donc réduire les risques.

Intégrer les quatre dimensions d'une organisation (hommes et culture, structure, processus, technologie)

3113. Pour segmenter ces lots, il est ainsi pratique d'adopter une approche qui intègre les quatre dimensions d'une organisation dans une perspective d'amélioration globale. Le schéma ci-dessous résume ces quatre dimensions :

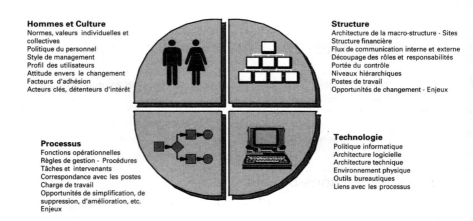

Hommes et Culture
Normes, valeurs individuelles et collectives
Politique du personnel
Style de management
Profil des utilisateurs
Attitude envers le changement
Facteurs d'adhésion
Acteurs clés, détenteurs d'intérêt

Structure
Architecture de la macro-structure - Sites
Structure financière
Flux de communication interne et externe
Découpage des rôles et responsabilités
Portée du contrôle
Niveaux hiérarchiques
Postes de travail
Opportunités de changement - Enjeux

Processus
Fonctions opérationnelles
Règles de gestion - Procédures
Tâches et intervenants
Correspondance avec les postes
Charge de travail
Opportunités de simplification, de suppression, d'amélioration, etc.
Enjeux

Technologie
Politique informatique
Architecture logicielle
Architecture technique
Environnement physique
Outils bureautiques
Liens avec les processus

Assurer une communication de qualité tout au long du projet

3114. Une structure de projet adaptée est indissociable de la mise en place des éléments de coordination nécessaires au bon déroulement de celui-ci. On ne saurait insister trop sur l'importance que revêt cet aspect de la gestion de projet. Les corollaires associés à une mauvaise communication sont en effet nombreux d'un point de vue humain (démotivation, résistance au changement...), budgétaire (mauvaise évaluation du budget nécessaire, augmentation des coûts due aux « rattrapages » de dernière minute...), résultats (non-respect des délais...)... Définir la stratégie de communication apparaît donc essentiel au regard des risques qu'elle fait encourir à la réussite du projet tout entier.

Ainsi, une *démarche spécifique* est à mener de façon rigoureuse. Elle peut être résumée dans le schéma suivant :

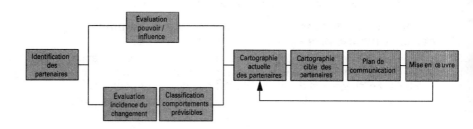

2. Préparer les sous-projets

3115. Les principales *étapes* à respecter lors de la préparation de ces sous-projets sont :

— la définition d'une méthodologie éprouvée ;
— la détermination d'une structure du sous-projet et la clarification des responsabilités ;
— la définition d'un plan-qualité en collaboration avec le comité de pilotage ;
— l'allocation des ressources nécessaires ;
— l'élaboration d'un planning spécifique et détaillé des tâches à réaliser.

3. Piloter les sous-projets

3116. La démarche de pilotage peut classiquement être résumée par le schéma suivant :

La réussite d'un sous-projet ou d'une tâche est liée aux trois facteurs suivants :
— la **qualité des structures et des équipes** retenues ;
— les **délais de réalisation** (qui doivent apparaître particulièrement fermes du fait des échéances extrêmement claires dans le cadre du passage à la monnaie unique) ;
— le **coût** du projet, résultant des deux paramètres précédents.

Pour adopter une méthode précise, on prendra donc en compte les éléments suivants.

Appliquer les objectifs du projet

3117. Devant l'ampleur du projet euro, le respect strict des objectifs du projet est impératif. Pour cela, il est nécessaire d'avoir une idée claire :
— des **ressources utilisées** et **disponibles** à chaque instant. C'est pourquoi la première étape dans le pilotage est de structurer les besoins nécessaires à la réalisation du projet. C'est alors la capacité du chef de projet à réaliser l'adéquation entre ces besoins et les ressources disponibles qui sera déterminante ;
— des **échéances** pour chacun des sous-projets ;
— des **solutions alternatives** en cas d'échec, solutions qui doivent remplir l'objectif initial ; cet élément suppose une capacité à rapporter au groupe de pilotage de façon rapide et d'assurer une prise de décision dans les meilleurs délais ;
— de la **bonne compréhension par tous** des rôles distribués et des informations disponibles.

Coordonner les équipes

3118. Le chef de projet a la délicate tâche de gérer des sous-projets qui peuvent s'avérer extrêmement variés. Il lui incombe donc de toujours conserver le recul nécessaire à la bonne marche de chacun des sous-projets. C'est pourquoi il devra privilégier une **approche de convergence** progressive de l'ensemble des travaux plutôt qu'une succession de visions détaillées mais parcellaires du projet.

Il devra pour cela fixer des objectifs intermédiaires aux différents travaux réalisés par les équipes. Il aura également à charge d'assurer la coordination en répercutant à bon escient les problèmes et questions soulevés par une équipe. Il devra ainsi veiller à la motivation des participants, tenter d'instaurer un climat de confiance et de solidarité, faciliter la communication informelle...

Communiquer

3119. La communication, on l'a déjà souligné, est un élément essentiel du succès, surtout compte tenu des particularités notamment légales (incertitudes liées aux décisions juridiques, aux interprétations fiscales, aux conversions et arrondis...). Il y a donc une forte nécessité de mettre en place une veille euro qui retrace l'ensemble des nouveautés concernant l'euro (textes législatifs, échéances légales, méthodologies mises en œuvre dans d'autres entreprises, exemples de communication...).

Cette communication doit se faire dans un cadre clairement défini, reposer sur la culture de l'entreprise et se fondre dans l'existant (dans le souci de ne pas dramatiser l'ampleur du projet).

La régularité de la communication est également importante et il ne faut pas perdre de vue qu'une communication doit se faire de manière différenciée en fonction des interlocuteurs. Elle ne doit donc pas apparaître comme le fait d'une seule et même personne mais impliquer l'ensemble des acteurs du projet. Des éléments de communication ont déjà été mis en valeur dans la partie consacrée spécifiquement à la dimension sociale du passage à l'euro.

Anticiper les risques

3120. Il faut ici distinguer les risques internes des risques externes.

Les *risques internes* sont nombreux mais sont gérables dès lors que la méthode est correctement appliquée. Néanmoins, il faut rappeler les risques le plus souvent rencontrés afin d'éviter les pièges : indisponibilité des ressources, analyse incomplète ou mauvaise définition des besoins, impasses techniques, mauvaise communication, dérapage des délais et des coûts, résistance au changement.

Les *risques externes* eux sont liés à des événements dont il faut également prendre la mesure ; on peut citer notamment les évolutions dans la réglementation ou de la jurisprudence liée à l'euro, des livraisons ou services incomplets de la part des prestataires informatiques extérieurs, les contraintes (notamment de délai) imposées par les partenaires externes de l'entreprise,...

Préparer les arbitrages

3121. Les arbitrages naissent dès la définition des besoins. La hiérarchisation des besoins doit en effet se faire au regard de la contribution de chacun de ces besoins aux objectifs réels du projet.

L'étape suivante consiste à mettre en évidence les alternatives qui se présentent au cours du projet et à les positionner par rapport aux objectifs réels du projet (avantages/inconvénients). Une fois cette hiérarchisation effectuée, il s'agira de mettre en œuvre les priorités de pilotage (qualité, délais, coûts...).

La préparation des arbitrages intervient à chaque type de réunions : les *réunions d'avancement*, qui ont pour objectif d'identifier les dérives, d'apprécier leurs impacts, de localiser les difficultés et d'en suivre la résolution ; les **réunions techniques**, qui ont pour objectif d'identifier précisément les difficultés, de les analyser et de proposer des solutions ; les **réunions de pilotage**, qui ont pour objectif d'assurer une revue de l'avancement global du projet, de décider des solutions à mettre en place (et des nouveaux moyens à affecter le cas échéant), et d'en fixer la priorité de mise en œuvre.

4. Vérifier le bon déroulement du projet

3122. Un projet euro est une œuvre de longue haleine qui se déroule sur plusieurs années. C'est donc une bonne pratique de management que de procéder périodiquement à un *« bilan de santé » du projet*.

Ce bilan de santé, réalisé par une entité indépendante du projet, visera en particulier à :

— vérifier que la **stratégie euro** a été clairement formalisée, qu'elle s'appuie sur des hypothèses explicites, que ces hypothèses sont confirmées ou plausibles (par une veille sur l'environnement interne et externe) ;

— vérifier que l'**analyse d'impact**, les **solutions retenues**, le **plan de migration** ont été revus et le cas échéant adaptés en cas d'évolution des hypothèses et de la stratégie euro ;

— vérifier que toutes les **zones d'impacts potentiels** ont été examinées et traitées. Ainsi la méthodologie de PriceWaterhouseCoopers comprend un millier de questions qui, pondérées par le niveau d'ambition de la stratégie euro, permettent d'établir un score de couverture par fonction ou par type de risque ;

— contrôler le bon fonctionnement des mécanismes de **gestion de projet** et de **gestion de programme** ;

— apprécier l'**évaluation** faite **des risques** de projet, vérifier l'existence de **plans de secours**, contrôler les **comptes à rebours** et les critères de déclenchement de ces plans de secours ;

— émettre des recommandations pour **optimiser** le fonctionnement du projet (coût-délai-qualité), ou le remettre sur les rails en cas d'incident grave détecté.

Le chapitre IX détaille les éléments permettant de mettre sous contrôle les risques du projet euro et de transformer en opportunités les facteurs de sensibilité d'une entreprise.

3123. En résumé :

⇒ La migration vers l'euro doit être **préparée sans tarder** si ce n'est déjà fait ;

⇒ L'euro doit être géré comme un **projet à part entière** ; c'est un projet transversal intéressant tous les secteurs des entreprises ;

⇒ Une **sensibilisation** constitue un **préalable nécessaire**, voire indispensable à un projet de ce type ;

⇒ Un mode de **fonctionnement interactif** doit être retenu ; l'organisation d'ateliers est une des solutions possibles ;

⇒ Deux phases d'étude principales sont à prévoir : analyse d'impact et recherche de solutions/élaboration de scénarios ;

⇒ Le projet se gère dans la **durée** : il durera trois ans. Il est nécessaire de mettre en place des structures pérennes, ainsi qu'une cellule de veille.

Annexe

Nom de l'entreprise	Nom de l'interlocuteur
Adresse	
Téléphone	Date
Fax	

Passage à l'euro

---

serez-vous prêt ?

Passage à l'euro, serez-vous prêt?

L'objet de ce questionnaire d'auto-évaluation est de vous permettre de juger, sur la base de quelques questions simples, dans quelle mesure votre entreprise va être impactée par l'introduction de la monnaie unique et du degré d'avancement des travaux de migration.

Ce questionnaire ne prétend pas à l'exhaustivité. Il vise surtout à vous sensibiliser à quelques aspects parfois méconnus de la monnaie unique et de ses impacts ou de la façon de gérer le projet de migration.

Ce questionnaire a été conçu dans une optique générale (différentes tailles d'entreprises, dans tous les secteurs industriels et de services — hors financiers — dans tous les pays) et à ce titre ne peut être considéré comme suffisant. Il doit être complété par un travail de sensibilisation approfondi et par une analyse d'impact détaillée adaptés au contexte spécifique de chaque entreprise.

Ce questionnaire a été réalisé par le

Centre d'Expertise Euro de PriceWaterhouseCoopers

FACTEURS DE SENSIBILITÉ À L'EURO

F1 Quelle est la structure internationale de votre groupe ?

- [ ] Essentiellement française
- [ ] Essentiellement française avec des activités commerciales en Europe
- [ ] Internationale avec prédominance des filiales françaises
- [ ] Européenne
- [ ] Mondiale/globale

Remarques/exemples : Plus la structure du groupe est internationale, plus on peut supposer un volume élevé de transactions financières dans différentes devises et plus la coordination entre filiales des différents pays sera nécessaire.

Justifiez votre réponse :

F2 Quelle est la culture de management de votre groupe ?

- [ ] Plutôt centralisée
- [ ] Peu centralisée
- [ ] Moyennement centralisée
- [ ] Relativement décentralisée
- [ ] Plutôt décentralisée

Remarques/exemples : Les groupes à culture plutôt décentralisée ont souvent des systèmes, des organisations et des processus différents car spécifiques à chaque structure. En conséquence, les analyses d'impact ne peuvent pas être menées globalement mais doivent l'être au niveau de chaque site. Les économies d'échelle sont difficiles à trouver (peu de solutions communes envisageables). La coordination des travaux de migration est également rendue plus difficile.

Justifiez votre réponse :

FACTEURS DE SENSIBILITÉ À L'EURO (suite)

F3 Vos activités impliquent-elles des contacts avec le consommateur final ?

- [ ] Pas du tout
- [ ] Peu
- [ ] Indirectement (SAV, réclamation)
- [ ] Indirectement (vente via canal externe)
- [ ] Directement (vente par canal interne)

Remarques/exemples : Le changement de devise de référence sera difficile pour les particuliers (combien raisonnent encore en « anciens francs », même parmi ceux nés après l'arrivée des « nouveaux francs » ?). L'appropriation de la nouvelle référence monétaire nécessitera de la part des fournisseurs et des distributeurs un long travail de sensibilisation, d'information voire d'assistance.

Justifiez votre réponse :

F4 Vos produits/services sont de quelles valeurs unitaires ?

- [ ] Fort
- [ ] Assez fort
- [ ] Moyen
- [ ] Assez faible
- [ ] Faible

Remarques/exemples : Sur les articles de petit montant ou à marge faible, les impacts de tarification peuvent être très sensibles :
* Impact sur la marge des arrondis de conversion
* Refixation de prix psychologiques
* Évolution des packaging (pour ajustement sur des prix psychologiques...).

Justifiez votre réponse :

FACTEURS DE SENSIBILITÉ À L'EURO (suite)

F5 Votre politique de tarification est-elle différenciée par pays ? Existe-t-il des divergences de tarifs entre pays ?

- ☐ Faibles
- ☐ Assez faibles
- ☐ Moyennes
- ☐ Assez fortes
- ☐ Fortes

Remarques/exemples : Les divergences tarifaires actuelles entre pays sont masquées par les effets de change et les fluctuations de taux. La généralisation de l'euro rendra transparents les tarifs et plus difficilement acceptables les différences de tarifs.

Justifiez votre réponse :

F6 Avez-vous des grands clients (directs ou indirects) internationaux ?

- ☐ Pas du tout
- ☐ Peu
- ☐ Oui, en indirect surtout
- ☐ Oui, en direct et en indirect
- ☐ Oui, en direct

Remarques/exemples : Les grands clients internationaux feront pression pour un basculement plus rapide à l'euro. En cas de divergences tarifaires, ils exerceront une forte pression pour aligner les tarifs sur ceux du pays le plus bas. L'arrivée de l'euro peut accélérer la création de structures dédiées au traitement des grands comptes.

Justifiez votre réponse :

FACTEURS DE SENSIBILITÉ À L'EURO (suite)

F7 — Quel est votre profil de clientèle ?

- [ ] Nombreux grands clients
- [ ] Majorité de grands clients et quelques petits
- [ ] Équilibre en grands et petits clients
- [ ] Majorité de petits clients et quelques grands clients
- [ ] Nombreux petits clients

Remarques/exemples : Les petits clients seront sans doute prêts moins vite à basculer à l'euro. Ils pourraient nécessiter plus d'assistance, concentrée au dernier moment.

Justifiez votre réponse :

F8 — Votre activité fait-elle appel à des réseaux de partenaires (joint-ventures, fournisseurs privilégiés de rang 1, sous-traitants, co-traitants, façonniers, distributeurs,...) avec lesquels des relations opérationnelles étroites ont été nouées (EDI, juste à temps, ECR — Efficient Consumer Response, Stocks en consignation, autofacturation, VMI — Vendor Managed Inventory, etc.) ?

- [ ] Nombreux partenaires en relation
- [ ] Majorité de partenaires en relation et quelques partenaires en lien étroit
- [ ] Équilibre entre partenaires en lien étroit et en relation
- [ ] Majorité de partenaires en lien étroit et quelques partenaires en relation
- [ ] Nombreux partenaires en lien étroit

Remarques/exemples : Dans le cas de fonctionnement en chaîne de valeur multi-entreprise ou entreprise étendue, la migration à l'euro ne peut être envisagée de manière isolée mais doit être coordonnée voire synchronisée entre votre entreprise et plusieurs autres structures externes (sur lesquelles vous disposeriez d'un moindre niveau de contrôle).

Justifiez votre réponse :

FACTEURS DE SENSIBILITÉ À L'EURO (suite)

F9 | Votre politique sociale/salariale est-elle différenciée par pays? Existe-t-il des divergences de salaires entre pays?

☐ Pas du tout
☐ Faiblement
☐ Moyennement
☐ Assez fortement
☐ Fortement

Remarques/exemples : Les divergences salariales actuelles entre pays sont masquées par les effets de change et les fluctuations de taux. La généralisation de l'euro rendra transparents les salaires et plus difficilement acceptables les différences. Les calculs de conversion et d'arrondi peuvent avoir un impact significatif sur les salaires et peser sur les négociations salariales.

Justifiez votre réponse :

F10 | Faites-vous appel à des financements (court, moyen et long terme) sur les marchés (monétaires et financiers)?

☐ Pas du tout
☐ Faiblement
☐ Moyennement
☐ Assez fortement
☐ Fortement

Remarques/exemples : Les marchés financiers vont être chamboulés. De nouveaux produits (taux de change) vont être créés. La concurrence bancaire va s'intensifier. De nouvelles modalités de financement pourraient être envisagées (conversion en euros des dettes aujourd'hui libellées en devises nationales). Les banques devraient offrir des services complémentaires (de type Global Cash Management).

Justifiez votre réponse :

FACTEURS DE SENSIBILITÉ À L'EURO (suite)

(F11) Quel est votre volume de transactions?

☐ Essentiellement des transactions de forts montants
☐ Majorité de transactions de forts montants et quelques transactions de faibles montants
☐ Équilibre entre transactions de faibles montants et de forts montants
☐ Majorité de transactions de faibles montants et quelques transactions de forts montants
☐ Nombreuses transactions de faibles montants

Remarques/exemples : Un volume de transactions élevé génère des besoins importants en systèmes d'information (automatisation maximum pour améliorer la productivité, sophistication des outils d'aide aux utilisateurs...).

Justifiez votre réponse :

(F12) Vos applications informatiques sont-elles homogènes (exemple : une seule application achat ou une seule application comptable ou une seule application de gestion commerciale utilisées par l'ensemble de vos structures?

☐ Oui
☐ Plutôt
☐ Partiellement
☐ Pas vraiment
☐ Non

Remarques/exemples : L'analyse d'impact et les modifications des applications (pour les rendre compatibles à l'euro) devront être faites autant de fois qu'il y a d'applications différentes.

Justifiez votre réponse :

MANAGEMENT DE PROJET

P1 Avez-vous organisé un groupe de travail pour identifier l'impact de l'euro et proposer une stratégie de migration?

- [ ] Oui
- [ ] Plutôt oui
- [ ] Partiellement

- [ ] Pas vraiment
- [ ] Non

Remarques/exemples : L'importance — stratégique, opérationnelle, technique — d'un projet euro justifie la constitution d'un groupe de travail dédié.

Justifiez votre réponse :

P2 Ce groupe de travail est-il équilibré (représente-t-il l'ensemble des fonctions de l'entreprise et pas seulement la finance et/ou l'informatique)?

- [ ] Oui
- [ ] Plutôt
- [ ] Partiellement

- [ ] Pas vraiment
- [ ] Non

Remarques/exemples : L'euro n'est pas simplement « une devise de plus à traiter ». Potentiellement, la majorité des modes de fonctionnement de l'entreprise peut être impactée. Au-delà de la stricte adaptation au basculement des systèmes d'information, les personnels devront être informés et formés. La migration à l'euro de l'entreprise devra être expliquée aux partenaires externes (clients, fournisseurs, banques,...) au fur et à mesure du passage en euro des chaînes de facturation et d'achats. Le groupe de travail devrait donc comprendre des représentants de toutes les fonctions de l'entreprise :
— Direction générale (aspects stratégiques)
— Directions opérationnelles (Achats, Commercial, Logistique...)
— Directions fonctionnelles (Finances, Informatique, Ressources Humaines...).

Justifiez votre réponse :

MANAGEMENT DE PROJET (suite)

P3 Avez-vous fixé des échéances à ce groupe de travail pour :
1. Sensibiliser l'entreprise à l'euro : enjeux et contraintes
2. Comprendre en quoi l'euro peut modifier votre stratégie, vos activités, vos systèmes
3. Proposer des solutions de migration

Sensibiliser	Comprendre	Proposer
☐ Oui	☐ Oui	☐ Oui
☐ Plutôt	☐ Plutôt	☐ Plutôt
☐ Partiellement	☐ Partiellement	☐ Partiellement
☐ Pas vraiment	☐ Pas vraiment	☐ Pas vraiment
☐ Non	☐ Non	☐ Non

Remarques/exemples : La mise en place de l'euro est maintenant très proche. La maîtrise des délais est critique pour le succès de la migration.

Justifiez votre réponse :

P4 Avez-vous déjà pris des décisions en termes de migration à l'euro ?

☐ Oui   ☐ Pas vraiment
☐ Plutôt   ☐ Non
☐ Partiellement

Remarques/exemples : Les travaux détaillés d'analyse d'impact et le choix des solutions doivent être cadrés par les orientations d'ensemble qui traduisent et déclinent la volonté de l'entreprise d'adopter une démarche plutôt attentiste ou plutôt au contraire volontariste de passage à l'euro.

Justifiez votre réponse :

MANAGEMENT DE PROJET (suite)

P5 Avez-vous un planning et un budget détaillés de passage à l'euro?

☐ Oui
☐ Plutôt
☐ Partiellement

☐ Pas vraiment
☐ Non

Remarques/exemples : La migration à l'euro est un projet transversal qui risque d'entrer en collision — à la fois en termes de délais, de besoins en ressources et en financement — avec d'autres grands projets de l'entreprise : an 2000, restructurations, mise en place de logiciels intégrés... Une planification détaillée s'avère indispensable.

Justifiez votre réponse :

P6 Pouvez-vous justifier votre stratégie de passage à l'euro :
1. Opportunités et gains
2. Coûts et investissements

Opportunités & gains
☐ Oui
☐ Plutôt
☐ Partiellement
☐ Pas vraiment
☐ Non

Coûts & investissements
☐ Oui
☐ Plutôt
☐ Partiellement
☐ Pas vraiment
☐ Non

Remarques/exemples : Certaines entreprises considèrent l'euro comme une contrainte monétaire de fonctionnement nouvelle et s'attachent en conséquence à en minimiser le coût.
D'autres, au contraire, considèrent l'euro comme une des étapes de la construction européenne et à ce titre comme une opportunité de faire évoluer le positionnement stratégique de l'entreprise (accès à de nouveaux marchés, etc.).
Ces entreprises attendent donc de l'arrivée de l'euro des gains quantitatifs ou qualitatifs, mais — en échange — devront consentir des investissements plus importants qu'il conviendra donc d'évaluer et de justifier.

Justifiez votre réponse :

MANAGEMENT DE PROJET (suite)

 P7 Avez-vous fixé des hypothèses de travail :
1. Périmètre de la zone euro
2. Planning d'introduction de l'euro
3. Attitude des entreprises, particuliers, banques, administrations
4. Attitude de vos concurrents

Périmètre
- [ ] Oui
- [ ] Plutôt
- [ ] Partiellement
- [ ] Pas vraiment
- [ ] Non

Planning
- [ ] Oui
- [ ] Plutôt
- [ ] Partiellement
- [ ] Pas vraiment
- [ ] Non

Attitudes des entreprises
- [ ] Oui
- [ ] Plutôt
- [ ] Partiellement
- [ ] Pas vraiment
- [ ] Non

Attitudes des concurrents
- [ ] Oui
- [ ] Plutôt
- [ ] Partiellement
- [ ] Pas vraiment
- [ ] Non

Remarques/exemples : Même si le cadre réglementaire de l'euro est maintenant bien fixé, il subsiste des incertitudes :
— Quels pays rejoindront ultérieurement la zone euro et quand ?
— À quelle vitesse les entreprises basculeront-elles vers l'euro : plutôt vers 1999 ou plutôt vers 2002 ?
— À quelle vitesse les particuliers basculeront-ils vers l'euro : plutôt vers 1999 ou plutôt vers 2002 ?
— Quels services proposeront les banques (conversion, comptes et moyens de paiement en euros, gestion globale des liquidités,...) et à quels prix ?
— Plus précisément dans chaque secteur, quelle sera l'attitude de vos fournisseurs, de vos clients, de vos concurrents ?
Il n'est pas possible d'attendre que ces incertitudes soient levées avant d'agir et de se préparer. Il faut donc :
— Fixer les hypothèses de travail et les formuler explicitement pour les faire connaître et partager par les membres de la taskforce et de la direction
— Évaluer le niveau de profitabilité de ces hypothèses, donc le risque attaché
— Prévoir, le cas échéant, des solutions de secours ou de repli (s'il s'avérait qu'une hypothèse ne soit pas vérifiée).

Justifiez votre réponse :

MANAGEMENT DE PROJET (suite)

P8 Avez-vous mis en œuvre une structure/des moyens (méthode, assistance externe, etc.) de veille :
1. Contexte réglementaire
2. Évolution des attitudes (entreprises, particuliers, banques, concurrents...) vis-à-vis de l'euro : niveau de préparation, stratégie (proactive ou attentiste...) ?

Contexte
- [ ] Oui
- [ ] Plutôt
- [ ] Partiellement
- [ ] Pas vraiment
- [ ] Non

Évolution des attitudes
- [ ] Oui
- [ ] Plutôt
- [ ] Partiellement
- [ ] Pas vraiment
- [ ] Non

Remarques/exemples : La pertinence de la stratégie de migration à l'euro dépendra pour une large part de l'exactitude des hypothèses de travail (cf. question précédente). De même, une évolution du contexte devrait se traduire par un infléchissement de la stratégie adoptée.
Pour pouvoir optimiser en permanence le rapport opportunité/coût de la stratégie/tactique de migration à l'euro, il importe de suivre précisément l'évolution de l'environnement et l'attitude des autres acteurs économiques.

Justifiez votre réponse :

MANAGEMENT DE PROJET (suite)

P9 Avez-vous mis en œuvre un environnement (base documentaire, messagerie, groupware, comités de coordination) permettant de collecter et partager toutes questions relatives à l'euro, les solutions envisageables et les décisions prises ?

☐ Oui
☐ Plutôt
☐ Partiellement
☐ Pas vraiment
☐ Non

Remarques/exemples : Le projet euro affecte toutes les facettes d'une entreprise. Le nombre d'interlocuteurs à impliquer peut croître de façon exponentielle en raison des effets combinatoires : identification d'interlocuteurs par « business unit » (lignes de produits), par processus (achats, approvisionnements, ventes, logistique, finances, comptabilité, trésorerie, paie, reporting, fiscalité, contrats,...) et par pays.
Pour éviter que ces interlocuteurs « réinventent la roue » chacun dans leur coin, il est nécessaire de mettre en place un environnement permettant de rassembler et de rendre accessible toute l'information sur l'euro — en général — et sur sa prise en compte dans l'entreprise.

Justifiez votre réponse :

MANAGEMENT DE PROJET (suite)

 P10 Avez-vous envisagé un plan de secours pour :
1. Faire face aux incertitudes
2. Préserver vos activités essentielles (en cas de retard sur votre plan de passage à l'euro)

Incertitudes	Préserver les activités essentielles
☐ Oui	☐ Oui
☐ Plutôt	☐ Plutôt
☐ Partiellement	☐ Partiellement
☐ Pas vraiment	☐ Pas vraiment
☐ Non	☐ Non

Remarques/exemples : Même si le cadre réglementaire de l'euro est maintenant bien fixé, il subsiste des incertitudes :
— Quels pays rejoindront ultérieurement la zone euro et quand ?
— À quelle vitesse les entreprises basculeront-elles vers l'euro : plutôt vers 1999 ou plutôt vers 2002 ?
— À quelle vitesse les particuliers basculeront-ils vers l'euro : plutôt vers 1999 ou plutôt vers 2002 ?
— Quels services proposeront les banques (conversion, comptes et moyens de paiement en euros, gestion globale des liquidités,...) et à quels prix ?
— Plus précisément dans chaque secteur, quelle sera l'attitude de vos fournisseurs, de vos clients, de vos concurrents ?
Il n'est pas possible d'attendre que ces incertitudes soient levées avant d'agir et de se préparer. Il faut donc :
— Fixer les hypothèses de travail et les formuler explicitement pour les faire connaître et partager par les membres de la taskforce et de la direction
— Évaluer le niveau de profitabilité de ces hypothèses, donc le risque attaché
— Prévoir, le cas échéant, des solutions de secours ou de repli (s'il s'avérait qu'une hypothèse ne soit pas vérifiée).

Justifiez votre réponse :

VISION STRATÉGIQUE

S1 — Avez-vous insufflé la perception que l'euro est une opportunité et non une simple — mais coûteuse — contrainte?

☐ Oui
☐ Plutôt
☐ Partiellement
☐ Pas vraiment
☐ Non

Remarques/exemples : L'euro n'est pas « une simple devise en plus ». Son introduction n'est qu'une des étapes de la construction européenne (Union Économique et Monétaire). Le projet de migration à l'euro doit être mis en perspective et s'inscrire dans cette construction d'un grand marché unifié dont la masse critique équilibre voire dépasse les autres grands marchés de la planète (États-Unis, Japon).
À ce titre, l'analyse de la prise en compte de la nouvelle devise doit accompagner une réflexion sur les attentes de ce nouveau marché (nouveaux produits, nouveaux services), son évolution (nouveaux segments de clientèle) qui peuvent constituer un renouvellement complet de la donne stratégique.

Justifiez votre réponse :

VISION STRATÉGIQUE (suite)

 S2 Avez-vous envisagé en quoi l'euro modifie l'environnement concurrentiel :
1. Accès facilité à de nouveaux marchés/clients
2. Accès facilité de concurrents à vos propres clients/marchés
3. Évolution des attentes client en termes de produits/services
4. Évolution des canaux de distribution directs/indirects

Nouveaux marchés   Accès concurrents

☐   ☐   Oui

☐   ☐   Plutôt

☐   ☐   Partiellement

☐   ☐   Pas vraiment

☐   ☐   Non

Évolution clients   Évolution distribution

☐   ☐   Oui

☐   ☐   Plutôt

☐   ☐   Partiellement

☐   ☐   Pas vraiment

☐   ☐   Non

Remarques/exemples :
1) Avec l'abandon des devises nationales, une barrière supplémentaire disparaît aux frontières. Le comportement des clients en zone frontalière peut changer. Les entreprises
structurées par territoire national peuvent adopter des modes de management globaux ou
calqués sur les découpes en région plutôt que sur les découpes en pays.
2) L'euro peut débloquer l'entrée sur votre territoire de concurrents étrangers (qui s'en
abstenaient auparavant faute de maîtriser le risque de change).
3) Les clients peuvent attendre de l'aide de leurs partenaires pour faciliter leur propre
évolution. Les grands clients internationaux attendront de leurs fournisseurs un service
personnalisé et homogène sur toute l'Europe.
4) L'arrivée concomitante de l'euro et d'autres innovations juridiques (ex. : statut de
commissionnaire à la vente, de façonniers, etc.) ou techniques (ex. : Internet, commerce
électronique...) peut conduire à revoir complètement la politique de distribution et les
canaux utilisés.

Justifiez votre réponse :

VISION STRATÉGIQUE (suite)

S3 Avez-vous envisagé les effets possibles de l'euro sur votre politique tarifaire ?
1. Transparence des prix entre pays, politique grands comptes
2. Effets de seuil et prix psychologiques
3. Effets sur la marge des arrondis de conversion
4. Impact sur le packaging/groupage de produits ou services

Transparence prix   Effets de seuils

□   □   Oui
□   □   Plutôt
□   □   Partiellement
□   □   Pas vraiment
□   □   Non

Arrondis   Packaging

□   □   Oui
□   □   Plutôt
□   □   Partiellement
□   □   Pas vraiment
□   □   Non

Remarques/exemples :
1) On constate souvent des écarts de prix importants entre pays pour un même bien/service. Cet écart qui n'est pas manifeste aujourd'hui du fait des fluctuations de change, deviendra intolérable quand tous les prix seront exprimés en euros.
2) L'effet de prix psychologiques (ex. : 99 F) est perdu du fait de la conversion à l'euro (15,34 euros).
3) L'arrondi de conversion peut atteindre 0,03 F ce qui peut correspondre à une partie très significative de la marge pour un article de faible montant vendu à faible marge.
4) Le packaging/groupage de produits ou le niveau de qualité/fonctionnalités devront être revus pour réaligner les prix de vente sur un seuil psychologique.

Justifiez votre réponse :

VISION STRATÉGIQUE (suite)

S4 Avez-vous pris l'initiative de contacter vos « partenaires » (entités externes en relations étroites avec vos activités : clients, fournisseurs mais aussi sous-traitants, distributeurs, banquiers, actionnaires, administrations...) pour comprendre leur stratégie de passage à l'euro et, le cas échéant, envisager des plans d'actions coordonnés, voire communs ?

☐ Oui
☐ Plutôt
☐ Partiellement
☐ Pas vraiment
☐ Non

Remarques/exemples : Une entreprise ne peut pas concevoir une stratégie de basculement à l'euro en isolation. Les entreprises sont de plus en plus souvent reliées entre elles (concept de chaîne de la valeur ou d'entreprise étendue) et le basculement à l'euro de l'un des maillons de la chaîne ne sera pertinent et optimisé que s'il est synchronisé avec celui des autres maillons.
Comprendre la stratégie de basculement à l'euro des autres partenaires peut permettre d'éviter les coûts/inconvénients d'être prêt trop tôt ou trop tard.

Justifiez votre réponse :

VISION STRATÉGIQUE (suite)

S5 Connaissez-vous la stratégie euro de vos concurrents ?

☐ Oui
☐ Plutôt
☐ Partiellement
☐ Pas vraiment
☐ Non

Remarques/exemples : Trois étapes de stratégie de basculement à l'euro peuvent être envisagées :
— « Leader de l'initiative » : prise en compte pro-active et rapide de l'euro
— « Opportuniste » : prise en compte de l'euro au fur et à mesure des occasions, en accompagnant l'évolution de l'ensemble du marché
— « Wait and see » : prise en compte de l'euro le plus tard possible
Le choix d'une telle stratégie peut se faire dans l'absolu, en fonction des gains et coûts attendus ou en fonction des convictions propres du dirigeant. Il importe toutefois de positionner sa stratégie par rapport à celle de ses concurrents pour vérifier si elle renforce ou affaiblit le positionnement concurrentiel.

Justifiez votre réponse :

VISION OPÉRATIONNELLE

O1 Disposez-vous d'un modèle d'activité permettant d'analyser le fonctionnement de votre entreprise ?

- [ ] Oui
- [ ] Plutôt
- [ ] Partiellement
- [ ] Pas vraiment
- [ ] Non

Remarques/exemples : Pour garantir l'exhaustivité d'une analyse d'impact euro, il importe de pouvoir lister l'ensemble des activités contribuant au fonctionnement de l'entreprise et d'identifier les liens entre ces activités (analyse par processus).

Justifiez votre réponse :

VISION OPÉRATIONNELLE (suite)

O2 Avez-vous identifié l'impact de l'euro sur chaque processus et à l'intérieur sur chaque activité élémentaire ou support d'information (état, bordereau, document) comme par exemple :
1. Achat/approvisionnement (demandes d'achat, appels d'offres, commandes, réceptions, contrôle, facture, comptes fournisseurs)
2. Marketing et vente (segmentation, tarifs, devis, prise de commande, livraison, facturation, encaissement, comptes clients)
3. Comptabilité (générale et analytique), consolidation, reporting
4. Finances (financement, couverture, transactions, costs management)
5. Fiscalité
6. Contrats/juridique
7. Ressources humaines et paye
8. Autres

Appro.	Mark.	Compt.	Fin.	Fisc.	Jurid.	RH	Autres	
☐	☐	☐	☐	☐	☐	☐	☐	Oui
☐	☐	☐	☐	☐	☐	☐	☐	Plutôt
☐	☐	☐	☐	☐	☐	☐	☐	Partiellement
☐	☐	☐	☐	☐	☐	☐	☐	Pas vraiment
☐	☐	☐	☐	☐	☐	☐	☐	Non

Remarques/exemples : L'euro n'est pas « une devise en plus » à traiter, relevant exclusivement de la responsabilité du trésorier, du comptable ou du directeur financier.
Des montants sont manipulés dans toutes les activités de l'entreprise et sont présents sur tous les documents manipulés qui vont donc être impactés par l'euro.

Justifiez votre réponse :

VISION OPÉRATIONNELLE (suite)

 O3 Avez-vous évalué le coût des différentes activités et la proportion de ces coûts liée à la gestion de plusieurs devises que l'introduction de l'euro serait de nature à supprimer ?

☐ Oui
☐ Plutôt
☐ Partiellement
☐ Pas vraiment
☐ Non

Remarques/exemples : Les simplifications apportées par l'euro ne sont pas que potentielles : il faudra s'adapter pour les obtenir.
Des économies ne seront obtenues que si elles sont identifiées et recherchées activement.

Justifiez votre réponse :

VISION OPÉRATIONNELLE (suite)

 04

Avez-vous étudié les économies d'échelles qui pourraient résulter de regroupements d'activités (regroupement qui seront facilités par l'introduction de la monnaie unique) :
1. Marketing/Vente/Administration des ventes/Facturation/Encaissement
2. Finances/trésorerie (financement, cash pooling, netting, clearing)
3. Achats/paiements
4. Comptabilité
5. Autres

Mark.	Fin.	Appr.	Compt.	Autres	
☐	☐	☐	☐	☐	Oui
☐	☐	☐	☐	☐	Plutôt
☐	☐	☐	☐	☐	Partiellement
☐	☐	☐	☐	☐	Pas vraiment
☐	☐	☐	☐	☐	Non

Remarques/exemples : L'arrivée de l'euro peut faciliter la mise en œuvre de synergies et de partage de ressources entre pays (shared services).

Justifiez votre réponse :

SYSTÈMES D'INFORMATION

I1 Disposez-vous d'un recensement des applications informatiques ?

- [ ] Oui
- [ ] Plutôt
- [ ] Partiellement
- [ ] Pas vraiment
- [ ] Non

Remarques/exemples : L'analyse d'impact de l'euro sur les systèmes d'information suppose que soient connues toutes les applications informatiques et pour chacune d'entre elles :
— les besoins nouveaux ou modifications à apporter
— les caractéristiques techniques (maintenabilité, etc.).

Justifiez votre réponse :

I2 Vos applications informatiques sont-elles principalement :

- [ ] Sur base progiciel
- [ ] Sur base progiciel + sur mesure
- [ ] Développées sur mesure

Remarques/exemples : Les éditeurs des logiciels les plus répandus devraient proposer des versions de leurs produits compatibles avec l'euro.
La charge de migration à l'euro des progiciels sera donc répartie entre l'éditeur (modifications programmes/fichiers) et l'entreprise (mise en place).
En revanche, la charge de migration à l'euro des applications développées en interne est plus difficile à sous-traiter.

Justifiez votre réponse :

SYSTÈMES D'INFORMATION (suite)

I3 Avez-vous vérifié si vos progiciels permettaient le passage à l'euro ?

☐ Oui
☐ Plutôt
☐ Partiellement

☐ Pas vraiment
☐ Non

Remarques/exemples : Pour être vraiment « compatible euro », un progiciel doit :
— pouvoir traiter la coexistence devise nationale/euro tout au long des périodes transitoires
— disposer d'outil permettant de recharger les données de base (historiques, transactions, soldes,...) de devise nationale en euros lors du basculement des systèmes dans une nouvelle devise de référence
Contrairement à ce qui a été annoncé par certains éditeurs de progiciels, il ne suffit pas d'être multidevises pour être compatible euro.

Justifiez votre réponse :

I4 Avez-vous vérifié si le contrat de maintenance de vos progiciels incluait l'adaptation pour le passage à l'euro ?

☐ Oui
☐ Plutôt
☐ Partiellement

☐ Pas vraiment
☐ Non

Remarques/exemples : Des éditeurs de progiciels pourraient être tentés de facturer des coûts de licence additionnels à l'occasion de l'installation d'une nouvelle version « compatible euro » de leur progiciel.
Un audit juridique des clauses contractuelles peut permettre de refuser cette facturation.

Justifiez votre réponse :

SYSTÈMES D'INFORMATION (suite)

I5 — Disposez-vous des dernières versions de vos progiciels applicatifs ?

- ☐ Oui
- ☐ Plutôt
- ☐ Partiellement
- ☐ Pas vraiment
- ☐ Non

Remarques/exemples : Les éditeurs de progiciels ne rendront probablement « compatibles euro » que les dernières versions de leurs progiciels.
Les entreprises qui n'ont pas régulièrement mis à jour leurs progiciels devront inclure dans les coûts de migration à l'euro les charges liées à l'acquisition des licences et à la mise en place des versions les plus récentes, en plus des coûts propres à l'adaptation.

Justifiez votre réponse :

I6 — Vos applications sont-elles multidevises ?

- ☐ Oui
- ☐ Plutôt
- ☐ Partiellement
- ☐ Pas vraiment
- ☐ Non

Remarques/exemples : Il ne suffit pas à une application d'être multidevises pour être « compatible euro » (cf. I 3).
Cependant, on peut estimer, en première analyse, que le risque et la charge d'adaptation seront moins importants pour une application multidevises que pour une application monodevise.

Justifiez votre réponse :

SYSTÈMES D'INFORMATION (suite)

I7 Vos systèmes passent-ils l'an 2000 ?
1. Matériels, logiciels de base, outils d'exploitation
2. Logiciels applicatifs

Matériels	Logiciels applicatifs
☐ Oui	☐ Oui
☐ Plutôt	☐ Plutôt
☐ Partiellement	☐ Partiellement
☐ Pas vraiment	☐ Pas vraiment
☐ Non	☐ Non

Remarques/exemples : Le passage à l'an 2000 peut nécessiter une adaptation de tous les systèmes d'ici l'an 2000 ; le projet « An 2000 » risque donc d'entrer en collision avec le projet euro dont les échéances s'étalent entre 1999 et 2002.
Une synchronisation des projets et un arbitrage des ressources s'imposent.

Justifiez votre réponse :

BILAN

**FACTEURS DE SENSIBILITÉ
À L'EURO**

☐ Faible

☐

☐ Moyen

☐

☐ Fort

→ ÉVALUATION GLOBALE : _____ / 100

**DEGRÉ DE PRÉPARATION
MANAGEMENT DE PROJET**

☐ Fort

☐

☐ Moyen

☐

☐ Faible

→ ÉVALUATION GLOBALE : _____ / 100

**DEGRÉ DE PRÉPARATION
VISION STRATÉGIQUE**

☐ Fort

☐

☐ Moyen

☐

☐ Faible

→ ÉVALUATION GLOBALE : _____ / 100

BILAN

DEGRÉ DE PRÉPARATION VISION OPÉRATIONNELLE

☐ Fort

☐

☐ Moyen

☐

☐ Faible

→ ÉVALUATION GLOBALE : _____ / 100

DEGRÉ DE PRÉPARATION SYSTÈMES D'INFORMATION

☐ Fort

☐

☐ Moyen

☐

☐ Faible

→ ÉVALUATION GLOBALE : _____ / 100

DEGRÉ GLOBAL DE LA PRÉPARATION

→ ÉVALUATION GLOBALE : _____ / 100

TABLE
ALPHABÉTIQUE

Les *chiffres* renvoient aux *paragraphes*. La mention « s. » signifie que l'étude se prolonge sur le ou les numéros suivants.

A

Achats « européens » : 2238 s.

Actionnariat des salariés : 950 s.

Actions (conversion) : 300 s. (aspects juridiques) ; 691 s. (aspects fiscaux) ; 1220 s. (Allemagne) ; 1310 (Belgique) ; 1415 (Espagne) ; 1520 (Italie) ; 1610 (Luxembourg) ; 1715 (Pays-Bas) ; 1810 s. (Portugal).

Administrations publiques : 114 (impacts de l'euro sur le secteur).

Affichage des prix
Étude d'ensemble : 343 s. (aspects juridiques) ; 2216 (aspects stratégiques).
Double affichage sur les factures (francs/euros) : 665.
Logo de confiance : 365.
Modalités : 350 s.
Réglementation : 361 s.
Risque de confusion des monnaies : 2722.
Systèmes d'information : 2621 s.
Autres pays : 1232 (Allemagne) ; 1330 (Belgique) ; 1430 (Espagne) ; 1720 (Pays-Bas).

Aléa : 2901, 2906 (maîtrise des risques).

Amortissement
— des logiciels : 407 s. (traitement comptable) ; 614 s., 623 (régime fiscal).
— d'immobilisations autres que les logiciels : 407 s. (traitement comptable) ; 635 s. (régime fiscal).
Modification du plan d'amortissement justifiée par le passage à l'euro : 635.

An 2000 : 2760 (coordination avec le projet euro).

Annexe comptable (informations à fournir) : 500 s. (comptes individuels) ; 546 (comptes consolidés).

Approvisionnement : 2340 (accroissement des sources d'—).

Archivage : 2850 s. (bascule de la comptabilité).

Arrêté de comptes
— en euros : 517.
— intermédiaire : 2801.

Arrondis
Étude d'ensemble : 260 s.
Contrôle : 2969 s. (maîtrise des risques).
Cotisations sociales : 974.
Écart d'arrondis provenant de la conversion de titres : 691 s. (incidences fiscales).
Stratégie : 2217 (prix de vente); 2525 (salaires); 2643 (calcul du coût produit);
   2726 s. (petits montants).
Traitement des arrondis : 490 s. (aspects comptables); 660 s. (aspects fiscaux).
Traitement dans les autres pays : 1270 (Allemagne); 1410 (Espagne); 1755 (Pays-
   Bas); 1831 (Portugal).

Assemblée générale
Augmentation de capital : 313.
Conversion des obligations : 329 s.
Conversion globale du capital social : 307.
Réduction du capital : 320.

Assurances : 112 (migration des sociétés).

Ateliers : 3083 s. (stratégie de migration).

Attestation ASSEDIC : 978.

B

Back-office : 2277.

Banque centrale européenne : 88 s.

Banque de France : 94 s. (outils de politique monétaire).

Banques
Élargissement de l'offre des — : 2430 s.
Frais de conversion : 378 s. (étude d'ensemble); 1235 (Allemagne); 1335 (Bel-
   gique); 1432 (Espagne); 1730 (Pays-Bas).
Impacts de l'euro sur le secteur : 110 (migration), 644.
Renégociation des contrats avec les — : 2435 (trésorerie).

Bascule de la comptabilité : 300 s., 528 s. (incidences sur le capital social); 710 s.
(incidences sur les déclarations fiscales); 913 (incidence sur la paie); 2800 s. (stratégie).

BCE : 88 s. (rôles); 97 (instruments disponibles).

Big-bang : 2755 s. (migration des systèmes).

Billets
— en euros : 175 s.
Échange : 177.
Frais de change : 379, 381, 382.
Zones de tests : 2216.

Bordereaux de versement des cotisations : 977 s.

Bourses de valeurs : 105 (alliances); 159.

BRC : 977.

Émission d'obligations : 330 s.
Taux d'intérêt et indices : 220 s.

Contrôle
— des comptes : 551 s.
— des cotisations sociales : 1030.
— fiscal (comptabilités informatisées) : 725, 2850 s.
Environnement de — : 2925 s. (maîtrise des risques).
Protection des consommateurs : 370 s.

Conventions et accords collectifs de travail : 930 s.

Convergence (critères de) : 66 s.

Conversion
— des pièces comptables et des factures : 660 s.
— des prix : 2217 (pertes ou gains potentiels).
— des sommes d'argent : 260 s. (aspects juridiques) ; 2701 s. (systèmes d'information).
— des titres : 690 s. (incidences fiscales).
— du capital social des sociétés (étude d'ensemble) : 300 s. (aspects juridiques) ; 528 s. (aspects comptables et d'information financière) ; 1220 s. (Allemagne) ; 1310 (Belgique) ; 1415 (Espagne) ; 1520 (Italie) ; 1610 (Luxembourg) ; 1715 (Pays-Bas) ; 1810 s. (Portugal).
Comptes de filiales étrangères : 540 s.
Contrôle des outils : 269, 372.
Contrôle des règles de — : 370 s. (protection des consommateurs) ; 811 s. (aspects fiscaux) ; 1030 (cotisations sociales).
Données permanentes : 2974 s. (maîtrise des risques).
Écu : 244 (public) ; 249 (privé).
Frais bancaires : 378 s.
Monnaie d'un pays tiers : 283.
Obligation des institutions financières : 162.
Soldes comptables : 2835 s.
Tableaux de bord : 2968 (maîtrise des risques).
Taux de — : 71 (monnaies de la zone euro).
Traitement comptable des différences (étude d'ensemble) : 450 s. (comptes individuels) ; 535 s. (comptes consolidés).

Convertisseur(s)
Contrôle des outils : 269, 372.
Incidence sur les contrôles fiscaux : 811 s.
Incidence sur les contrôles sociaux : 1030.
Information des consommateurs : 163.
Coûts d'introduction des — : 629 (incidences fiscales).

Coordination avec les partenaires extérieurs : 2303 s. (risques/clients et fournisseurs) ; 2308 (solutions possibles).

Cotisations sociales : 970 s. (déclarations et paiement en euros).

Coûts d'adaptation à l'euro
Annexe : 500 s.
Budget : 3100 s.
Équilibre financier : 2115 (secteurs de la distribution) ; 2350 (secteurs industriels).

D

Devises
  Acquisition d'immobilisations en — : 653 s. (incidences fiscales).
  Créances libellées en devises de la zone euro : 646 s. (aspects fiscaux).

Distribution
  Commerce électronique : 2210, 2260.
  Concurrence entre les canaux de distribution : 2210, 2250.
  Contrôle des entreprises sur la — : 2257 s.
  Enjeux sectoriels : 2125 s.
  Rôle pédagogique de la grande — : 2216.

Dividendes
  Comptabilisation : 526 s.
  Distribution : 335, 524 s.

Dollar US : 98 (euro fort ou faible) ; 107 (parité par rapport à l'euro) ; 283 (opération de conversion).

Données permanentes : 2974 s. (conversion des —, maîtrise des risques).

Douane : 2628 (documents).

Double affichage des prix : voir Affichage des prix.

E

Écart de change
  Incidences fiscales : 646 s.
  Traitement dans les autres pays : 1267 s. (Allemagne) ; 1355 (Belgique) ; 1753 (Pays-Bas).

Écart de conversion : 281 (étude d'ensemble) ; 663 (incidence fiscale) ; 924 (paie).

Écarts de prix
  — entre pays : 2220, 2231.
  Freins aux réductions des — : 2226 s.
  Réduction des — : 2222.

Écarts de salaires et de protection sociale : 1090.

ECS : 2422 (définition).

Écus : 240 s. (contrats).

EDI : 2353.

Émissions de titres : 2454 s. (nouvelles opportunités).

Emprunts (conversion en euros) : 451 s. (traitement comptable) ; 646 s. (traitement fiscal).

Entreprises publiques : 115 s.

Environnement
  — de contrôle : 2925 s. (maîtrise des risques).
  — économique : 2203 s. (accélération des tendances actuelles).

EONIA : 222, 2440.

Épargne salariale : 950 s.

Étalement des charges : 415 s. (aspect comptable) ; 645 (aspect fiscal).

Étapes (UEM) : 55

EURIBOR : 222 s., 2440.

Exécution des actes juridiques : 158 s. (étude d'ensemble) ; 930 s. (contrats de travail et accords collectifs).

Exercice social décalé : 765 s., 777 s. (souscription des déclarations fiscales en euros).

F

Facturation (en euros)
Continuité de la chaîne de — : 2629.
Conversion des factures : 664 s.
Date possible pour les entreprises : 2215.
Enregistrement et validation : 2639.
Règlement : 2640.

Fichiers informatiques : 2600 (nombre à modifier).

Financement : 2452 s. (diversification des sources de —).

Fonds commun de placement : 106 (cas général) ; 952 (épargne salariale).

Fongibilité des monnaies : 160.

Formation
— des salariés : 2538 s. (types de formations) ; 3069 (mise en œuvre du projet euro).
Nécessité de la — : 2535 s.
Provisions pour charges de — : 643.

Fournisseurs
Modalités de conversion des factures : 664 s.
Nécessité de la coordination avec les — : 2302 s.
Processus de règlement des — : 2416.
Risques liés à la coordination avec les — : 2303 s.

Frais bancaires de conversion en euros : 378 s. (étude d'ensemble) ; 1235 (Allemagne) ; 1335 (Belgique) ; 1432 (Espagne) ; 1730 (Pays-Bas).

Franc CFP : 183.

Francs CFA et comorien : 198.

Front-office : 2277.

G

Grande distribution : 2216 (rôle pédagogique).

Groupware : 3036 (avantages dans la gestion d'un projet).

I

Immobilisation
Acquisition d'immobilisations en devises : 653 s. (aspects fiscaux).
Adaptation d'immobilisations autres que les logiciels : 410 s. (aspects comptables);
636 s. (aspects fiscaux).
Adaptation des logiciels : 405 s. (aspects comptables); 625 s. (aspects fiscaux).
Critères entre — ou charge : 405 s.
Dépenses d'adaptation de biens déjà existants : 410 s.
Éléments nouveaux acquis ou créés : 407 s.
Mise au rebut d'— : 635 (aspects fiscaux).
Valeur d'inventaire des éléments existants : 440 s.

Importations parallèles : 2210, 2235, 2250 s.

Impôt
Déclarations d'impôt : 700 s.
Paiement de l'impôt en euros : 800 s.

Incertitude : 2901, 2907 (maîtrise des risques).

Indices : 222 s., 2440.

Information
— financière : 2455 s.
— des représentants du personnel : 1050 s.
— des salariés : 2535 s. (étude d'ensemble); 922 s. (basculement de la paie).
— tarifaire : 2215 s.

Informatique
Étude d'ensemble : 2730 s. (impact sur les systèmes); 2700 s. (migration des systèmes).
Contrôle des comptabilités informatisées : 815.
Coûts d'adaptation liés au passage à l'euro : 405 s. (traitement comptable); 611 s.
(aspects fiscaux : étude d'ensemble); 3070 (mise en œuvre du projet).
Dépenses d'adaptation des applications informatiques existantes : 412 s. (aspects comptables); 625 s. (aspects fiscaux).

Instruments financiers à terme : 648 s. (régime fiscal).

Internet : 2260 (paiements).

Intranet : 3036 (avantages dans la gestion d'un projet).

J

Jour E : 2620.

Juridiction compétente : 231 s. (contrat international).

L

Livraison : 2239 (stratégie marketing et commerciale); 2628 (systèmes d'information).

Logiciel
Acquisition de — : 612 s. (incidences fiscales).
Adaptations nécessitées par le passage à l'euro : 412 s. (aspects comptables); 611 s. (aspects fiscaux).
Conception de — : 620 s. (incidences fiscales).
Conditions d'immobilisation : 405 s.
Mise au rebut de — : 616 (incidences fiscales).
Modification des systèmes d'information : 2705 s.

Logistique : 2606 (problèmes liés au double affichage).

Logo : 365 (double affichage des prix).

Loi applicable au contrat international : 231 s.

Loi monétaire
Contrats : 200 s.
Conventions internationales : 192.
Source : 125 s.

M

Machine : 637 (dépenses d'adaptation des machines à pièces).

Marché
— unique : 2107.
Internationalisation : 2203.
Nouveaux entrants : 2203.
Régulation : 2225.

Marchés financiers
Aspects juridiques : 159.
Épargne salariale : 952.
Évolution des — : 2445.
Liquidité et profondeur des — : 105.

Mayotte : 183.

Migration
— des applications spécifiques : 2662.
— des progiciels : 2661.
— des tableurs : 2663.
— en big-bang : 2755 (avantages/inconvénients).

— par étapes : 2755 (avantages/inconvénients).
Leviers d'action pour la — : 3021.
Phases successives de — : 2304.
Stratégies de — : 3093 s. (leader, opportuniste ou attentiste).
Suivi de la — des systèmes : 2601.

Monaco : 199.

Moyens de paiement
Chèques en euros : 170 s., 2410 s.
Carte bancaire : 172 s.
Billets et pièces : 175 s.
Particularités nationales : 2401 s.
Porte-monnaie électronique : 2403.
Prélèvement : 2405.
Règlements interbancaires : 2425 (résumé des différents systèmes).
Autres pays : 1215 (Allemagne) ; 1710 (Pays-Bas).

N

Négociation : 2239.

Ni-ni (règle du)
Coût financier : 2316.
Influence des grands groupes dans l'application du — : 2210.
Obstacles pratiques à l'application du — : 2203 s.
Principe : 152.

Notation : 2455 (évolution de la —).

O

Obligations (conversion) : 325 s. (aspects juridiques) ; 673 s. (aspects fiscaux) ; 1228 (Allemagne) ; 1320 (Belgique) ; 1420 (Espagne) ; 1758 (Pays-Bas) ; 1815 (Portugal).

Observatoire de l'euro : 340.

Opportunité : 2901, 2908 (maîtrise des risques).

Option (souscription des déclarations fiscales en euros) : 721 s.

ORCA (Démarche —) : 2010 s. (définition), 2915 s. (exemples).

Organisation
— générale de l'entreprise : 2515 s.
Centralisation des structures : 2238 (achats) ; 2277 (critères d'implantation) ; 2265 (marketing).
Délocalisation et relocalisation : 2511.

Évolution de l'environnement : 2505 (économique) ; 2506 (juridique) ; 2507 (— des infrastructures de transport) ; 2508 (— des technologies).
Fusions et acquisitions : 2501.
Nouveaux types d'— : 2515.
Structures juridiques : 2506.

P

Pacte de stabilité et de croissance : 81, 2106.

Paie
Gestion de la — : 910 s. (étude d'ensemble) ; 2520 s. (négociation sociale) ; 2641 (systèmes d'information).
Transparence salariale : 1090 ; 2521 s.

Paiement (s)
— de l'impôt : 800 s. (France) ; 1275 s. (Allemagne) ; 1350 s. (Belgique) ; 1454 s. (Espagne) ; 1555 (Italie) ; 1630 (Luxembourg) ; 1760 (Pays-Bas) ; 1840 (Portugal).
— des cotisations sociales : 1000 (France) ; 1285 s. (Allemagne) ; 1360 s. (Belgique) ; 1470 s. (Espagne) ; 1640 (Luxembourg) ; 1770 (Pays-Bas).
— des salaires : 925.
— électronique : 2404, 2420 s.
— internationaux : 108.
— par billets et pièces : 175 s.
— par carte bancaire : 172 s.
— par chèque : 170 s.
— par Internet : 2260.
— transfrontaliers : 2414 s.
Gestion des — : 2632.
Information des consommateurs : 340 s.
Logo de confiance : 365.
Principe : 160 s.
Refus d'un — : 168, 367.
Sécurisation du — : 372.
Systèmes d'information : 2632.

Parité des monnaies
— nationales avec l'euro : 71 (zone euro).
Contrôle des abus : 372.
Franc CFP : 183.
Francs CFA et comorien : 198.
Méthode de conversion : 268.

Participation financière des salariés : 950 s.

Parts sociales (conversion des —) : 300 s. (aspects juridiques) ; 691 s. (aspects fiscaux).

Pays membres de la zone euro : 65.

Période transitoire : 60.

Personnel

Embauche temporaire de — : 644 (provisions).

Formation, reconversion du — : 643 s. (provisions) ; 2281 s. (aspects stratégiques).

Incidences sociales de l'euro : 900 s.

Remise en cause des compétences du — : 2282.

Pharmacie : 2130 s. (enjeux sectoriels).

PIBOR : 222, 2440.

Pièces

— en euros : 175 s. (moyen de paiement) ; 2216 (zones de tests).

Échange : 177, 381.

Frais de change : 379.

Machine à — : 637 (dépenses d'adaptation).

Plafond de sécurité sociale : 1010 s. (étude d'ensemble) ; 1100 (valeur en euros pour 1999).

Plan d'épargne d'entreprise : 950 s.

Planning : 3103 s.

PNS (Paris Net Settlement) : 2421 s.

Points de vente : 2216 (information du consommateur).

Politique économique : 76 s.

Politique monétaire : 75, 88 s. (instruments).

Porte-monnaie électronique : 2403.

Prix

— de transfert : 2322 (transparence et contrôle des —).

— de vente : 2266 s. (évolution des —) ; 2217 (gestion des arrondis) ; 2239 (modification de la structure des —) ; 2225 (variables constitutives des —) ; 2622 (affichage des —).

— psychologiques : 2114 (marge du distributeur) ; 2217 (risques associés aux —) ; 2266 s. (influence sur les produits).

— unique européen : 2239 s., 2343 s. (conséquences pour le vendeur) ; 2345 (conséquences pour l'acheteur) ; 2226 (freins au —) ; 2240 (niveau du —) ; 2242 (justification à l'absence d'un —).

Cohérence tarifaire : 2250 s.

Commerce électronique : 2260.

Conversion des — : 2217 (pertes ou gains potentiels).

Disparités des — : 2118, 2209, 2220, 2245 (entre pays) ; 2117, 2222 (réduction des —) ; 2226 (freins aux réductions des —).

Double affichage : 343 s. (étude d'ensemble) ; 350 s. (modalités) ; 361 s. (réglementation) ; 2216 (aspect stratégique) ; 1232 (Allemagne) ; 1330 (Belgique) ; 1430 (Espagne) ; 1720 (Pays-Bas).

FOB : 2243 s.

Harmonisation des — : 2231 (haute technologie) ; 2222 (régions frontalières) ; 2346 (obstacles à l'—).

Logo de confiance : 365 (double affichage des prix).

Mention de la monnaie utilisée dans les systèmes : 2643.

Paiements transfrontaliers : 2414 s.
Transparence du — : 2116, 2222 s.

Procédure de bascule : 2845 (formalisation).

Processus
— d'exploitation : 2642 s.
— de reporting : 2650 s.
— des dépenses : 2635.
— des recettes : 2620.

Production (outil de —) : 2330 s.

Produits
Différenciation des — : 2253.
Influence des prix psychologiques sur les — : 2266 s.
Marketing européen des — : 2265 s.
Modification de l'outil de production : 2330.
Modification des caractéristiques : 2267.
Rationalisation et rénovation du portefeuille de — : 2270 s.
Spécialisation : 2252.

Progiciels
— multidevises : 2736 (compatibilité euro).
Migration : 2661.

Projet (s)
Chef de — : 3048 (rôle) ; 3062, 3084 (critère de sélection du —).
Correspondants : 3050.
Équipe de — : 3049 s.
Leviers d'actions pour le — euro : 3021.
Schéma de l'organisation — : 3051 s.
Télescopage entre — : 2760 ; 3035 (risques liés aux —).

Promotions : 2271.

Provisions (— pour charges liées au passage à l'euro) : 420 s. (aspects comptables) ; 640 s. (régime fiscal).

Publication des comptes (monnaie utilisée) : 515 s. (comptes individuels) ; 550 (comptes consolidés).

Publicité : 643 (provisions pour charges de —).

Q

Questionnaires : 3074 (stratégie de migration).

R

Réciproques (utilisation des taux —) : 2710 (erreurs d'arrondis).
Reconversion (provisions pour charges de —) : 644.

Régions frontalières : 2222 (harmonisation des prix).

Règlement (s)
— électroniques : 2420 s.
— par chèque en euros : 2410 s.
Moyens de — : 2401 s. (particularités nationales) ; 2410 s. (chèques en euros) ; 2425 (règlements interbancaires).
Voir également Paiement en euros.

Relocalisation (— des centres de production) : 2511.

Remise (taux de —) : 2244.

Reporting : 2650 s.

Représentants du personnel : 1050 s.

Réserve (— indisponible destinée au traitement des arrondis de conversion) : 692 (incidences fiscales).

Ressources informatiques
Risque de manque de — : 2773.

Restructuration
Provisions pour charges de — : 644.

Retraites
Gestion des — : 2641.
Monnaie de paiement des — : 1003.

Rétropolation : 2820.

Rompus
— provenant de la conversion de titres : 693 s. (incidences fiscales).

S

Saint-Pierre-et-Miquelon : 183.

Salaires
Étude d'ensemble : 910 s. (juridique) ; 2520 s. (négociation) ; 2641 (systèmes d'information).
Clauses des contrats de travail et des accords collectifs : 930 s.
Effet psychologique de réduction des — : 2523.
SMIC et minimum garanti en euros : 1100.
Transparence salariale : 1090 ; 2521 s.

SEBC (Système européen de banques centrales)
Nouveaux outils monétaires à la disposition du — : 93.
Objectif principal du — : 75.
TARGET : 100 (réseau inter-banques centrales).

Secteurs d'activité : 2110 (étude d'ensemble) ; 110 (banques) ; 112 (assurances) ; 114 (administrations publiques) ; 115 (électricité) ; 2125 (grande distribution) ; 2130 (pharmacie) ; 2117, 2226 (automobile) ; 3005 (transport aérien et pétrole) ; 3094 (aéronautique).

T

— de change : 88 s. (rôle de la banque centrale).
— de conversion des monnaies « in » : 70 ; 268 s., 280 s. (réglementation).
— de remise : 2244.
— pivot : 83 (SME bis).
Convergence des — : 2440.
Stratégies de — 2450 s.

TBF (transferts Banque de France) : 2421.

Tenue de la comptabilité (monnaie utilisée) : 510 s. (aspect comptable) ; 710 s. (incidence sur la souscription des déclarations fiscales en euros) ; 1248 (Allemagne) ; 1340 (Belgique) ; 1441 (Espagne) ; 1530 (Italie) ; 1742 (Pays-Bas) ; 1832 (Portugal).

Territoires d'outre-mer : 183.

Tests (nécessité des —) : 2670.

Titres : voir Actions, Obligations.

TPV (terminaux points de vente) : 2200 (coût de remplacement).

Transactions (continuité des —) : 2620.

Transparence tarifaire : 2222 s. (réduction des écarts de prix) ; 2343 (décloisonnement des marchés).

Triangulation
Incidences sur les applications informatiques : 2708.
Non-respect de la règle : 495 s., 2710, 2991.
Règle : 2701.

U

Union économique et monétaire
Banque centrale européenne : 88.
Instruments de politique monétaire : 93.

Unité monétaire
Facture établie dans deux unités monétaires : 667 s.
Principe d'unicité monétaire : 722 s. (souscription des déclarations fiscales en euros).

V

Vecteurs de risque euro : 2950 s.

Z

Zone euro : 65 (pays membres).
Zone franc : 198.

SOMMAIRE ANALYTIQUE

(Les chiffres renvoient aux paragraphes)

DEUXIÈME PARTIE Stratégie, organisation, systèmes d'information, migration

Introduction   2000

Aubin Imprimeur

LIGUGÉ, POITIERS

Achevé d'imprimer en mai 1999
N° d'impression L 58295
Dépôt légal mai 1999
Imprimé en France